10¬

QUESTIONS DE FORME

JOËLLE PROUST

QUESTIONS DE FORME

Logique et proposition analytique de Kant à Carnap

Ouvrage publié avec le concours du Centre national des lettres

FAYARD

En couverture :
Ladzlo Moholy Nagy, *Système de forces dynamico-constructif* (Projet pour un théâtre total), 1922.
Collage avec encre de Chine, aquarelle sur papier
(Cl. Bauhaus - Archiv, Berlin-Ouest).

© Librairie Arthème Fayard, 1986

INTRODUCTION

« La distinction entre jugements synthétiques et analytiques n'est pas nouvelle, elle est connue depuis longtemps » : ainsi Eberhard tente-t-il, dans sa polémique contre Kant [1], de réduire l'originalité de la *Critique de la Raison pure* en maintenant l'opposition de l'analytique et du synthétique dans le cadre familier de la métaphysique dogmatique. Eberhard ne vise pas seulement ici à en faire rabattre à son adversaire de sa prétention à innover. Il veut suggérer que l'opposition en question n'est que de peu d'importance. Quoique d'autres avant Kant l'aient faite, tels que Wolf, Baumgarten ou Crusius, ils n'ont pas cru bon de lui donner la vedette. Elle est demeurée simple alinéa d'un chapitre sur l'origine de nos connaissances. La *Critique* n'est après tout que la reprise, sans originalité véritable, d'un vieux thème de la Métaphysique, celui de la « critique » des connaissances en fonction de leur origine.

Que peut-on répondre à Eberhard ? Dire qu'il a manqué l'importance historique de la « révolution copernicienne » que Kant accomplit en Philosophie ? C'est présupposer une contre-objection plus fondamentale : il a méconnu ce qu'on pourrait appeler « l'espace de jeu », le *Spielraum* d'un concept ou d'une distinction, c'est-à-dire ce que Kant appelle « la manière dont il en est fait usage ». Qu'en effet l'opposition entre deux modes d'acquisition des concepts, ou entre deux modes de prédication, ait été remarquée avant Kant ne préjuge en rien du rôle théorique qui lui était alors accordé. Or qu'est-ce qu'une observation dont on ne fait rien ? Est-il même légitime de concéder, dans un tel cas, que la distinction a été vraiment effectuée ?

C'est donc par là qu'il faut commencer : qu'est-ce, tout d'abord, que « découvrir », en Philosophie ? A quoi reconnaît-on qu'un concept, ou une distinction, ont été non seulement mentionnés, mais véritablement « utilisés » ? Avant même d'établir contre Eberhard la véritable nouveauté de la distinction qui ouvre la *Critique*, Kant s'attache à cette question principielle : qu'est-ce qui décide de l'effectivité d'une « observation », en Philosophie ?

> « Si, cependant, d'une observation présentée comme nouvelle jaillissent tout à coup des conséquences importantes qui n'auraient pu passer inaperçues si cette découverte avait déjà été faite autrefois, un soupçon devrait s'élever sur la justesse ou l'importance de cette division, soupçon qui pourrait en entraver l'usage. Mais si cette division est mise hors de doute, ainsi que la nécessité avec laquelle se pressent d'elles-mêmes, visiblement, ces conséquences, on peut admettre avec la plus grande vraisemblance qu'elles n'ont pas encore été découvertes. » (*Réponse à Eberhard*, trad. p. 99)

Le critère de l'originalité d'une découverte ne saurait être réduit à la seule antériorité chronologique ; en d'autres termes, il ne suffit pas d'avoir présenté une distinction : il faut encore avoir montré quelles sont ses conséquences, c'est-à-dire *mettre en lumière les problèmes qu'elle seule permet de poser*. Pour savoir qui est l'inventeur de la division entre jugements analytiques et synthétiques, il ne suffit donc pas de parcourir la table des ouvrages philosophiques. Il faut examiner ce qui est fait de cette division, les questions qu'elle rend possibles, et finalement l'incidence qu'elle a sur la délimitation du terrain même sur lequel ces questions doivent être posées.

Nous suivrons dans ce livre la suggestion de Kant en

jugeant sur pièces. Depuis Locke, la question « comment une connaissance *a priori* est-elle possible ? » était déjà un objet de réflexion des philosophes. Eussent-ils effectivement disposé de la distinction entre jugements analytiques et synthétiques, ils n'auraient pas manqué de saisir « la question particulière » que la distinction permet précisément de formuler, c'est-à-dire de se demander : « comment des jugements *synthétiques a priori* sont-ils possibles ? » S'ils n'ont pas posé cette question, c'est qu'ils n'ont pas non plus accédé à la distinction entre jugements analytiques et synthétiques : « cette distinction n'a jamais été bien vue. »

Le verdict de Kant ne mérite-t-il pas d'être généralisé ? Ne faut-il pas soumettre toute philosophie à une lecture qui, en-deçà des thèses explicites, rechercherait le lien que les concepts entretiennent avec une *topique*, entendue cette fois ni au sens rhétorique, ni au sens transcendantal, mais en un sens métasystématique : comme *lieu* d'une question, qui détermine l'urgence de certains problèmes, mobilise certaines postulations, fixe certaines thèses, en libère d'autres, bref comme le terrain d'une *stratégie* discursive [2] ? Ainsi comprise, la manière dont Kant mène sa propre défense nous convie à tenter, pour notre propre compte, une lecture topique de la division entre jugements analytiques et synthétiques. Comme pourtant l'indique le sens élargi du terme même de « topique », il ne suffit plus de rapporter tel concept, telle distinction au lieu transcendantal qui en détermine, aux yeux de Kant, la pertinence problématique. La généralisation de la question suppose que l'on varie les points de vue, que l'on développe un « topique comparative » : car seule une confrontation entre des agencements distincts – montages de thèses, réseaux de concepts – peut faire apparaître dans sa généralité ce que peut bien vouloir dire, en Philosophie, « bien voir une distinction ». Il ne fait pas de doute, pour Kant, que c'est la capacité de brancher la division entre jugements analytiques et synthétiques sur la question générale de la possibilité de la connaissance *a priori* qui est l'indice d'un bon usage de cette distinction, c'est-à-dire de sa compréhension opératoire. Mais que la division fût ainsi mise au service de cette puissante machine de guerre antidogmatique n'excluait pas qu'elle puisse ultérieurement, et dans des problématiques différentes, recevoir une tout autre fonction, quoique tout aussi décisive, en ce qu'elle déterminerait à nouveau la possibilité d'un questionnement, délimiterait à nouveaux frais le champ du pensable, fonderait sur d'autres bases le projet philosophique lui-même.

La topique comparative que nous proposons devra cependant faire valoir sa propre légitimité. Elle a à vaincre deux types d'objections. Les premières visent la nécessité qu'elle semble s'arroger indûment : pourquoi avoir choisi de comprendre les mutations topiques du concept de proposition analytique, et non pas, par exemple, du concept de nécessité, ou de proposition synthétique ? Pourquoi avoir jalonné ainsi et pas autrement le parcours qui mène des *relations of ideas* humiennes aux énoncés analytiques du Cercle de Vienne ? Les secondes tentent de débusquer la (méta)philosophie dont le projet même de topique comparative ne peut pas ne pas être silencieusement solidaire : ce projet ne relève-t-il pas de l'entreprise sceptique, dans son effort de décourager le philosophe de « rechercher la vérité » ? Qu'attendre au bout de ce parcours, sinon ce bilan prévu d'avance : autant de philosophes, autant de visions singulières du monde, sans qu'une avancée se dessine, sans qu'une évaluation soit permise, sans même qu'une discussion s'amorce jamais ?

Commençons d'abord par expliciter les raisons qui ont déterminé le choix du concept d'« analytique » pour notre essai de topique comparative. Dans le couple kantien analytique/synthétique, l'« analytique » paraît avoir la part du pauvre : la véritable innovation kantienne se résumerait au synthétique *a priori* ; la thèse de l'*aprioricité* des jugements analytiques n'a rien qui puisse révolutionner la Philosophie. Simplement juxtaposé au domaine synthétique, le mode analytique du jugement, tel du moins qu'il apparaît dans la philosophie de Kant, permet de délimiter le territoire des vérités d'entendement ; une vérité analytique, dans ses traits essentiels, est une proposition dont le traitement relève de la logique dans son acception traditionnelle, c'est-à-dire de la logique « formelle » aristotélicienne. Ainsi la dualité synthétique/analytique paraît destinée à mettre en valeur le pôle synthétique de la connaissance. La dimension analytique et clarificatoire de la pensée n'est examinée que pour mieux mettre en évidence le caractère proprement synthétique de la production de connaissances ; le site de la vérité que Wolf appelait *veritas logica* n'est traversé que pour faire découvrir le territoire plus vaste dont elle-même dépend, celui de la *veritas transcendantalis*[3]. Aussi la *Critique de la Raison pure* distingue-t-elle *deux* logiques : l'une « fait abstraction de tout contenu de la connaissance » : c'est la logique générale, c'est-à-dire la logique « formelle ». L'autre ne fait pas abstraction de tout contenu, mais s'occupe de l'origine (*Ursprung*) de la connaissance en tant que celle-ci « ne peut être attribuée aux objets » (*K.R.V.*, B 80, Akad.III, 77, 79). L'opposition entre *analytique* et *synthétique* fait ainsi partie des concepts qu'une logique transcendantale est seule en mesure de produire ; en étant elle-même comprise dans cette opposition, la logique générale est pensée dans sa possibilité par la logique transcendantale. Le sort de la logique générale dans l'œuvre critique se trouve donc réglé sur le même mode que l'est la question générale de la vérité qui en forme l'un des chapitres : elle se trouve « admise et présupposée » (*80*), la tâche proprement critique étant seulement de savoir quel est son critère de scientificité, c'est-à-dire, là encore, son « origine ».

S'il fallait s'en tenir à cette présentation du dualisme,

il faudrait en effet reconnaître que la seule perspective appropriée sur l'opposition entre les jugements est celle qui montrerait l'efficace propre de la part synthétique de la connaissance, et saisir le rôle de « pièce rapportée » qui revient à la pensée analytique, et, plus globalement, à la logique générale qui est chargée de l'usage formel de l'entendement.

Si pourtant nous axons notre étude sur le terme de la distinction kantienne qui paraît le plus pauvre, ou, à tout le moins, celui qui n'est précisément pas problématique, c'est pour deux raisons, qui ont l'une et l'autre à voir avec les rapports que la Philosophie entretient *postérieurement à Kant* avec la Logique. Annonçons-les : après Kant, il s'opère une redistribution des tâches qui permet à la logique formelle de se substituer au sujet transcendantal, aussi bien dans le rôle de fondation que dans la fonction architectonique ; la Logique devient dès lors de plein droit *philosophique*. Parallèlement, le couple « analytique-synthétique » peut être pensé dans la logique que Kant nommait « générale », ce qui, comme on le verra, ouvre à la propriété « analytique » un champ d'opération inédit.

Si les post-kantiens négligent la logique générale, et même, selon le mot de Hegel, lui vouent un « brutal mépris », que paraît justifier la pétrification séculaire d'une discipline encore largement dominée par la syllogistique aristotélicienne, ils paraissent pourtant, d'une certaine manière, lui avoir préparé la voie en posant le problème d'une théorie unitaire de la Science [4]. Ce qui, aux yeux de Kant, faisait – paradoxalement, en raison même du peu de cas que Fichte faisait de la logique – le caractère chimérique du projet fichtéen de Théorie de la Science, à savoir : hisser la logique générale au rang de la science de l'unité de la connaissance, c'est-à-dire, en fait, attendre de la pensée d'entendement qu'elle engendre un contenu, espérer de l'analytique ce que seul le synthétique est en mesure de produire, devient une entreprise à laquelle se consacrent avec des moyens et dans un projet très différents

Hegel et Bolzano. Le premier, en refondant le concept de Logique en sorte que les oppositions métaphysiques classiques, entre forme et contenu, sujet et objet, s'y trouvent surmontées. Le second, en montrant que la Logique dite « formelle » a bien encore un contenu, d'ailleurs essentiellement synthétique, qui est formé par l'ensemble objectif des propositions en soi.

Le retour de la Logique dans l'élément actif et architectonique de la pensée philosophique s'accompagne dans ce second courant de ce qu'on pourrait appeler un « révisionnisme logique » : les grands concepts de la logique « transcendantale » se trouvent repris et resitués en logique générale. Si en effet on se représente la Science comme un ensemble de propositions, le logicien paraît le mieux placé pour décrire les propriétés générales de ces propositions, pour en comprendre la hiérarchie et pour prescrire les frontières de chaque science. Dès qu'ils ont eu ce pressentiment – appuyé sur le renouvellement et l'extension des moyens conceptuels et descriptifs de la logique – les logiciens sont devenus philosophes, en contestant au philosophe kantien ou hégélien la légitimité de ses concepts fondationnels ou systématiques. Bolzano illustre de façon très caractéristique ce mouvement antihégélien, mais il n'est pas le seul. Sans avoir tenté de présenter comme Bolzano une « Théorie de la Science », Frege se place d'emblée à un niveau architectonique en faisant de l'analyticité le ciment du système de l'arithmétique et l'élément universel de la légalité *a priori* du discours.

Dès lors, la pensée logique ne peut plus se contenter d'indiquer les règles du concevoir, du juger et du raisonner. Il lui faut désormais se comprendre elle-même dans son rapport à la philosophie. Ce qui la conduit à définir *logiquement* ce qu'il faut entendre au juste par « proposition analytique » (comment en définir *logiquement* le concept, éventuellement pour pouvoir se décrire elle-même), et d'en préciser la fonction (qu'est-ce qui fait l'importance des propositions analytiques, à quoi servent-elles, et, si la logique elle-même en est constituée, quel est le statut de la logique, quelle est sa contribution propre dans l'ensemble du savoir ?). C'est donc dans la stratégie des logiciens qui sont postérieurs à Kant, et qui voient dans Hegel leur principal adversaire, mais aussi sous l'impulsion des forces nouvelles que la logique tire de ses récentes découvertes que le concept d'analyticité en vient à jouer un rôle positif : non plus faire-valoir du synthétique *a priori*, comme dans la Critique, mais instrument permettant de décrire et de fonder, et en particulier de disqualifier le synthétique *a priori* de toute prétention descriptive et fondationnelle. Cependant ce n'est encore là que le second épisode de l'histoire de l'analyticité, caractérisé par la revanche de la logique formelle : épisode au cours duquel la logique révise le concept de proposition analytique en vue de lui donner une fonction précise dans le système des propositions de la science, et que les projets différents mais cependant parents de Bolzano et Frege permettent de baliser.

Le troisième épisode de ce que nous pourrions appeler le « destin » de la notion de proposition analytique commence dans les années vingt de notre siècle ; ce qui le caractérise est un déplacement topique remarquable, qui continue de marquer la philosophie contemporaine ; associées par le Cercle de Vienne et ses continuateurs à une problématique *empiriste* de la connaissance, les propositions analytiques reçoivent désormais une nouvelle fonction : celle de délimiter le champ du philosophique, devenu coextensif avec celui de la logique de la science. Or la topique comparative nous permet de mettre en évidence la mutation fonctionnelle que subit alors la notion de proposition analytique : avec l'« empirisme logique », l'analyticité se voit confier une tâche qui, dans la pensée de Kant, devait précisément rester hors de sa portée, à savoir l'organisation systématique du savoir, la constitution de l'expérience, c'est-à-dire la capacité générale de rendre compte de l'application des formes à un contenu.

L'hypothèse directrice de ce travail consiste à contester le caractère empiriste de cet usage du concept de proposition analytique en particulier, et plus généralement, à soutenir le caractère fondamentalement *rationaliste* de la distinction entre propositions analytiques et synthétiques [5]. On pourra ici objecter que ce n'est pas à Leibniz, mais à des empiristes comme Locke et Hume que Kant reconnaît le mérite d'avoir pressenti l'importance de l'opposition entre deux types de propositions dans la compréhension de la nature de la connaissance. Un examen attentif des textes montre cependant que ni Locke ni Hume ne peuvent être dits « anticiper » la distinction kantienne. Le chapitre I (section I) montre que l'opposition déterminante de la philosophie lockienne de la connaissance est celle qui distingue essence nominale et essence réelle. De cette distinction, Locke ne songe nullement à dériver une distinction entre types de *propositions* : si elle était possible, la connaissance de l'essence réelle serait de la même forme prédicative que la connaissance nominale : elle développerait ce qui est contenu dans l'essence. Quant à la distinction humienne entre relations d'idées (*relations of ideas*) et faits (*matters of fact*), on ne peut y voir l'ébauche de la distinction kantienne qu'au prix d'une série de confusions relatives en particulier à la doctrine des relations proposée par Hume et à sa théorie des objets mathématiques.

Ce n'est pas dire pourtant que la distinction kantienne soit la simple reprise de la division leibnizienne entre vérités de raison et vérités de fait. Car comme le souligne Kant, la bipartition leibnizienne des vérités n'est pas assez radicale faute de se prolonger par une distinction entre des sources distinctes de connaissance : Leibniz n'a pas accompli la « révolution copernicienne » ; il se situe du côté du rationalisme, mais du rationalisme dogmatique. La théorie kantienne du caractère (chapitre III) tente précisément de disqualifier les prétentions universalistes de la Caractéristique universelle : la subordination par Kant de la logique formelle à la logique transcendantale oblige à diviser les caractères en deux types qui ne peuvent être combinés entre eux : les caractères analytiques et synthétiques. La composition cesse d'être l'opération inverse de la décomposition. Parallèlement, la théorie kantienne de la définition (chapitre IV) démontre contre Leibniz qu'il est impossible de transformer en définition réelle une définition nominale, c'est-à-dire de construire des objets par un simple calcul.

La tâche qui s'ouvre alors à la « topique comparative » est d'examiner le devenir de la notion, ou plus exactement les diverses mises en œuvre du concept de « proposition analytique » *après Kant*. L'examen successif des différentes approches du « même concept » nous fait entrer dans des réseaux d'« obligations » et de contraintes théoriques dans lesquels la notion d'analyticité reçoit une fonction chaque fois singulière. Bolzano a le souci de donner du concept de proposition analytique une définition « purement logique ». Ce qu'il faut entendre par là, c'est une définition qui ne fasse appel qu'au comportement des propositions relativement au vrai, sans avoir recours à des distinctions logiquement impures (comme, par exemple, celle qui oppose des types de composantes logiques et extralogiques). C'est la recherche du sens de cette définition qui illustrera peut-être de la façon la plus probante l'intérêt de la topique comparative. En articulant les diverses contraintes que Bolzano exerce sur la nature du travail logique, nous sommes conduits à exclure les interprétations courantes de la construction bolzanienne (identifiant l'analytique de Bolzano à la « vérité logique » de Quine) et à mettre en évidence le schéma dérivationnel fondamental d'où procède la définition très cursive du concept de proposition analytique comme une proposition qui reste vraie ou fausse quand on modifie à volonté au moins l'une de ses composantes (section deux, chapitre III.).

Alors que l'analyticité ne joue dans la logique de Bolzano qu'un rôle secondaire, comme instance « pédagogique » de sous-modélisation pour des vérités universelles, Frege lui attribue une fonction essentielle dans son système : elle sera le ciment du système des vérités logiques. Une proposition est analytique si elle fait partie du système des lois logiques : l'analyticité des propositions logiques n'est pas elle-même en question ; mais elle forme le présupposé de l'entreprise, laquelle porte sur la possibilité d'opérer effectivement la réduction et la déduction logicistes des vérités mathématiques. C'est donc la propriété de conservation de l'analyticité – « ciment » du système – jointe à la nature constructive du système qui font l'originalité de la construction frégéenne. La première est assurée par une *langue formulaire* destinée à garantir une parfaite continuité démonstrative. La notion d'identité, en conjonction avec la théorie frégéenne de la référence, joue ici un rôle fondamental en ce qu'elle garantit la portée réelle (et non purement nominale) des constructions. Elle va de pair avec une nouvelle théorie de la définition qui permet de conjuguer les deux valeurs que la tradition jugeait antithétiques, d'une édification à la fois nominale et réelle en imposant des restrictions à l'usage courant des définitions. Mais il faut analyser le concept d'axiome logique, pour comprendre en quoi il peut être considéré comme le « germe » du système des propositions analytiques.

Si le couplage Frege-Carnap permet à la topique comparative de dégager les grandes lignes du projet logiciste ainsi que la spécificité de chacun des deux « paris », le parallèle Bolzano-Frege n'est pas moins riche d'enseignement. En dépit d'une conception différente des instances fondationnelles, la manière de poser la question du *Grund* présente plus qu'une parenté formelle. On sait que Kant appelle « transcendantal » « un principe par lequel on représente la condition générale *a priori* sous laquelle les choses peuvent devenir objets de notre connaissance » (*K.U.*, Einl.V). Bolzano et Frege s'accordent pour rejeter le sujet de la fonction transcendantale ainsi définie, et pour installer dans le même rôle de

« constitution » de l'objet de connaissance un ensemble de « propositions en soi » ou de « pensées » vraies de toute éternité et indépendamment de notre prise de connaissance. Afin de désigner cette commune stratégie fondationnelle, nous parlerons d'« ontotranscendantal », en désignant par là non pas la négation oxymoronique du projet critique, mais la persistance de la recherche d'une condition générale *a priori* transposée dans un univers de discours qui admet des formes objectives « en soi [6] ». C'est dire, en bref, que Bolzano et Frege fixent la *question* transcendantale pour lui fournir une *autre* réponse que celle qu'y apportait Kant : non pas par une enquête portant sur les pouvoirs *a priori* de connaissance, mais par la mise à jour des propriétés logiques objectives qu'un ensemble de propositions doit posséder pour constituer une science.

Reste alors à expliquer pourquoi nous avons limité à Carnap l'examen des philosophies post-frégéennes de l'analyticité, et fait de la *Syntaxe logique* de 1934 la borne supérieure de notre champ d'investigation. Ne fallait-il pas étendre l'étude de Carnap aux œuvres de la période sémantique, ne fallait-il pas accueillir Russell, Wittgenstein et Tarski, dans une étude qui tenterait d'élucider les origines de la philosophie analytique en décrivant la formation du concept de « proposition analytique » ?

Cette objection ne serait admissible que si notre propos était de retracer exhaustivement l'histoire de l'analyticité. Or l'entreprise comparative qui est la nôtre est par nature *sélective*. Nous avons retenu la lignée Frege-Carnap parce qu'elle nous semble avoir été déterminante dans la percée logiciste ; nous évoquons l'extension du projet logiciste que représente déjà l'*Aufbau* de 1928 ; nous tentons aussi de montrer comment la *Syntaxe logique* constitue la réponse de Carnap au défi que représentait la dernière phrase du *Tractatus* (« Sur ce dont on ne peut parler, il faut se taire »).

De même que nous ne pouvions pas prétendre à l'exhaustivité en termes des auteurs que l'on pourrait à bon droit considérer comme pertinents dans cet essai de topique comparative, nous avons choisi de ne pas aborder la conception « sémantique » de l'analyticité que Carnap développera après la *Syntaxe* sous l'influence de Tarski. La raison de ce choix n'est pas toutefois seulement négative. Il dérive du parti qui est le nôtre de décrire, à travers l'enquête sur le concept d'analyticité, la maturation de la thèse logiciste. La *Syntaxe logique* est bien à cet égard une œuvre qui dessine la figure finale du logicisme. Les œuvres suivantes peuvent être lues comme l'accomplissement du projet dont la *Syntaxe logique* forme la première ébauche : la Sémantique prend simplement la place de la Syntaxe universelle, le problème de l'induction devenant le centre d'une enquête fondationnelle plus que jamais dépendante de la division analytique/synthétique.

Pour parler en termes carnapiens, il ne s'agissait là que d'objections « internes » au bien-fondé de notre entreprise ; il faut maintenant en venir brièvement aux objections « externes » évoquées plus haut. De quel droit en effet faire *ainsi* de la philosophie ? Quel profit escompter d'une telle « topique comparative » ? S'agit-il seulement de mettre à nu des mécanismes, de réduire la recherche du vrai à un certain dispositif de thèmes et de thèses ? Mais à quoi bon tenter de comprendre ainsi chaque discours sur son propre terrain ? N'est-ce pas compromettre toute *utilité* du questionnement philosophique ? Renoncer à *évaluer* une philosophie ?

Plusieurs problèmes se trouvent implicitement confondus dans un tel questionnement. Un premier présupposé concerne le caractère nécessairement stérile de la description historique scrupuleuse, que l'on oppose à l'intrusion violente, mais féconde, de la reconstruction rationnelle. Un autre touche à ce qui doit être pris comme unité de base du traitement philosophique : si l'on considère que l'unité d'analyse est un « argument », c'est-à-dire un enchaînement d'énoncés permettant d'offrir une solution précise à une question limitée, on aura tendance à disqualifier une approche qui prend pour unité d'analyse non plus le problème, mais la problématique, ou la « formation discursive [7] ». Cette tendance s'accompagne assez souvent de l'illusion réaliste en fonction de laquelle le seul travail philosophique « utile » consiste à résoudre des problèmes, envisagés en quelque sorte pour eux-mêmes et sans renvoi à des préalables théoriques et méthodologiques.

Or cette question d'échelle se pose non seulement à l'historien des idées ou de la philosophie, mais au philosophe engagé dans l'élaboration systématique. Les premiers ont à délimiter un corpus : doivent-ils borner leur enquête à un livre ? à l'oeuvre d'un seul auteur ? aux productions conjointes de plusieurs auteurs (mais réunis selon quel critère : temporel ? géographique ? sociologique ? épistémique ?) ; doivent-ils déborder l'œuvre écrite en direction de données biographiques ? socio-économiques ? institutionnelles ? Semblablement, le philosophe doit décider de l'extension qu'il convient de donner à son intervention : a-t-il seulement à préciser le sens d'un concept, à en montrer de nouvelles applications, s'agit-il de présenter des arguments inédits en faveur (ou à l'encontre) d'une thèse problématique, ou de se proposer plus ambitieusement de promouvoir de nouveaux problèmes, de nouvelles thèses, voire de développer une nouvelle manière de philosopher ?

Le parallèle entre l'activité historique et de l'activité constructive montre que, tout en restant généralement implicite, l'unité d'analyse retenue dépend d'un diagnostic préalable sur l'ampleur conceptuelle d'une question, c'est-à-dire sur l'ensemble des anciennes présuppositions que la solution proposée exige de remettre en cause – ou sur l'ensemble des nouvelles notions ou modes de raisonnement qu'elle fait intervenir. Remarquons à ce sujet que le philosophe est d'autant plus discret sur le caractère de son intervention que l'unité d'analyse choisie est plus restreinte. C'est qu'il partage dans ce cas davantage de présupposés avec le lecteur, présupposés que, du même coup, il n'a pas à thématiser. D'où l'illusion évoquée plus haut qui prête au problème considéré le statut d'une chose, indépendante d'un contexte d'argumentation et d'une problématique définie.

On pourrait dire, en d'autres termes, qu'en choisissant de traiter un problème en termes d'arguments, le philosophe décide implicitement que la question examinée relève d'un traitement local, et non pas global. Cependant, l'exemple de la recherche scientifique montre qu'un passage du local au global a presque toujours valeur heuristique, non seulement pour la compréhension nouvelle qui naît du changement d'échelle, mais aussi parce qu'il conduit dans certains cas à modifier la conception même de l'analyse locale. D'où le projet de conjuguer les échelles, de pratiquer une histoire de la philosophie qui serait à la fois reconstruction des arguments et des conditions particulières de leur acceptabilité.

La topique comparative que nous proposons dans ce livre suggère précisément de combiner une extrême attention au détail de la construction d'un concept et le sens de la totalité dans laquelle il s'inscrit. L'originalité de la topique comparative consiste à envisager ce qui forme les conditions implicites du débat philosophique en choisissant le fil conducteur d'une question particulière, commune à plusieurs auteurs : quels enjeux et quel « canon », c'est-à-dire quel ensemble de règles d'exposition et de raisonnement, forment l'arrière-plan du problème considéré ? Quelle pertinence, quel poids systématique, sont attribués à celui-ci dans la configuration d'ensemble des thèses ? Il est incontestable que l'attention différentielle à la valence qu'une question ou une distinction données reçoivent dans des philosophies différentes permet de faire apparaître ce qu'une lecture isolée ne peut pas mettre en évidence : la persistance de certains schémas de problèmes, de certains types de solutions et – simultanément – la modification du sens même des concepts « repris » certes de l'usage ordinaire, mais activement assimilés, redéfinis et ordonnés à une finalité systématique nouvelle.

En quoi consiste alors l'apport propre de cette méthode relativement à la discussion directement constructive du problème ? L'effort de clarification des présupposés permet déjà d'obtenir, au plan de l'élaboration philosophique, l'avantage qui, du point de vue de Frege, justifiait en mathématiques l'effort d'axiomatisation : on sait mieux de quoi est fait un accord, ou un désaccord, quand on suit jusqu'au bout les relations d'interdépendance entre les diverses thèses qui donnent corps à un problème particulier. L'intérêt de la reconstruction historique est qu'elle contraint à mettre en évidence l'ensemble des présupposés et des thèses nécessaires à la validité de l'argumentation étudiée. Dans nombre de cas, la reconstruction historique fait apparaître des éléments pertinents que la « reconstruction rationnelle » ignore, précisément parce qu'elle se situe à une autre échelle.

En outre, le travail comparatif fait apparaître ce qui reste en général, sinon caché, du moins indistinct, soit les pressions qui s'exercent à la fois sur le sens des concepts et sur la pertinence des questions au fur et à mesure que s'élabore et se complique la discussion du problème. En focalisant la lecture sur une question choisie pour sa « centralité », la topique adopte sur les œuvres un certain point de vue ; l'intérêt d'un point de vue se mesure au panorama qu'il permet de découvrir. D'autres points de vue, d'autres questions, auraient ouvert d'autres champs d'interrogation. Mais tous les concepts ne sont pas également « topiques », toutes les questions ne sont pas également pertinentes. En effectuant le choix d'une question clé et en délimitant autoritairement l'extension de son domaine d'investigation, la topique comparative s'oppose radicalement à la doxographie, laquelle se refuse typiquement à sélectionner et à délimiter [8].

Or ce qui fait la difficulté du travail d'exposition en

histoire de la philosophie, c'est la nécessité de combiner des analyses élaborées à des échelles différentes. Il y a en effet en histoire de la philosophie comme dans les autres disciplines historiques, plusieurs types de « temps », de scansions des phénomènes, ici le texte systématique, là le cycle économique. A côté du temps court dans lequel se structure une oeuvre – par exemple, dans lequel Carnap redéfinit progressivement la teneur scientifique du pari logiciste – il y a l'histoire à « pente faible [9] » qui exige de relativiser l'importance des ruptures effectuées dans le temps court de l'oeuvre : quoiqu'il ait rompu avec l'ontologie frégéenne, Carnap reste, à un niveau plus profond, solidaire de Frege et, à travers lui, en continuité avec Kant.

L'intérêt méthodologique de la topique comparative consiste ainsi dans la liberté qu'elle ménage de « changer d'échelle », c'est-à-dire de conjoindre plusieurs niveaux comparatifs, de découvrir dans l'oeuvre des strates superposées. Cette superposition n'est pas une illusion née de la comparaison : l'épreuve des textes est là pour le démontrer. Au lecteur d'en juger.

Cette superposition de ce que, faute de mieux, nous venons d'appeler des « niveaux » d'agencement conceptuel a finalement l'intérêt d'éclairer ce que, de manière générale, l'histoire spécifiquement discontinuiste, « structuraliste » ou « archéologique » laisse dans l'obscurité, c'est-à-dire les conditions d'une continuité minimale entre les œuvres. Or sans cette communication minimale, il n'est plus possible de donner un sens à la notion de *problème philosophique* – entendant par là une formation complexe qui, sans être éternelle, peut dans certains cas franchir les limites du système qui l'a engendrée, et survivre plus ou moins longuement à des remaniements doctrinaux et à des changements terminologiques. Certes il y a beau temps que la notion de « problème philosophique » a perdu toute crédibilité du côté des historiens, du fait de la naïveté continuiste des doxographes. L'élaboration topique nous semble toutefois en mesure de redonner sens à l'idée intuitive de la permanence intersystématique de certaines questions : disant cela, nous ne voulons pas dire que l'énonciation philosophique revienne à apporter une solution particulière à un problème universel dont l'expression serait littéralement identique, selon le postulat implicite de la doxographie ; mais simplement qu'en dépit de modifications affectant aussi bien l'ordre d'urgence des questions apparentées, la définition des concepts essentiels, que la nature et l'origine de l'évidence, certains systèmes se présentent bel et bien comme des manières de poser un seul et même problème ; dans ce livre, nous examinons le rôle que la notion de forme logique, et, plus précisément, du concept de proposition analytique, joue dans l'examen des conditions d'un savoir objectif. Il nous est apparu que ce problème avait commencé à se poser à partir d'une lecture postkantienne de Kant, soucieuse de rendre à la logique formelle les attributions de ce que Kant appelait « la logique transcendantale ». Avec des variantes de style, de terminologie, de doctrine, c'est le même problème qui se trouve repris par Bolzano, Frege, le premier Wittgenstein, Russell et Carnap.

Revenons alors à l'objection que nous évoquions plus haut. Renonçons-nous à évaluer ? C'est la conclusion qu'il faudrait tirer si nous invitions le lecteur à substituer, selon les termes de Rorty, la « conversation » à « l'épistémologie [10] », c'est-à-dire à renoncer à s'interroger sur les conditions de la scientificité (quel que soit le concept qu'on puisse en construire) au profit d'une pratique compréhensive des discours coupés de tout référent objectif.

Le relativisme sceptique ne pourrait apparaître comme étant la seule voie praticable que si une quête téléologique venait sournoisement s'enquérir du sens de la succession des configurations épistémiques : c'est la déception de ne pas trouver dans l'histoire la révélation triomphante du vrai (d'une vérité enfin et à jamais atteinte, dans l'équilibre parfait d'un système du savoir universel) qui paraît bien commander la conclusion sceptique qui est tirée des faits. Peut-être la nostalgie de l'*Offenbarung* hégélienne, si aisément présente dès qu'on se risque à faire de l'histoire, pousse-t-elle l'historien qui ne saurait pas s'en défendre à abandonner aux épistémologues « attardés » l'intérêt pour le vrai (disqualifié par la variété de ses définitions), et à chercher à coïncider avec la dernière figure du *Weltgeist* ?

Qu'il en vienne à projeter ainsi les constructions comparatives sur le vecteur orienté d'une dialectique ou, plus généralement, d'une histoire « édifiante » ou encore, dans la variante relativiste, qu'il annonce l'extinction prochaine des essais fondationnels, l'historien ne peut pourtant pas, sauf à contredire ses présupposés méthodologiques fondamentaux, en appeler à une preuve *de facto*. Car on ne peut succomber à la prétendue évidence de la relativité du vrai sans conférer à la variation des problématiques et des formations discursives le rôle de « pièces à conviction », de données préalables à tout concept, démarche dont par ailleurs l'historien refuse par principe la validité lorsqu'il reconstruit les systèmes. Refuser au comparatiste la mise en perspective téléologique et édifiante ne revient donc pas à lui interdire de poser la question de la vérité ; la construction comparative permet tout au contraire de la développer avec l'ensemble de ses conditions. L'idée qu'il existe un dilemme entre comparaison et évaluation procède ainsi d'une conception restrictive du travail systématique. Car il paraît difficile de parvenir à une évaluation philosophique sans pratiquer, serait-ce implicitement, le type d'archéologie conceptuelle que nous proposons ici sous le nom de « topique comparative ». Qu'est-ce que réfuter une thèse sinon démontrer son incompatibilité avec un agencement donné de thèses tenues pour prioritaires ? Comment estimer, par exemple, l'utilité de la distinction entre propositions analytiques et synthétiques sans mesurer l'enjeu intrasystématique de cette opposition, sans voir le rapport qu'elle entretient avec l'idée d'un fondement *a priori* de la connaissance ?

La topique comparative est une discipline à la fois constructive et corrective, mais elle n'est pas édifiante. Elle offre une reconstruction des systèmes qui en met à jour l'ossature effective en précisant la nature de la dépendance entre les thèses et les concepts. Il arrive parfois que les résultats de son enquête entrent en conflit avec la perception qu'un auteur peut avoir de sa propre philosophie. Par exemple, l'approche topique permet de remettre en question le caractère « empiriste » de la *Syntaxe universelle* de Carnap, et de mettre en évidence sa parenté structurale avec les philosophies (onto)transcendantales qui l'ont précédée. Cette redistribution est l'un des apports d'une méthode qui prescrit de rapporter un ensemble de concepts et de thèses (énoncés *dans* le système) à leur fonction systématique propre (énoncée *à partir du* système dans le langage comparatif et évaluée non selon les objectifs et les alliances particuliers à une stratégie, mais selon les lignes de force fondamentales de la philosophie considérée).

Ce n'est dire ni que la comparaison soit le dernier mot de la Philosophie, ni que la comparaison donne à l'historien une vision privilégiée qui lui permettrait d'anticiper sur le devenir des systèmes. Une tâche plus urgente qui s'offre à l'historien consiste en revanche à tenter de faire sauter les obstacles qui s'opposent à la compréhension globale de la situation philosophique présente. Nous l'avons dit plus haut, la détermination d'un objet d'analyse suppose toujours un diagnostic préliminaire : ici, c'est un problème mal posé, là, une difficulté non résolue. Pour nous, le problème essentiel, rarement posé, de la philosophie contemporaine, réside dans l'incapacité où se trouvent respectivement les philosophes « anglo-saxons » et les philosophes « continentaux » de se livrer entre eux à un échange critique. Comment établir la communication entre deux traditions philosophiques aujourd'hui parfaitement étanches l'une à l'autre ? En nous efforçant ici de rendre plus sensible le rôle philosophique qui a été attribué depuis Kant à la logique « formelle », et d'éclairer ainsi la genèse de la philosophie analytique, le rôle qu'y jouent l'élucidation logique et le rejet corrélatif de l'a priorisme subjectif, c'est un *sol commun d'enjeux philosophiques* que nous voudrions faire apparaître. Si l'on saisit la continuité du projet de Carnap avec celui de Kant – c'est-à-dire de la tentative de soumettre aux canons de la science contemporaine les concepts et les questions de la métaphysique traditionnelle, en s'interrogeant sur les conditions générales *a priori* de la possibilité du discours scientifique – on devrait aussi prendre la mesure de la nécessité d'engager plus largement le débat avec les philosophies systématiques de notre temps.

* Que ceux qui furent mes premiers maîtres de Philosophie, Gilles Granger et Gérard Lebrun, sachent bien que je ne sacrifie pas à la convention d'usage en leur exprimant ici toute ma reconnaissance. La dette que j'ai contractée auprès d'eux ne peut être évaluée. Gilles Granger a inspiré, puis dirigé la thèse d'où ce livre est né. Il n'a cessé au fil des années de m'apporter ses encouragements, de me faire bénéficier de ses observations et, parfois, de ses critiques, dans un esprit de tolérance et de liberté de recherche qui m'a été très précieux. Gérard Lebrun a aussi profondément marqué ce travail de son empreinte. Je lui dois ma lecture de Hume, et plus généralement un style d'accès aux textes qui m'a conduite ultérieurement à dégager la dimension « topique » des concepts philosophiques.

Je voudrais aussi remercier tous ceux qui m'ont aidée à une étape quelconque de ce travail par leurs suggestions et leurs commentaires, en particulier Daniel Andler, Jacques Bouveresse, Alain Boyer, Pascal Engel, Françoise Hock, Pierre Jacob, Francis Jacq, Philip Kitcher, Françoise Longy, Philippe Minh Nguyen, Jean-Claude Pariente, Elisabeth Schwartz, Eric Vigne, Jules Vuillemin, et, à titre posthume Alberto Coffa et Louis Guillermit. Je remercie Richard Nollan, Conservateur des archives Rudolf Carnap à l'Université de Pittsburgh, de m'avoir facilité l'accès aux manuscrits inédits de Carnap et de m'avoir permis de les citer, et Willard Van Orman Quine de m'avoir autorisée à publier des extraits de sa correspondance avec Carnap. J'exprime aussi ma gratitude à la Fondation Alexander

Von Humboldt, dont la bourse de recherche pour l'année universitaire 1972-1973 m'a permis de commencer ce travail, et au Centre National de la Recherche Scientifique, grâce auquel j'ai pu le mener à terme. Je remercie enfin tout particulièrement Réda Bensmaïa qui m'a prodigué depuis les premiers pas de ce travail tout le soutien moral, la stimulation intellectuelle et l'aide matérielle requis pour la poursuite de cette entreprise de longue haleine.

Le chapitre 2 de la Section Un est extrait d'un article publié dans les *Kantstudien*, 66, 1, 1975, 1-34. Une partie du chapitre 3 de la Section Deux est parue dans *The Monist*, 64, 2, 1981, 214-230. Le chapitre 2 de la Section Quatre reprend avec quelques modifications un exposé présenté lors des Journées Internationales sur le Cercle de Vienne (Paris, 1983) et publié dans *Fundamenta Scientiae*, 5, 3/4, 1984, 285-303. Je remercie les éditeurs qui ont accueilli ces textes de m'avoir autorisée à les reproduire ici.

Première Section

KANT ET SES « DEVANCIERS »

Chapitre Premier

L'« INDICATION » DE LOCKE

> « *Kant's cleavage between analytic and synthetic truths was foreshadowed in Hume's distinction between relations of ideas and matters of fact, and in Leibniz's distinction between truths of reason and truths of fact.* »
> (From a logical point of view, W.V. Quine, p. 20)

La polémique Kant-Eberhard sur l'inventeur de la distinction analytique-synthétique nous l'avait fait entrevoir : Kant ne s'intéresse à l'analyticité, c'est-à-dire à la dimension explicative du jugement, qu'à titre de faire-valoir de la « vraie » question. L'important n'est pas, en effet, de souligner le caractère purement résolutif, décomposant, de la prédication analytique, puisque la légitimité de la résolution ne fait nullement problème. Mais ce qui est crucial, en revanche, c'est de remarquer que ce n'est pas *sur cette légitimité-là* que peut se fonder le jugement synthétique. Tel est précisément, pour Kant, le mérite de Locke et de Hume : ils ont l'un et l'autre entrevu qu'il y a une différence de nature entre, d'un côté, le jugement d'observation ou de causalité, et, de l'autre, un jugement qui se borne à développer ce qui est déjà pensé dans le concept du sujet :

« Je rencontre déjà dans les *Essais* de Locke sur

l'entendement humain, écrit Kant au § 3 des *Prolégomènes*, une indication pour cette division. Car au livre IV, chapitre III, § 9 et suivants, après avoir précédemment déjà parlé des différentes liaisons des représentations dans les jugements et de leurs sources, dont il place l'une dans l'identité ou la contradiction (jugements analytiques), mais l'autre dans l'existence des représentations dans un sujet (jugements synthétiques), il avoue au paragraphe 10 que notre connaissance (*a priori*) de cette dernière est bien mince et se réduit à peu près à rien. »

Aussitôt après avoir ainsi salué en Locke le précurseur d'une distinction destinée à devenir « classique », Kant se hâte d'ajouter - *in cauda venenum* - une remarque qui revient à annuler l'hommage précédent :

« Mais il y a, dans ce qu'il dit de cette sorte de connaissance, si peu de choses précises et ramenées à des règles, qu'il n'y a pas lieu de s'étonner si personne, pas même Hume, n'a été conduit par là à faire des réflexions sur des propositions de ce genre. »

Cette page des *Prolégomènes* mérite d'être méditée pour sa valeur exemplaire. Car ce que tente ici de faire Kant, c'est de préciser ce qui fait la *nouveauté* de sa distinction. De toute évidence, Kant souhaite persuader les lecteurs de la *Critique* que l'opposition entre propositions analytiques et synthétiques va bien au-delà d'une simple innovation terminologique. Il les invite à reconnaître en elle une distinction *réelle*, c'est-à-dire une distinction qui est la seule qui puisse nous permettre de caractériser adéquatement non seulement les types *donnés*, mais les types *possibles* de connaissance. Ce passage a donc très exactement une fonction métaphilosophique, c'est-à-dire *topique* au sens où nous l'entendons.

Nous aurons l'occasion, ultérieurement, de rencontrer chez d'autres auteurs des textes parallèles à celui-ci, c'est-à-dire des textes explicitement consacrés à une comparaison topique entre l'usage proposé par l'auteur lui-même de la distinction analytique/synthétique, ou de la définition d'« analytique », et celui d'un prédécesseur qui a fait autorité (ordinairement Kant est le point de référence qui, pendant longtemps, sera retenu). Bien entendu, postérieurement à Kant, et en raison même du rôle stratégique qu'elle a joué non seulement dans la *Critique de la Raison pure*, mais aussi dans le débat post-kantien, la distinction sera le plus souvent reconstruite sous la terminologie inaugurée par la *Critique* ; cependant chaque auteur, étant confronté à des problèmes inconnus de ses devanciers, n'en aura pas moins à établir, pour son compte personnel autant que pour ses lecteurs, l'exacte mesure dans laquelle son propre usage du concept d'analytique – ou du couple analytique/synthétique – reste conforme à la tradition.

Or, dans son effort de localiser l'étendue de sa propre innovation conceptuelle, chaque auteur est de façon très caractéristique soumis aux deux impulsions contradictoires que le texte des *Prolégomènes* illustre de façon exemplaire. La première impulsion est assimilatrice : on identifie – dans un système relativement apparenté (il ne doit être ni proche ni antagoniste)- une distinction qui est, « sous un certain angle », analogue à celle que l'on veut introduire. Le second mouvement en revanche marque les insuffisances de la distinction (ou de la définition) traditionnelle(s), soit qu'on l'accuse, comme Kant à propos de Locke, d'être vague et sans principes, soit qu'on lui reproche de ne pas être exhaustive, ou d'être insuffisamment intégrée à une théorie générale des propositions de la science.

On nous objectera ici que l'existence d'un tel balancement n'a rien qui puisse surprendre. Elle semble traduire la double exigence où se trouve un auteur, pour situer l'originalité de sa réflexion, d'une part d'établir en quoi sa pensée s'inscrit « dans le prolongement » d'œuvres antérieures et, d'autre part d'indiquer en quoi elle dépasse celles-ci. Mais si la succession reconnaissancecondamnation mérite d'être étudiée de plus près, c'est que c'est le plus souvent *dès* la phase assimilatrice que commence en réalité la mise en place des normes qui conduisent au verdict final. Cette remarque nous incite à exercer une vigilance particulière sur les repères historiques qu'un auteur juge bon de donner : ils sont éclairants à condition de les comprendre comme l'expression du nouveau point de vue sur le concept ou le couple de concepts concernés, mais ils risquent corrélativement de soumettre le texte-cible à une distorsion systématique, qui est l'effet rétroactif que la nouvelle topique produit sur une organisation problématique étrangère.

Ces remarques ne peuvent prendre tout leur sens que d'une mise à l'épreuve des faits : revenons donc à la manière dont Kant résume Locke, dans le paragraphe trois des *Prolégomènes*. Personne ne contestera, évidemment, que Kant ait pleinement raison de dire que Locke parle très peu de « cette sorte de connaissance » - le synthétique *a priori* ; il faudrait même dire, ce qui ruinerait le propos de Kant, que Locke n'en *parle pas du tout*. La démarche de Kant consiste à retrouver dans l'empirisme le type même de problème que met en place le rationalisme critique. C'est donc la phase charitable, assimilatrice, du commentaire de Kant qu'il faut confronter à la réalité de la philosophie lockienne : cette philosophie est-elle adéquatement représentée par ce qu'en dit Kant ? Y a- t-il effectivement, chez Locke, une première « indication » de la division des propositions en analytiques et synthétiques ?

En dépit des apparences, cette question n'est pas d'un intérêt purement local. Elle permet de penser les relations entre deux systèmes de pensée aussi fondamentalement distincts dans leur projet et dans leur méthode argumentative que le sont l'empirisme classique et le criticisme kantien. Annonçons dès maintenant le soupçon qui justifie une relecture attentive des textes empiristes : le dualisme analytique-synthétique n'est-il pas purement et simplement *importé en contrebande* dans des philosophies qui non seulement l'ignorent, mais même en récusent d'avance l'emploi topique ? Kant ne s'est-il pas ainsi rendu responsable d'un malentendu sur *le type même du problème empiriste* ? N'a-t-il pas pour longtemps imprimé un « tour rationaliste » à l'approche empiriste de la question des limites du savoir ?

Nous nous proposons d'entrer dans les *Essais* de Locke pour ainsi dire sur les traces de Kant. En quel sens peut-on dire que l'on trouve, chez Locke, une « indication » de cette division ? Dans le chapitre auquel Kant fait référence, Locke examine les différents types de connaissances. Connaître, pour Locke, c'est percevoir la convenance ou la disconvenance entre deux idées. Cette formule sera généralisée par Leibniz, suivant d'ailleurs une observation de Locke au § 7 : connaître, c'est établir une relation entre deux idées ou deux propositions, relation qui peut être « soit de comparaison soit de concours » (*Nouveaux Essais*, IV, I, §7). Si l'on considère donc que la *relation* – soit le deuxième genre d'accord entre les idées – doit être plutôt comprise comme la marque générique de toute connaissance que comme une espèce cognitive particulière, il reste trois types de connaissance : celles qui supposent la perception d'une *identité* ou d'une « *diversité* » entre des idées, celles qui découvrent la *coexistence* de plusieurs qualités dans une substance, et celles qui sont produites par les jugements d'*existence*.

En établissant cette typologie, Locke se propose de discerner à partir d'elle les limites dans lesquelles une connaissance certaine peut être atteinte, ce qu'il fait d'ailleurs dans les deux chapitres suivants. Résumons à grands traits le bilan qu'il dresse. Les propositions d'existence, tout d'abord, ne permettent généralement pas d'atteindre la certitude à leur sujet, sauf la proposition cartésienne du *Cogito*, qui, sans être une proposition nécessaire, est pourtant indubitable pour chaque être pensant [1]. Les propositions identiques sont certaines, mais « frivoles », comme Locke les appellera au chapitre VIII du Livre IV : en d'autres termes, elles n'apportent aucune « instruction », c'est-à-dire n'accroissent en rien notre connaissance. Restent alors les propositions posant la connexion entre les idées. Or, en ce domaine, la connaissance qu'il est possible d'obtenir est très mince (« *our knowledge is very short* »). La raison en est la suivante :

> « Les idées simples dont nos idées complexes de substances sont constituées sont pour la plupart telles qu'elles ne présentent dans leur propre nature, aucune liaison ou incompatibilité nécessaires visibles avec tout autre idée simple dont nous pourrions vouloir découvrir si elle coexiste avec elles. » (IV, III, § 10)

Ce que Locke veut souligner ici, c'est le rôle que jouent les qualités secondes dans l'ignorance où nous nous trouvons des connexions « nécessaires » entre les propriétés d'une substance. Non certes que ces connexions ne puissent exister. Mais les qualités secondes ne sont que l'effet, *sur nous*, des qualités premières qui sont seules l'attribut des choses mêmes. Or nous ne savons pas quels sont les liens de causalité entre ces qualités secondes et les qualités premières qui les sous-tendent. Nous sommes *a fortiori* incapables de connaître la structure des qualités premières, c'est-à-dire « la dimension, la forme et la texture des parties qui conditionnent, et dont résultent » ces qualités secondes qui sont souvent notre seul moyen de caractériser une substance (IV, III, § 11). Ainsi notre incapacité à dériver les qualités secondes provient de notre ignorance des qualités premières et de leurs effets « secondaires ».

> « Notre esprit étant incapable de découvrir une liaison entre ces qualités premières des corps et les sensations qu'elles produisent en nous, nous restons à jamais incapables d'établir des règles certaines et indubitables de la *conséquence* ou de la *coexistence* des qualités secondaires, même si nous pouvions découvrir la dimension, forme, ou mouvement des parties invisibles qui les produisent immédiatement. Nous sommes si loin de savoir quelle forme, dimension, ou mouvement des

parties produisent une couleur jaune, un goût sucré, ou un son aigu, que nous ne pouvons nullement concevoir comment une dimension, forme ou mouvement quelconques de particules peuvent produire en nous l'idée d'une couleur, d'un goût, ou d'un son quelconques : il n'y a pas de liaison concevable entre les uns et les autres. » (IV, III, § 13)

La limitation de notre connaissance démonstrative, c'est-à-dire une connaissance déductive ou médiatisée, provient ainsi non de l'absence d'une liaison *objective* – dont Locke maintient l'existence – mais d'une liaison *accessible à notre esprit*. La limitation de notre connaissance de la coexistence est donc elle-même un fait contingent : d'autres êtres que nous pourraient l'atteindre. Quant à nous, « nous sommes laissés au seul secours des sens » pour connaître les propriétés de l'or (§ 14) ; nous devons nous contenter *d'ajouter* les propriétés les unes aux autres, au lieu de les dériver de l'essence : nous pouvons bien nous demander « quelles autres qualités » une substance possède, mais non pas dériver de façon systématique, l'ensemble complet des propriétés secondes qu'une substance doit à ses qualités premières (§ 9). Mais de ce fait, nous n'atteignons jamais une connaissance *certaine* des propriétés des choses : nous n'en avons qu'une définition nominale, ce qui veut dire que nous n'avons pas, dans le cas des substances, la capacité de former des définitions qui nous permettraient de dériver de manière nécessaire et exhaustive l'ensemble des prédicats.

Ce qui précède nous permet de mieux comprendre en quel sens Locke peut être considéré par Kant comme ayant anticipé la distinction analytique-synthétique. Comme nous l'avons vu, l'un des objectifs principaux de l'*Essai* est d'inviter le lecteur à ne pas tomber dans la confusion scolastique entre la juxtaposition arbitraire d'idées simples (de modes) dans une idée complexe (de substance) – ce qui est la manière courante selon laquelle chacun de nous pourvoit les mots d'une signification –, avec l'acquisition d'une connaissance objective. Si nous suivons ce fil conducteur de la pensée lockienne, nous voyons que ce qui organise le discours de Locke n'est pas la distinction que Kant y retrouve, mais plutôt une distinction qui est *d'une certaine manière* – dans l'usage qui en est fait par Locke – incompatible avec celle de Kant, à savoir la distinction entre *essence nominale* et *essence réelle*. Tentons de cerner l'originalité de cette seconde distinction, et son rôle spécifique dans la philosophie de Locke, avant d'examiner les raisons qui peuvent expliquer que Kant l'ait effacée afin de faire place à celle qu'il souhaite mettre en évidence.

Le nominal et le réel

Nous pourrions dire, de manière assez provocante, que Locke ne conçoit pas d'autre manière d'attribuer une propriété à une substance que la manière « analytique » ; mais une telle interprétation, hâtons-nous de le dire, risquerait de nous engager à confronter la pensée de Locke à des critères d'intelligibilité qui ne sont pas les siens. Ce qui peut rendre tentante cette assimilation, c'est que Locke semble considérer toute prédication universelle sur le mode du « *praedicatum inest subjecto* ». Ce que nous apprenons dans les marges de la distinction lockienne du nominal et du réel, c'est qu'une prédication ne peut être nécessairement vraie qu'à la condition de développer les idées qui sont contenues dans le sujet [2].

Quand je connais les propriétés d'un individu, par l'observation, je place dans l'idée de cet individu les idées correspondantes de propriétés ; sans doute alors celles-ci ne sont-elles plus parties de la définition, puisque je forme alors une connaissance portant non sur une essence nominale, mais sur une chose « existant effectivement en dehors de moi » (*P.E.*, § 13). Mais il semble que ces propriétés « soient contenues » dans l'idée individuelle au même titre que les composantes nominales « sont contenues » dans la définition. Cette condition d'appartenance s'applique aussi bien aux essences nominales qu'aux essences réelles, qu'il s'agisse d'exposer la signification que nous donnons à un mot, ou de découvrir les propriétés objectives d'une chose concrète. C'est précisément parce que la nécessité d'une proposition a les mêmes réquisits dans les deux cas que Locke écarte la possibilité d'atteindre la connaissance des essences réelles des substances – nous verrons bientôt que tel n'est pas le cas pour l'essence réelle des modes. Connaître une essence nominale, c'est examiner ce qui est contenu dans l'idée complexe qui est exprimée par un certain mot. Une telle connaissance ne donne donc qu'un savoir verbal, c'est-à-dire le type d'information que livre un dictionnaire. Par exemple, celui-ci indique que l'essence nominale de l'or est l'idée complexe que représente le mot "or", soit : celle d'un corps jaune, d'un certain poids, malléable, fusible, soluble dans l'eau régale, etc. Il est évidemment possible d'obtenir dans ce genre de « connaissance » une certitude complète, puisque l'essence nominale résulte d'une décision arbitraire. La certitude est ici fonction de la trivialité même de la définition nominale. Remarquons que cette certitude n'exclut pas que divers locuteurs attachent un sens différent aux mêmes mots : une telle variation est au contraire la règle, puisque chaque locuteur a formé chaque idée d'une manière qui est singulière et contingente. Cette variation n'est d'ailleurs pas un obstacle à la communication, tant que celle-ci reste confinée aux situations ordinaires de la vie quotidienne, et n'a pas de prétention scientifique. Dans ce dernier cas, c'est plutôt l'effort que font les hommes pour *fixer* les significations des mots qui les égare, en leur faisant concentrer leur énergie sur des questions purement verbales et classificatoires au lieu de s'intéresser aux choses mêmes.

Qu'est-ce maintenant que connaître une essence *réelle* ? Par « essence réelle », Locke entend « la constitution réelle des substances, dont dépend l'essence nominale, et toutes les propriétés de cette espèce ». Par exemple, l'essence réelle de l'or est ce qui en rend possible la définition nominale (en termes des qualités secondes énumérées plus haut : jaune, malléable, etc.), c'est-à-dire la « constitution des parties insensibles de ce corps dont ces qualités ainsi que toutes les autres propriétés de l'or dépendent » (III, VI, § 2). Cependant comme les qualités premières des substances ne sont pas accessibles à nos sens il n'est pas en notre pouvoir de former une idée de cette essence réelle. On pourrait dire, en d'autres termes, que l'essence nominale est *abstraite, classificatoire et variable*, tandis que l'essence réelle est *concrète, principe interne de développement et unique*. L'essence réelle des substances ne peut être atteinte par nos moyens finis de connaissance. Mais Locke la tient pour seule objective, fin idéale d'une connaissance qui n'est impossible que « pour nous », et nullement « en soi » : si nous ne pouvons saisir l'essence de l'homme, par exemple, il n'en va pas de même de son Créateur, qui a de l'homme une idée aussi différente de celle que nous en avons, que celle que l'artisan horloger a de l'horloge de Strasbourg, en comparaison de celle que s'en fait un paysan ébahi qui ne voit que « les apparences extérieures » et ignore tout du mécanisme.

Si elle était possible, la connaissance de l'essence réelle n'aurait pas une forme *différente* de la connaissance nominale : elle établirait, par exemple, que la *chose* nommée "or" doit ses propriétés à sa « définition génétique », entendant par ce mot une représentation isomorphe à la constitution physique de la substance considérée. Que la prédication soit réelle ou nominale, elle ne cesse ainsi jamais de se présenter comme le développement de ce qui est contenu dans l'essence.

La limite de l'interprétation kantienne se voit donc bien dans l'interprétation qu'il convient de donner du « et » du jugement empirique ; si je dis : « l'or est jaune, et malléable, et fusible » (faute de pouvoir dériver ces propriétés de l'essence réelle, que je ne connais pas), je ne suis pas en train de *synthétiser* un concept empirique, c'est-à-dire un concept « réel ». Du point de vue de Locke, je me borne à *développer* ce qui est *contenu* dans l'idée complexe que j'ai associée au mot « or », mais à le développer d'une manière typiquement nominale. Car développer le contenu réel permettrait de substituer à la simple coordination du "et" la dérivation du "donc", et ainsi de passer de l'énumération contingente d'un lot de caractères à la connaissance nécessaire des propriétés de la substance (*P.E.*, V § 15).

Il n'y a donc pas trace, chez Locke, d'une *prédication* synthétique au sens de Kant. Tout au contraire, il faudrait dire qu'une telle prédication serait, aux yeux de Locke, une manière purement verbale de passer outre les limites que nous impose la nature, une façon de remplacer la nécessaire déduction des caractères, qui signe pour Locke la vraie connaissance, par un autre mode d'enchaînement moins contraignant – ne requérant pas de nous l'impossible recours à l'observation directe des qualités premières. En d'autres termes, Locke verrait dans le transcendantal une résurgence du postulat de la substance, qui vient providentiellement souder entre eux des prédicats rassemblés au hasard de l'expérience. Là où pourtant nous retrouvons dans la distinction de Locke un trait qui l'apparente à celle de Kant, c'est dans sa fonction « topique ». Celle-ci se trouve explicitée par Locke dans *De la conduite de l'entendement*, lorsqu'il s'attache à dégager ce qui fait l'importance de la pensée. L'intérêt pour le nominal caractérise aux yeux de Locke un travers de pensée encouragé par la philosophie scolastique, c'est-à-dire aussi par la *logique formelle* : le nominal de Locke recouvre donc ce qui sera pour Kant le domaine de la pensée d'entendement.

Aux yeux de Locke, l'intérêt exclusif pour la logique et pour l'analyse des essences nominales doit être compris comme une *faute* de la pensée au double sens de ce terme. C'est non seulement le produit d'une confusion entre questions de mots et questions de choses, mais une erreur morale « qu'on ne peut passer sous silence » (§ 43). « Ce n'est pas mieux que si quelqu'un, voulant devenir peintre, passait tout son temps à examiner les fils de la toile sur laquelle il doit peindre et à compter tous les poils de tous les pinceaux qu'il va utiliser pour étendre ses couleurs. » Pas mieux, et même bien pire : car l'apprenti-peintre finirait bien un jour par découvrir que ce qu'il fait n'a rien à voir avec la peinture, tandis que « ceux dont on entend faire des savants ont souvent la tête si remplie et si échauffée par les disputes logiques qu'ils prennent ces inutiles et sonores notions pour du réel et solide savoir, et estiment leur entendement si bien fourni en science qu'ils n'ont pas besoin d'aller voir plus loin dans la nature des choses ou de s'abaisser aux basses besognes artisanales de l'expérience et de la recherche. »

La distinction à laquelle Locke attache tant d'importance, ainsi que la classification qu'il propose des divers modes de connaissance, ont ainsi pour propos ultime non pas de détourner les hommes de la recherche expérimentale, comme pourrait le laisser penser une lecture superficielle du début du Livre IV, mais au contraire, après avoir bien marqué les limites de ce type de recherche – en particulier, dans la mesure où la certitude doit y être remplacée par la probabilité – de leur indiquer que c'est dans ces « basses besognes artisanales » que doivent se remporter les vraies victoires de l'entendement. Nous ne pourrons accroître notre connaissance qu'en nous risquant là où les certitudes purement verbales cessent d'avoir cours. Le chapitre VIII du livre IV, *Of trifling propositions*, apparaît ainsi très clairement dirigé contre la tradition scolastique : la prédication nominale, qui se contente de développer dans le prédicat la signification usuelle du sujet, que ce soit sous forme d'une identité ou sous forme d'une prédication utilisant une partie de la définition du sujet, ne peut pas former un savoir véritable. Ce n'est pas, note Locke, un fait unanimement reconnu. Bien au contraire, que ce soit « dans les livres ou hors d'eux », nous avons très souvent affaire à des propositions qui, sous les apparences de propositions « instructives », ne traitent en fait que des mots, et ainsi ne nous procurent que l'illusion du savoir, ce qui, d'un certain point de vue, constitue un obstacle majeur à la mise en oeuvre effective de la recherche. Les propositions « frivoles » doivent être reconnues pour ce qu'elles sont, afin de restituer à la connaissance son véritable sérieux.

De la démonstration mathématique

Afin de savoir si nous avons affaire à une proposition instructive, il ne suffit donc pas de se fier à une opposition du genre de celle que Kant prête à Locke dans les *Prolégomènes* ; il est en effet des propositions « relationnelles » qui sont purement verbales quoiqu'elles semblent faire référence à une chose et quoiqu'elles présupposent « l'existence des représentations dans un sujet » (c'est le cas de toutes les propositions qui décrivent une substance en indiquant des qualités secondes). Il y a, d'autre part, des propositions d'identité [3] qui ne sont nullement triviales, mais constituent un véritable savoir ; c'est le cas, en particulier, des propositions portant sur les modes. L'élucidation complète de la portée de la distinction des essences nominales et des essences réelles chez Locke suppose donc que l'on comprenne pourquoi, à la différence des substances, les modes peuvent être *connus avec certitude*. Un seul trait fonde la possibilité d'une connaissance certaine des modes (qu'il s'agisse des modes simples ou composés) : c'est leur *abstraction*, ou, en d'autres termes, c'est la pureté de la genèse empirique de ces idées, dont le sens classificatoire et comparatif est en adéquation avec la réalité perçue.

Examinons d'abord dans le cas des modes simples ce qui découle de leur genèse. Nous acquérons par exemple l'idée de blancheur par *abstraction* à partir d'une substance concrète, comme un mur blanc. L'abstraction dont procède le mode garantit que nous ne mettions dans l'idée de blancheur *rien d'autre* que ce que l'impression correspondante nous a permis d'observer. Dans ce cas, il n'y a pas de milieu entre comprendre et ne pas comprendre le mot « blanc ». Nous le comprenons si nous nous rappelons que c'est la couleur de la neige et du lait. Si en revanche nous ne savons plus à partir de quoi effectuer l'abstraction, nous ne nous tromperons pas pour autant sur le sens de « blanc » : nous reconnaîtrons simplement que nous ne comprenons pas ce mot (III, IV, § 15).

Quant aux modes composés, ce sont ce que Kant appellerait des « concepts formés » : ils ne sont pas établis « passivement », c'est-à-dire d'après les impressions qu'une substance, un être réel, ont produites dans le sujet, mais ils sont « l'œuvre de l'esprit », « formés très arbitrairement, formés sans modèles ni référence à une existence réelle » (III, V, § 3). Du fait que ces modes composés sont des concepts formés, – formés non pas dans l'intuition pure, mais simplement par une libre conjonction de modes simples –, il n'existe aucun risque de prendre le nom pour la chose même : la dénomination suit l'abstraction et la composition convenue des idées, elle ne saurait la déborder puisqu'il n'existe aucun substrat à qualifier, aucun concret à décrire (IV, IV, § 5). Cette propriété des modes composés les habilite paradoxalement à être connus de manière « infailliblement certaine ». Cependant, cette certitude n'a pas les limitations de la certitude seulement nominale. Précisément parce que les idées de modes complexes ne doivent pas leur élaboration à l'observation d'une chose concrète complexe, à laquelle il serait requis qu'elles correspondent, – ce qui est le cas des idées de substance – , ce que nous savons à leur sujet « atteint les choses elles-mêmes ». Il s'agit même là d'une propriété nécessaire des idées de modes complexes : « Nous ne pouvons manquer d'atteindre, à travers eux, "une réalité certaine et indubitable". »

Comment comprendre ce qui fait que les modes, simples ou complexes, permettent de manière si nettement exclusive, la formation d'une connaissance certaine qui ne soit pas *seulement nominale* ? Question qui paraît cruciale ici, si du moins nous voulons comprendre à la fois ce qui place Locke dans une perspective différente de celle que prendra Kant sur la nécessité des propositions mathématiques, et ce qui fait que sa distinction s'offrira pourtant à la réinterprétation kantienne – le nominal étant amalgamé à l'analytique, le réel au synthétique. Les propositions mathématiques, pour Locke, sont des propositions fondées sur des idées de modes, c'est-à-dire des propositions *à la fois* nominales et réelles. Ce sont, avec les idées de modes morales, les seules où puisse intervenir une démonstration. Donc, interprété en kantien, Locke semble indiquer que les propositions mathématiques supposent une synthèse, et qui plus est, une synthèse *a priori* : elles sont « réelles », elles sont « construites », et elles sont nécessairement vraies. Une telle lecture est-elle pleinement légitime ?

Prévenons d'emblée un contresens possible : dire que la connaissance mathématique est réelle ne veut pas dire que les objets mathématiques soient existants. Ce sont des idées *abstraites* qui, comme telles, n'ont pas été composées « d'après nature », selon le même type de fidélité que suppose la caractérisation d'une substance. Il est donc parfaitement possible que le rectangle ou le cercle n'existent pas dans la nature, n'y soient pas « précisément vrais », comme le dit Locke, au sens où ils ne se trouvent réalisés de façon exacte dans aucun objet physique. Ils n'en sont pas moins parfaitement déterminés, avec toutes leurs propriétés et leurs relations, dans l'esprit du mathématicien (IV,IV,§ 6). En quoi alors peuvent-ils être dits « réels » ? Tout d'abord parce qu'ils restent, en un sens qu'il nous faut tenter de préciser, solidaires de l'intuition. Les idées simples les plus évidentes sont pour Locke celles de nombres, plus claires même que l'idée d'étendue. Ce qui explique cette propriété du nombre, c'est la parfaite adéquation de la *notation* avec *l'idée représentée*, qui rend celle-ci intuitivement contrôlable (*P.E.*, 68). Ainsi c'est de *l'observation répétée* des égalités ou inégalités que résulte la saisie des vérités « éternelles » de l'arithmétique ; en géométrie, les relations d'égalité ou d'inégalité sont « moins faciles à observer ou à mesurer » : comme le fera plus tard Hume, Locke considère que la saisie des nombres, discontinue, est sinon plus évidente [4], du moins plus déterminée et plus précise que l'appréhension des objets spatiaux, laquelle bute sur notre incapacité à discriminer les petites différences dans le continu (*P.E.*, § 12).

Pour Locke comme pour Descartes, la démonstration consiste en une *perception médiate* d'une relation de convenance ou de disconvenance entre des idées ; la démonstration fait donc appel à des étapes intuitives intermédiaires, qui permettront de passer pas à pas – c'est-à-dire d'intuition en intuition – des vérités immédiatement connues aux vérités que l'on souhaite établir. Quoique la démonstration repose toujours sur la mémorisation d'une chaîne d'intuitions, il paraît malaisé d'en conclure sans autres attendus qu'elle procède par voie « synthétique ». Si nous nous en tenons à la lettre des textes, il faudrait plutôt comprendre la démonstration de Locke au sens traditionnel, repris par Descartes, de l'analyse. Locke la caractérise comme « l'art de découvrir les idées intermédiaires qui peuvent nous montrer la convenance ou la répugnance d'autres idées qui ne peuvent pas être immédiatement comparées ». Un exemple favori de Locke consiste dans l'algèbre, qui « découvre des idées de quantités grâce auxquelles en mesurer d'autres » (IV, XII, § 14-15). Comme une idée de nombre n'est autre qu'une « combinaison d'unités indifférenciées » (II, XIV, § 5), il semble que Locke conçoive les relations entre les idées numériques (ou géométriques, puisqu'il considère que c'est de l'arithmétique que dépend la certitude de la démonstration géométrique) sur le mode où il conçoit les autres relations entre idées : elles sont soit d'identité, soit de « diversité », soit de « conséquence ». Il suffit d'examiner le nombre d'unités qui sont représentées par un nombre pour pouvoir démontrer de combien d'unités il diffère d'un autre nombre.

Si l'on tente d'appliquer à ce concept de démonstration la question kantienne de son « fondement », et de la nature de ses propositions et théorèmes, on arrive à des difficultés inextricables qui tendent à suggérer que la question n'est simplement pas « traductible » dans la doctrine lockienne[5]. Si la distinction analytique/synthétique paraît donc ne pas pouvoir être appliquée avec pertinence à la conception lockienne de la démonstration mathématique, peut-on au moins penser celle-ci dans la division *a priori/a posteriori* ? Il semble que là encore, les textes de Locke « résistent ». Il est clair, tout d'abord, que pour Locke la certitude démonstrative des mathématiques ne doit rien au fait que le mathématicien aurait, relativement au physicien, le privilège de pouvoir saisir ses objets purement *a priori*. Le fait que les objets mathématiques – nombres et formes géométriques – soient des modes, et par conséquent des abstraits, ne suffit pas à en faire de pures idéalités. C'est *l'observation* qui reste la seule source de l'évidence mathématique, puisque c'est elle qui permet de constituer les idées de modes qui interviennent en cours de démonstration et de repérer les relations que ces idées entretiennent entre elles (égalité, inégalité, etc.) Reste à comprendre alors d'où procède la certitude mathématique, puisque cette certitude est une exception remarquable dans l'ordre de la connaissance humaine.

Locke s'oppose avec énergie à l'idée que l'on puisse comprendre la certitude mathématique en termes *purement* nominaux, c'est-à-dire sous forme de schémas déductifs à partir d'axiomes. Dans le chapitre *Des maximes*, il souligne inlassablement que les axiomes n'ont pas plus d'évidence que les propositions particulières que l'on prétend justifier à leur aide (IV, VII, § 6). On peut

« trouver » les vérités qui sont généralisées dans les axiomes sous leur forme « particulière » de façon qu'elles « forcent l'assentiment » et atteignent une plus grande clarté que celle que pourraient apporter des axiomes. Or si la force démonstrative des mathématiques ne doit rien à la nature nominale des modes sur lesquels elles opèrent, mais à leur essence réelle, qui dans leur cas se trouve pouvoir coïncider avec l'essence nominale, reste à comprendre ce qui fait l'universalité et la nécessité *réelle* des démonstrations : en d'autres termes, qu'est-ce qui garantit que l'observation ne tombera pas sous le coup des limites habituelles de l'induction ? Question qui, à partir de Kant, prendra toute son urgence, et motivera le recours à la distinction entre le synthétique *a priori* et le synthétique *a posteriori*.

La réponse tient dans la propriété de l'abstraction qui engendre les modes, c'est-à-dire dans leur propriété d'être des universaux à la fois *in re* et *in idea*. Car c'est de l'universalité des modes – de leur valeur archétypale – que provient l'universalité des vérités mathématiques. On mesure ce qui distingue cet empirisme de celui des Viennois des années vingt ; ce n'est pas parce qu'elles sont nominales, c'est-à-dire parce qu'elles se contentent d'énoncer le sens qu'on attache arbitrairement à tel mot ou à tel signe, que les propositions mathématiques sont nécessairement vraies, mais c'est parce que les données d'observation, étant abstraites, sont invariables quelles que soient les circonstances. Ce n'est donc pas parce que les mathématiques n'ont pas d'objet et qu'ainsi les propositions mathématiques sont sans contenu qu'elles sont certaines, mais parce que tous les mondes possibles ont les mêmes modes. La nécessité des mathématiques n'est pas pour Locke une propriété grammaticale, c'est une propriété ontologique [6].

Les mathématiques portent sur des essences nominales qui sont *aussi* réelles ; elles sont acquises par l'observation, mais certaines, garanties par la continuité intuitive propre aux démonstrations : une telle doctrine rend visiblement très artificielle la mise en oeuvre d'une claire distinction analytique/synthétique, mais aussi celle de l'opposition entre proposition *a priori/a posteriori*. Il n'y a pas pour Locke de *différence de nature* entre la « démonstration » en mathématiques et la « démonstration » portant sur des modes qualitativement « secondaires ». Nous pouvons démontrer avec une certitude analogue que 1+1 = 2 et que le bleu est distinct du rouge. En revanche, alors que toutes les égalités et les inégalités numériques sont démontrables, il y a des identités qualitatives qui ne le sont pas : nous manquons des moyens démonstratifs pour établir avec certitude, par exemple, que ces deux « rouge » sont de la même nuance [7].

Locke était-il donc sur la piste de la division kantienne entre propositions analytiques et synthétiques ? Il pourrait sembler plus juste de dire que c'est Leibniz qui, dans son commentaire de l'*Essai*, apporte cette précision capitale, de laquelle comme on l'a vu, on ne peut pas sérieusement créditer Locke :

> « Et j'ajoute que l'aperception immédiate de notre existence et de nos pensées nous fournit les premières vérités *a posteriori*, ou de fait, c'est-à-dire les *premières expériences*, comme les propositions identiques contiennent les premières vérités *a priori*, ou de raison, c'est-à-dire *les premières lumières*. » (*Nouveaux Essais sur l'entendement humain*, IV, IX, § 2)

Nous aurons à comprendre pourquoi Kant rejette, ou, plus exactement, dénie toute filiation entre la division leibnizienne des vérités de raison et des vérités de fait et sa propre distinction, pour mettre en avant un « devancier » tel que Locke, qui se borne à tirer toutes les conséquences de notre incapacité à connaître l'essence réelle des substances, sans avoir véritablement reconnu, serait-ce « obscurément », l'existence d'une différence de nature entre connaissances *a priori* et *a posteriori*, encore moins entre propositions analytiques et synthétiques. Nous disposons déjà de quelques éléments de réponse. Nous avons pu déjà remarquer que les principaux adversaires de la *Critique* sont des leibniziens, qui tentent de réduire l'originalité de Kant en le rapportant à la philosophie dogmatique avec laquelle il prétend rompre. Nous savons par ailleurs que la philosophie empiriste, en particulier dans la version sceptique « modérée » qu'en offre Hume, constitue pour Kant la condition de possibilité de l'éveil critique ; comme le rappelle Kant dans l'Introduction des *Prolégomènes*, c'est « l'avertissement de David Hume qui interrompit mon sommeil dogmatique et qui donna à mes recherches en philosophie spéculative une tout autre direction ». La lecture récurrente que Kant fait de Locke semble ainsi traverser le milieu déformant d'une réinterprétation critique de Hume. C'est le scepticisme de Hume, bien plus que l'empirisme de Locke, qui invite Kant à chercher dans l'empirisme les précurseurs de sa distinction. N'est-ce pas d'ailleurs ce que Kant suggère, lorsque, accusant finalement Locke d'avoir bien mal tenu son rôle de pionnier de cette distinction, il voit le meilleur symptôme de sa faillite dans le fait qu'il n'ait pas su amener Hume à « faire des réflexions de ce genre » ?

Tout se passe donc comme si Kant, tout en avouant ne pas trouver de trace de la distinction chez Hume, et n'en déceler dans l'œuvre de Locke qu'une indication encore confuse et marginale, s'attachait néanmoins à découvrir dans l'empirisme un mouvement de pensée dualiste annonçant de son point de vue la nécessité objective de l'opposition analytique/synthétique, et qui permettrait de justifier la thèse d'une équivalence topique entre la question sceptique et la question transcendantale.

Chapitre 2

« L'ERREUR » DE HUME

> « ... erreurs qui cependant n'ont commencé que sur le sentier de la vérité. » (*K.R.V.*, III, 499)

Ce que nous avons appelé plus haut « l'impulsion assimilatrice » (à propos de la réappropriation par Kant du mouvement de pensée lockien) se manifeste de nouveau dans la lecture kantienne de Hume. La « vocation philosophique » de Hume est d'emblée associée à l'élaboration d'une constitution politique du champ des Sciences. Association légitime puisque, pour Kant, « une histoire philosophique de la philosophie est elle-même possible, non pas historiquement ou empiriquement, mais rationnellement, c'est-à-dire *a priori* » (*P.M.*, XX, 341). Le scepticisme de Hume doit donc être mis en perspective avec l'Idée qui préside au développement de la Philosophie d'après une interrogation portant sur le pouvoir de connaître. S'interrogeant sur le droit à connaître de la raison, Hume en aurait injustement précipité la démission en mettant trop vite les mathématiques sous le couvert de l'analyticité ; ils les aurait *isolées* des autres sciences en tant qu'elles seules dépendent d'un principe pur et *a priori*, le principe de contradiction. Les sciences de la nature, au contraire, s'établissent sur la base d'un principe subjectif de l'expérience, la causalité (relation extérieure aux objets reliés, entre lesquels « on ne peut découvrir aucune connexion » (*T.*, 180).

Pourquoi cette opposition est-elle pour Kant, une « erreur grave » ? Parce que c'est pour avoir mis les mathématiques *du côté* de la certitude analytique que Hume a manqué l'hypothèse de la capacité démonstrative propre au synthétique *a priori*. Eût-il reconnu la nature synthétique *a priori* des mathématiques, Hume n'aurait pas pu rejeter les prétentions de la métaphysique comme infondées. Tout d'abord, il aurait découvert *l'importance* du synthétique *a priori* pour la connaissance : non seulement la *causalité*, mais aussi le nombre, l'espace, lui seraient, dans cette hypothèse, apparus comme également *a priori*. En outre, une fois mis devant l'obligation d'indiquer l'origine de l'*a priori* ainsi *étendu*, il n'aurait pu se borner à invoquer *l'expérience*, c'est-à-dire un principe d'association extérieur aux idées mais produit par l'habitude. Il n'aurait pu le faire précisément en raison du statut privilégié des mathématiques : comme il voit dans l'arithmétique le meilleur exemple d'une science purement démonstrative, permettant de connaître avec certitude son objet, il n'aurait pas songé à la rattacher à l'expérience. Etant en aussi « bonne compagnie », la métaphysique aurait pu alors elle aussi être, comme la mathématique, rattachée à un principe pur *a priori*.

Le raisonnement de Kant se fait donc encore en deux temps. Premier temps assimilateur : quoique Hume n'ait pas employé ces mots, on peut traduire ses thèses en disant que les mathématiques sont composées de propositions analytiques, et la métaphysique (ainsi, ajouterons-nous, que la physique) de propositions synthétiques *a priori*. Les premières sont certaines en tant qu'analytiques ; les secondes sont pour Hume dénuées de fondement objectif en tant que synthétiques *a priori*. Le second temps est critique. Kant montre que Hume n'a pa su appliquer correctement une distinction qui, en elle-même, est essentielle. Comme il l'écrit plus haut dans l'Introduction aux *Prolégomènes*, « il ne se représentait pas le problème dans toute son ampleur ». Selon Kant, Hume aurait restreint l'extension du synthétique *a priori* à la relation de cause à effet, et se serait interdit de cette façon de parvenir à une déduction transcendantale des concepts. D'une part, Hume aurait manqué l'extension réelle de l'entendement pur ; d'autre part, il serait passé à côté de l'idée même d'une intuition pure et *a priori* de l'espace et du temps.

Même balancement critique dans une autre appréciation par Kant de l'apport de Hume, non plus à propos de la distinction analytique/synthétique, mais au sujet du jugement synthétique *a priori*. Hommage est d'abord rendu à la pénétration de Hume :

> « Hume pensait peut-être, quoiqu'il ne se soit jamais complètement expliqué là-dessus, que, dans des jugements d'une certaine espèce, nous sortons de notre concept de l'objet. » (*K.R.V.*, III, 499)

En disant que Hume ne s'est « jamais expliqué là-dessus », Kant veut dire qu'il n'a jamais décrit la structure de ce type de propositions dans toute leur généralité. Ce n'est pas dire que Hume n'ait pas fait appel implicitement, à une théorie de la proposition. Si elle n'est pas thématisée pour elle-même, Kant en observe la présence en toile de fond de la théorie du jugement causal. Quand Hume fait valoir, par exemple, que la relation de causation n'est pas tirée de l'idée que nous avons des objets qu'elle relie, il fait appel à un modèle de jugement que Kant dirait « analytique », en tant qu'il développe ce qui est « contenu » dans les idées, par opposition au type de jugement que Hume cherche à caractériser, et qui fait intervenir une relation nouvelle qui *s'ajoute* aux objets mis en relation. L'objet pris comme cause, par exemple, ne « contient » pas son effet ; on ne trouve pas, dans son concept, l'idée d'un « pouvoir » qui serait partie de son essence. Il faut donc bien que le jugement causal fasse intervenir un principe extérieur, non logique, l'adjonction étant alors interprétée comme l'action de la coutume sur l'imagination (*T.*, 180). Vient alors la critique : Hume n'a pas distingué entre deux types de jugements synthétiques, ceux qui s'appliquent à l'expérience possible, et ceux qui s'appliquent à des objets qui ne peuvent jamais se présenter dans l'expérience.

> « Notre sceptique ne distingua point ces deux espèces de jugements comme il aurait cependant dû le faire, et il regarda d'emblée comme impossible cette augmentation des concepts par eux-mêmes, et, pour ainsi dire, cet enfantement spontané de notre entendement (et de notre raison) sans la fécondation de l'expérience. Il tint donc pour imaginaires tous les prétendus principes *a priori* de la raison. » (*Ibid.*, III, 499)

L'empirisme de Hume le conduit à ne pouvoir admettre d'autre liaison entre les concepts que celle qui existe entre des idées « liées en soi dans l'entendement », comme l'écrit ailleurs Kant (*K.R.V.*, III, 105). Restriction qui va de pair avec la radicalisation empiriste du dualisme entendement-expérience : « Il ne lui vint pas à l'esprit que peut-être l'entendement était par ces concepts mêmes auteur de l'expérience où se rencontrent ses objets. » (*Ibid.*).

Nous pouvons alors tracer une première esquisse du « Hume » de Kant, esquisse qui est gouvernée par une règle, celle de la raison pure dans son usage polémique (*K.R.V.*, III, 484 sqq.). Hume est le philosophe qui a su diriger sa censure sur les prétentions dogmatiques. Cela explique à la fois ses intuitions justes, qui jettent le doute sur tout usage transcendant des principes, et ses limitations (faute de subordonner les *faits* de la raison à une critique de ses pouvoirs, et de substituer à la censure l'établissement des limites d'une connaissance en général). Hume met la raison en contradiction avec elle-même. Mais ce n'est là qu'une étape qui permet de se reposer du dogmatisme, pas un « lieu où fixer sa résidence » (III, 497). L'attitude de Kant à l'égard de Hume est donc commandée par la position de médiateur qu'il attribue à celui-ci entre le dogmatisme et le criticisme [8]. Tout en entrevoyant l'existence de deux fonctions cognitives, l'une qui serait purement explicative, l'autre extensive (ce en quoi il annonce le criticisme), Hume ne pouvait penser la « légalité » propositionnelle que sous son espèce analytique (ce qui le rend solidaire des dogmatiques). L'adjonction qu'effectue la synthèse causale est perçue par Hume comme renvoyant à un *assujettissement* de la raison à l'imagination. Hume a confondu comme également « imaginaires » les propositions causales visant l'expérience possible et les raisonnements métaphysiques prenant pour objet ce qui dépasse une telle expérience. Il a mis la causalité dans le même sac que l'existence de Dieu, la liberté de l'homme ou l'identité du moi dans le temps. Ce caractère indiscriminé de la censure se solde en définitive par l'ignorance de la raison sur son propre pouvoir et sur les limites de la connaissance possible.

La division des propositions en analytiques et synthétiques est aux yeux de Kant une division « indispensable » à la critique de l'entendement, et qui mérite d'y être « classique » (*Prolégomènes*, § 3). L'une des pièces maîtresses dans l'évaluation du sens de l'empirisme de Hume consiste donc précisément en ceci : Hume a-t-il effectivement fait appel à cette division, même « sous une autre dénomination » ? Prépare-t-il de ce fait la voie au criticisme ? Réponse essentielle, puisqu'au-delà de Hume, elle engage plus généralement le statut de l'empirisme sceptique. Car la lecture kantienne de Hume a fait école. Comme le montre la citation de Quine en tête de cette section, il est en effet aujourd'hui généralement admis que l'opposition entre propositions analytiques et synthétiques s'est dessinée dès l'empirisme anglais, et que s'il s'agit bien d'un dogme, il s'agit d'un dogme empiriste avant d'être un dogme rationaliste. A la mention près du « dogme », tous les commentateurs anglo-saxons partagent l'avis de Quine. Hume est considéré comme le « précurseur de l'empirisme moderne » précisément parce qu'il aurait anticipé sur la bipartition des propositions en analytiques et synthétiques [9]. Cette unanimité nous semble poser par elle-même un problème : comment expliquer que l'empirisme contemporain s'accommode d'une lecture qui place Hume dans la lignée de Kant ?

Qu'en est-il donc de la démarcation proprement humienne entre *relations of ideas* et *matters of fact* ? Annonce-t-elle, comme le dit Kant, la distinction entre propositions analytiques et synthétiques ? Le texte le plus souvent commenté à l'appui de cette thèse est la Section I de la troisième partie du premier livre du *Traité*, intitulée « La connaissance ». Hume y effectue, à la manière de Locke, un examen des différents types de *relations* qui peuvent unir deux idées. Puisque juger revient à *comparer* des objets, nous aurons un tableau général des connaissances possibles en examinant les divers types de relations qui peuvent relier les idées. Or ces relations sont réparties en deux classes. Les premières « dépendent entièrement des idées que nous comparons les unes aux autres » ; les secondes « peuvent varier sans aucune variation des idées » (*T.*, 69, 141). Les « proportions de quantité ou de nombre » figurent parmi les premières, ce qui fait des mathématiques une science « d'une exactitude et d'une certitude parfaites » ; la causalité fait partie des secondes, ce qui exclut les sciences de la nature du champ du démonstratif. La définition de deux groupes de relations, jointe à son application, paraît alors recouper ce que Kant distinguera ultérieurement comme deux types distincts de propositions, analytiques et synthétiques. Les relations d'idées semblent être « internes » relativement à leurs termes : il semble dépendre du « contenu » de l'idée de « 4 » qu'elle soit égale à « 2 + 2 », ou de l'idée de

« justice » qu'elle soit le contraire de l'« injustice ». De même Kant définit le jugement analytique par l'inhérence du prédicat au sujet (le jugement analytique kantien reprend sans modification fondamentale la catégorie propositionnelle qu'Aristote appelait « prédication essentielle »). Les relations d'objets, « *matters of fact* », paraissent en revanche être *externes* relativement à leurs termes, comme la distance qui sépare deux objets : j'ai toujours la même idée respectivement de la chaise et de la table quand elles sont en contact, ou distantes l'une de l'autre. J'ai beau examiner l'idée que j'ai du feu et de l'eau, je ne peux pas y découvrir les effets respectifs de l'un sur l'autre. Kant évoquera de même le caractère « ampliatif » de la prédication synthétique, qui étend notre connaissance, et pourrait reprendre à son compte l'observation de Hume :

> « Et comme le pouvoir par lequel un objet en produit un autre ne peut jamais se découvrir dans leur idée, il est évident que *cause* et *effet* sont des relations qui nous sont enseignées par l'expérience, et non pas un raisonnement ou une réflexion abstraits. » (*T.*, 69, 141)

Ce caractère « informatif » des relations d'objets semblent être la marque de leur caractère *synthétique*. Cependant, trois types de questions doivent être résolues afin d'attester la valeur de ce parallélisme. D'une part, peut-on attribuer à Hume la doctrine des relations internes ? En second lieu, les mathématiques (qui forment l'un des cas les plus intéressants de relations d'idées) doivent-elles leur capacité démonstrative au fait qu'elles sont *a priori*, purement conceptuelles, c'est-à-dire sans contenu intuitif ? Enfin, quel rôle revient-il au juste au principe de contradiction dans la reconnaissance d'une vérité du premier genre (mathématique) par opposition aux jugements de fait ?

La doctrine humienne des relations

Les deux espèces de relations ne peuvent pas être opposées selon qu'elles sont internes ou externes précisément parce que toutes les relations sont, du point de vue de Hume, *extérieures à leurs termes* [10]. Il est facile de le voir à propos des relations d'objets, puisque la causalité par exemple met en jeu très clairement un *dépassement* de ce qui est *donné* dans la perception des objets extérieurs : « Aucun corps ne nous découvre jamais un pouvoir qui pourrait être l'original de cette idée » (*E.H.U.*, § 50). Mais ce n'est pas parce qu'un tel *dépassement* semble absent dans le cas des relations d'idées qu'il faut en conclure que celles-ci sont internes. Il faudrait pour cela pouvoir démontrer que, par exemple, la relation de *ressemblance* est donnée en même temps que les objets perçus. Or l'union des idées est du ressort d'un principe de l'imagination, à concevoir non pas comme une « connexion inséparable entre les idées », mais comme « une force calme qui l'emporte communément » (*T.*, 10). C'est dire que deux objets ne peuvent être liés que *dans* l'imagination (*ibid.*, 11). Afin de clairement marquer l'extériorité des principes à l'égard des idées reliées, il suffit de rappeler que les principes d'association sont pour Hume l'équivalent dans l'esprit de l'attraction dans le monde physique (*ibid.*, 12). Ils sont extérieurs à ce qu'ils relient – les idées simples – comme le principe de gravitation l'est aux corps auxquels il s'applique ; ils exercent leurs effets sur l'esprit qui est ainsi modelé par eux plutôt qu'il ne les gouverne.

Prenons par exemple le principe d'association par ressemblance : c'est lui qui conduit l'esprit d'une idée à l'autre : il forme la relation « naturelle » de ressemblance, qui conduit à rapprocher spontanément des idées d'objets semblables, des nuances de couleurs voisines, etc. Mais ce principe conditionne aussi la relation philosophique correspondante, qui étend le recours à la ressemblance au-delà de son champ d'action immédiat selon les exigences d'une association arbitraire liée à une « circonstance particulière », par exemple au désir d'ordonner systématiquement le spectre des couleurs ou de faire correspondre des sons à des couleurs [11] (*T.*, I,I, 5, 13, *78*).

Il résulte de cette extériorité de la relation d'idée à ses termes que la comparaison des idées simples ne fait nullement problème, contrairement à ce qui sera le cas, par exemple, dans le système de constitution de l'*Aufbau* de Rudolf Carnap :

> « *Bleu* et *vert* sont des idées simples différentes, mais elles se ressemblent plus que *bleu* et *écarlate* ; pourtant leur parfaite simplicité exclut toute possibilité de séparation ou de distinction. C'est le même cas pour les sons particuliers, les saveurs et les odeurs. Ceux-ci soutiennent d'innombrables ressemblances quand on compare leurs aspects d'ensemble, sans qu'ils aient en commun une circonstance identique. »
> (*T.*, I, I, 7, note de l'Appendice, 637, 86)

Ces quelques remarques nous permettent de remarquer incidemment tout ce qui distingue la doctrine humienne des idées du réductionnisme phénoménaliste d'un Mach ou d'un Carnap. Sans doute Hume pose-t-il en principe que toute idée est dérivée d'une impression ; mais l'emploi ou la « représentation » de l'idée peuvent très bien s'écarter de sa « nature », voire la déborder. Dès la formation des idées générales, l'imagination produit ses propres synthèses, fabrique (ou, plus exactement encore, « bricole ») des concepts qui resteront toujours marqués par le caractère individuel et contingent de leur genèse. Il nous reste maintenant à comprendre ce que veut dire Hume lorsqu'il isole les quatre relations d'idées philosophiques (ressemblance, contrariété, degrés de qualité, proportions quantitatives ou numériques) en disant qu'elles « dépendent seulement des idées ». Si nous ne devons pas interpréter le mot « dépendre » comme s'il faisait référence à la doctrine des relations internes (la relation étant déductible de l'idée), comment faut-il interpréter cette dépendance ? En suivant Gilles Deleuze, nous pourrions dire que ce qui motive la différence de la « dépendance » dans l'un et l'autre cas, c'est la manière dont l'idée est considérée de part et d'autre : dans les relations d'idées, l'idée est prise « individuellement », « dans ses caractères propres ». Les relations d'objets en revanche considèrent l'idée « distributivement (...), dans la collection déterminable où la situe son mode d'apparition [12] ». Ainsi, dans le premier cas, les principes de la nature humaine s'appliquent de manière exclusive sur des idées singulières données, et y découvrent des relations dont le caractère invariable est fonction de cette exclusivité. Paraphrasant Hume lui-même, nous pourrions dire que « l'entendement y agit isolément et selon ses principes les plus généraux » (*T.*, I, IV, 7, 267, *360*). Dans le second cas en revanche, c'est l'expérience qui est le principe fondamental qui « m'instruit sur les diverses conjonctions des objets » ; or l'expérience suppose une variation (spatio-temporelle) et une répétition qui sont à l'origine d'impressions de réflexion inédites et étroitement liées, quant à leur contenu, aux circonstances perceptives et à la capacité qu'a le sujet de raisonner (*E.H.U.*, § 84, note 1, *156*).

Afin d'illustrer concrètement le type de *dépendance* propre aux relations d'idées eu égard à leurs termes, il faut considérer le cas des mathématiques : cas exemplaire de science démonstrative, c'est en effet à la dépendance en question qu'elles doivent la certitude de leurs propositions. Reposons donc la question à leur propos : de quoi la « certitude » mathématique est-elle faite ?

Les mathématiques sont-elles analytiques ?

« Les mathématiciens prétendent habituellement que les idées qui sont leurs objets sont d'une nature si raffinée et si spirituelle qu'elles ne tombent pas sous la conception de l'imagination, mais qu'on doit les comprendre par une vue pure et intellectuelle dont les facultés supérieures de l'âme sont seules capables (...). Mais, pour détruire cet artifice, nous n'avons qu'à réfléchir à ce principe si souvent répété que *toutes nos idées sont des copies de nos impressions.* » (*T.*, I, III, 172, *144-5*)

Les deux types de relations partagent en deux la taxinomie des sciences. D'un côté, les sciences véritables, c'est-à-dire objets d'une certitude possible : l'arithmétique et l'algèbre, qui sont *démonstratives*, par opposition à la géométrie, qui est seulement intuitive, et donc un *art*. De l'autre, les raisonnements moraux caractérisent les disciplines qui ne s'arrêtent pas au témoignage des sens et de la mémoire, mais font intervenir un « lien supposé » qui n'est pas *tiré de* l'expérience, mais découvert *à partir d'elle* (*E.H.U.*, § 48, *106* ; *T.*, 69, *143*). Entre ces deux continents, la géométrie occupe une position intermédiaire de science non exacte, dont la certitude est pourtant adéquate à son objet. Les empiristes logiques n'ont pas manqué de rendre compte du statut privilégié des mathématiques dans la taxinomie humienne en soulignant le caractère purement *a priori* de leurs énoncés. Cependant, pour évaluer cette interprétation, il suffit de rappeler que c'est un trait sensible, la *perceptibilité*, qui donne l'avantage aux mathématiques sur les raisonnements moraux (*E.H.U.*, VII, 1, § 48, 60, *106*). Ce n'est donc pas l'idéalité de leurs objets qui met à part l'algèbre et l'arithmétique, mais au contraire leur *perceptibilité* : leurs objets sont parfaitement appropriés à nos sens. Le défaut typique des sens consiste en effet, précisément, à changer les proportions, « à nous représenter comme petit et sans composition ce qui est réellement grand et composé de parties. » (*T.*, I, II, 1, 28, *95*) Or l'algèbre et l'arithmétique disposent d'un antidote à cette tendance : elles possèdent « un critère précis pour juger de l'égalité et des rapports des nombres »

(*T.*, I, III, 1, 71, *143*). La mise en correspondance de deux ensembles est ce qui permet d'affirmer l'égalité entre nombres. La manipulation des caractères algébriques en fonction d'une règle détermine sans équivoque l'exactitude d'une équation. Cette relation d'égalité, toutefois, n'est pas moins « extérieure » à ses termes que ne l'est la causalité relativement aux siens :

> « ... L'égalité est une relation et elle n'est donc pas, à proprement parler, une propriété intrinsèque des figures (*a property in the figures themselves*) ; elle naît uniquement de la comparaison que l'esprit établit entre elles. » (*T.*, I. II, 4, 46, *115*)

Bien entendu, la perceptibilité propre aux mathématiques doit s'accompagner d'une autre propriété qui leur assure le statut de science démonstrative. Nous remarquons dans l'énumération des types de relations que Hume suit Locke en admettant qu'on peut obtenir, au moyen de l'intuition, une connaissance certaine des « degrés de qualité » aussi bien que des nombres, à condition bien entendu que la différence entre les objets comparés ne soit pas trop petite, condition qui vaut *dans les deux cas* [13]. Ainsi, à s'en tenir uniquement au critère de la perceptibilité, d'autres relations d'idées, comme celles de ressemblance ou de degrés de qualité, également intuitives, pourraient prétendre fonder d'autres sciences démonstratives, en particulier une *science des qualités*. Ce qui distingue les énoncés mathématiques des propositions affirmant par exemple la ressemblance qualitative de deux objets, ce n'est pas la nature particulière de l'intuition du nombre relativement à l'intuition de la qualité, c'est que, dans le premier cas, l'intuition peut s'intégrer à la démonstration, alors que la démonstration est impossible dans le second, différence qui s'explique par la *composition du donné intuitif* dans les deux cas :

> « Comme les parties composantes de la quantité et du nombre sont entièrement semblables, leurs relations deviennent embrouillées et enveloppées ; rien ne peut être plus curieux, aussi bien qu'utile, que de suivre, par une série d'intermédiaires, leur égalité ou leur inégalité sous leurs présentations différentes. Mais comme toutes les autres idées sont clairement distinctes et différentes les unes des autres, nous ne pouvons pas aller plus loin, par l'examen le plus attentif, que d'observer cette différence, et, par une réflexion évidente, que de dire d'une chose qu'elle n'est pas l'autre. » (*E.H.U.*, XII, 3, § 131, 163, *219*)

Ce qui différencie les relations mathématiques des relations qualitatives, c'est qu'une homogénéité des parties composantes y autorise le calcul, c'est-à- dire la déduction, « par une série d'intermédiaires », des égalités ou des inégalités entre des expressions numériques ou algébriques. Le caractère immédiat de la distinction que manifestent les relations qualitatives fait en revanche tourner court tout approfondissement de la relation. En d'autres termes, précisément dans la mesure où ils échappent à la mathématisation, les termes d'une relation qualitative sont irréductibles entre eux. Ce rouge-ci n'est pas cet orange-là : on ne peut aller plus loin dans la déduction, faute de moyen terme.

Quand donc Hume caractérise, dans l'*Enquête*, les propositions qui expriment des relations d'idées en disant « qu'on peut les découvrir par la seule opération de la pensée, sans dépendre de rien de ce qui existe dans l'univers » (*E.H.U.*, IV, 1, § 20, 25, *70*), il ne peut pas vouloir dire que les relations du premier genre sont totalement indépendantes de la *perception* des objets comparés. Il précise, en effet, dans le *Traité*, contre les mathématiciens essentialistes, que « toutes nos idées sont des copies de nos impressions » (*T.*, I, III, 1, 72, *145*). Ce que Hume observe par là, c'est qu'elles ne dépendent de rien *d'autre* que de l'intuition des objets comparés, que ces objets soient ou non existants, c'est-à-dire parties de la réalité ou résultats d'un procédé d'abstraction.

Le caractère intuitif de chaque étape individuelle de la chaîne déductive, en arithmétique et en algèbre, explique enfin que ces sciences soient « instructives », c'est-à-dire qu'elles produisent de véritables connaissances, que leurs dérivations soient « curieuses » et leurs calculs « utiles ». Quoique les termes d'une égalité mathématique expriment « la même quantité » sous des présentations différentes, elle n'a rien de tautologique, par opposition à la définition purement nominale et au raisonnement syllogistique (*E.H.U.*, XII, 3, § 131, 163, *220*). Ce qui précède permet donc de conclure, sans avoir à examiner le cas de la Géométrie, plus clairement encore dépendante des « apparences [14] », que les mathématiques ne peuvent être dites analytiques chez Hume qu'au prix d'une triple violence aux textes. Résumons-les : 1) les relations d'idées sont extérieures à leurs termes ; elles ne sont établies qu'à partir de l'intuition ; 2) elles ne sont démonstratives que grâce à l'homogénéité du composé numérique ou algébrique. Ce sont les propriétés du donné intuitif qui forment la condition de la démonstration mathématique ; 3) mais la nécessité de l'enchaînement démonstratif caractérise néanmoins « l'acte de l'entendement par lequel nous considérons les idées et les comparons » (*T.*, I, III, 14, 166, *252*) et n'est pas comprise dans le donné mathématique, quoiqu'on puisse dire en un autre sens que cette nécessité de la relation soit « donnée » à l'esprit selon le principe d'association prenant pour objet les nombres, les expressions algébriques, etc.

Le rôle du principe de contradiction

Comme le suggère Jean Laporte [15], Kant aurait peut-être été moins tenté d'assimiler les mathématiques telles que Hume les représente à un ensemble de connaissances analytiques s'il n'avait rencontré dans la Section IV de l'*Enquête* la mention du principe de contradiction. Le paragraphe 21 (*E.H.U.*, 25-6, *70-71*) éclaire pour Kant le statut des mathématiques chez Hume : celui-ci les fait dépendre « du principe de contradiction uniquement ». Ce qui revient à dire, du point de vue de Kant, qu'elles sont composées de jugements analytiques. Ce qui est frappant en effet, c'est que Hume évoque « l'impossibilité de penser le contraire » pour caractériser la nécessité proprement démonstrative. Mais que veut dire exactement « l'impossibilité de penser le contraire » ? La question qui se pose n'est pas celle de la référence faite par Hume au caractère contradictoire des jugements faux en mathématiques, car une telle référence peut revêtir des fonctions « topiques » très diverses. Le problème est plutôt de déterminer le mode d'intervention de la notion de contradiction dans la définition de la connaissance démonstrative. Kant présume que la contradiction est, selon Hume, au *principe* de cette connaissance. Or les textes ne mettent pas en avant le caractère *déterminant* de la non-contradiction, entendue comme principe des jugements mathématiques vrais. Le véritable rôle de la contradiction paraît plutôt être celui d'un *critère* que d'un *principe*. Dans le cas des relations d'idées, la transition d'une idée à l'autre est si naturelle et si immédiate que l'entendement se trouve contraint de l'effectuer. La nécessité logique objective d'une proposition mathématique repose donc sur une nécessité subjectivement c'est-à-dire « naturellement » contraignante.

Mais qui dit jugement dit idée, et réciproquement : on ne peut comprendre parfaitement le statut de la contradiction dans la philosophie de Hume sans évoquer la conception humienne du *jugement*. Hume suit en effet Malebranche en considérant que les trois opérations de la pensée que distinguent la logique traditionnelle et, en particulier, les logiciens de Port-Royal, se ramènent en réalité à une seule : « L'acte de l'esprit ne dépasse pas la simple conception. » (*T.*, I, III, 7, 97, *174*) La nécessité démonstrative naît d'une impression, de même que la nécessité causale. C'est probablement ce rapprochement qui a faussé, dans l'esprit de Kant, le sens de l'opposition marquée par Hume entre relations d'idées et questions de fait. Car on pourrait comprendre l'opposition de la manière suivante : lorsque nous raisonnons démonstrativement, nous sommes déterminés par un principe, le principe de contradiction ; et lorsque nous posons par exemple l'égalité entre 2 + 2 et 4, nous savons que nier la vérité de ce résultat serait contredire notre emploi de l'addition, c'est-à-dire rendre confuse l'idée d'addition. En revanche, quand nous examinons deux événements dont l'un est cause de l'autre, nous pouvons très bien imaginer qu'un autre effet s'ensuive de la même cause, ou que le même effet ait une cause toute différente. Quoique nous ayons l'impression de connaître les causes, et de les connaître comme nécessaires, il y a nécessité dans le premier, mais non dans le second cas.

En réalité, Hume ne souhaite pas préserver un ordre de connaissance aux dépens d'un autre, mettre les mathématiques à l'abri des doutes sceptiques pour mieux mettre en évidence l'absence de fondement rationnel des sciences de la nature. Il met au contraire les deux types de nécessité en parallèle, afin de démontrer que ce qu'assure, dans un cas, la *démonstration*, dont le principe est une relation naturelle, est assuré dans l'autre par une croyance (*T.*, I, III, 14, *252*).

Si l'on voulait soustraire la démonstration à ce parallèle, il faudrait prouver que, dans son cas au moins, il existe un fondement indépendant de l'évidence, un fondement « objectif » *autre que* la tendance. Mais on chercherait en vain un tel fondement : le démonstrativement faux se révèle seulement au caractère indistinct et confus de l'idée correspondante, et qui rend celle-ci proprement inconcevable. « Ce qui implique contradiction ne peut pas être conçu. » *L'irreprésentable est la contre-épreuve de la démonstration*, et comme il n'existe pas de semblable contre-épreuve pour le jugement causal, il faut bien que l'impression qui, comme le dit Hume, « fait la différence », provienne d'ailleurs, c'est-à-dire d'une croyance (*Abs.*, 652-653).

Nécessité démonstrative et logique

Paradoxalement, c'est parce que le sentiment de nécessité démonstrative accompagne les comparaisons d'idées mathématiques, mais fait défaut aux inférences causales qu'une logique des inférences causales est peut-être plus utile qu'une logique de la déduction. La logique formelle semble en effet tomber sous le coup de cette maxime que Hume cite dans un autre contexte : « Très proche du ridicule de nier une vérité évidente est celui de prendre beaucoup de peine pour la défendre. » (*T.*, I, III, 16, 176, *263*). Ce qui est trivial ne mérite pas qu'on s'y arrête. La trivialité de la logique formelle telle que la conçoit Hume, est ainsi à rattacher à sa théorie de l'idée distincte : à quoi bon donner des préceptes que personne ne songe à enfreindre, et qui n'ont jamais trait aux questions essentielles de la vie courante, c'est-à-dire aux inférences causales ? Comme Locke, Hume considère les manuels de logique comme des ensembles de règles évidentes dans leur formulation qui risquent d'être finalement nuisibles malgré ou en raison même de leur vacuité. Ils peuvent en effet masquer aux jeunes esprits les véritables problèmes que rencontre la connaissance, par exemple ceux que la « philosophie expérimentale » (c'est-à-dire la Mécanique newtonienne) et, plus encore, la « philosophie morale » (la théorie humienne de la nature humaine) doivent surmonter.

En revanche, c'est précisément parce que « n'importe quoi peut produire n'importe quoi » qu'il peut y avoir un intérêt à *étendre la logique,* ou plutôt à la *déplacer,* en fixant des « règles générales » qui détermineront quand la relation de causalité s'applique effectivement (*T.*, I, III,

15, 173, *260*). S'il faut parler de *logique*, et énoncer des règles à suivre pour raisonner, autant qu'il s'agisse de préceptes non triviaux, à la différence de ceux de la logique scolastique (*ibid.*, 175, *262*). Même ainsi étendue aux raisonnements véritablement problématiques, la logique normative paraît à Hume d'une utilité réelle assez douteuse :

« Peut-être n'était-elle pas très nécessaire, et les principes naturels de notre entendement auraient pu y suppléer. » (*Ibid.*, 175, *262*)

De même que le juste, le vrai est ce qui s'accomplit en vertu de tendances naturelles : comme le fera plus tard Quine, Hume « naturalise » la logique. La science de l'homme est le seul fondement possible de toutes les autres sciences, « la seule base sur laquelle elles puissent s'établir avec quelque sécurité » (*T.*, Introd., XVI, *59*).

Quel est donc le propos de Hume en introduisant sa célèbre distinction entre *relations d'idées* et *questions de fait et d'existence* ? Ce n'est pas, on le voit bien maintenant, de ruiner toute assurance relative aux vérités de fait des sciences de la nature, lesquelles seraient données en pâture aux sceptiques tandis que les mathématiques seraient sauvegardées et seraient seules à mériter le nom de Sciences. Hume se propose en fait de distinguer deux types de convictions, l'une et l'autre concourant à l'unité de l'esprit humain, qui s'exprime dans le système total des Sciences. La conviction démonstrative est fondée sur une transition entre intuitions ; celles-ci sont immédiates, et procèdent sans intermédiaire de la perception distincte des idées ; la conviction causale, médiate, implique une croyance. Ces deux convictions, sans doute, ne sont pas de même statut. La première peut-être dite entièrement *rationnelle*, puisque seuls les principes naturels de l'entendement y entrent en jeu. La seconde en revanche ne l'est plus du tout : « Le raisonnement expérimental est une espèce d'instinct ou de pouvoir mécanique qui agit en nous à notre insu ; et qui, dans ses principales opérations, n'est dirigé par aucune de ces relations ou comparaisons d'idées qui sont les objets propres de nos facultés intellectuelles. » (*E.H.U.*, § 85, 108, *158*) La croyance joue un rôle essentiel dans les sciences expérimentales et dans la vie quotidienne, et pourtant ce n'est plus une opération intellectuelle ; c'est un phénomène psychique archaïque, dont dépend la survie des espèces vivantes.

La prise en compte de ce « supplément » que fait intervenir la conviction causale ne laisse évidemment pas indemne le sens du mot « Science ». Nous n'avons pas de *connaissance* ayant pour objet la connexion entre les causes et les effets. Au lieu d'en conclure avec Locke à notre *ignorance* « concernant les pouvoirs, les efficaces, et les types d'opérations par lesquels sont produits les effets que nous observons quotidiennement » (*E.*, IV, III, 24), Hume décèle un type d'expérience irréductible à la fois à l'observation et à la connaissance :

> « On accorde de partout qu'il n'y a pas de connexion *connue* entre les qualités sensibles et les pouvoirs cachés ; par suite, que l'esprit n'est pas porté à former une telle conclusion sur leur conjonction constante et régulière par ce qu'il *connaît* de leur nature. (...) Du moins faut-il reconnaître qu'ici l'esprit tire une conséquence ; qu'il fait un certain pas ; qu'il y a un progrès de pensée et une inférence qui réclament une explication. » (*E.H.U.*, § 29, 34, *79*)

Pour Locke, la scientificité en matière de philosophie expérimentale est « hors de notre atteinte » (*E.*, IV, III, 26). Pour Hume au contraire, quoique les recherches portant sur les faits ne puissent prétendre au même titre que « les sciences proprement dites » être purement démonstratives, elles n'en méritent pas moins le nom de sciences, à la condition toutefois de débarrasser cette appellation des présupposés rationalistes en fonction desquels toutes les liaisons doivent pouvoir être *pensées* (en particulier à la condition de la délivrer du présupposé selon lequel la causalité serait contrôlée par le principe de raison suffisante).

Telle nous paraît être en définitive la fonction de l'opposition entre relations d'idées et questions de fait : montrer que la dissymétrie entre propositions informatives renvoie à une genèse empirique : la pensée ne se soutient pas sur la pure raison, mais se trouve largement reposer sur des inférences causales qui ne sont plus rationnelles, sur des principes naturels que rien ne vient fonder. La bifurcation de Hume ne nous renvoie pourtant pas, comme ce serait le cas dans un agnosticisme comme celui de Locke, à une abstention, à un silence prudent. Confrontée au partage entre foi et savoir, la science de la nature humaine n'en est pas moins encore possible. La philosophie doit se faire à son tour raisonnement expérimental, et affronter directement, au cours de son enquête, les entorses qui sont naturellement faites à l'universalité du principe de raison. « Nous ne pouvons rendre aucune autre raison de nos principes les plus généraux et les plus subtils que notre expérience de leur réalité. » (*T.*, Introd., 61) Ce n'est pas désespérer de la Science que d'observer comment s'élaborent ses propositions, et y remarquer des sauts, des connexions non pensées, des raisonnements non démonstratifs. C'est simplement la naturaliser, la proportionner à l'esprit humain qui la produit.

Chapitre 3

KANT CRITIQUE DE LEIBNIZ : CARACTÈRE ET ANALYTICITÉ

> « *Cette division est indispensable pour la critique de l'entendement humain, et mérite donc d'y être classique* ; je ne sache pas qu'elle ait ailleurs une grande utilité. » (*Prolégomènes*, § 3)

Nous avons vu Kant tour à tour revendiquer contre Eberhard la nouveauté radicale de sa division de tous les jugements en analytiques et synthétiques, et reconnaître chez Locke et chez Hume l'usage de cette même division. Mais il ne faudrait pas se hâter d'en conclure que Kant se donne la facilité de choisir ses devanciers pour mieux se démarquer des dogmatiques, en privilégiant les empiristes contre Leibniz. Car si la division de tous les jugements en analytiques et synthétiques a un intérêt réel, et pas seulement un intérêt scolastique purement nominal, c'est de son couplage à une critique de l'entendement humain qu'elle le tire (*P.*, § 3, 270, 25). Dans *Les Progrès de la Métaphysique*, Kant revient sur la question de la nouveauté de la distinction :

> « Si elle avait été clairement connue du temps de Leibniz et de Wolf, nous trouverions cette distinction non seulement mentionnée, dans quelque Logique ou Métaphysique parue depuis, mais nous en verrions même l'importance fortement soulignée. Car un jugement de la première espèce (*i.e.* un

jugement analytique) est toujours *a priori* et accompagné de la conscience de sa nécessité. Mais un jugement de la seconde espèce (*i.e.* un jugement synthétique) peut être empirique et la logique ne peut indiquer la condition qui rend possible un jugement synthétique *a priori*. (*P.M.*, 266, *17*)

Nous voyons Kant évoquer ici « l'importance » de la distinction : n'est-ce pas directement contredire le texte des *Prolégomènes* cité en exergue ? Ce serait le cas si, dès le premier de ces textes, Kant n'avait pas indiqué sur quelle opposition d'arrière-plan cette distinction voit son importance modulée. Du point de vue de la *logique formelle*, la distinction n'est d'aucune utilité parce que les objets y sont considérés dans l'abstrait, c'est-à-dire indépendamment de leurs sources de connaissance. En *logique transcendantale*, elle est au contraire décisive, puisque c'est elle qui confère à cette logique la condition de son questionnement spécifique : « comment des jugements synthétiques *a priori* sont-ils possibles ? » Il apparaît dès lors clairement que l'objectif de la distinction est d'opposer au domaine de la pensée d'entendement, qui est celui de la logique traditionnelle, une région de la raison dans laquelle les principes formels ne sont d'aucun secours. La question de l'intérêt (transcendantal) de la distinction nous permet alors de comprendre la manière dont Kant présente le concept de jugement analytique. Lorsque Kant indique qu'il « s'accompagne du sentiment de sa nécessité » (texte cité), ou bien qu'il est « tiré du principe de contradiction », c'est à la proposition des logiciens, dans laquelle « la liaison du prédicat au sujet est pensée par identité » qu'il songe.

Cependant, ce serait trop concéder à Locke que de reconnaître à la liaison identique le caractère de trivialité que celui-ci prêtait aux « propositions frivoles ». Si en effet les propositions purement analytiques sont parfaitement évidentes, il devient impossible de convaincre les dogmatiques qu'ils n'ont cessé d'en user. La définition du jugement analytique doit donc faire intervenir, outre cette caractéristique purement formelle qui est la *décomposition prédicative du sujet en parties*, un trait qui rende compte du fait que les propositions analytiques ne sont pas purement tautologiques : il s'y effectue non pas, ce qui est l'apanage des jugements synthétiques, une extension de la connaissance, mais un progrès dans la distinction :

> « ... Les premiers (les jugements analytiques) n'ajoutent rien au concept du sujet par le moyen du prédicat, mais ne font que le décomposer par l'analyse en concepts partiels qui ont été déjà (bien que confusément) pensés en lui. » (*K.R.V.*, III, 33)

Décomposer un concept permet de « devenir conscient du divers qui est pensé toujours en lui » (*ibid.*, 34). En appelant « analyse » la décomposition en parties, Kant s'en tient au choix lexicologique de la *Dissertation de 1770* ; de même que le mot de « Synthèse », celui d'« Analyse » peut être pris soit au sens *qualitatif*, soit au sens *quantitatif*.

> « L'analyse, au premier sens, est une régression *du conditionné à la condition*, au second, *du tout* à ses *parties possibles* ou médiates, c'est-à-dire aux parties de ses parties (...) C'est au second sens seulement que nous prenons ici la synthèse et l'analyse. » (*D.*, I, § 1, note, *23*)

L'analyse qualitative est la méthode à laquelle les géomètres grecs ont donné le nom d'*Analusis*, laquelle consiste à considérer comme vraie une proposition afin de pouvoir rechercher d'où elle dérive et de parvenir ainsi à une proposition déjà connue [17]. Considérée du point de vue opératoire et démonstratif, l'analyse consiste à remonter du conditionné à la condition, *a rationato ad rationem* ; mais Kant ne retient de l'analyse que son aspect quantitatif, *a toto ad partes*. Cette appréciation quantitative de l'usage logique de l'entendement est ce qui permet de passer du point de vue de la composition du concept à celui de la distinction : du concept global au concept subdivisé, on passe d'une connaissance « confuse » à une connaissance « distincte », passage qui constitue un accroissement non pas *materialiter*, mais *formaliter* de la connaissance (*L.*, § 36).

Les propositions analytiques sont vraies par l'*identité* des concepts – du prédicat avec le sujet –, mais cette identité n'est pas pour autant *expresse*, sans quoi le jugement serait vide. Sans encore verser dans le pur jeu verbal des « qualités occultes », le jugement tautologique est strictement dépourvu d'utilité. S'il n'est pas absurde, *Sinnleer*, il est « vide de fruit » (*R.*, 3130 et 3137) :

> « De tels jugements ne contribuent en rien à la distinction du concept, à quoi cependant doit viser tout jugement, et sont de ce fait qualifiés de vides. » (*P.M.*, XX, 322-323)

Le jugement analytique est une proposition *implicitement* identique, et cet « implicite » est le garant de sa fécondité spécifique. Il se « fonde » sur l'identité, « il peut y être ramené », mais il n'est pas une simple identité. Or l'acception quantitative de l'analyse pour laquelle Kant paraît avoir très tôt opté, semble inévitablement réinscrire une thèse précritique au sein de la pensée critique, quoique uniquement sous la rubrique de la pensée logique, et plus précisément, s'inspirer silencieusement de l'idée leibnizienne de *resolutio*. Legs transmis par Meier, dont Kant a longuement commenté l'*Auszug aus der Vernunftlehre* ? [18] Cette hypothèse ne paraît à première vue guère tenable, puisque Kant refuse énergiquement de faire de la logique « une algèbre à l'aide de laquelle se laisseraient découvrir des vérités cachées » (*L.*, Introd. II, 20, *19*). Il y a là un vrai problème. Pour le résoudre, il nous faut confronter au plus près les thèses respectives de Kant et de Leibniz sur la nature et les objectifs de la résolution.

Identité et implicite chez Leibniz et Kant

Archétype leibnizien de la démonstration, la résolution consiste à exprimer explicitement la compréhension du prédicat dans le sujet, propriété qui, selon Leibniz, caractérise toute proposition vraie, qu'il s'agisse d'une vérité de raison ou de fait, quoique dans ce dernier cas la résolution ne soit pas à notre portée [19]. Le principe d'identité jouit ainsi chez Leibniz de la fonction de principe opératoire fondamental. En premier lieu, il donne le *canon du vrai*, qui consiste dans l'identité du prédicat et du sujet. L'analyse est destinée à manifester la persistance d'un contenu identique au fil des substitutions des définitions aux définis. Il assume, en second lieu, la *clôture* d'un champ de calcul. Ce champ de l'identique recouvre en droit tout le pensable. De fait, il ne s'étend qu'à ce qui est susceptible de décomposition réglée en éléments irréductibles. Pour que le principe puisse s'opérer sur *tout* le pensable, il faut donc recourir à l'artifice d'une langue appropriée à la résolution. La Caractéristique universelle sera l'*Ars Formularia* requise par le principe d'identité pour n'opérer que sur du comparable. Elle sera chargée de traduire en langage de calcul toutes les significations opaques de la langue ordinaire. Une fois qu'une **Encyclopédie** sera constituée, rien ne fera obstacle à l'exercice du principe d'identité [20]. Enfin, le principe d'identité assure l'homogénéité de ce champ de l'identité. Il pose comme non-contradictoires toutes les composantes résolues qui forment la matière des identités partielles [21]. Or, tout terme complexe est univoquement décomposable en facteurs premiers porteurs de significations élémentaires : vocabulaire primitif que l'on postule ne pas devoir se modifier [22].

Il y a donc dans l'identité toutes les propriétés d'un principe légitime de *calcul*. En ce sens, elle est ce qui fonde les substitutions *salva veritate*, selon la maxime qui sera un jour reprise par Frege : « Eadem sunt, quorum unum in alterius locum substitui potest salva veritate [23]. » Mais le principe ne se borne pas à permettre le travail combinatoire sur des expressions *abstraites*. Non seulement n'altère-t-il pas la vérité, comme le rappelle la citation précédente, mais encore a-t-il le projet de la *fonder*. En d'autres termes, il ne se borne pas à fournir un des axiomes primitifs du calcul, la règle de substituabilité. Ce qui faisait du principe d'identité un principe opératoire le porte du même geste à être un principe ontologique : la Caractéristique doit aussi être *réelle*, s'appliquer à tout le pensable, et devenir l'instrument d'une invention qui ne soit pas seulement symbolique.

Tirons pour notre compte la conséquence de cet usage de l'identité : pour être canon du vrai, et oeuvrer à la clôture du pensable, l'identité doit mobiliser certains présupposés typiquement dogmatiques. Toute vérité ne peut être réduite à l'identité que parce que l'on subordonne l'entendement humain à un entendement divin dans lequel les vérités de fait coïncident avec les vérités de raison :

« Si l'on pouvait comprendre chaque notion comme la comprend Dieu, l'on pourrait y voir que le prédicat est compris dans le sujet [24]. »

Ce n'est que par la fiction de l'entendement divin que se trouve maintenue la possibilité d'une réduction analytique des vérités de fait. L'inachèvement opératoire se trouve par là, sans doute, métaphysiquement légitimée, mais non pas pensé dans ses limites. La thèse de la compatibilité des simples disparates constitue un autre présupposé nécessaire à l'universalité de la caractéristique ; mais elle revient à affirmer ce qui est justement à démontrer, c'est-à-dire que le calcul est possible, et qu'il n'y a pas d'obstacle qui s'interpose entre le possible logique et le possible réel. Peut-on dans ces conditions maintenir l'hypothèse d'un « emprunt » de Kant à Leibniz, et considérer l'implicite dont parle Kant comme la résurgence du *resolvendum* leibnizien ? Ce qui manifeste le caractère hasardeux de cette interprétation s'annonce dès la *Recherche sur l'Evidence*. Si l'idée de Caractéristique peut valoir en Mathématiques, où l'on procède par *liaison arbitraire* pour constituer des concepts, elle n'a plus sa place en Philosophie, où l'on doit se borner à explorer un concept *déjà donné*, avec « la chose même sous les yeux » (I, § 1 & 2). On ne peut plus penser ici « sous les signes », mais seulement « au moyen des signes ». C'est dire que la construction symbolique n'a plus libre cours en Philosophie, comme elle peut l'avoir en Mathématiques. Le mot devient lourd du sérieux d'une chose à représenter : « tout le monde possède un concept du temps ». La pratique manipulatoire aveugle sur des abstractions ne conserve de légitimité que si l'arbitraire est *au principe* du penser. Mais puisque philosopher consiste à rendre clairs des concepts déjà donnés dans les mots, « l'allègement considérable » que permet le procédé symbolique n'est évidemment plus autorisé [25].

La *Dissertation de 1770* voyait dans la *contemplation* l'essentiel de la méthode intuitive des Mathématiques. La *Critique* enrichit l'analyse de cette méthode par l'idée de *construction* de concepts dans l'intuition. C'est ici que passe désormais la frontière entre Mathématiques et Philosophie, puisque celle-ci est réduite à l'exploration des concepts. Les objections à la Caractéristique de 1764 et de 1770 sont ainsi à la fois reprises et dépassées de manière critique. D'un côté, il n'y a plus *d'arbitraire discursif* qui puisse prétendre être légitime, c'est-à-dire de rapports entre concepts n'ayant d'autre loi qu'une règle *convenue* par le seul entendement. En ce sens, la Caractéristique perd son privilège constructif. Il n'y a maintenant de place que pour un arbitraire *intuitif* : c'est ce qui est posé par une norme *a priori* non intellectuelle, dans une construction n'obéissant qu'à l'intuition pure (*K.R.V.*, A 729, 478, *502*). D'un autre côté, le symbolique n'est plus, comme dans la *Dissertation* (II, § 10), mis dans le camp de l'intellection :

« La mathématique arrive ainsi, au moyen d'une construction symbolique, tout aussi bien que la géométrie au moyen d'une construction ostensive ou géométrique (des objets mêmes) là où la connaissance discursive ne pourrait jamais arriver au moyen de simples concepts. » (*K.R.V.*, A 717, 471, *495*)

Ce n'est qu'à la condition d'être construite *à partir d'une intuition pure* que la symbolisation est autre chose qu'un formalisme vide et gratuit, c'est-à-dire qu'elle devient principe de découverte. Car il faut sortir du concept pour « arriver à des propriétés qui ne sont pas dans le concept, mais qui pourtant lui appartiennent » (*ibid.*, A 718, 472, *496*). Au contraire de ce qu'ambitionnait la Caractéristique Universelle, ce n'est pas le discursif, en tant que procédé de symbolisation abstraite combinatoire, qui ouvre la voie à la découverte ; ce ne peut être que l'intuition, seule capable de fournir au savoir un *contenu*. Ce qui, dans la *Critique*, ruine définitivement les prétentions de l'analyse à régir tout le pensable s'affirme dans le principe de l'Amphibolie (*ibid*, A 261, 215, *232*). Ce n'est qu'à la faveur de la *confusion des facultés* que l'on a pu espérer étendre le calcul à tous les domaines de la raison, que l'on a cru pouvoir constituer un « alphabet des pensées » où se trouvent indistinctement mêlés des concepts purs, des concepts empiriques et des intuitions *a priori*. La Combinatoire a commis l'erreur de traiter des intuitions *comme si* elles étaient des concepts : l'impérialisme du discursif chez Leibniz conduit à méconnaître le véritable site de l'invention : non pas l'entendement, mais l'intuition. Bien loin donc d'être repris au compte du criticisme, « l'implicite » leibnizien est brisé par Kant en deux processus distincts : celui de l'analyse prend une voie divergente de celui de la Combinatoire. Nous verrons plus loin comment le renouvellement par Carnap du projet combinatoire leibnizien le conduira sinon à réunir de nouveau, du moins à reconvertir en rubriques formellement composables les deux types d'« implicite »(cf. *infra*, Section V, chapitre 5). Analyser, pour Kant, c'est encore rendre clair un concept ; mais la distinction du concept cesse d'avoir comme chez Leibniz une portée *constructive*. On peut expliciter, parvenir à une définition. Mais d'une définition, que peut-on encore tirer ? Aucune *propriété* ne peut surgir de l'examen de la signification détaillée du concept. Car démontrer une propriété fait appel à tout autre chose qu'à l'axiome identique. Construire, en revanche, ne relève plus de l'usage *discursif* de la raison : c'est une opération intuitive, qui ne devient technique combinatoire que dans la spécificité de l'objet algébrique (*K.R.V.*, 472-473, 496-497).

La combinatoire perd ainsi sa complicité avec l'analytique : en quelque sorte, elle change de terrain, pour s'effectuer désormais à partir d'intuitions que la combinaison de caractères a pour charge de *représenter*. Dans ces conditions, il est évident que la composition cesse d'être l'opération inverse de la décomposition. Celle-ci va d'un *concept* à d'autres *concepts*, celle-là d'une représentation *concrète a priori* à l'élaboration d'un *concept* général. Chaque opération est désormais *autonome* par rapport à l'autre. L'analyse cesse de préparer la synthèse. La rupture entre la Caractéristique et l'Encyclopédie est consommée.

Pris d'un point de vue kantien, l'« implicite » de Leibniz a un sens double : résultat encore inconnu d'une construction en cours (comme lorsque nous trouvons la formule exprimant le nombre π sans pouvoir achever la série qui le constitue), cet implicite est *synthétique*. Contenu indistinct donné avec un concept que *l'on peut expliciter* discursivement : l'implicite est alors de nature *analytique*. Mais, au contraire de l'implicite synthétique, ce dernier type d'implicite ne nous permet plus de découvrir de nouvelles propriétés, ni *a fortiori* de construire de nouveaux objets. Il n'est pas inutile d'y insister, pour déjouer la permanente tentation d'élargir analytiquement le champ de la connaissance, qui, comme nous l'avons vu, caractérise la Métaphysique dogmatique (*ibid.*, 31, B8 sqq, *36*). Encouragé par la solidité de la réelle connaissance que fournit l'analyse *a priori* des concepts, on finit souvent par désirer que se prolonge une telle progression *a priori* :

> « La raison, sans même le remarquer, se laisse prendre à ce leurre et elle émet des assertions d'espèce toute différente où elle ajoute à des concepts donnés (*a priori*) d'autres concepts tout à fait étrangers (et cela, il est vrai *a priori*) sans qu'on sache comment elle y arrive et sans que seulement elle laisse cette question nous venir à l'idée. » (*ibid.*, 33, B10, *37*)

De l'analyse des concepts, on est insensiblement conduit, à la faveur de la confusion entre les types d'« implicite » à des assertions synthétiques qui requièrent une confirmation dans l'intuition. Du point de vue de Kant, Leibniz est lui-même victime de cette « passion pour l'élargissement » au moyen de propositions analytiques. Pour avoir mesuré le possible à l'aune du logique, Leibniz est conduit à des positions extrêmes également nocives, c'est-à-dire tantôt à la douce rêverie d'un savoir et d'un pouvoir universels, tantôt à la violence d'exclusions contraires au bon sens. « Il considéra comme impossible ce qui ne pouvait pas se rendre représentable par simples concepts d'entendement. » (*P.M.*, 281-2, *38-39*)

En reprochant ainsi à Leibniz de limiter le pensable au purement conceptuel, Kant n'est pas sans rappeler la manière dont Leibniz critiquait Descartes d'avoir limité le pensable à l'intuitif, en suspendant la connaissance au principe d'évidence. Kant marque en effet un retour à l'intuitionnisme cartésien dans la mesure où ce n'est jamais du pur discursif, mais de *l'intuitif* qu'il faut attendre un progrès réel du savoir. Cependant, Kant renvoie Descartes et Leibniz dos à dos en tant qu'il les situe l'un et l'autre dans le cadre de la Métaphysique dogmatique. Descartes fondait dans l'intuitionnisme un dogmatisme du connaître, assignant à l'inconnaissable un terrain réservé. Au contraire, Leibniz ancre dans le formalisme caractéristique une pensée de l'Etre, tirant du principe de contradiction un argument en faveur de la possibilité réelle des existants. Kant supprime la racine de tout dogmatisme en cessant de s'intéresser à l'existence ou à la connaissance des *choses*, mais en se tournant vers « la représentation sensible des choses » (*P.*, I, Remarque II [26]).

La Logique Générale ne peut donc être l'instrument utilisable indifféremment par une philosophie ontologique *et* par la philosophie critique. Elle est désormais soumise au préalable transcendantal. La question se repose donc à nous : comment comprendre l'analytique kantien, maintenant démarqué de son homonyme leibnizien ? Quelle est l'originalité de la solution kantienne ? Pour mieux saisir l'indépendance de la logique de Kant à l'égard de la tradition leibnizienne, c'est son traitement du caractère que nous mettrons en question : puisque l'analytique est le principe de la pensée *logique*, voyons ce que le matériau de cette pensée, le caractère (*Merkmal*), peut nous apprendre sur le processus analytique de subdivision.

Des caractères

Pour la tradition, un *caractère* (*nota*) est ce qui fait connaître un objet, ou plus exactement, selon l'image de Sénèque, ce qui attire notre attention sur sa valeur, comme l'estampille du douanier sur l'amphore fait office d'*icône* (*iconismos*) pour son contenu :

« ...notas quibus inter se simila discriminentur [27]. »

Le génie mathématique de Leibniz fut d'interpréter cette propriété iconique du caractère en en faisant l'élément d'un langage systématique destiné à consigner les relations entre les pensées et à en révéler de nouvelles :

« J'appelle caractère la note visible représentant des pensées ; l'art caractéristique est ainsi l'art de former et d'ordonner des caractères, en sorte qu'ils consignent des pensées et aient entre eux les mêmes relations qu'elles ont entre elles [28]. »

Les caractères seront construits en suivant une règle d'isomorphisme entre le composé de l'idée et la composition du nombre [29]. Le caractère étant un auxiliaire *imaginatif* de la raison, la conscience de ce qui est représenté devient superflue. Le calcul mécanique remplace l'attention à la chose signifiée. Ce qui compte est en effet moins le *contenu significatif* de chaque caractère que les *relations* manifestées par le calcul.

Kant développe l'autre valence de la *nota* : non plus terme visible façonné par art, mais ce par quoi l'on accède à la connaissance d'un contenu :

« Un caractère est ce dont je prends conscience dans une chose. » (*R.* XVI, 2276)

C'est donc dans un acte singulier de prise d'indices que s'élabore le caractère. Plus qu'une modification dans l'usage d'un concept, il y a ici *changement d'orientation* de la Logique. Celle-ci se trouve en effet ramenée du statut de jeu réglé sur des expressions abstraites au sérieux d'un canon de l'usage de l'entendement. La *forme* qui en reste l'objet n'est plus la *convention* d'un choix d'axiomes et de termes primitifs, mais la présentation de l'*unique* usage légitime de l'entendement. La Logique se fait par conséquent à la fois le « vérificateur de la connaissance » (*L.*, IX, 13, *12*) et la servante de la Logique Transcendantale : « selon la forme » veut maintenant paradoxalement dire « du point de vue subjectif », entendant par là le point de vue de l'entendement se connaissant lui-même (*ibid.*, 94, *102*).

Ce changement d'orientation explique l'ambiguïté de la *Logique* qu'avait déjà soulignée Jean Cavaillès [30]. Ce texte, qui n'est d'ailleurs pas de la main de Kant, mais de son disciple Jäsche, est écrit à plusieurs niveaux parfois malaisés à distinguer. En tant que *cours*, il a le souci de présenter des distinctions « classiques ». La bipartition en « doctrine des éléments » et « doctrine de la méthode » est parfaitement conforme aux ouvrages du genre, ainsi que la progression du plan : des concepts aux jugements puis aux raisonnements.

Mais ce discours logique est ressaisi dans une *appréciation critique*, qui est rendue possible par le versant transcendantal de la Logique. Cette révision critique consiste à situer les significations logiques et à indiquer éventuellement ce qui dépasse le domaine purement logique : c'est alors « à la Métaphysique d'en traiter ». Enfin, certaines pages de la Logique sont franchement architectoniques, et font appel à un concept d'unité de la raison que l'entendement se connaissant lui-même ne pourrait pas penser par ses seuls moyens : ainsi de l'Appendice à l'Introduction (*ibid.*, 86-87, *97-98*).

La question du double usage

Y a-t-il homogénéité entre tous les caractères ? Forment-ils ensemble un genre ? Nous avons évoqué plus haut ce qui fait l'importance de la réponse à cette question, qui doit autoriser ou proscrire le libre jeu des combinaisons à l'intérieur de cet ensemble. La *Logique* semble indiquer qu'il y a bien entre les caractères la communauté d'un usage identique : « *Tous les caractères*, insiste-t-elle, ont de droit *et* la fonction de dérivation (en tant qu'ils fondent une connaissance de la chose en elle-même) *et* la fonction de comparaison (en tant qu'ils servent à reconnaître l'identité ou la différence de la chose avec d'autres). » Or cette dualité d'usage attribuée à *l'ensemble des caractères* ne nous paraît conforme ni aux autres textes logiques de Kant, ni surtout aux exigences de l'analyse transcendantale à laquelle la logique générale est, nous l'avons vu, toujours subordonnée.

Si nous suivons en effet les autres logiques [31], le double usage devient *principe de classement* entre les caractères. Il y a ceux qui sont appropriés à la détermination interne de la connaissance de la chose, et qui peuvent *a fortiori* suffire à la comparaison, et il y a ceux qui, constitués *en vue de* la comparaison, ne sont pas suffisants pour connaître le divers dans la chose. Contre Leibniz, Kant affirme donc que, même si le caractère comparatif est le plus courant, ce n'est ni le plus fécond (en réalité, on ne peut rien en dériver), ni le plus important :

« Les caractères qui servent à l'usage interne sont aussi bons pour l'usage externe, mais non réciproquement. » (*L.P.*, 533)

Lorsque c'est la Logique qui règle l'Ontologie, comme dans *l'Ars Characteristica*, l'homogénéité de tous les caractères comme éléments simples ou produits d'éléments simples forme la condition nécessaire de l'efficacité du calcul. Ici au contraire, c'est l'hétérogénéité qui constitue l'obstacle à la possibilité d'un calcul formulaire. L'indifférence au point de départ du raisonnement cesse par conséquent d'avoir cours. Car la pensée est contrôlée *par son rapport à l'acte d'où elle procède* : ou bien acte d'imagination productive, d'où s'effectue la dérivation, ou bien acte d'entendement, qui établit des comparaisons entre occurrences. Ainsi ce que je démontre – en partant de ses propriétés – pour *un* triangle rectangle vaut pour tous les triangles rectangles : or, ce que peut la dérivation à partir du fondement de connaissance, la comparaison en est bien incapable. Sa portée propre est uniquement illustrative [32]. Aussi ne suffit-il pas de reconnaître à Kant d'avoir *ajouté* l'usage interne de dérivation à la fonction de différenciation notée par Meier [33], encore faut-il apprécier le changement qu'apporte cette véritable *scission*. Les caractères ne sont plus le matériau interchangeable de la connaissance. Il faut l'intervention critique de la *réflexion* pour que leur origine, et, de là, leur fonction, leur soient assignées. C'est l'acte dont ils procèdent qui nous fait estimer leur rôle cognitif propre.

Résumons les grands traits de cette « scission ». Leibniz estimait possible de connaître par un réseau suffisamment serré de relations comparatives, par le jeu des identités et des différences [34]. A l'époque de la *Fausse subtilité*, Kant définit encore le juger comme un acte de comparaison [35]. Mais le développement de la logique transcendantale exige que l'on corrige cette définition. La comparaison peut bien rapprocher des représentations (*Zusammenhalten*) dans l'unité de la conscience (*R.*, 2878), elle est impuissante à engendrer un concept (*R.*, 2965). Comparer et abstraire reviennent à manifester une *forme logique* (comme le genre, l'espèce), mais ne peuvent pas saisir le divers comme tel. L'acte logique est toujours *subséquent* : il doit être précédé d'un acte d'aperception transcendantale.

Tentons de préciser encore la nature du lien qui unit l'acte transcendantal et l'acte logique. Une note de la *Critique* nous éclaire sur ce point :

« L'unité analytique de la conscience s'attache à tous les concepts communs en tant que tels ; par exemple, si je conçois du *rouge* en général, je me représente par là une qualité qui (comme caractère) peut être trouvée quelque part, ou liée à d'autres représentations ; ce n'est donc qu'au moyen d'une unité synthétique, préconçue possible, que je puis me représenter l'unité analytique [36]. » (*K.R.V.*, B 134, 109, *111*)

Les fonctions de l'unité analytique dont parle Kant dans la note de la *Critique* sont ce qu'il appelle dans la *Logique* les « actes logiques » : comparaison, réflexion et abstraction (*L.*, 94-95, *103*). Bien loin que l'identité du concept *se dégage* de la comparaison, la comparaison *présuppose* une identité originaire. Comment s'orienterait-elle dans le divers si l'on en faisait un principe ? A moins de supposer dogmatiquement l'existence d'un *cosmos* immédiatement ordonné à la comparaison, on ne peut expliquer comment elle trouve à s'appliquer. Et si l'on tient à faire de toute connaissance une comparaison sans se donner ce genre d'assurance dogmatique, on risque alors de faire verser dans le Scepticisme la Critique de la Connaissance : car on ne peut fonder de connaissance universelle et nécessaire si on laisse dans l'ombre la question de l'identité du comparé. Voilà pourquoi la comparaison exige comme préalable les synthèses transcendantales de l'aperception ; ce sont elles qui fixent les significations, en vertu du rapport à des objets qui s'y détermine. C'est donc dans le sujet qu'il faut découvrir le principe d'unité qui permettra la comparaison. Cette identité qui autorise la formation du concept puis des relations comparatives, n'est autre que la conscience de soi-même à travers l'unité de son acte d'aperception transcendantale (*K.R.V.*, A 108, IV, 82, *122*). L'identité des contenus est finalement conditionnée par l'identité de la conscience dans l'acte qui les synthétise.

De la liaison entre des représentations données (en quoi consiste le juger) et la comparaison entre des concepts (d'où naît le concept commun), il n'y a donc plus comme chez Leibniz une simple différence relative au degré de généralité (*Nouveaux Essais*, II, XI), mais un *décalage* dans la hiérarchie cognitive. L'unité analytique n'est représentée qu'au moyen de l'unité synthétique : « Je vois un pin, un saule, un tilleul » (*L.*, 95, *103*). Mais ces trois représentations, qui me fournissent la matière de l'élaboration du *conceptus communis* d'arbre ont *déjà dû* être *saisies* (*begriffen*) dans un acte synthétique antécédent (*P.M.*, II, 274, *28*). A la comparaison d'effectuer *ensuite* ses exercices d'agilité pour joindre les représentations les plus éloignées (*Anth.*, § 54 [37]). Les caractères se différencient ainsi en vertu de leur *fonction*. S'ils relèvent de « l'usage interne », ils contribuent à la « reconnaissance de la chose » (*R.* 2284). En tant que « fondement de connaissance interne », le caractère de ce type est à la jonction entre le concept et l'intuition (pure ou empirique) :

« Comment les jugements synthétiques en général sont-ils possibles ? De ce que, au-delà de mon concept et hors de lui, je tire de l'intuition qui le fonde quelque chose à titre de caractère et que je lie à ce concept. » (*P.M.*, 339, *105*)

On est en droit de qualifier ce caractère de *base de signification*, puisque c'est de lui que dériveront les concepts et caractères comparatifs qui relèvent de l'usage « externe » (*R*. 2883). Ce genre de caractère quitte le terrain de l'appréhension transcendantale et n'assume qu'un rôle étroitement logique. Sa fonction n'est que de repérage et de classification au sein des caractères directement schématisés. Dans la connaissance, il n'est pourtant pas sans valeur : il assume la *systématisation* des caractères internes. C'est dire qu'il reçoit d'ailleurs son contenu.

Caractères et totalité

L'unité analytique qui résulte de la comparaison et qui, comme telle, n'engendre pas de contenu de connaissance, suppose l'unité originaire de l'aperception, qui est synthétique. Mais le concept analytique diffère-t-il qualitativement, dans sa *composition interne*, du concept synthétique ? Ses caractères portent-ils la marque du type de pensée qui l'a produit ? Ou bien caractères analytiques et synthétiques forment-ils une matière indifférente qu'une forme tantôt analytique, tantôt synthétique, prendra en charge ? Dans sa polémique antikantienne, c'est vers une telle solution que s'oriente implicitement Eberhard. Entre les jugements analytiques et les jugements synthétiques, Eberhard ne veut reconnaître que la distance qui sépare la prédication essentielle de la prédication dérivée de l'essence du sujet. De manière analogue, il n'y a pour Eberhard entre les caractères analytiques et les caractères synthétiques, que la différence entre le primitif des *constitutiva* et le déduit des *rationata*. Ce n'est ainsi qu'une différence formelle, et non une opposition radicale de contenu, qui distingue l'analytique du synthétique. C'est précisément sur ce point que porte la critique de Kant à Eberhard : où est donc cette belle différence qu'Eberhard prétend déjà connaître et employer ? A une déduction près, les *rationata* sont équivalents aux *constitutiva*. Ils ne font pas moins qu'eux partie de l'essence, et les uns comme les autres étant pensés « dès à présent » dans le concept de l'essence, sont au même titre de nature *analytique* (*R.E.*, 81).

Du point de vue de Kant, Eberhard est victime d'un excès de présomption : *il admet d'emblée l'unité des caractères dans un usage seulement discursif, ce qui suppose que tout concept soit une réalité prédonnée*. Il laisse ainsi de côté les « propositions dont le prédicat contient plus qu'il n'est réellement pensé dans le concept du sujet », c'est-à-dire celles dont le prédicat est synthétique (*ibid.*, 85). La seconde distinction qu'évoque l'Introduction VIII de la *Logique* vise donc à prévenir cette illégitime prévalence du déductif. Puisqu'il y a une dérivation analytique *et* une dérivation synthétique (*ibid.*, 81), il y a aussi deux types de rapports entre parties et tout au sein du concept. Si le tout est *antérieur* aux parties, c'est-à-dire si le concept total est antérieur à ses caractères, le caractère considéré est dit *analytique*. Mais seuls les concepts rationnels ont la propriété d'être exhaustivement décomposables en leurs caractères, en fonction du fait qu'ils sont *clos* (au moins en droit, l'analyse peut dégager toutes les parties du concept) et donnés *a priori* [38]. De tels concepts, nous pouvons les *rendre distincts*, mais nous ne pouvons pas les former dans la mesure où ils nous sont donnés dans la nécessité de l'*a priori*. Nous ne pouvons pas non plus les *interpréter* librement, car ils ont déjà un contenu fixé dans une condition transcendantale de la raison :

> « Si un concept est donné par la Raison en liaison avec un mot, alors sa signification n'est plus variable, car aucune synthèse ne le produit ou ne le peut changer. » (*R.*, 2936)

L'idée de la raison pure appartient à ce type de concepts : sans équivalent direct dans l'expérience, elle ne peut avoir qu'une origine pure et *a priori* qui explique qu'on soit réduit dans son cas à l'analyse. Mais la classe de concepts partiels la plus vaste est celle que constituent les caractères synthétiques. Ceux-ci entrent en composition pour former le tout du concept. Ils sont obtenus par induction et visent la totalité du concept comme un terme *possible* de la progression par synthèses successives de nouveaux caractères. Pourquoi le concept total est-il dit, dans ce cas, seulement *possible* ? Parce qu'au lieu de partir de lui comme d'un acquis de départ, il n'est que *supposé* achevé lorsque je rapporte caractère après caractère au même sujet encore incomplètement déterminé. S'il s'agit d'un concept empirique, sa limite n'est jamais sûre : dans la plupart des cas, je peux seulement lui attribuer une suffisance logique, et le considérer *comme s'il était achevé*. Ainsi du mot d'« eau », sous lequel je mets tantôt moins, tantôt plus de caractères (*K.R.V.*, B 756, 477, *501*, *R.* 2914). Le concept analytique au contraire préexiste à ses parties. Il est « réel » *en tant qu'*entièrement en acte, condition de l'unité de la pensée.

La section précédente sur les usages des caractères nous avait permis d'affirmer la préséance du connaître sur le comparer, de l'unité synthétique sur l'unité analytique. Il faut maintenant ajouter : il y a un analytique originaire, qui ne résulte d'aucune comparaison et qui ne présuppose pas de synthèse préalable [39]. C'est celui qui recouvre le « donné pur », c'est-à-dire l'ensemble des concepts donnés *a priori* par la nature de notre entendement ou de notre raison, tels que « substance, cause, droit, équité, etc. » (*K.R.V.*, B 756, 478, *502*). Pour être « réelle », cette connaissance reste marquée par son origine analytique. Ce n'est en effet que dans la confrontation de la représentation à l'objet que je peux juger de la complétude de mon analyse. Mais dans le cas présent, l'objet est donné et non pas construit. Et il est donné *a priori*, et par conséquent il n'est pas possible d'en déterminer distinctement les conditions d'application. Il arrivera souvent que certains caractères d'un concept analytique soient *en pratique* utilisés *implicitement*. La question de l'exactitude et de la complétude de cette analyse du donné pur n'est donc jamais apodictiquement résolue, mais elle est seulement attestée par la série d'exemples qui s'y rapportent. Les concepts rationnels ne sont donc qu'*idéalement* clos. La pensée dans sa fonction exploratrice n'est jamais assurée d'avoir *tout* inventorié.

Ce qui précède permet d'apprécier pleinement l'opposition entre deux interprétations de la *nota*. La logique kantienne développe sa propre conception en rupture avec l'inspiration formaliste de la caractéristique leibnizienne. Le concept n'est pas assimilable au résultat brut d'une opération aveugle. Le caractère leibnizien valait comme signe visible de l'idée, tout jeu de substitution y était légal et fécond. Dans le kantisme, les nombreux interdits impliqués par la classification des caractères visent à interdire le nivellement propre au calcul caractéristique. Priorité est maintenant donnée à la concience sur l'opération caractéristique. Celle-ci ne sera légale que lorsque celle-là pourra être présente. Le caractère doit donc toujours être mesuré par l'acte singulier dont il procède. C'est de la nature de cet acte qu'on peut conclure la nature du caractère et par là son mode d'emploi et son utilité propres. Aucune *technique* de lecture du seul caractère ne nous permet de faire l'économie de cette *réflexion*. L'analyse elle-même ne peut donc pas non plus être réduite à une technique automatique d'identification. Ce progrès du confus au clair à partir d'un donné résulte d'un acte singulier de l'entendement. Réciproquement, dépister l'analyticité d'une proposition exige que l'on s'interroge sur la formation du jugement, et qu'on avère l'indépendance de ce dernier par rapport à l'intuition. Analyser, c'est prendre une conscience plus nette d'un contenu de pensée. C'est ne rien apprendre, tout en sachant mieux.

Reste pourtant un point obscur : le contenu prédonné

est-il vraiment indifférent à l'acte d'analyse ? Et dans ces conditions, ne peut-on, par l'intermédiaire d'une définition, rendre réel un concept jusque-là possible, c'est-à-dire transformer le synthétique en analytique ? L'analytique n'est-il pas, en fin de compte, le « vrai par définition » ? Ou, en termes kantiens : peut-on former une définition réelle de toutes les significations, puis en faire un usage nominal ? Ne peut-on reconstruire dans une langue scientifique univoque toutes les significations, c'est-à-dire, en langage carnapien, les « constituer », afin de déterminer la valeur de vérité d'un énoncé au seul examen des règles du langage concerné ?

Chapitre 4

DÉFINITION ET ANALYTICITÉ CHEZ KANT

Le nominal et le réel

Comme nous aurons l'occasion de le voir amplement dans la suite, c'est de l'opposition entre nominal et réel que dépend la portée que l'on entend, selon les cas, donner ou refuser à un système caractéristique entendu au sens large. Le fait que Kant évoque la distinction entre nominal et réel n'a en soi rien de surprenant, puisqu'il s'agit d'une tradition logique, que reprend par exemple la *Logique de Port-Royal*. La définition de chose laisse au défini « son idée ordinaire, dans laquelle on prétend que sont contenues d'autres idées » (I, XII, 86-87). Il faut dans ce cas être attentif à la réalité de l'idée exposée dans la définition. En revanche, la définition de nom assigne arbitrairement à un son donné l'idée que l'on souhaite signifier. Elle n'a donc aucun usage antécédent à respecter, encore moins à se soucier de la vérité de ce qui est affirmé de l'idée, laquelle n'est pas décrite, mais seulement nommée.

Mais il n'y a qu'homonymie entre la distinction traditionnelle et la distinction correspondante que fait Kant, et c'est précisément dans la compréhension et l'emploi qu'il en propose que nous verrons s'élaborer à un autre niveau la stratégie antiformaliste que nous avons déjà décrite à propos du traitement du caractère. Kant n'a pas seulement en vue l'opposition banale entre la donation arbitraire d'un sens à un mot et la détermination objective d'une chose. Les deux types de définitions s'opposent pour lui à la fois par leur *usage* et par les *concepts* auxquels elles s'appliquent. L'usage de la définition nominale est seulement *comparatif* ou diagnostique (*R.,* 2994, 3001, 3003). Le *definiendum* est alors un concept soit empirique soit rationnel (*R.,* 2992 à 2995). En revanche, la définition réelle est propre à la dérivation, son usage est génétique. Le concept engendré est dans ce cas non pas déjà là, mais produit au terme d'une construction dans l'intuition. C'est un concept synthétique *a priori*. La définition nominale vient donc « après coup », tandis que la définition réelle précède le concept comme sa genèse. Cette distinction est maintenant ce qui rend compte d'un caractère de la définition que Locke avait correctement relevé à propos des jugements de coexistence, mais qu'il n'avait pas su interpréter. Il s'agit du comportement spécifique qui caractérise chaque type de définition relativement à la complétude de la caractérisation qu'elle permet ou non d'atteindre.

Nous avons déjà observé au chapitre précédent que la comparaison est inépuisable et sans point d'arrêt, de même que l'est la série des espèces qui peuvent être prédiquées d'un genre donné. En tant qu'elle procède par comparaisons, la définition nominale est donc par principe une détermination *fragmentaire* de l'objet. Elle n'en présente que quelques signes distinctifs : « L'or est un métal pesant, jaune, soluble dans l'eau régale », etc., est une définition nominale parce qu'elle n'a qu'une *suffisance subjective* pour discriminer l'objet dont on parle parmi *l'universitas* des choses de l'expérience ; elle ne fournit que quelques repères qui ont un rôle de simple marquage, assez grossier, de la référence [40]. Aux antipodes de ce qu'on pourrait appeler la « sous détermination » du champ nominal, la construction dans l'intuition offre le paradigme de la clôture sur un objet. Les éléments du concept sont alignés un par un suivant un ordre de coordination synthétique ménagé par l'intuition pure, jusqu'à former le tout d'une signification entièrement issue de l'acte de sa construction.

Cette complétude de la définition est évidemment l'apanage de la définition mathématique, complétude qui est liée à la nature *arbitraire* de sa synthèse. « Arbitraire » n'est pas ici à entendre comme « produit de la fantaisie » ou « conventionnellement posé », mais comme la caractéristique d'une construction qui n'attend pas d'ailleurs l'indication des caractères à synthétiser. L'autonomie de la décision du mathématicien à l'égard de l'existence est complète. Aucun critère de fidélité à un objet extérieur ne vient limiter de l'extérieur la complétude du *definiens* (*K.R.V.*, B 747, 472, 502). Mais cet arbitraire s'appuie sur les conditions de l'intuition pure qui, à la différence des conditions de l'intuition empirique, sont universelles et nécessaires. La possibilité d'un « oubli » par le mathématicien de certaines propriétés appartenant au concept construit, ou d'un éparpillement infini des constructions, est par là exclue. La *précision*, consistant à ne pas faire intervenir plus de caractères qu'il n'est besoin, est ainsi en quelque sorte le luxe de la définition mathématique, puisque la précision suppose que la complétude soit déjà garantie :

« Le mathématicien ne peut pas faire de fausses définitions, pour cette raison, il doit être précis [41]. » (*R.*, 2979)

La définition réelle est donc une définition complète et *objectivement suffisante*. Elle permet non seulement de reconnaître, mais aussi de produire en totalité le concept [42] (*R.* 29923).

L'opposition nominal/réel recoupe donc l'opposition incomplet/complet. Mais il nous faut encore clarifier le rapport entre la première de ces distinctions et la division générale entre propositions analytiques et synthétiques. En tant qu'elle procède par comparaison, la définition nominale met en œuvre un processus analytique consistant à passer du tout (donné) aux parties (contenues virtuellement en lui). La définition réelle en revanche procède à l'inverse, par adjonction synthétique de caractères, et fournit une dérivation concrète du concept [43] (*R.* 29945). Il paraît également aventureux de parler d'une « définition réelle analytique ». Cependant, sur ce point, il faut reconnaître que l'obscurité des textes favorise la confusion. Une définition de ce type, comme le rappelle Lewis W. Beck, « énonce les prédicats définissant un concept donné qu'on sait avoir une valeur objective », ce concept pouvant être donné soit *a priori*, soit *a posteriori* [44]. Or, s'il s'agit bien en la circonstance d'une définition analytique, ce n'est qu'en forçant la lettre du texte qu'on peut la supposer « réelle ». Kant se borne en effet à souligner le caractère inapproprié de la distinction du nominal et du réel dans le cas particulier des concepts qui sont donnés par l'entendement : « ... ici définitions nominales et réelles reviennent au même » *(fallen in eines)* (*R.*, 2995). Lorsqu'il s'agit de déterminer la nature des définitions de concepts d'entendement donnés, Kant les déclare toujours nominales (*R.*, 2918) et obtenues par analyse (*R.*, 2929). Pourquoi la distinction du nominal et du réel est-elle alors dans certaines circonstances inappropriée ? Pour répondre à cette question, il faut avoir résolu cet autre problème : y a-t-il une voie de passage du nominal au réel ? En d'autres termes, peut-on espérer « perfectionner » le nominal ? Cette question commande l'interprétation du « reviennent au même » que nous venons de citer, aussi bien que le problème général de la traduction du synthétique en analytique.

Une fois encore, cette question nous conduit à confronter les projets respectifs de Leibniz et de Kant. Nous savons en effet que la communicabilité du nominal et du réel est l'un des présupposés de la Caractéristique, puisqu'elle rend possible un progrès du savoir. Par ailleurs, la réversibilité de l'analyse en synthèse est ce qui fonde une combinatoire générale. Les deux thèses conjuguées forment deux des piliers centraux de la *Mathesis universalis*. On pourrait objecter que Leibniz oppose déjà les deux types de définitions, comme le fera plus tard Kant, par la nature de leur suffisance : subjective pour la définition nominale – elle n'indique que les caractères distinctifs de la chose définie – elle devient objective lorsque la définition réelle manifeste *a priori* la possibilité de la chose [45]. Mais entre ces deux genres de définitions, il n'y a du point de vue de Leibniz que la distance qui va de l'idée « inaccomplie » à l'idée « accomplie », distance que l'on peut dire « de fait » plutôt que « de droit » [46]. Pour perfectionner la définition nominale, il suffit en effet de prolonger l'analyse de la propriété réciproque qu'elle exprime. La décomposition en termes simples, obtenue à partir de l'une quelconque des définitions nominales, fournit la définition réelle. Celle-ci expose la série complète des « ingrédients » de l'idée, qui apparaît alors comme non-contradictoire, ce que ne pouvait pas montrer la définition nominale, parce qu'il subsistait encore en elle du complexe [47]. Il n'y a donc pas d'obstacle de principe à progresser de l'idée distincte (définition nominale) à l'idée adéquate (définition réelle), même s'il faut attendre ce progrès d'un approfondissement de notre connaissance de la nature. On déduira un jour de la propriété caractéristique de l'or – à savoir, qu'il est le plus pesant des métaux –, sa résistance à la coupelle et à l'eau-forte, tout comme en géométrie [48]. Si enfin la résolution de la propriété réciproque n'est pas encore effectuée *a priori*, il reste que l'on peut considérer comme réelle (quoiqu'elle ne soit pas « causale ») la définition nominale dont la non-contradiction peut être prouvée par la réalité du défini dans l'expérience [49].

Pourquoi un tel passage est-il impossible dans la conception kantienne de la définition ? Comme chez Leibniz pourtant, la définition nominale est incomplète.

N'est-elle pas encore tout simplement une *partie* de la définition réelle ? Pour que cette hypothèse soit défendable, il faudrait que les matériaux respectifs de la définition nominale et de la définition réelle soient homogènes. Or la première est faite de caractères analytiques, la seconde s'élabore en revanche sur des caractères synthétiques. Il faudrait que l'incomplétude nominale soit un fait de routine ou d'ignorance. Or elle est irréductiblement liée au fait que la signification soit *donnée*. Réalisme du sens, bien différent du réalisme leibnizien de l'essence. Kant prend en considération la spécificité de ce qui ne se laisse pas manipuler ni construire, à savoir de ce qui est donné : dans le divers de l'intuition empirique, dans les concepts purs de l'entendement et dans la raison [50]. Ces différents « donnés » font de la définition nominale une quête hasardeuse de caractères sans garantie de complétude. Mais ils fixent en revanche à la définition son *invariance* :

> « ... Si un concept est donné par la Raison en liaison avec un mot, alors sa signification n'est plus variable car aucune synthèse ne le produit ou ne peut le changer [51]. » (*R.* 2936)

C'est ainsi l'usage même que l'on fait des mots qui interdit de confondre les deux domaines de définition. Quand il s'agit d'un donné, il y a des significations déjà là qui sont assignées au mot. Quand au contraire on procède par définition réelle à une construction, l'attribution d'un nom est contemporaine de la construction d'une essence (réelle). Il y a donc entre les deux définitions non seulement différence d'usage et d'objet, mais aussi de *temporalité* : la définition nominale est régressive. Elle revient sur le déjà pensé pour en dégager des attributs. Mais cette quête régressive est indéfinie, en ce sens qu'on ne sera jamais assuré d'avoir épuisé la signification (*K.R.V.*, B 756, 478, 502). Alors que la définition nominale se déploie régressivement, la définition réelle au contraire se produit dans le temps effectif de la progression : elle construit le concept en coordonnant des caractères synthétiques à partir d'intuitions concrètes.

Voilà pourquoi le concept élaboré par définition réelle est dit « factice » (*factitius*) ou « formé » (*gemacht*) et « arbitraire » (*Willkürlich*) : c'est « qu'il n'est pas dérivé d'ailleurs » (que de cet acte originaire de synthèse) (*ibid.*, B 758, 478, 502). Ne confondons pas « arbitraire » en ce sens avec la pure convention de la définition nominale de la *Logique de Port-Royal*, ni avec le choix contingent entre « l'un peu plus » et « l'un peu moins » des significations empiriques dans la définition nominale de Kant lui-même. Encore une fois, « arbitraire » a maintenant le sens positif de ce qui n'est conforme à aucune norme *extrinsèque*. La norme de la définition se confond avec le procédé intuitif de la construction. Mais si « définir » prend ainsi un sens aussi différent suivant les domaines où il s'applique, n'est-ce pas le signe que le mot de « définition » est pris à un moment donné en un sens dérivé ? La définition réelle est-elle une *espèce* de la définition, ou est-elle plus que cela : son *paradigme* ?

La définition dans les Sciences : définition, exposition, repérage

Kant nous invite à retrouver le sens originaire du mot « définir » (*K.R.V.*, B 755, 477, 501). N'est-ce pas : enfermer dans des limites, borner ? Afin de savoir où est le site de la véritable définition, il faut donc rechercher ce qui permet de borner objectivement la connaissance à son *seul* objet et à *tout* cet objet. Nous pouvons dès maintenant exclure les explications nécessairement *incomplètes* comme le sont les « définitions » *diagnostiques*, qui ne servent qu'à repérer une « division scolastique » au moyen de caractères « extérieurs ». Seule une division complète peut recouvrir tout son objet, et pour qu'une division soit complète, il faut qu'elle soit « canonique » (*R.*, 3003), c'est-à-dire qu'elle fournisse la justification de son usage. Or quel principe *a priori* peut-il fonder l'usage légitime de la définition ? Un principe qui, tout en étant *a priori*, puisse *présenter* un contenu ; l'intuition pure, capable de considérer le général *in concreto*, répond à cette double condition. Le domaine de validité absolue de la définition réside donc dans les *Mathématiques*. La définition y est dite *génétique*, en tant que c'est une construction qui démontre la possibilité interne de l'objet défini. Mais l'intuition pure est-elle le seul élément capable de fonder la définition ?

La position de Kant sur ce point paraît avoir évolué. Il n'adopte pas d'emblée le classement critique, qui consiste à adjoindre à l'intuition pure la synthèse empirique du phénomène, mais considère en un premier temps que l'intuition est sur le même plan que les autres pouvoirs dans leur usage *a priori*. A l'époque où il pense le cas de la définition des concepts rationnels par analogie avec celui de la définition mathématique, c'est-à-dire lorsqu'il en fait une définition *réelle*[52], l'opposition arbitraire/donné s'efface devant la distinction incomplet/complet. Nominal devient alors apparemment synonyme d'incomplet, d'où la tournure leibnizienne de certaines *Réflexions*[53]. Mais si Kant a pu un certain temps – approximativement de 1764 à 1769, si l'on se fie aux datations d'ailleurs hypothétiques des *Reflexionen* concernées – assimiler tous les cas de définitions réelles *a priori*, il s'engage ensuite dans une autre classification. Il est facile de comprendre que ce qui le dissuade de se tenir à sa conception primitive est le défaut de complétude des définitions de concepts rationnels, donnés *a priori*. Dès lors, que *l'essence* soit réelle en vertu d'une nécessité *a priori* n'autorise plus à parler de *définition* réelle, dans les cas où l'objet ne peut plus être exhaustivement défini, ce qui est le cas lorsque le *definiendum* est un « donné pur » : le concept donne alors lieu à une *exposition*, et non à une définition en bonne et due forme.

A l'époque critique, l'opposition *donné/construit* l'emporte donc sur l'opposition *a priori/a posteriori*, ce qui fournit un nouveau classement des définitions, dans lequel les trois traits : donné-analytique-nominal s'opposent au triplet : construit-synthétique-réel. Les concepts rationnels ont alors ceci de commun avec les concepts empiriques donnés qu'ils ne peuvent être *délimités* par la définition, mais seulement évoqués par certains caractères distinctifs. De l'autre côté, les synthèses mathématiques et physiques sont réunies en tant qu'elles forment respectivement leur objet à partir de l'intuition pure ou des phénomènes donnés (soit : arbitrairement, en Mathématiques, empiriquement, en Physique [54]).

Mais dans les Sciences de la Nature, nous ne pouvons pas dire, comme le fait le mathématicien, « *Sic volo, sic jubeo* » (*R.* 2930). Nous avons à tenir compte de l'expérience pour savoir ce qui entre dans la définition. Pour cette raison, il est malaisé d'assigner des bornes « définitives » au concept qui est empiriquement construit. L'expérience réelle future peut nous faire découvrir de nouveaux caractères du concept (*L.*, §103, 142, *151*). En dépit de ce qui rapproche le phénomène physique du concept mathématique, il est donc en dernier ressort écarté du domaine de la définition réelle [55]. Quoiqu'il permette de dériver des propriétés, il ne peut être à proprement parler *défini*, en raison de ce qu'on pourrait appeler sa « sous-détermination » par rapport à l'expérience totale. Il ne peut qu'être exposé à partir d'expériences (*a posteriori*) qui déterminent le concept de plus en plus complètement, sans jamais pouvoir épuiser le *definiendum*.

La construction mathématique forme donc le seul domaine de validité de la définition, en tant qu'elle est la seule à déterminer son objet *omni et solo conveniendo*. *L'exposition réelle* des concepts physiques est le premier recul à l'égard du paradigme. Elle ne fournit pas comme ce dernier la preuve de son adéquation à l'objet ; l'apodictique y fait déjà place au probable. Symétrique affaiblissement du paradigme : ce que Kant continue à appeler la « définition » nominale ne mérite pas non plus le nom de « définition » si l'on prend au sérieux l'exigence de complétude. Car l'analyse nominale d'un concept n'a de chances d'être complète qu'au terme d'une série indéfinie d'exemples qui nous assurent que nous n'avons rien oublié. Relativement au paradigme de la définition réelle, la définition nominale des concepts *a priori* est donc dans le même rapport que l'exposition réelle de concepts empiriquement formés. Elle non plus ne peut pas accéder directement à la complétude, mais présuppose une série d'expositions nominales. Enfin un second affaiblissement des exigences définitoires détermine un quatrième groupe d'explications que nous pourrions appeler « nominales-verbales » par opposition aux définitions « nominales-réelles » du type précédent. Car cette fois, au lieu de partir comme précédemment d'un donné pur *a priori*, nous partons seulement d'un mot, dont le rôle consiste à contribuer au repérage de l'*empeiria*, sans élargir le sens du concept comme le permettait l'exposition des phénomènes (*R.*, 2955). Le mot dont nous cherchons à clarifier l'usage ne nous apprend rien. Le définir consiste seulement à fixer son sens usuel, sans se référer à une quelconque objectivité :

« La définition nominale ne suffit pas pour aboutir à donner un objet. » (*R.*, 2916)

C'est à cette espèce d'explications qu'appartiennent les définitions du dictionnaire : ce ne sont que des marquages qui s'imposent à l'usage. En réalité, dans la mesure où elles servent seulement à baliser le lexique, sans accéder à la connaissance des objets, elles ne sont « d'aucun profit » (*R.*, 2916).

L'analytique est-il le « vrai par définition » ?

L'archétype de la série des définitions consiste dans le procédé mathématique de la construction de concepts dans l'intuition. C'est dans cette discipline que la définition trouve sa pleine justification, parce que l'arbitraire du *Sic volo* coïncide avec la réalité de la construction. Mais il n'en va plus de même dans les Sciences de la Nature où la diversité de l'intuition empirique entretient un doute permanent sur la nécessité des notions construites par exposition à partir de la matière des phénomènes. Ni, *a fortiori*, en Philosophie, où toute intuition abandonne le chercheur, livré à l'universalité abstraite des concepts, sans autre guide que les déductions *a priori*. Quel usage peut-on espérer faire de la définition, dans ces deux domaines ? Dans les Sciences de la Nature, son rôle n'est que celui d'une *hypothèse* destinée à servir de support provisoire à des expérimentations. En ce sens, on a surtout recours à des explications de mot :

> « Quand il est question de l'eau, par exemple, et des propriétés de l'eau, on ne s'en tient pas, en effet, à ce que l'on conçoit sous ce mot : eau, mais on a recours à des expériences, et, dans ce cas, le mot, avec le peu de caractères qui s'y attachent, ne doit constituer qu'une *désignation* et non un concept de la chose ; par conséquent, alors, la prétendue définition n'est autre chose qu'une explication de mot. »(*K.R.V.*, B 756, 477-8, 501)

Les définitions n'auront donc dans ce domaine aucune portée apodictique, ni surtout n'épuiseront le champ du défini, ce qui serait le garant d'une adéquation du théorique à l'objet qui est hors de notre portée (Kant, répétons-le, retient de Locke l'idée du caractère incomplet et indéfiniment ouvert du jugement de coexistence). Cette indétermination du *definiendum* pèse lourdement sur la théorie de la Science. Elle creuse un fossé entre les Mathématiques, dont le langage est clos et homogène, et les Sciences de la Nature, dont le langage est « zététique » et en constant renouvellement. En Philosophie enfin, la définition sert seulement à coordonner ce qui, au terme de l'analyse, paraît suffire à la complétude du concept à analyser (*R.*, 2968).

Nous pouvons maintenant tenter de répondre à la question posée plus haut : l'analytique est-il le vrai « par définition » ? Car nous voyons maintenant que la *dépendance est bien plutôt inverse* : ce n'est pas le jugement analytique qui se déduit d'une définition ; c'est la définition qui *exige au préalable* assez de jugements analytiques pour nous convaincre de la suffisance des caractères ainsi dégagés du concept. De même que le jugement synthétique *a priori* garantit la valeur de la définition réelle, le jugement analytique est ce qui rend possible la « définition » en Philosophie. On ne pourrait donc contester l'indestructibilité du synthétique et l'indépendance réciproque de l'analytique et du synthétique, que sous l'influence d'un malentendu concernant le propos de la Critique. Si Kant faisait du concept le résultat mouvant d'une pratique, le produit historiquement déterminé d'un jeu de langage, et rien que cela, il pourrait envisager de confier un rôle fondateur à la définition. Mais Kant s'attache au contraire à détruire le présupposé empiriste, qu'illustre par exemple Hobbes. Les empiristes croient à tort pouvoir se dispenser de significations absolues. En fait, c'est autour d'elles que la pratique théorique ou morale pivote sans jamais pouvoir les revoir ni même les expliquer (*R.*, 2967). Il est pour Kant essentiel d'en tenir compte, d'essayer de les *comprendre*, de ressaisir en elles tout ce qui peut être pensé [56]. On nous objectera en ce point que ce qui vaut de l'analyse des concepts rationnels ne vaut plus de l'analyse ordinaire de type lexicologique : si nous nous en tenons aux jugements analytiques qui ont une fonction de clarification nominale, ne faut-il pas dire que le jugement est *explicatif* précisément parce qu'il présuppose des définitions de concepts, qui, dans ce cas, sont synthétiques ? Porter un jugement analytique, n'est-ce pas en ce sens *relire* un concept produit synthétiquement par ailleurs ? La réponse à cette objection, c'est l'insistance de Kant à démarquer les deux domaines du synthétique et de l'analytique (à la fois par l'opposition entre deux ordres de caractères et par la différenciation de deux grands types de définitions) qui nous la donne. Rappelons que le concept se constitue par un acte de la conscience transcendantale. Si l'acte d'où procède le concept est une *production*, le concept reste synthétique – que la production soit en cours ou déjà achevée ne change rien à l'affaire. Le relire, c'est demeurer attentif à sa nature de terme *possible* d'une progression par adjonction de caractères les uns aux autres. Si en revanche nous considérons le concept comme un mot du dictionnaire, dont nous n'interrogeons pas le mode de formation, aucun acte synthétique ne l'a produit, nous ne pouvons en dériver aucune autre propriété de l'objet. Etant *donné*, le concept peut devenir la matière d'un jugement analytique, mais il cesse de pouvoir nous apprendre quoi que ce soit sur « la chose même ». Par exemple, le jugement « l'or est un métal jaune », que Kant donne en exemple de proposition analytique (*P.*, § 2) n'est qu'une phrase du dictionnaire, rien de plus qu'un moyen de clarifier le sens d'un mot, sans quoi le concept ne serait plus un « concept empirique donné », mais un « concept formé » (*a posteriori*). Transformer le synthétique en analytique reviendrait à rapporter au langage ce qui doit garder la puissance du réel. Toute l'entreprise critique tend à démontrer le caractère illusoire de cette tentative. Dans son usage purement logique, le langage s'étend dans l'espace restreint qui va de l'identité pure (simple écho du même) à l'analyse. Or, dans l'analyse, le même est pensé *sous* la différence par l'entendement ; la différence est donnée par la raison ou la tradition. Or, le même est la catégorie la plus pauvre : le degré zéro de la pensée, produit de la réflexion d'entendement. Le « vide de fruit » de la tautologie n'est pas loin de rappeler le « vide de sens » de l'explication par les qualités occultes [57]. L'un et l'autre procèdent d'un abus du langage qui, dans les deux cas, tourne à vide.

A l'évidence, il n'est pas non plus possible d'élever l'analytique au synthétique, le langage de l'identité à celui de l'existence. Contre Eberhard, puis contre Mass, Kant rappelle inlassablement l'illusion dogmatique qui se dissimule sous la thèse réductionniste (qui consiste à rapporter à un langage commun la différence analytique/synthétique). Que l'on s'interroge donc, demande Kant, sur le lieu, nominal ou réel, où l'on tient son discours :

> « On veut porter un jugement sur un jugement ; on doit pourtant *à chaque fois* savoir *auparavant* ce qui doit être pensé aussi bien sous le sujet que sous le prédicat [58]. »

Je peux bien *prêter* à mon concept tel ou tel caractère. Mais aurai-je pour autant *étendu* ma connaissance ? Aurai-je fait rien d'autre qu'une déclaration *nominale* ? J'aurai dans ce cas simplement déguisé en solution ce qui n'est que la paraphrase du problème, en reconstituant dans les oripeaux du nominal ce qui est en fait d'ordre synthétique (*R.*, 3130). C'est là le type même de la proposition vide du savoir-faire [59] (*Geschicklichkeit*).

Section Deuxième

LA RÉNOVATION BOLZANIENNE DE L'ANALYTICITÉ

Chapitre Premier

CRITIQUE DE LA DÉFINITION TRADITIONNELLE

Le concept proprement bolzanien d'analyticité intervient tardivement, comme une réponse mûrement élaborée à un problème qui n'a cessé d'apparaître sous de nouveaux aspects. Ce n'est en effet que dans la *Wissenschaftslehre* de 1837 que s'opère ce qu'on pourrait appeler la « révolution » de l'analyticité. Les textes antérieurs représentent autant d'efforts pour réaménager la définition kantienne en sorte qu'elle réponde aux exigences nouvelles du mathématicien anticriticiste. Mais la définition, mainte fois ravalée, suscite de toutes parts des difficultés croissantes. Autant de motivations pour l'abandonner, mais aussi autant de forces qui travaillent au modelé de la définition nouvelle. « Révolution », disions-nous : jusqu'à la *Wissenschaftslehre*, l'analyticité était un thème marginal. Sa fonction principale était comme chez Kant de mettre en relief l'existence problématique du synthétique *a priori*. De thème d'exposé préliminaire, l'analyticité devient dans l'oeuvre de 1837 un concept « intégré » : elle fait désormais corps avec une philosophie et devient inséparable d'une méthode de repérage des objets logiques, la *variation*. Révolution « ptolémaïque » toutefois et non plus copernicienne : du rôle de faire-valoir statique du synthétique *a priori*, elle passe à celui de propriété remarquable de certaines propositions dont la définition exige désormais l'examen préalable d'autres propriétés telles que la vérité et la validité. Définition qui pourtant, n'a pas un intérêt purement descriptif ; ce n'est qu'à prendre au sérieux les thèses du tome III que l'on peut apporter une parfaite clarté sur *l'intérêt* profond qu'avait pour Bolzano sa définition nouvelle de l'analyticité.

De l'En-soi au phénomène

De la philosophie transcendantale à la *Théorie de la Science* de Bolzano, la persistance de certains mots ne peut manquer de frapper d'autant plus que ces mots servent désormais de tout autres buts. Ainsi du mot de « phénomène » (*Erscheinung*) : il conserve dans le système bolzanien un rôle stratégique en ce qu'il fonde l'articulation de l'ordre de l'existence sur l'ordre des essences. Il permet ainsi la transition d'un ensemble objectif mais sans existence réelle (qu'il serait impropre d'appeler un « monde ») de propositions et de représentations – dites « en soi » afin d'en souligner l'autonomie – vers les diverses pratiques d'un sujet vivant : langage, pensée, jugement. Malgré son air de ressemblance avec le *Ding an sich* kantien, la « représentation en soi » a un statut bien différent. Si elle est en droit indépendante de notre connaissance, elle n'est pas pour autant soustraite à tout entendement humain ; il suffit qu'elle n'en soit pas *le produit* pour que sa pleine indépendance se trouve garantie. Mieux : si elle n'est pas la conséquence d'une connaissance, c'est qu'elle en est au contraire l'origine et la condition de possibilité. Et dans ce retournement de situation, Dieu et l'homme sont à la même enseigne : ni l'un ni l'autre ne *créent* les significations par lesquelles ils prennent connaissance. Par conséquent, contre Kant, Bolzano fait de l'*Erscheinung* une relation réversible : l'En-soi est ce qui fonde la connaissance ; mais inversement, il est du devoir du logicien d'en revenir à ce sol originaire, par une traversée des signes qui tendent sans arrêt à le rephénoménaliser [1].

Bolzano définit ainsi *négativement* les propositions en

soi comme ce qui est indépendant de toute *énonciation*, de toute *conscience* et de tout *jugement* ; dire « proposition en soi » n'est pas ajouter une nouvelle détermination à « proposition », mais restituer le sens de ce dernier terme dans sa pureté. Ainsi, de manière très comparable au *Gedanke* de Frege, l'En-soi bolzanien assure une double fonction. En premier lieu, il conditionne l'autonomie de la logique à l'égard de la pensée et du langage. En effet, il n'appartient pas en propre à celui qui pense, au contraire de la représentation (au sens frégéen) qui retient en elle les traces de la subjectivité qui l'a formée. D'où sa deuxième fonction : cet « En-soi » permet aux hommes de relier le même sens à la même proposition ; c'est ainsi que sont rendues possibles la communication entre les hommes et la constitution de ce commun champ de bataille dont l'enjeu est le vrai [2]. L'énoncé pour Bolzano n'est, selon les termes de H. Scholz, que le « nom propre » d'une proposition en soi [3]. Mais la dénomination n'est pas sans avatars : ce nom propre peut être insuffisamment explicite ; un seul nom renvoie alors à plusieurs propositions distinctes. Inversement, à une seule proposition en soi, correspondront très fréquemment divers énoncés : d'où les difficultés de « traduction » des énoncés de la langue dans des concepts prélinguistiques qui restent toujours en-deçà des signes. Si pourtant une *Erscheinung* est possible, c'est qu'un isomorphisme est conservé dans l'application de l'En-soi sur le langage ; on peut dégager de la variété des expressions de la langue naturelle une classe d'énoncés où affleurent les éléments logiques constitutifs. La traduction ira des premiers aux seconds (cf. Livre II, Section V). Mais la traduction a ceci de particulier qu'elle est à la fois indéterminée et infinie. Indéterminée, parce que l'on n'a d'autre critère de la valeur de la traduction que l'accord d'autrui. Infinie, parce que tout énoncé doit être étudié dans les conditions de son énonciation pour qu'une traduction lui soit assignée.

Ce souci de traduction, ainsi que l'axiome suivant lequel

il n'y a pas deux propositions en soi identiques [4] sont à l'évidence inspirés par l'idéal d'une langue logique universelle. *Sans* reprendre à son compte le projet leibnizien de Caractéristique Universelle, en raison de sa défiance à l'égard du symbolisme formalisant, la *Wissenschaftslehre* en offre l'équivalent spéculatif [5] : il y a un ensemble idéal de significations, décomposables en leurs éléments et *fixes* ; ce n'est pas le symbolisme qui réalise cette détermination précise et définitive des sens, mais leur appartenance à un ensemble pur et soustrait aux variations liées à l'existence individuelle et au devenir de la langue. Mais si les mots de la langue sont dans un rapport d'extériorité à l'égard des représentations et propositions en soi dont ils sont l'imparfaite traduction, c'est au commentaire du logicien qu'il revient de combler les manques, de discerner les identités et les équivalences, ou de réfuter les tautologies de surface. Ainsi Bolzano considère-t-il comme une seule et même proposition les deux énoncés suivants :

« La somme des angles d'un triangle vaut deux droits. »
« La somme des angles d'un espace délimité par trois droites vaut deux droits. »

En revanche, les deux énoncés :
« Titus est le fils de Caïus »
« Caïus est le père de Titus »

renvoient à des propositions distinctes parce qu'ils se composent de constituants non intensionnellement identiques [6] (*W.* § 156, t.II, p.140). Tirons dès maintenant la conséquence de cette intervention topique de l'*Erscheinung* dans la construction de l'objet de la logique : on ne peut plus tabler sur le « simplement pensé » ni sur le dit pour définir les propriétés logiques, en particulier l'analyticité d'une proposition. Il faut chercher ailleurs les voies de l'évidence.

Les parties de la proposition

Que faut-il attendre, de manière générale, d'une définition ? Qu'elle indique *de quelles parties* et dans *quelle liaison l'explicandum* est constitué (*W.*, § 350, t.III, p.399). Une définition des propositions analytiques devra donc se conformer aux conditions de toute explication. Elle devra éviter « les manières de parler figurées » qui ne décomposent pas convenablement le concept d'analytique. Elle devra aussi veiller à n'être ni plus étroite ni plus large dans son extension que *l'explicandum*. Au premier rang des explications métaphoriques figurent celles qui utilisent le registre des états de pensée pour décrire les rapports entre les composantes dans une proposition. Ainsi Ulrich, Jakob et Reinhold s'accordent-ils à définir le jugement analytique comme celui où « le prédicat est déjà pensé (implicitement) dans le sujet ». Cette définition, où se lit l'influence des *Prolégomènes*, reste extrinsèque relativement aux véritables objets de la réflexion logique ; elle s'attache en effet aux images mentales qui sont associées aux représentations du sujet et du prédicat en perdant de vue leur sens et leur liaison *objective* (*W.*, § 284, t.III, p.61). Outre donc que ces définitions traditionnelles des jugements analytiques *manquent* leur objet propre en transplantant leur explication sur le terrain non-logique des effets psychologiques du concept – effet dont la valeur n'est après tout que fantasmatique (*W.*, § 23, t.I, p.98) – Bolzano leur reproche d'être *trop larges* : elles pèchent contre la règle aristotélicienne du *soli definito conveniendo* (cf.*W.*, objections rassemblées dans la note 4 du § 148 du tome II, p.86 sq.). Comparons en effet les différentes variantes de la définition kantienne de l'analyticité :

« Le prédicat y figure déjà comme composante (i.e. dans le sujet) » (*Critique de la Raison Pure*)

« Le prédicat répète seulement les représentations du sujet » (Fries)

« Le concept du sujet n'est déterminé particulièrement que par rapport à l'une de ses parties » (Gerlach)

« Le prédicat est une représentation partielle ou dans un jugement négatif une négation du concept du sujet » (Roesling).

Ces définitions ont ceci de commun qu'elles supposent toutes une conception restrictive de la *composante d'un concept* (*Bestandteil*). Elles n'ont de sens que si l'on entend par « partie du concept » une représentation privilégiée, c'est-à-dire un caractère directement dérivable du concept de sujet. Il est facile à Bolzano de produire un contre-exemple où une composante du sujet se retrouve en position prédicative sans pour autant que la proposition soit analytique :

« Le père d'Alexandre, roi de Macédoine, était roi de Macédoine » (*W.*,§ 48,t.I, p. 216).

Il convient d'affiner l'instrument d'analyse du *concept* en distinguant plusieurs types de liaisons entre parties d'une représentation, mais aussi de la *proposition*. Bolzano indique ailleurs une distinction qui peut résoudre la difficulté précédente : les parties d'une représentation peuvent être reliées soit de manière immédiate (*unmittelbar*) soit de manière médiate (*mittelbar verknüpft*,§ 21). Dans l'exemple cité, les représentations de « père », « Alexandre » et « roi de Macédoine » sont toutes seulement *indirectement* reliées. On pourrait en effet traduire l'énoncé précédent dans la proposition en soi suivante :

« Alexandre, qui était roi de Macédoine, avait un père, qui était roi de Macédoine. »

Ainsi reformulée, la proposition apparaît encore plus nettement factuelle : le caractère « roi de Macédoine » apparaissant comme composante « oblique » dans le concept du sujet et dans celui du prédicat apporte en chaque cas une information différente. Mais la portée de la critique de Bolzano s'étend bien au-delà de la simple mise en difficulté de la définition traditionnelle au moyen de ce contre-exemple : il remet en vigueur un usage perdu depuis la logique médiévale consistant à donner une égale dignité à toutes les parties du discours, qu'elles énoncent des concrets, des propriétés ou des relations. *Toutes les parties de la proposition sont ainsi promues à la fonction représentative* : le concept même de représentation s'étend à « tout ce qui peut figurer comme composante dans une proposition, mais qui ne constitue pas à soi seul une proposition » (*W.*, § 58, t.I, p. 254).

On sait que, de la division scolastique des termes en *categoremata* et *syncategoremata*[7], la logique postkantienne s'est surtout attachée aux premiers, réduits d'ailleurs à leur tour à leurs composantes purement catégorématiques, les caractères. On a sans doute pu reprocher à juste titre à Bolzano d'avoir arbitrairement *restreint* l'objet de la logique à l'examen des propositions prédicatives, ce qui le conduisait à abandonner les relations[8]. Néanmoins on observera ici que c'est à une *extension* de l'objet et du travail logique que conduit la généralisation de la valeur représentative à *toute* composante de la proposition. L'innovation de Bolzano consiste en fait à conférer aux termes syncatégorématiques la propriété que précisément les logiciens médiévaux leur refusaient, c'est-à-dire de posséder une signification *autonome*. Au lieu de les subordonner dans la fonction signifiante à des significations indépendantes qui seraient les véritables porteurs d'information, il leur reconnaît une égale dignité représentative avec les « catégorèmes » en sorte qu'il peut passer sous silence une distinction qui, on le verra, lui paraît au fond plus problématique que véritablement éclairante :

« Tout mot dans la langue sert la description d'une représentation particulière, quelques-uns aussi à la description de propositions entières[9]. » (*W.*, § 57, t. I, p. 246)

Bolzano *aligne* ainsi ce que la logique scolastique *divisait*. Mais il laisse par là – à dessein – indéterminée une délimitation concomitante : celle qui oppose *matière* et *forme* de l'énoncé. Car cette distinction, que Bochenski fait remonter à Boèce [10] est toujours articulée chez les logiciens du quatorzième siècle sur la distinction entre *categoremata* et *syncategoremata*. Albert de Saxe écrit par exemple :

« Nous parlons ici de la matière et de la forme au sens où l'on comprend la matière de la proposition ou de la conséquence, comme des termes purement catégorématiques, c'est à dire des sujets et des prédicats, à l'exclusion des termes syncatégorématiques qui leur sont adjoints, par lesquels ils sont reliés, niés ou distribués, et par lesquels un certain mode de supposition leur est donné. On dit en revanche que tout le reste appartient à la forme [11]. »

Cette distinction joue évidemment un rôle capital, puisqu'elle permet de définir l'objet même de la logique, qui sera de mettre en évidence « les constantes logiques », c'est à dire les *syncategoremata* les plus remarquables ainsi que leurs règles d'usage (cf. Bochenski, *op.cit.*, pp.181-182). Ainsi il paraît particulièrement intéressant de comprendre ce qui a conduit Bolzano à se priver de cette distinction fondamentale. L'indétermination ou plutôt l'effacement des différences potentielles entre les parties du contenu peuvent s'expliquer, bien entendu, du seul fait de la conception réaliste du langage développée par Bolzano. Si la fonction du langage est de dépeindre des entités « en soi », il est essentiel qu'il y ait un corrélat objectif pour toute unité linguistique. Des termes syncatégorématiques comme « et » et « qui » peuvent alors, en dépit de notre intuition linguistique [12], être expliqués hors de toute connexion comme des représentations indépendantes. Le point de vue sémantique de Bolzano est solidaire de cette vision atomiste du sens que l'approche syntaxique élimine par définition ; sa mise en oeuvre d'une logique sémantique est ainsi inséparable de l'importance qu'il attache à la langue naturelle et de son refus de toute *Begriffsschrift*.

Mais à y regarder de plus près, ce n'est pas seulement la nature représentative du langage, ce sont aussi les exceptions à la correspondance entre le langage et l'En-soi représenté [13] qui conduisent Bolzano à effacer la distinction entre composantes matérielles et formelles. Il y a en effet des termes d'apparence syncatégorématique qui n'ont aucun rôle significatif dans la proposition, et sont donc à éliminer du contenu proprement dit. De même, il y a des termes d'allure catégorématique qui, outre leur fonction, assument de surcroît un rôle formel, relativement à la supposition ou à la quantification. Ainsi les composantes « tout » et « chaque » qui figurent dans une proposition universelle sont-elles purement redondantes ; l'extension universelle est en fait portée par la composante catégorématique, c'est-à-dire le concept de sujet lui-même :

> « L'expression "chaque homme" ne signifie d'après moi rien d'autre que ce que nous pensons et devons penser sous l'expression "homme" quand nous ne la restreignons pas arbitrairement pour ne se référer par exemple qu'à telle ou telle espèce d'hommes. » (*W.*, § 57, t. I, p. 248)

« Tout » et « chaque » sont donc des parties du langage qui n'évoquent pas de représentation nouvelle, tandis que le concept de matière par excellence « est loin de manquer de forme » « selon l'expression de Hegel (*Science de la logique*, Préface, p. 21 de la trad. S. Jankélévitch). Le mot « quelque » exprime au contraire une représentation originale et joue à plein son rôle de composante propositionnelle. L'expression de la quantification n'est donc pas nécessairement assumée par des composantes logiques, ou « formelles » : la mise à nu du contenu « essentiel » (*W.*, § 57, t. I, p. 248) de la proposition met en défaut toute distinction tranchée entre composantes matérielles et formelles, ou extralogiques et logiques.

C'est précisément cette *indétermination* qui s'attache aux espèces de composantes, à leur éventuelle spécialisation en significations formelles ou matérielles qui autorise en contrepartie une généralisation extrêmement fertile dans l'expression des lois logiques et rend du même coup possible le retour inattendu du formel, mais en un sens tout différent de ce qu'on entendait par là dans la tradition scolastique. Fécondité de cette généralisation, tout d'abord : c'est en effet parce que les composantes sont quelconques, parce qu'elles sont toutes au même titre indépendantes du contexte propositionnel, qu'on peut opérer sur chacune d'elles les substitutions « que l'on voudra », la seule restriction procédant de l'exigence de signification du tout *après* substitution. Or les médiévaux n'entreprenaient de telles substitutions que dans le cadre de la distinction entre les deux espèces de composantes. Seuls pouvaient faire l'objet d'une variation les concepts du sujet ou du prédicat. Ainsi ce qui distingue pour eux une conséquence formelle d'une conséquence matérielle, c'est que la première admet en position de sujet ou de prédicat n'importe quel terme catégorématique ; un tel critère met bien en vedette le rôle que jouent dans une conséquence formellement valide les composantes syncatégorématiques. Mais la composante entendue au sens bolzanien est un instrument descriptif supérieur puisqu'il ne nécessite aucune hypothèse ontologique particulière sur l'objet signifié par chaque unité signifiante ; la variable est ce qui laisse inchangée la valeur de vérité de la proposition au fil des substitutions ; la constante, ce qui ne peut être modifié sans modifier la valeur du tout. Or ce qui résulte de cette opération de variation, c'est encore une *forme*, mais en un sens tout à fait nouveau.

La forme comme espèce

Pour comprendre le sens exact de ce terme dans *La Théorie de la Science*, il nous faut rompre avec le sens syntaxique du terme tel qu'il s'offre dans l'expression symbolique au moyen de lettres. Ce que la variation met en évidence, ce sont en réalité des *espèces* de propositions qu'il s'agit de décrire un peu à la manière dont le naturaliste recense les espèces animales. Une forme en logique est une espèce qui se distingue par une propriété commune :

« La logique a à traiter non pas tant de la détermination des concepts individuels (quoiqu'elle le fasse pour certains d'entre eux) que de la détermination d'espèces entières de concepts ; c'est-à-dire d'espèces qui, en raison de leur propriété particulière, demandent dans les sciences un traitement particulier [14]. » (*W.*, § 116, t. I, pp. 540-1)

Ce qui est dit ici des *concepts* vaut aussi des *propositions* : ce sont les espèces qu'il faut mettre en évidence, telles que « certaines de leurs composantes étant fixes, elles peuvent dans toutes les autres s'énoncer (*lauten*) ainsi ou autrement » (*W.*, § 12, t. I., p. 48). Il y a donc en réalité deux acceptions du mot « forme » ; l'usage logique courant réserve le terme à l'expression d'une structure propositionnelle par le moyen de lettres et de signes d'opérateurs, mais Bolzano ne retient pas pour lui-même cet usage :

« Si l'on veut maintenant appeler de telles espèces de propositions des *formes* générales de proposition (quoique à proprement parler seule la description, c'est-à-dire l'expression vocale ou écrite de celle-ci puisse être ainsi appelée une forme, comme l'expression. Quelques A sont B') ainsi on peut dire que la logique ne considère que des formes de propositions mais non pas des propositions particulières. » (*ibid.*, p.48)

L'expression symbolique des espèces propositionnelles au moyen de signes ne forme donc pas en elle-même *l'objet* de la logique. Ce n'est qu'un instrument de clarification, de rappel à la mémoire, qui ne peut prendre la place de ce qu'il est chargé de désigner. Bolzano rejoint sur ce point la critique kantienne de Leibniz : le signe ne peut être manipulé aveuglément : il doit toujours s'accompagner de la conscience de ce qu'il a mission de représenter. Bolzano prévient ainsi l'interprétation de la logique comme indifférente à l'objet ; une telle interprétation du formel, appuyée sur l'écriture symbolique du syllogisme, ne peut cadrer avec son approche sémantique de l'espèce logique :

> « Enfin je ne comprends pas non plus comment l'on peut dire que nous pensons en logique les objets "en laissant leurs caractères internes tout à fait indéterminés." Car si nous pensions un objet comme pleinement indéterminé, nous ne pourrions non plus rien affirmer de lui [15]. » (*W.*, § 7, t. I, 28)

Les signes fournissent donc une *description métalinguistique* des espèces propositionnelles mais ne livrent pas un objet complet. Ils donnent une indication fragmentaire de l'objet que le logicien doit examiner. En revanche, la notion de *forme* comme *objet logique* et non plus comme instrument métalinguistique de description est à entendre au sens d'espèce (*Art*). Ce qui est ici souligné, c'est le point de vue extensionnel pris sur l'ensemble des objets logiques qui ont en commun une certaine propriété remarquable (§ 106). Certes le logicien met en évidence ce que nous appellerions des structures propositionnelles, mais il ne fait pas de leur forme commune son objet : celui-ci consiste plutôt dans la multiplicité regroupée dans l'espèce que dans une fonction propositionnelle qui laisserait vide telle ou telle occurrence. *Le refus du formel « syntaxique » trouve donc son origine dans une conception de la proposition comme seul objet véritable du logicien.* Tout ce qui, par le biais d'une notation symbolique, se substitue au sens plein de la proposition « naturelle », introduit un germe de confusion et de non-sens virtuel. Si la forme est réhabilitée, c'est en un sens uniquement extensionnel, c'est-à-dire comme classe de propositions, de manière à préserver la diversité des propositions individuelles qu'une propriété commune permet de rassembler sous un concept.

Or, cette manière d'aborder la question du formel a

évidemment un impact direct sur la manière de définir la proposition analytique. En effet, la question de la démarcation entre le logique et l'extralogique ne peut se poser que relativement à la variation, sans d'ailleurs que de celle-ci on puisse tirer de nouvelles indications concernant la spécialisation ou la nature des composantes. L'intervention de la distinction entre le formel et le matériel s'appuie non pas sur une différence strictement logique, mais sur une différence dérivée qui tient au type de connaissances requises pour reconnaître la vérité ou la fausseté des propositions. Or, comme nous le verrons, une définition proprement logique ne doit pas faire valoir de critère extrinsèque d'ordre psychologique ou cognitif. Une telle distinction ne pourra donc pas jouer un rôle déterminant dans la conception de l'analyticité.

Le manquement au *soli definito conveniendo* qui est en définitive à porter au compte d'une conception restrictive de la composante peut-il être corrigé ? Afin d'éviter les traquenards des « parties obliques », Eberhard, Maass et Krug ont essayé de caractériser les jugements analytiques par le *type de composante du sujet* qui devait se retrouver en position prédicative :

> « On pourrait remédier à cet inconvénient en recourant avec Eberhard, Maass, Krug, à l'expression suivante : dans les jugements analytiques, le prédicat constitue l'une des parties essentielles du sujet, ou (ce qui revient au même) constitue l'un de ses caractères essentiels, en comprenant par ceux-ci des caractères constitutifs, c'est à dire tels ceux qui figurent dans le concept du sujet. » (*W.*, § 148, t. II, p. 88)

Popularisée par la polémique du *Philosophisches Magazin*, cette conception de l'analyticité remonte en fait, *via* Wolf, à la théorie scolastique de l'essence telle qu'elle figure chez Suarez [16]. Wolf distingue en effet trois types de caractères selon leur rapport à l'essence du sujet de la prédication. Les *essentialia* sont les caractères nécessaires et suffisants qui figurent dans la définition de l'essence. Ils sont dits pour cette raison *constitutiva*, caractères constitutifs. En termes aristotéliciens, ce sont les termes contenus dans la formule de l'essence [17], ἐν τῷ λόγῳ τῷ λέγοντι τί. Eux seuls sont considérés par Eberhard et Maass comme susceptibles d'être prédiqués *analytiquement* du sujet. Car de leur point de vue, les *attributa*, soit les propriétés déductibles des *constitutiva*, sont l'objet d'une prédication synthétique. Ils ne sont pas contenus dans l'essence tout en ayant dans celle-ci leur raison suffisante. Ils sont pour cette raison appelés des *rationata*, et correspondent à ce qu'Aristote appelle des « accidents par soi de première espèce [18] ». Forts de cet appel au principe de raison suffisante dont Kant, on l'a vu, conteste d'ailleurs avec véhémence la légimité d'application dans ce contexte, Eberhard et Maass reconnaissent dans les *attributa* les caractères qui sont prédicables dans les jugements synthétiques *a priori*. Les *modi* enfin, caractères extra-essentiels, c'est-à-dire vrais ou faux, suivant les cas, de l'objet considéré, forment le matériau prédicatif des jugements synthétiques *a posteriori*.

Plutôt que de prendre parti dans la polémique qui a opposé Kant et ses disciples à Maass et Eberhard, Bolzano tente d'en dénouer tous les fils. Sans doute Maass et Eberhard ont-ils eu tort de croire avoir épuisé l'intérêt de la distinction entre propositions analytiques et synthétiques *a priori* en ramenant celle-ci à une différence entre prédicats (contenus dans l'essence ou dérivés de l'essence). Mais l'erreur de Maass et d'Eberhard est excusée par l'obscurité kantienne ; car Kant n'a pas donné suffisamment de précision et de relief à une distinction qui pourtant, permettait seule de conférer à la division des propositions en analytiques et synthétiques toute l'ampleur et l'intérêt épistémologique qui lui appartiennent.

Pourquoi Kant n'a-t-il pas réussi, du point de vue de Bolzano, à donner de l'existence des jugements synthétiques *a priori*, c'est-à-dire de l'existence d'une déduction non-analytique d'un concept, une « forte démonstration » ? (*W.* § 65, t. I p.296). C'est qu'il n'a pas su prolonger sa distinction entre jugements analytiques et synthétiques par une opposition aussi ferme entre deux *usages des représentations*, suivant le type de prédication – analytique ou synthétique – où elles interviennent. Sans doute trouve-t-on dans la *Logique* de Kant une distinction entre « caractères analytiques » (ou « parties d'un concept réel ») et « caractères synthétiques » (ou « parties d'un concept seulement possible »). Mais cette distinction reste encore *ambiguë* tant que le caractère est dans l'un et l'autre cas compris comme une *partie* du concept :

> « Du fait que Kant a introduit si nettement la différence entre jugements analytiques et synthétiques, on aurait pu s'attendre à ce qu'il fasse aussi une distinction entre caractères et composantes d'une représentation ; tandis que le prédicat d'une vérité synthétique doit toujours être un caractère (*Merkmal*) du sujet, il ne peut nullement être une composante (*Bestandteil*) de la représentation du sujet. » (*Ibid.*, p. 292)

Ce que Bolzano objecte à la terminologie kantienne, c'est que dans les deux types de prédication – analytique et synthétique – les deux espèces de caractères relèvent en fin de compte d'une même détermination logique dans leur rapport au concept ; que celui-ci soit réel ou simplement possible ne change rien au fait que les rapports entre caractères prédiqués et sujet soient des rapports de parties à tout – parties ajoutées les unes aux autres par construction dans l'intuition, ou parties simplement trouvées dans le concept déjà donné du sujet. C'est donc là une confusion grave qui rend la distinction kantienne vulnérable aux objections des partisans de Wolf. Cette première objection se trouve d'ailleurs d'autant plus forte que la distinction que fait Kant dans la *Logique* entre deux ordres de caractères reste, comme on l'a vu plus haut, isolée et sans suite, pas plus dans la *Logique* que dans le reste de l'oeuvre de Kant. Ce qui montre bien l'aspect quasiment accidentel de cette distinction, c'est que Kant reprend à son compte, quelques pages plus bas, la thèse traditionnelle du rapport inverse entre le contenu et l'extension d'un concept. Or cette thèse repose sur au moins deux confusions, la première entre caractère et composante, la seconde entre l'objet et sa représentation.

Pour faire toute la clarté sur la division entre deux types de *prédication*, il faut accompagner celle-ci de la distinction entre deux notions que non seulement Kant, mais la plupart des logiciens traditionnels, confondaient, et qui sont, respectivement, la *propriété* et la *composante*. Il y a d'abord entre ces deux notions une différence massive, sur laquelle pourtant on n'insistera jamais trop parce qu'elle tend toujours à être méconnue : elles n'ont pas le même référent. La composante est *représentative*, la propriété est *objective*. La première est partie d'une représentation, la seconde est partie d'un objet. Or une représentation est quelque chose d'arbitraire, en ce sens qu'elle est composée d'un nombre déterminé de parties. En ajouter ou en retrancher une seule, c'est former une *autre* représentation (§.64, t. I, p. 275). On ne peut « oublier » une partie de la représentation pour la lui « restituer » dans une prédication dite de propriété, puisque la représentation résultante serait déjà autre que la représentation de départ. On ne peut pas non plus ajouter de « nouvelles composantes » sans changer la signification de la représentation ainsi enrichie. De même que Locke en concluait au caractère nécessairement trivial de la prédication nominale, Bolzano souligne qu'en utilisant le registre de la décomposition d'un concept en composantes, on ne « dit rien » d'un objet, on se borne à expliciter le contenu d'un concept donné. Mais Bolzano va plus loin que Locke en s'efforçant de clarifier l'autre pôle de la prédication, celui de la prédication « réelle » : c'est l'objet, et non la représentation, qui est alors qualifié, (ce que Locke avait déjà vu) ; mais ce qu'on lui attribue, ce n'est pas une composante, mais une *propriété*, entendant par là « ce qui appartient à l'objet, ou ce que l'objet a », ce que Locke n'avait pas suffisamment souligné, ce que Kant lui-même avait encore méconnu dans sa propre distinction entre caractères.

Bolzano entend réserver désormais le terme de « caractère » à la propriété, c'est-à-dire à ce qui est attribué à un sujet dans la prédication synthétique, une prédication qui enrichit notre connaissance précisément parce que le caractère n'est pas déjà enrôlé dans les composantes constitutives du sujet. Les parties conceptuelles que Wolf appelait « caractères constitutifs » méritent la dénomination plus exacte de « composantes », puisque ce sont des parties de la représentation totale du sujet. Le tort de Maass et d'Eberhard peut maintenant être déterminé de façon très claire : c'est de n'avoir pas su discerner ce qu'il faut inclure au rang des composantes du sujet. Un excès d'intérêt pour ce qu'on pourrait appeler l'aspect catégorématique des composantes conceptuelles leur a fait négliger les composantes de liaison, qui sont pourtant comme on l'a vu des représentations à part entière. Faute d'avoir saisi la différence entre le concept et l'objet auquel ce concept fait référence, ils ont fait entrer au nombre des *constitutiva* les *propriétés* que Kant à juste titre jugeait « extérieures » au concept. On peut alors démontrer l'existence des jugements synthétiques *a priori* en faisant simplement valoir la nécessité de pouvoir attribuer des propriétés à un *objet* : il faut en effet *sortir* de la représentation du sujet pour affirmer qu'un nouveau caractère convient à l'objet représenté (§ 64, t.I, p.277). Si loin qu'elle se poursuive, aucune analyse de la représentation du sujet en ses composantes n'apportera une connaissance que seul l'objet peut rendre possible.

On peut enfin en finir, par la même occasion, avec les convictions des relativistes qui, partant des mêmes présupposés que Maass et Eberhard, considèrent que, suivant la compréhension donnée à une représentation, c'est-à-dire suivant ce que l'on « met » dans son essence, la même prédication peut être tantôt analytique, tantôt synthétique. Par exemple, suivant la manière dont on aura défini le concept de « triangle », la proposition « un triangle a pour somme angulaire deux droits » sera tantôt analytique (si on le définit comme « la figure où la somme des angles vaut deux droits »), tantôt synthétique (si on le définit par exemple comme « la portion de plan enfermée par trois droites en intersection [19] »). On comprend le bénéfice de l'hypothèse relativiste : si l'on peut soupçonner que des caractères gisent « de manière cachée » dans la représentation du sujet, on peut bien admettre que la prédication que l'on croit maintenant synthétique s'avèrera un jour être analytique, de même que dans la conception de Leibniz le progrès du savoir a pour terme la réduction du jugement de fait à une vérité identique. Contre cette hypothèse relativiste qui repose en dernière analyse sur l'idée que les concepts peuvent changer de sens sans cesser d'être « les mêmes concepts » (ils ne changeraient que « pour nous »), Bolzano fait valoir la nature entièrement déterminée des représentations [20]. La coupure définitive que pratique la *Wissenschaftslehre* entre composantes conceptuelles, d'un côté, et propriétés objectives, de l'autre, parachève l'effort kantien pour en finir avec le continuisme leibnizien. Mais Bolzano n'en met que mieux en évidence la nécessité de produire un critère de l'analyticité qui serait totalement affranchi de la restriction dont tous – Leibniz, Kant autant que ses adversaires – se sont rendus coupables, du contenu représentationnel aux seules composantes catégorématiques. Compte tenu du caractère imprécis de la distinction entre forme et contenu, une définition proprement logique de l'analyticité devra s'attacher à décrire les propositions concernées en termes de relations entre composantes *quelconques*, de façon à atteindre la pleine généralité que l'on est en droit d'exiger d'un tel critère.

Deux raisons, avons-nous dit, peuvent expliquer l'« obsolescence » du concept kantien d'analyticité : la nécessité de repenser et *d'étendre le champ de la logique* et la généralisation de la notion de composante, distinguée de celle de *caractère*, comme outil de cette rénovation de l'objet logique. Mais une raison négative plus spécifique conduit aussi à renoncer aux explications traditionnelles de l'analyticité. Raison dont nous ne pouvons surestimer la pertinence, et sur laquelle nous aurons à revenir dans la suite, tant elle est inséparable de l'innovation de Bolzano en matière d'analyticité :

> « Il me semble surtout que toutes ces explications ne mettent pas assez en lumière ce qui fait *l'importance* véritable de cette espèce de propositions. Celle-ci consiste à mon avis en ceci que leur vérité ou fausseté ne dépendent pas des représentations particulières en quoi elles consistent, mais restent les mêmes, quelles que soient les variations que l'on effectue sur quelques-unes d'entre elles, pourvu que l'on ne détruise pas l'objectivité de la proposition. » (*W.*, §148, t.II, p.88)

Bornons-nous pour le moment à remarquer la façon dont Bolzano présente dans ce passage ce qui pour lui fait l'importance des propositions analytiques : c'est leur *comportement à l'égard du vrai et du faux*. Le rapport de l'analytique au vrai se trouve proprement inversé. Chez Kant, seule une proposition vraie peut être analytique. Allons plus loin : c'est parce qu'une proposition est *analytique* qu'on peut la dire *vraie*. L'analyticité ou, ce qui revient au même chez Kant, un énoncé déductible du principe de contradiction, est le critère même de la vérité dans son espèce *logique*. Symétriquement, c'est de la nécessité d'un procédé synthétique que résulte la vérité d'espèce intuitive. Comme le rappelle cette définition de la *Logique* : « La vérité est *propriété objective* de la connaissance ». Ce n'est donc que sur fond d'un acte de jugement que le vrai à la fois se révèle et se produit.

Bolzano revient à un conception précritique du vrai : il en cherche la définition non dans le produit d'un jugement, mais dans la correspondance entre une proposition et un état de chose. Dès lors, *le vrai préexiste à l'énoncé où il s'exprime et à la conscience qui en juge*. C'est pour mieux marquer cette indépendance du vrai à l'égard de la connaissance que Bolzano forge le concept de « vérité en soi ». Si une proposition est ainsi objectivement vraie ou fausse, et toujours en soi déterminée comme ayant l'une ou l'autre de ces valeurs, l'analyticité ne peut se définir que dans un rapport entre des propositions de même famille et les valeurs de vérité. De cette manière, non seulement l'analyticité cesse-t-elle d'être interchangeable avec la vérité logique, qui n'en est qu'une espèce. Mais encore la dichotomie analytique/synthétique cesse de se prolonger par une coupure divisant au sein du vrai propositions d'entendement et propositions d'intuition. Chez Bolzano en effet, la division analytique/synthétique chevauche à la fois la division vrai/faux et la division intuitif/conceptuel. Il y aura désormais des propositions analytiques fausses, et des propositions analytiques d'intuition.

Ce renversement de perspective relativement à la notion de vérité conduit alors à une réorganisation de la portée de la propriété 'analytique'. Centrée jusqu'alors sur la *proposition*, l'analyticité ne se découvre chez Bolzano qu'au niveau de *l'espèce propositionnelle*. C'est là que se marque *l'importance* de l'analyticité. Il s'agit d'une propriété d'essence générique, précisément parce que *toutes* les propositions de même famille restent de même valeur de vérité quand on fait varier en elles une certaine composante. Sur ce point, les post-leibniziens critiques de Kant ont tout autant que lui manqué ce point essentiel. En mettant l'accent sur la prédication d'essence, ils investissent toutes les propositions d'une fonction essentiellement informative (Kant lui-même continue en un sens à attribuer aux propositions analytiques un contenu-limite, en les disant « vides de contenu », *inhaltsleer*. Or ce qui fait au contraire l'originalité de ces propositions, c'est qu'il y a en elles une composante *indifférente*. Maass et Eberhard ont été trop fascinés par la particularité de chaque prédication d'essence pour découvrir derrière chacune d'elles la communauté d'une forme propositionnelle. La nouvelle révolution que Bolzano fait effectuer à l'analyticité est de s'appuyer plutôt sur ce que ces propositions « ne disent pas » que sur ce qu'elles « disent ». Comme en témoigne le texte de Bolzano que nous venons de citer, c'est pour mieux mettre en lumière la propriété caractéristique des propositions analytiques dans leur rapport au vrai et au faux qu'il s'autorise à s'« écarter de l'usage reçu » pour en donner une définition absolument neuve :

> « S'il y a ne serait-ce qu'une (*auch nur eine*) représentation dans une proposition qui peut être arbitrairement changée sans affecter la vérité ou la fausseté de celle-ci ; c'est-à-dire si toutes les propositions qui résultent de l'échange de cette représentation avec toute autre que l'on voudra sont ou bien toutes vraies ou bien toutes fausses, en supposant seulement qu'elles ont de l'objectivité : alors cette propriété de la proposition est assez remarquable pour la distinguer de toutes celles pour lesquelles ce n'est pas le cas. » (*W.*, § 148, t.II, p.83)

L'analyticité devient une propriété remarquable de certaines propositions, dont la mise en évidence requiert la donnée préalable des valeurs de vérité de toutes les propositions de la famille. Elle requiert en outre l'application d'une règle, comprise non pas comme une règle de construction, mais comme un moyen de classement des propositions, la « variation ». Enfin, la définition comporte aussi la clause de l'« objectivité » (*Gegenständlichkeit*). Afin de comprendre le critère indiqué, il nous faut donc procéder à un large détour, pour explorer les concepts clés qui y figurent, de proposition, de proposition vraie, et de proposition valide.

Chapitre 2

PROPOSITION, VÉRITÉ ET VALIDITÉ

Qu'est-ce qu'une « proposition en soi » ? Bolzano dégage trois composantes minimales : un constituant qui exprime une relation (*Bindeteil*) ; non pas « être » comme le voulait la tradition, mais « avoir ». Les deux autres termes correspondent respectivement au « quelque chose » qui a la propriété en question et à la propriété qui est attribuée au sujet. Toute proposition a ainsi pour forme générale :

A a la propriété b,

où A est une représentation d'objet et b une représentation de propriété (*W.*, § 66, t. I, p.297). Le schéma paraît très simple. Néanmoins, plusieurs relations s'y trouvent intriquées, comme nous allons le voir.

Du sujet à sa dénotation

Partons de la représentation du sujet notée par *A*. Elle forme l'*Unterlage*, c'est-à-dire la *base* de la proposition, ou encore son *Hupokeimenon*. Son importance provient du fait qu'elle entretient un rapport privilégié à l'objet, existant ou non, auquel la proposition fait référence (§ 49, t. I, p. 219). Si un objet existant ou idéal correspond bien à la représentation du sujet, on dit que la proposition, de même que la représentation du sujet, sont *gegenständlich*, c'est-à-dire « objectives [21] ». Mais si aucun objet ne correspond à la représentation du sujet, dirons-nous que l'énoncé n'exprime aucune proposition ? Telle serait la conséquence si l'on faisait de la *Gegenständlichkeit* un principe d'exclusion du non-sens. Or si le principe d'objectivité joue évidemment le rôle de critère minimal de la vérité propositionnelle, il n'a pas à intervenir dans le cas des propositions fausses (*W.*, § 127, t. II, p. 17 ; § 225, t. II, p. 399). Les propositions fausses englobent aussi bien des propositions sans référent *possible*, comme :

« Un corps limité par cinq surfaces identiques n'est pas limité par des triangles »

que des propositions dans lesquelles la réalité du référent est l'objet d'une enquête empirique, comme celle de l'exemple antérieur. Au nombre des propositions fausses on trouve enfin évidemment les propositions dont le sujet est réalisable mais dont le prédicat ne « convient » pas au sujet, comme :

« $2 + 2 = 5$ ».

Il peut sembler curieux que Bolzano n'ait pas d'emblée proscrit les propositions sans objet, comme le fera Frege dans *Sinn und Bedeutung*. La largesse avec laquelle Bolzano admet des propositions non dénotantes parmi les fausses tient à l'incertitude où nous nous trouvons relativement à la référence de nombreuses propositions d'expérience, comme :

« les habitants de la lune sont blancs ».

Que nous ne sachions pas si la lune est habitée rend indéterminée – pour nous – la valeur de vérité de cette proposition. Mais pour qu'on puisse un jour l'asserter ou la nier, il faut que l'on puisse considérer comme doué de sens son énoncé. La condition d'objectivité reprend enfin tous ses droits chaque fois qu'il faut mettre en évidence une *propriété* des propositions en soi, ou une *relation* entre propositions. Ce critère garantit en effet dans ce cas la *clôture* du champ de la variation.

Le concret et l'abstrait

La seconde relation qui forme le lien prédicatif unit la représentation du sujet à celle du prédicat. Mais cette seconde relation suppose la première. Elle unit en effet deux représentations distinctes qui sont, respectivement, un « *concretum* » et un « *abstractum*. Or le *concretum* est précisément une représentation composée à partir du concept de « quelque chose » et d'un abstrait qui en spécifie le sens (*W.*, § 60, t. I, p. 262, rem. 1). La composante « quelque chose » inscrit donc en plein coeur de la représentation du sujet sa valeur dénotative. Quant à la représentation abstraite de propriété, elle est « abstraite de la substance », comme le disaient les aristotéliciens. La vie quotidienne, dans ses urgences et ses besoins divers, tend à forger des *concreta*. La langue facilite leur multiplication, au contraire des abstraits qui s'énoncent dans des expressions amphigouriques et chargées (*W.*, § 127, t.II, p.12). A l'encontre des cartésiens, qui considèrent « homme » comme antérieur et plus simple que l'abstrait « humanité [22] », Bolzano revient ainsi à un point de vue essentialiste qui lui fait envisager le concret comme un complexe de composantes, du type de « quelque chose qui a l'humanité ». Une telle théorie pose un problème déjà perçu par Leibniz, (qui lui-même considère que les modes sont non des *res* mais des *entia*) le risque d'une régression à l'infini :

« Nam si Entitas (abstractum) Ens est, si Realitas res est, si aliquidditas aliquid est ; id erit forma sui ipsius seu pars conceptus sui quod implicat [23] ».

On évitera la régression simplement en faisant respectivement de la qualité de sujet concret ou de propriété abstraite une propriété *interne* de chaque représentation qui ne peut changer arbitrairement de fonction dans la proposition (§ 60, t. I, p. 259 sqq). Pas de réduplication de la propriété par suite de sa mise en position de sujet, comme dans le cas :

« L'humanité a l'*humanitéité* »

ou tel autre exemple que l'on voudra. La représentation « l'humanité » ne peut en effet figurer qu'à la droite du verbe « avoir ». L'opérateur de concrétisation, « quelque chose qui a... » a donc ici la fonction cathartique d'éliminer les abstractions de second degré. Il permet de préserver la hiérarchie fonctionnelle qui fait du prédicat le support de l'information abstraite, tandis que le sujet a le rôle de « suppôt » de la chose à décrire.

De l'abstrait à la chose

La troisième relation qui organise la prédication unit maintenant le prédicat abstrait non plus au sujet mais à l'*objet* représenté par le sujet. Cette relation nouvelle n'est à son tour possible que par l'entremise de l'opérateur de concrétisation qui, comme nous l'avons vu, intervient implicitement dans toute proposition. En effet, la prédication rapporte en définitive la propriété *b* non pas à une représentation, mais à l'*objet* que dénote la représentation du sujet. Voilà comment Bolzano caractérise cette relation :

« Dans ce cas, en effet, le mot "être en rapport" (*Beziehen*) ne veut rien dire d'autre qu'*énoncer* (*aussagen*), et la représentation *b*, ou plutôt la propriété qu'elle indique, est simplement adjointe à l'objet représenté par X dans cette proposition. Mais si cette proposition est vraie, alors nous pouvons dire que l'objet représenté par X est *en même temps représenté*, non certes par *l'abstractum b* lui-même, mais bien par le *concretum* de ce dernier, c'est-à-dire par la représentation d'un "quelque chose qui a la propriété *b*". (*W.*, § 66, t. I, p. 297)

La valeur dénotative de la propriété existe donc de manière potentielle : une fois opérée la concrétisation de l'abstrait, on doit pouvoir constater, si la proposition est vraie, que l'extension du *concretum* correspondant au prédicat comprend celle du *concretum* du sujet (*W.*, § 196, t.II, p.330).

Le double critère de la vérité d'une proposition

L'analyticité se définit à partir de la notion de proposition et de celle de valeur de vérité, en tant plus précisément qu'elle désigne une « manière » qu'ont les propositions « de se comporter à l'égard du vrai ». Mais qu'est-ce qui détermine la vérité ou la fausseté d'une proposition ? La première clause qui doit être vérifiée par une proposition pour qu'elle soit vraie est une condition nécessaire mais non suffisante. Elle se trouve en effet remplie par un certain nombre de propositions fausses. On pourrait l'énoncer ainsi : *dans toute proposition vraie, la représentation du sujet doit être « objective »*. C'est l'objectivité de la représentation qui détermine l'objectivité de la proposition entière. Notons que cette clause n'équivaut pas à une règle d'exclusion du non-sens. « Avoir de l'objectivité » suppose seulement que la représentation ait au moins un objet. Ce n'est là qu'un critère purement extensionnel, qui ne peut être vérifié que par l'inspection de « la collection totale des choses [24] ».

Pour montrer que cette clause de l'objectivité n'a rien à voir avec un principe d'exclusion du non-sens, il suffirait de rappeler que l'idée d'une représentation dépourvue de sens est contradictoire. Comme nous l'avons déjà vu, le contenu d'une représentation est formé de l'ensemble de ses composantes et c'est de cet ensemble que résulte son sens (*Sinn*). Le fait de manquer d'objet relève non du sens, mais de l'extension (*Umfang*) de la représentation. Que serait une expression dépourvue de sens ? Quelque chose comme « Abracadabra », soit un assemblage de syllabes qui n'exprime pas de représentation du tout, mais résulte d'une simple association vocale en un « mot arbitraire » (§ 70, t. I, p. 317). Loin de risquer l'*Unsinn*, la représentation sans objet a un sens opératoire important dans bien des cas, comme celui des racines imaginaires en mathématiques.

Il y a cependant plusieurs raisons pour lesquelles une représentation peut manquer d'objet, ce qui permet de distinguer plusieurs types de représentations vides. Il y a d'abord une représentation qui est, si l'on peut dire, dépourvue d'objet par définition, c'est celle qu'exprime le mot « rien » (§ 67, t. I, p. 304). Un second groupe est celui des représentations « simplement vides », c'est-à-dire sans objet empiriquement assignable, qui ne sont pourtant pas contradictoires. C'est le cas de la représentation « une montagne d'or » (*Ibidem*, p. 305). Un troisième groupe rassemble les notions contradictoires, comme « carré rond ». Comme ces représentations semblent avoir un objet alors qu'elles contiennent une contradiction parfois inapparente qui rend impossible leur réalisation, Bolzano les nomme « imaginaires » (§ 70, t. I, p. 322-323, rem. 3). Dans cette catégorie, n'entrent pas seulement les représentations dont la contradiction est conceptuellement démontrable (comme « carré rond »), mais aussi des représentations dont la contradiction ne peut être mise en évidence qu'à l'aide de données empiriques. C'est par exemple le cas d'« Alexandre, père de Philippe », qui n'a pas d'objet réel « quoiqu'elle suppose qu'il en existe un » (*ibidem*, p. 323, rem. 4).

Cette classification fait apparaître très clairement que, pour distinguer les diverses manières dont une représentation peut manquer d'objet, il faut partir de ce que C.I. Lewis appelle son *intension*, qui détermine à son tour la « *compréhension* » de la représentation. Lewis distingue en effet comme Bolzano la *dénotation* d'un terme, définie comme « la classe de toutes les choses actuelles ou existantes auxquelles le terme s'applique », de sa *connotation*, qui correspond à peu près à ce que Bolzano appelle *Inhalt*, à savoir ce qui forme la définition d'un terme. Mais Lewis distingue encore une troisième fonction signifiante, qui est la « *compréhension* » : c'est la « classification de toutes les choses pensables de manière consistante auxquelles le terme pourrait s'appliquer ». Il résulte de cette définition qu'en cas d'inconsistance entre les composantes, la compréhension est nulle, ce qui fait que la représentation ne dénote pas. Toutefois « carré rond » n'est pas dépourvu de sens comme le serait, par exemple, « Zuke ». Réciproquement, quand il n'y a pas de contradiction entre les diverses composantes – c'est-à-dire entre les divers caractères connotés par un terme – , il n'est pas encore possible de se prononcer sur la dénotation, en tant justement que celle-ci diffère de la compréhension. Il faut recourir pour cela à la liste de ce qui existe. C'est donc à un espace extensionnel que revient, chez Lewis comme chez Bolzano, le privilège d'ordonner le rationnel. Un principe d'exclusion du non-sens s'ancrerait dans un langage présumé législateur. Mais un principe d'exclusion du non-être, auquel on peut considérer que s'identifie la condition bolzanienne de *Gegenständlichkeit*, renvoie la potentielle vérité du discours à un monde peuplé d'individus.

C'est dans la seconde partie du critère du vrai que se révèle le plus nettement la position anti-formaliste de Bolzano. Que présupposent en effet les partisans du dualisme vérité formelle – vérité matérielle ? Ils font de la vérité une espèce de *compatibilité*. On devrait ainsi selon eux distinguer les propositions qui contredisent de celles qui ne contredisent pas certaines autres propositions. Ce dernier cas délimite la région de la vérité « formelle ». Il ne s'agit pas pour Bolzano de nier l'intérêt qu'il y a à examiner le « comportement » des propositions quand elles sont successivement « comparées » à des domaines distincts de propositions matérielles. Plus le domaine de référence sera étendu, plus l'ensemble des propositions qu'on appelle « formellement vraies » sera réduit. Mais si l'on veut voir dans cette comparaison autre chose qu'une simple *relation* entre propositions, c'est-à-dire leur compatibilité, si l'on entend en faire une propriété *interne* des propositions examinées, on est obligé de conclure que la même proposition peut être tantôt vraie, tantôt fausse. Tout dépend des propositions prises comme points de référence (*W.*, § 29, t. I, p. 141 et *Lettre à Exner* du 22 novembre 1834). La philosophie bolzanienne de la logique repose au contraire sur l'idée que toute proposition en soi est *vraie ou fausse* de manière définitive et invariable. Ce qu'il indique en faisant de la valeur de vérité la *propriété* de chaque proposition (§ 24, t. I, p. 108). Il oppose donc à la conception formaliste du vrai une conception que l'on serait tenté de qualifier de réaliste :

> « Qu'une proposition soit vraie ou fausse n'est nullement un rapport de celle-ci à d'autres propositions (...) Mais une proposition est vraie quand elle joint à son sujet un prédicat qui lui convient » (*Lettre à Exner* du 22-11-1834 ; cf. aussi *W.*, § 25, t. I, p.112)

Comme le vocabulaire de la convenance est grevé par la confusion conceptuelle caractéristique des conceptions « picturales » de la proposition vraie dans lesquelles l'objet est censé se refléter dans sa représentation, Bolzano précise le sens qu'il entend donner au mot de « convenance » dans sa propre explication du vrai :

> « Si une proposition est vraie, nous pouvons dire que l'objet représenté par X est représenté en même temps non par l'*abstractum b* lui-même, mais par son *concretum*, c'est-à-dire par la notion de quelque chose qui a la propriété b. » (§ 66, t. I, p. 129).

Après une telle formule, l'hypothèse d'une analogie entre l'ordre du concept et celui de l'objet n'a plus de raison d'être. L'enquête porte non sur des intentions, des concepts, mais sur des référents dont il s'agit seulement de comparer l'extension. Il ne s'agit même plus de se demander si un prédicat « appartient » à un concept, mais si les individus obtenus à partir du prédicat comprennent les individus que désigne le sujet. Cette comparaison présuppose l'emploi de ce que nous avons convenu plus haut d'appeler « l'opérateur de concrétisation », opérateur qui permet de passer de la propriété à la classe des individus qui possèdent cette propriété. Ainsi, à partir du prédicat b, peut-on former la représentation concrète de « quelque chose qui a b ». Après concrétisation du prédicat, on dispose de deux *concreta*. Une proposition est vraie si (mais pas seulement si) les *concreta* issus du prédicat incluent les *concreta* dénotés par la représentation du sujet. On peut ainsi reformuler le critère du vrai de Bolzano en réunissant les deux clauses :

> Dans toute proposition vraie (de la forme A à b), il y a une classe non-vide d'objets X dont A est la représentation, et pour toute objet Y ayant la propriété b, la classe des Y contient la classe des X.

A la différence de Leibniz dont le critère du vrai est d'ordre *syntaxique* (la résolution partielle doit démontrer que le prédicat était bien contenu dans le sujet), Bolzano propose un critère sémantique et extensionnel du vrai. Sémantique, parce qu'il suppose le renvoi à un monde objectif où les choses peuvent être dénombrées et classées suivant leurs propriétés. Extensionnel, puisque les modèles contiennent des classes d'individus en rapport respectif d'inclusion, d'intersection ou de disjonction. C'est donc l'inclusion de deux classes qui permet d'expliquer ce qu'est la « convenance » entre les termes.

Sémantique bolzanienne et sémantique tarskienne

La mise au clair du double critère de vérité chez Bolzano nous permet de poser le problème de l'analogie entre la sémantique de Bolzano et celle de Tarski, qui a été très souvent relevée par les commentateurs [25]. Dans son *Wahrheitsbegriff in der formalisierten Sprachen*, Tarski s'attache en effet à élaborer une définition de la proposition vraie qui, tout en étant « matériellement adéquate et formellement vraie », ne s'écarte pas fondamentalement de celle qui est en oeuvre dans le langage quotidien. Cependant, Tarski conclut rapidement à l'impossibilité d'atteindre ce double objectif en restant à l'intérieur des langues usuelles, en raison des antinomies qui apparaissent inévitablement dans le cadre d'une langue « universelle », c'est-à-dire inconsistante. Ce n'est que dans une langue formalisée que les niveaux de la langue-objet et de la métalangue pourront être parfaitement distingués. Il est clair que Bolzano n'a pas senti la nécessité d'un tel recul métalinguistique en matière de sémantique. Il y a bien, dans le renvoi à la « collection des choses », la détermination d'un modèle auquel confronter la proposition examinée ; mais ce renvoi semble pouvoir s'opérer au sein même de la langue qui exprime les propositions à analyser. Dans son *Introduction to Semantics*, Carnap caractérise ainsi le vrai dans un système sémantique très réduit, S2 :

« Une proposition pr_i (in_j) est vraie si et seulement si le *designatum* de in_j a (*has*) le *designatum* de pr_i (c'est-à-dire, si l'objet désigné par in_j a la propriété désignée par pr_i » (p.24).

En dépit de l'analogie entre cet énoncé et celui du critère que donne Bolzano pour la proposition vraie, nous remarquons pourtant cette différence essentielle : l'objet chez Bolzano n'est jamais que désigné par la représentation, il n'est lui-même pas introduit par un langage indépendant. Ce qui manque donc lorsqu'on en reste au simple constat qu'il existe dans l'univers un modèle (concret) pour une proposition donnée, c'est le cadre théorique qui permettrait de passer du constat à la preuve. Il manque à l'univers d'être descriptible autrement qu'à travers le lexique et la syntaxe de la proposition. Les concepts extensionnels ne sont encore qu'un embryon de métalangue, mais ils ne sont pas encore détachés de la langue pour laquelle le concept de vrai est formulé.

Faut-il en conclure que Bolzano ne préfigure en rien l'approche sémantique en logique ? La réponse à cette question dépend évidemment de ce que l'on privilégie dans l'idée même de sémantique. Si cette notion évoque pour l'essentiel le recours à une interprétation préalable des énoncés, qui prendrait le pas sur des considérations syntaxiques, on peut dire que la définition bolzanienne du vrai procède bien à ce renvoi à des significations extra-propositionnelles. En ce sens, un état de chose intervient avec la valeur de « modèle » de la proposition quand celle-ci est vraie, c'est-à-dire « réalisée ». Le vrai de Bolzano est alors très proche du concept tarskien de *satisfaisabilité*. Mais si l'on exige en outre qu'une sémantique proprement dite suppose la construction explicite d'une métalangue formalisée, il faut reconnaître que l'entreprise de Bolzano se situe en-deçà de la sémantique. Sa logique semble plus inspirée par le style du géographe que par celui de l'algébriste. Si le critère bolzanien du vrai correspond d'assez près à la propriété d'« être satisfait par un objet », il faut rappeler qu'il n'y a pas de variables au sens strict en logique bolzanienne : une proposition est, une fois pour toutes, ou vraie ou fausse. Bolzano réussit pourtant à s'affranchir de l'étroitesse de cet objet logique, en construisant un concept plus fin que celui de vérité, mais qui le présuppose : la « validité ».

La validité d'une proposition

Si l'on se borne à examiner une seule proposition, comme l'ont fait avant Bolzano la plupart des logiciens à la notable exception de Leibniz, on ne peut guère lui découvrir d'autre propriété sémantique que d'être vraie ou fausse. Pas plus qu'un individu qui serait unique en son genre ne pourrait, dans les sciences naturelles, véritablement instruire, la proposition en soi réduite à elle-même ne peut permettre de mettre en évidence des propriétés logiques remarquables. Il faut donc constituer dans le « règne » logique l'équivalent du travail de Linné dans l'ordre botanique et déterminer ce qui pourrait constituer la raison d'une espèce propositionnelle, étant entendu qu'aucune construction formelle artificielle ne peut dispenser de cette étude.

La difficulté est ici la suivante : comment parler sur des propositions distinctes sans renoncer au caractère déterminé de chacune, relativement au sens qui est le sien et relativement à sa valeur de vérité propre ? Comme nous utilisons aujourd'hui le concept de fonction propositionnelle sans y percevoir de thèse ontologique relative à l'objet que cette représentation logique permet de déterminer, il est peut-être malaisé de comprendre la réticence de Bolzano à passer par-dessus la diversité des propositions – seules objets du logicien -, réticence qui affleure pourtant partout dans les textes (par exemple, *W.*, § 147, t. II, p. 78). La solution de Bolzano consiste à transformer l'incapacité où l'énoncé nous met d'« exprimer » avec fidélité la proposition sous-jacente en un moyen de classer les propositions. Il s'agit pour cela de faire de la disposition spontanée du langage courant à utiliser le même énoncé pour désigner des états de choses distincts une *procédure consciente et raisonnée* qui nous permette d'abord d'ordonner les propositions en espèces, ensuite d'en repérer plus aisément les diverses propriétés. C'est là le but de la méthode dite de *variation*.

Partons par exemple du constat :

« Le pot de vin coûte 10 thalers ».

Si cette assertion semble devoir être tantôt vraie, tantôt

fausse, suivant le moment de l'énonciation, c'est précisément que certaines composantes propositionnelles ne sont pas explicitées dans l'énoncé : celles qui spécifient à chaque fois les conditions de lieu et de temps pour lesquelles le constat est vrai. Au lieu de considérer l'énoncé comme *incomplet*, il revient au même de regarder comme *variables* l'une ou plusieurs des composantes de la proposition. Supposons que, dans l'exemple précédent, le constat complet soit exprimé par l'énoncé suivant :

« Le pot de vin coûte 10 thalers le 13 novembre 1835 à Prague »,

on peut considérer comme variables les composantes signifiant la date et le lieu et leur substituer respectivement tous les jours que l'on voudra entre deux bornes choisies et toute autre ville où le thaler a cours. Ainsi envisagée, la proposition initiale se développe en une suite d'autres propositions de la même « famille », la matrice étant d'ailleurs n'importe laquelle des propositions de la famille. Le « comportement à l'égard du vrai et du faux » de ces propositions de même espèce sera alors exactement déterminable par le rapport des vérités aux faussetés qui se trouvent parmi elles. L'une quelconque des propositions pourra être affectée d'un « degré de validité », qui traduit – à titre de propriété d'une proposition – ce rapport existant entre toutes les propositions de l'espèce. Pour que cela garde néanmoins une valeur opératoire au niveau de chaque proposition, il faudra bien entendu préciser à chaque fois *quelles* composantes i, j... seront considérées comme interchangeables.

La validité d'une proposition, ainsi que les propriétés qui en sont dérivées, comme l'analyticité et la dérivabilité, se définissent donc sur la base de :
1) la valeur de vérité supposée connue de chaque proposition de l'espèce,
2) un moyen de classement des propositions, permettant

de délimiter les espèces, la variation. La procédure de variation apparaît ainsi comme la véritable innovation logique qui rend opératoire le champ des propositions en soi.

Les règles de la variation

Afin que la comparaison entre les différentes propositions qui entrent dans une même famille soit réellement fructueuse, Bolzano a perçu qu'il fallait apporter des restrictions au libre jeu de la variation. Pour qu'un calcul soit possible, il faut restreindre l'infinité des propositions associables à une matrice donnée. Un tel calcul ne peut en particulier avoir de sens que si l'on exclut la prise en compte des propositions sans répondant objectif. Il y a donc deux critères à respecter lorsqu'on fait varier une composante :

1) que ne soient retenues que les variations « produisant une proposition objective »,

2) que soient exclues des substitutions toutes les représentations *équivalentes* à l'une des représentations déjà utilisées comme substituts.

Le premier de ces critères reconduit aux ambiguïtés déjà évoquées du critère de *Gegenständlichkeit* qui s'exerce au premier degré de sélection de la proposition vraie. Ambiguïté qui prend maintenant une ampleur catastrophique puisque l'application du critère doit filtrer les propositions « objectives » sans pour autant éliminer les fausses. C'est ici que se révèle avec acuité l'insuffisance de la condition qui ne porte que sur le *sujet* de la proposition. Sans doute celui-ci a-t-il valeur de support de dénotation. Mais un prédicat qui, sans être inconsistant, est d'une catégorie sémantique non pertinente ne rend-il pas caduque la dénotation primitive de la proposition ? Suivons par exemple le cas de variation par lequel Bolzano illustre sa méthode. De la matrice :

« L'homme Caïus est mortel », il développe quelques propositions apparentées :
(l) « L'homme Sempronius est mortel »
(2) « L'homme Titus est mortel »
(3) « L'homme rose est mortel »
(4) « L'homme triangle est mortel ».

Les propositions (l) et (2) sont objectives, tandis que les propositions (3) et (4) sont sans objet. Mais rien ne nous interdit d'exercer la variation sur le prédicat. Nous pouvons alors insérer à la place de « p » une représentation qui, quoique elle soit une *eigentliche Gegenstandsvorstellung*, rende en conjonction avec ce sujet la proposition totale non pas sans dénotation (puisqu'elle continue à dénoter ce que le sujet représente), mais peut-être bien, et quoi qu'en pense Bolzano, sans signification :

(5) « L'homme Caïus est un nombre premier ».

Comme nous l'avons vu plus haut, il s'agit là pour Bolzano d'une proposition fausse parce que le prédicat « ne convient pas » au sujet, qui dénote de son côté au moins un objet. Mais s'il faut compter la proposition (5) parmi les fausses, cela va affecter le degré de validité de chaque proposition singulière de la famille : quel crédit accorder alors à une propriété établie sur une base aussi éloignée des conditions réelles de la prédication ? Il n'est pas interdit de penser que Bolzano a pu entrevoir ce problème, ce qui expliquerait qu'il apporte, à deux pages d'intervalle, une modification importante à l'exposé de la clause de l'objectivité dans le cadre de la variation. Il l'indique en effet tout d'abord dans les termes suivants :

> « ... à la seule condition qu'elles aient en général de l'objectivité, c'est-à- dire à la condition que la représentation qui forme en elles la base, soit une véritable représentation d'objet. » (§ 147, t. II, p. 78)

Mais dans la suite du texte, il emploie une formule

beaucoup plus générale, qui suffit bien sûr à modifier complètement l'application du critère :

« .. à condition qu'on ne choisisse que des représentations qui engendrent une proposition objective. » (*ibidem*, p.80)

La difficulté que rencontre ici Bolzano tient à ce que ce critère d'« objectivité » est d'ordre dénotatif et non pas linguistique. Elle prend donc sa source dans le caractère ambigu d'une entreprise telle que la *Wissenschaftslehre* qui joint des méthodes d'origine linguistique (comme la variation) à une philosophie réaliste dans laquelle les mots « font signe vers » une réalité plus fondamentale et plus déterminée qu'eux.

La seconde des limitations apportées à l'exercice de la variation interdit que soient choisies comme composantes substituables des notions *équivalentes* à une composante déjà utilisée dans les substitutions. Alors que la *synonymie* est une relation entre des expressions linguistiques désignant *la même* représentation, comme « *Triangel* » et « *Dreieck* », l'équivalence intervient chaque fois que *deux* représentations ont les mêmes objets. C'est ainsi une relation purement extensionnelle qui s'applique aussi bien aux représentations objectives qu'aux notions vides, ce qui mérite d'être noté puisque la variation peut avoir affaire à des *parties* non objectives d'une représentation totale objective, par exemple la représentation de « $-\sqrt{-1}$ » quand elle est mise en équation avec $\dfrac{1}{\sqrt{-1}}$ (§ 108, t. I, p. 515, rem.). Puisque toutes les représentations en soi sont distinctes, l'exclusion des substituts équivalents écarte non les « composantes synonymes », mais celles qui, comme « triangle équiangulaire » et « triangle équilatéral », ont la même extension. Cette limitation permet de considérer les différentes propositions issues de la variation comme des « états de chose » possibles distincts. Elle garantit que le calcul de validité d'une proposition apporte une information non seulement d'ordre purement logique, portant sur le rapport entre propositions vraies et propositions fausses d'une même espèce, mais aussi une information sur la probabilité d'occurrence d'une certaine situation objective.

Dans un grand nombre de cas au moins, l'application des restrictions permet de limiter suffisamment le nombre des substitutions pour qu'un calcul numérique soit possible. Entre les deux cas limites dans lesquels respectivement les substitutions redonneront toujours une proposition vraie ou une proposition fausse, c'est-à-dire entre la validité et la contravalidité universelles, on peut obtenir tous les degrés de validité compris entre 0 et 1. Ainsi, dans une loterie de 90 numéros, la proposition « la balle n° 8 sera tirée dans la prochaine loterie », à supposer que la loterie comporte cinq tirages, a une probabilité de 5/90, soit de 1/18. Un tel mode de calcul de la validité peut cependant conduire à des résultats paradoxaux, précisément parce que le degré de validité reste attribué à la *proposition en soi*. Lukasiewicz montre sur un exemple très simple comment le degré de validité d'une proposition vraie peut, suivant l'interprétation proposée par Bolzano, être égale à celui d'une proposition fausse. Si dans la proposition :

« 6 est divisible par 3 »

on considère « 6 » comme partie variable, et si on lui substitue chaque nombre de la suite de 1 à 6, la proposition considérée prend un degré de validité de 2/6, soit de 1/3. Mais si on calcule dans les mêmes conditions le degré de validité de la proposition fausse :

« 5 est divisible par 3 »,

on obtient encore 1/3. Maintenant, si la proposition de départ est analysée en considérant cette fois « 3 » comme composante variable, la validité relative devient de 2/3.

On est donc fondé à s'interroger à la suite de Lukasiewicz sur la portée d'un calcul qui livre des résultats parfois inconsistants. Il ne peut en être autrement, estime Lukasiewicz, dès lors que l'on enferme le calcul de probabilité dans le cadre étroit de la proposition « fermée », c'est-à-dire entièrement déterminée. La solution de son point de vue suppose que l'on renonce à deux choses. Il faut faire éclater le cadre trop étroit de l'énoncé clos, pour traiter la validité au niveau d'énoncés « indéterminés », c'est-à-dire au moyen de formes propositionnelles. En outre, il faut abandonner la bipartition rigoureuse vrai/faux pour reconnaître une troisième valeur de vérité, qui serait le probable. La solution de Lukasiewicz implique évidemment que l'on reconnaisse l'intérêt du concept de « variable logique ». Car si l'on se borne comme Bolzano à ne traiter que d'objets déterminés, on peut toujours affirmer qu'en soi, ils tombent ou ne tombent pas sous un concept donné. Mais la prise en considération du probable comme tel, distingué du réel et du nécessaire, suppose que l'on introduise le seul objet concerné par le langage du possible : non pas l'homme individuel (« ou bien il se trompe, ou bien il ne se trompe pas », comme dit l'exemple de Lukasiewicz), mais *n'importe quel homme, l'homme x*.

La critique de Lukasiewicz vise les limites de la validité bolzanienne, comme propriété de la proposition en soi, limites qui continueront d'affecter le concept de validité relative, c'est-à-dire de la relation de probabilité. Mais elle souligne aussi que ce que la méthode de variation met en évidence ne peut pas être considéré comme purement et simplement analogue à ce qu'on entend aujourd'hui par une forme propositionnelle, quoique les deux méthodes visent l'une et l'autre à traiter des ensembles de propositions. Même s'il y a une analogie entre les termes de « variation » et de « variable », il faut rappeler la mise en garde de Bolzano. Si l'on parle de « composante variable », ce n'est pas au sens où la composante varierait elle-même, comme un existant qui serait tantôt vert, tantôt bleu. Ce qu'il faut comprendre par là, c'est simplement que :

> « l'on doit diriger son attention sur toutes les représentations (ou, respectivement, toutes les propositions) qui ne se distinguent de la première que par une seule composante (...) Il n'est donc nullement question ici d'un changement (*Veränderung*) au sens propre du mot. » (§ 69, t. I, p. 214, rem. 2)

Ce qui varie à proprement parler, ce n'est donc pas l'objet lui-même, mais « l'attention » du logicien. Soucieux d'actualiser et de fixer le sens des objets logiques, Bolzano s'interdit visiblement de recourir à la notation symbolique pour fonder l'unité de l'espèce propositionnelle. Ce que le concept de forme ou de fonction propositionnelle exige d'ouverture et d'indétermination (la marque de la variable *précédant* toute interprétation en termes d'individus) est incompatible avec la préséance de la proposition. Quel peut être alors le sens que Bolzano veut donner à la notation symbolique ? Faut-il considérer que l'emploi de lettres pour désigner les propositions ou les termes auquel Bolzano recourt fréquemment dans l'exposé des lois logiques soit, selon les termes de Lukasiewicz, une « inconséquence » dont Bolzano n'aurait pas « pris conscience [26] » ? L'interprétation de Lukasiewicz n'est admissible que si l'on identifie à des variables les symboles des termes et des propositions. Interprétation que Lukasiewicz avait déjà donnée à propos des notations de termes chez Aristote : ce sont pour lui des symboles de variables ; c'est sur cette équivalence notationnelle qu'il fonde sa théorie « quantificationnelle » du syllogisme. Mais comme l'a remarqué Gilles Granger, il y a là un transfert injustifié d'une technique logique à une autre d'inspiration différente :

> « Les symboles de termes introduits par Aristote au moyen de lettres ne sont pas *stricto sensu* des variables au niveau

du calcul syllogistique. Ce sont des lettres syntaxiques, des symboles d'indéterminées, dont il n'est pas nécessaire de préciser l'identification [27]. »

Rectification essentielle : la signification extensionnelle de la logique aristotélicienne se manifeste alors non plus au niveau du calcul, mais au niveau des classes de modèles qui satisfont un ensemble d'énoncés et des classes de représentations qui satisfont une proposition. C'est exactement le même souci d'interpréter la variable comme instrument du calcul couché en notation symbolique qui porte à nouveau Lukasiewicz à suspecter Bolzano d'en avoir usé en quelque sorte malgré lui. Cependant un texte de Bolzano vient à point pour expliciter la valeur qu'il veut donner aux symboles utilisés aussi bien en Logique que dans les autres sciences :

« ... Ainsi, il est évident que la désignation des grandeurs par des lettres, et des différentes opérations d'addition, de soustraction etc., par les signes bien connus : +, −, etc., ne change absolument rien dans la manière dont nous concevons ces concepts, mais facilite seulement leur rappel et leur conservation dans la mémoire. De telles facilitations sont déjà utilisées dans plusieurs autres sciences, par exemple en logique, chimie et géographie, *sans que l'on en vienne à dire que l'on produise les concepts de ces sciences d'une autre manière qu'auparavant.* Car est-ce que ce ne sont pas des *mots* (et nous nous en servons dans toutes les sciences, même en métaphysique), qu'ils soient présentés dans l'écriture ordinaire ou par des signes intuitifs qui désignent nos concepts, comme le a+b de l'algèbre ? » (*Einleitung zur Grössenlehre*, p.77, § 11, rem. 1, 53 r, *i.n.*)

En insistant ainsi sur la valeur « intuitive » de la notation et sur sa non-productivité intrinsèque, Bolzano indique nettement la valeur qu'il convient d'accorder à la lettre : représentant d'un type d'objets qu'on peut laisser dans l'indétermination, c'est-à-dire signe de constante (à l'égal de n'importe quel *mot*) et non pas variable libre. La valeur potentiellement opératoire du signe comme tel s'efface complètement au profit de la fonction purement externe de mémorisation : on ne saurait mieux marquer que les signes n'ont pas de pertinence propre.

Chapitre 3

LA THÉORIE DE LA PROPOSITION ANALYTIQUE DE BOLZANO

Nous avons dit plus haut la raison qui conduit Bolzano à reconstruire différemment le concept d'analyticité : l'ancienne définition ne montre pas assez l'« importance » de cette propriété des propositions, importance qui réside dans « l'indépendance de leur valeur de vérité à l'égard des composantes singulières qui les constituent ». En expliquant l'analyticité par généralisation des cas limites de la validité, Bolzano espère mieux marquer cette importance. Mais une décision doit être prise dans la construction de l'*explicatum* : quel est le critère de généralisation que l'on doit retenir pour passer de la validité à l'analyticité ?

La détermination d'un critère de généralisation

Dans la validité, les composantes qui peuvent faire l'objet de substitutions sans qu'en soit altérée la valeur de vérité des propositions ainsi construites sont en *nombre quelconque*, tout en devant être évidemment chaque fois spécifiées puisque la validité est une propriété *relative*. La question qui se pose pour la construction du concept d'analyticité est donc de savoir combien de composantes devront être variables *salva veritate vel falsitate* pour que l'on puisse dire analytique la proposition correspondante. Une fois ce nombre fixé, la propriété d'analyticité sera une propriété absolue, c'est-à-dire qu'elle ne rendra pas nécessaire la précision de la ou des composantes variables. Il n'y a que trois possibilités : on peut exiger que *toutes* les composantes, ou qu'*une seule*, soient variables, ou enfin, s'en tenir à une solution moyenne qui indiquerait les limites entre lesquelles devrait se situer le nombre des composantes interchangeables. Bolzano écarte d'emblée la première possibilité. Une variation qui s'effectuerait sur *toutes* les composantes de la proposition ne pourrait évidemment pas conserver la valeur de vérité :

« ... car si nous pouvions transformer à volonté toutes les représentations qui se trouvent dans une proposition, nous pourrions la changer en n'importe quelle autre, et par conséquent obtenir à partir d'elle tantôt une proposition vraie, tantôt une proposition fausse. » (*W.* § 148, t. II, 83)

Exiger l'interchangeabilité de *toutes* les composantes compromettrait la stabilité des valeurs de vérité. Sur quel nombre de composantes devrons-nous donc arrêter notre choix : *une seule*, ou *quelques-unes* ? Le texte de Bolzano a paru à certains commentateurs d'une irrémédiable ambiguïté. Comme ils l'ont remarqué, les divers énoncés du critère de l'analyticité ne concordent pas sur le nombre des composantes variables. Le texte du § 148 a lui-même donné lieu à plus d'une exégèse, pour déterminer l'étendue exacte que Bolzano entend donner à la variation lorsqu'il écrit : « *Wenn es aber auch nur eine einzige Vorstellung in einem Satze gibt...* [28] » Ce que l'on peut toutefois dire en toute certitude, c'est que Bolzano reconnaît l'analyticité d'une proposition dès que l'une au moins de ses composantes s'est montrée interchangeable. Rappelons ici un fait capital pour l'application de la variation : elle n'est pas affaire de notation mais dépend des possibilités effectives d'obtenir différents modèles de l'élément considéré. Par exemple, dans la proposition suivante :

« Si A est plus grand que B, alors B est plus petit que A », ce ne sont pas A et B qui sont les composantes variables. Les signes A et B désignent une constante indéterminée qu'il n'y aurait aucun intérêt à faire varier, puisqu'ils font référence à la collection de toutes les grandeurs. Il serait tout aussi peu pertinent de remplacer dans cet exemple A par X, que de substituer *Triangel* à *Dreieck* : aucune proposition nouvelle ne résulterait de cette modification qui reste seulement affaire d'énoncé.

Cette remarque permet de comprendre le commentaire dont Bolzano accompagne l'un de ses exemples mathématiques de propositions analytiques :

« Si $\frac{a^2}{2} = b$, alors $a = \pm \sqrt{2b}$ »

Dans cette proposition, explique Bolzano, c'est la composante « 2 » qui est interchangeable *salva veritate*. Exprimant des grandeurs quelconques, les signes a, b, c, ne peuvent pas à proprement parler être changés *salva veritate*. Quant à la relation algébrique plus générale qui noterait par « c » la composante substituable où « 2 » figurait, elle ne comporte plus d'occurrence interchangeable au sens strict, et par conséquent appartient aux propositions synthétiques :

« Si $\frac{a^2}{c} = b$, alors $a = \pm \sqrt{cb}$ »

Le fait d'abaisser ainsi à « au moins un » le nombre des composantes interchangeables étend évidemment la classe des propositions analytiques. Le critère va à l'encontre de ce que nous pourrions être tentés d'appeler notre « intuition » de l'analyticité. Cependant le paragraphe 148 ne nous a encore donné qu'une phénoménologie de la proposition analytique sous forme d'un critère de reconnaissance valant comme *explicatum*. Il nous reste à comprendre ce qui fait l'« importance » de ce nouveau critère, c'est-à-dire de saisir la théorie que suppose l'énoncé du critère.

Bolzano annonce-t-il Quine ?

Pour apprécier l'intérêt d'une notion ou d'une distinction proposées par les logiciens ou les philosophes du passé, il est toujours tentant de mesurer leurs concepts à l'orthodoxie contemporaine, quitte à concéder qu'ils n'ont fait qu'annoncer de manière balbutiante ce qui après eux serait plus explicitement et plus clairement déterminé. Cependant cette lecture semble tomber dans ce qu'on pourrait appeler une illusion dialectique en vertu de laquelle l'apparente familiarité d'une distinction ou d'un concept finit par nous interdire d'en comprendre la spécificité. Dans notre rapport au passé, ce sont les motivations présentes qui jouent contre lui et en prononcent d'entrée de jeu la disqualification. L'analytique de Bolzano n'échappe pas à ce destin commun. De la « composante substituable » à l'« occurrence vide » de Quine, le pas n'est pas grand et Quine lui-même le franchit lorsqu'il expose sa propre définition en faisant mention de Bolzano parmi ses grands devanciers [29]. Thèse reprise par Bar-Hillel et présentée comme la seule manière de rendre lisible le texte bolzanien :

> « Pourquoi « A qui est b, est b » était-elle une vérité logique ? Parce que, dit Bolzano, le concept B intervenait en elle *à vide*. Il n'utilisait pas ces termes-là, bien sûr. Mais nous pouvons rendre, par cette formulation commode que nous devons à Quine, ce que Bolzano exprimait en disant : "parce que le concept peut être varié à volonté sans modifier de ce fait la vérité de la proposition". Cette occurrence vide indique l'indépendance à l'égard du contenu de la proposition, assure son caractère formel, en sorte que si la proposition est vraie, elle l'est formellement, logiquement [30]. »

Parler de « l'indépendance à l'égard du contenu » de la proposition analytique ne peut se faire sans précaution. Par *contenu* d'une proposition, Bolzano entend la somme de ses composantes. Pour être plus exact, il faut donc dire que, dans une proposition analytique, la vérité ou la fausseté « ne dépendent pas des représentations particulières qui la composent ». Mais alors, *de quoi* dépendent-elles ? Il est à remarquer que Bolzano *ne répond pas* à cette question dans le § 148. C'est précisément parce qu'il ne justifie pas son critère dans le texte même où il l'expose que Bar-Hillel s'estime en mesure de combler cette lacune : Bolzano a compris que ces propositions sont vraies ou fausses « en vertu de leur forme », entendant par « forme » ce qu'une syntaxe logique permet de construire en vertu des règles du langage.

Cette façon d'aborder le critère de l'analyticité tel qu'il est exposé au § 148 est restée prépondérante dans les commentaires ultérieurs. Mais elle suppose que l'on cesse de tenir compte des thèses fondamentales de la logique de Bolzano : par exemple, de l'impossibilité de faire reposer le travail logique sur la distinction entre des composantes formelles et des composantes de contenu. Elle demande aussi que l'on accepte l'idée que Bolzano « se contredise » à quelques pages d'intervalle, et qu'enfin il présente des exemples qui sont de mauvaises illustrations de sa propre théorie. La suite d'*errata* qu'une telle lecture a besoin de corriger dans le texte de référence nous paraît être le signe d'une erreur topique fondamentale : c'est parce que l'on impose au texte des réquisits étrangers qu'il paraît flou, voire contradictoire. Nous pouvons *a priori* présumer – et ce sera ici notre hypothèse – que le commentaire n'a pas réussi à trouver l'axe démonstratif et explicatif de son *corpus*.

Décrite dans ses grandes lignes, la stratégie que suit Bar-Hillel dans son commentaire du paragraphe 148 se résume en trois thèses interdépendantes. La première thèse consiste à présenter comme étant l'objectif du § 148 de définir un concept « qui puisse servir d'explication adéquate pour ce qu'on appelle ordinairement "vérité logique" ». Une fois admis que tel est bien le but de

Bolzano, on peut raisonnablement paraphraser la définition qu'il donne de la manière suivante (c'est la seconde thèse) :

« Une proposition p est analytique = toutes les composantes descriptives de p y ont une occurrence vide. »

Une telle « paraphrase » entre-t-elle en conflit avec d'autres passages ? Une troisième thèse entre en action : il y a certes contradiction entre le troisième alinéa du § 148 et les deux précédents, mais cette contradiction provient du fait que ces deux passages ont été écrits à des moments différents, le plus tardif ayant été ajouté trop tard pour que des corrections d'ensemble puissent être faites. Le meilleur moyen d'apprécier la pertinence de cette stratégie interprétative nous paraît de revenir au texte, c'est-à-dire de nous livrer à un exercice de lecture.

Exercice de lecture (l'alinéa 3 du § 148)

La compréhension de l'alinéa 3 du § 148 est capitale pour l'éclaircissement de notre problème. En effet, c'est dans ce texte que Bar-Hillel estime pouvoir trouver confirmation de sa deuxième thèse. Or, tout compte fait, c'est cette deuxième thèse qui supporte à elle seule tout le poids démonstratif. En effet, la première thèse, qui attribue à Bolzano l'objectif d'expliquer le concept de « vérité logique » dans son § 148, ne peut évidemment pas être confirmée autrement qu'en montrant que tel est bien le sens à donner au critère qu'il fournit dans les faits. Quant à la troisième thèse, elle n'a pas de raison indépendante en sa faveur sinon la nécessité de dissiper les contradictions que la seconde thèse engendre. Citons intégralement le passage crucial sur lequel en définitive repose entièrement la « deuxième thèse » de Bar-Hillel :

« Les exemples de propositions analytiques que je viens d'introduire se distinguent de ceux du n° 1 en ceci que, pour la détermination de la nature analytique des premiers, ne sont nécessaires d'autres connaissances que logiques, car les concepts qui forment la partie invariable dans ces propositions appartiennent tous à la logique ; tandis que la détermination de la vérité ou de la fausseté des propositions de la première espèce requiert de toutes autres connaissances, car y interviennent des concepts qui sont étrangers à la logique. Cette distinction a assurément quelque chose d'imprécis car le domaine des concepts qui appartiennent à la logique n'est pas si étroitement délimité que jamais là-dessus aucune discussion ne puisse s'élever. Néanmoins il pourrait parfois être utile de tenir compte de cette distinction ; et ainsi on pourrait nommer les propositions du genre du n° 2 *logiquement* analytiques ou analytiques au sens *strict* ; celles du n° 1 au contraire analytiques au sens *large*. »

La *double série d'exemples* à laquelle Bolzano fait ici allusion, et dont il commente dans ce troisième alinéa la différence, est formée :
- d'une part, par un ensemble de propositions appartenant à la morale, à la théologie et aux mathématiques : « un homme moralement mauvais ne mérite aucun respect », etc.
- d'autre part, par une liste de propositions comme « A est A », « A qui est B est A », « tout objet est B ou non-B », etc.

Pour Bar-Hillel, le texte que nous avons cité fait plus qu'éclairer ce qui fait à la fois l'unité profonde et la diversité des exemples des deux séries. C'est dans ce texte que se situe pour lui l'inspiration la plus originale de la *Wissenschaftslehre*, texte clé qui aurait dû permettre à son auteur, en eût-il eu le temps, de récrire tout l'ouvrage et de fonder sa logique sur d'autres bases. Bar-Hillel voit en effet dans le texte cité une « voie de sortie » de ce qu'il présente comme le dilemme dans lequel Bolzano se serait vu enfermer. Ce ne sont pas *toutes* les composantes qui doivent être variables pour qu'une proposition soit analytique (« c'est trop »). Mais ce n'est pas non plus *une seule* (« c'est bien trop peu ») :

« Pour qu'une proposition soit "logiquement analytique" (quelle expression !), il est suffisant que tous les concepts extra-logiques y interviennent à vide [31]. »

Replacé dans l'économie générale du paragraphe 148, l'alinéa 3 semble avoir la fonction d'un commentaire explicatif sur les exemples donnés de propositions analytiques. Si nous prenons Bolzano à la lettre, la distinction qu'il introduit à cette occasion n'a qu'un intérêt de clarification, sans prétention aucune, puisqu'elle ne peut se réclamer d'une distinction nette entre concepts logiques et concepts non-logiques. Par conséquent, rien n'indique que l'on doive voir dans l'alinéa 3 autre chose qu'une remarque anodine dont on retrouve l'équivalent à propos de la dérivabilité [32]. Bar-Hillel voit au contraire dans ce texte se produire ce qu'en d'autres époques on aurait salué comme une « rupture ». Mais pour rendre cette thèse crédible, il doit reconstruire de la manière suivante l'ordre des alinéas du chapitre. Il traite de la remarque 1 *avant* le troisième alinéa qui, dans le texte, la précède en réalité. De cette façon, il peut isoler ce dernier comme l'expression d'une intuition tardive, d'un remords fécond qui n'a pu trouver ailleurs plus ample expression. Mais il est temps d'examiner les raisons que Bar-Hillel produit à l'appui de sa deuxième thèse.

Le premier argument qu'emploie Bar-Hillel fait état de l'incompatibilité entre la lumineuse distinction qui est faite dans le passage cité entre « analytique au sens large » et « analytique au sens étroit », et le passage de la remarque 4 dans lequel Bolzano semble faire l'aveu du caractère finalement inadéquat de sa définition, « un peu plus large » que la définition habituelle. Mais la valeur de cet argument dépend précisément de ce qui reste à démontrer, à savoir que l'alinéa 3 énonce une définition différente de la précédente, et qui circonscrit le champ du « logiquement analytique ». Or ce qui paraît interdire toute valeur définitoire à l'observation de l'alinéa 3, c'est que la distinction qui y est exposée ne concerne pas une propriété distinctive des *composantes*, mais une caractérisation des *connaissances* qui sont respectivement en jeu dans les deux séries d'exemples. Ce qui éclaire la différence entre ces deux séries n'est donc pas strictement logique, mais relève d'une science auxiliaire de la logique, c'est-à-dire en l'occurrence de la psychologie. Ce n'est donc pas « en soi » que cette distinction est fondée, mais par rapport à notre mode d'acquisition des connaissances.

Considérés sous ce dernier point de vue, les deux groupes d'exemples se situent effectivement à des « niveaux d'évidence » différents. Pour les propositions du premier groupe, comme « un homme moralement mauvais ne mérite aucun respect », c'est non seulement l'analyticité, mais même la vérité de la proposition qui ne peuvent être établies sans connaissances préalables. Comme Bolzano le dit ailleurs, ces propositions sont « matérielles », en ce sens que « nous les laissons comme elles sont données » (§ 160, t. II, p. 164). En revanche, les propositions du second groupe, « A est A », etc. ne sont pas de simples exemples de propositions usuelles. Ce sont des désignations d'espèces propositionnelles. En ce sens, puisque la généralité de l'espèce se trouve consignée dans les lettres syntaxiques, on peut les dire « formelles » *au sens de Bolzano*. Quant à l'annotation 4, nous n'y trouvons ni regret de rompre avec la tradition, ni sentiment d'inadéquation de l'explication proposée. Pour mieux marquer l'*importance* de l'analytique, écrit en effet Bolzano :

> « ... je me suis permis d'en donner l'explication qui précède quoique je sache qu'elle élargit un peu le concept de ces propositions, par rapport à celui que l'on pense habituellement ; car les propositions comme celles du n° 1 ne sont habituellement pas comptées parmi les analytiques » (p.88).

Si Bolzano s'était donné l'objectif de produire une explication strictement équivalente à celle qui était en usage, on pourrait lui prêter l'intention de tenter de remédier au fait que son critère modifie l'extension de l'analytique. Mais la *Théorie de la Science* a l'ambition de reconstruire la logique comme théorie des traités scientifiques sur une base strictement objective. La remarque citée vise donc plutôt à prévenir le lecteur qu'à s'excuser auprès de lui : qu'il ne méconnaisse pas la nouveauté du concept d'analytique ; *il n'y a plus de raison de confiner la propriété aux propositions qui l'ont de manière évidente, comme celles du second groupe.*

Afin de donner un peu de crédibilité à la thèse II, Bar-Hillel développe ce que nous appelons « la thèse III » : elle consiste à défendre l'idée d'une rédaction indépendante de l'alinéa 3. Il fait tout d'abord valoir le caractère « inadéquat » de la terminologie de Bolzano dans l'alinéa 3 :

> « Il ne changea pas sa terminologie pour la mettre en accord avec sa nouvelle découverte, et préféra fabriquer le pléonasme "logiquement analytique" plutôt que de rebaptiser son ancien "analytique" par exemple : "universellement valide" (de manière absolue, et non par rapport à une certaine classe de concepts) et de se servir d'"analytique" au lieu de sa fâcheuse innovation » (p.12).

Une fois admis que l'alinéa 3 fournit une deuxième *définition*, on peut certes s'entêter à trouver dans la lettre du texte confirmation de la thèse II ; alléguer par exemple, comme le fait ici Bar-Hillel, que l'appellation « logiquement analytique » est un pléonasme. Un tel argument est de toute évidence une *petitio principii* ; il ne peut avoir force persuasive que si la thèse II est déjà établie. De cette inadéquation postulée entre la terminologie ancienne et la nouvelle découverte, Bar-Hillel conclut son développement historique sur le mode du « de deux choses l'une » : ou bien Bolzano *n'eut pas le temps* de refondre tout le chapitre, et laissa son texte inachevé, ou bien il éprouva quelques *difficultés psychologiques* — hésitation, incertitude, résistance inconsciente ? — à « faire le pas », c'est-à-dire à ne conserver dans l'analytique que le « logiquement analytique ». Il paraît difficilement pensable que Bolzano ait brutalement renoncé à la thèse fondamentale de la *Wissenschaftslehre*, à savoir à l'unité des différents registres de l'En-soi : représentations, propositions, vérités ; une propriété qui vaudrait des propositions notées en symboles logiques – en fonction de leur « espèce » – ne vaudrait plus des propositions « matérielles » ? Il y aurait un « analytique » pour les premières, tandis que les secondes seraient « seulement » universellement valides ? Une telle partition est contraire à l'esprit de la logique bolzanienne qui travaille toujours, on l'a vu, sur des composantes et sur des propositions *quelconques*. C'est dans ces conditions que la variation peut délimiter des *espèces*, comme « le vrai et le faux de par l'espèce », ou comme le synthétique. Reste enfin un dernier argument en faveur de la thèse III, peut-être le plus fragile de tous :

> « Les concepts définis dans l'alinéa 3 ne sont mentionnés qu'une fois dans les longues remarques du § 148, et – autant que j'aie pu en juger – nulle part ailleurs. » (p.13)

Exprimons d'abord nos réserves sur le caractère concluant de cet argument. On peut s'appuyer sur le fait que les concepts de l'alinéa 3 n'interviennent plus dans la suite du texte aussi bien pour défendre la thèse d'une rédaction séparée de cet alinéa, que pour attester leur caractère dérivé et non strictement logique. Mais en outre, il est faux que ces concepts ne reparaissent plus par la suite. Jan Berg a corrigé sur ce point l'affirmation de Bar-Hillel [33]. Ainsi, non seulement pouvons-nous conclure que la distinction entre des propositions « matérielles » et « logiques » n'est pas essentielle pour la définition de l'analyticité ; le rapprochement de l'analyticité et de la dérivabilité « logiques » permet aussi de comprendre que ce n'est pas à une différence entre *composantes*, logiques ou extralogiques, que songe Bolzano.

Une théorie « extensionnelle » de l'analyticité

Reprenons maintenant la question où nous l'avions laissée : si, dans une proposition analytique, la valeur de vérité ne dépend pas des représentations particulières qui composent cette proposition, alors *de quoi* dépend-elle ? Le réponse de Quine suppose le recours à la distinction entre composantes logiques et non-logiques : les vérités logiques sont, pour lui « des propositions vraies qui ne comprennent que des mots logiques *essentiellement*. L'une des thèses centrales de la *Théorie de la Science* consiste à déclarer en revanche non opératoire la distinction entre composantes « de forme » et « de contenu ». S'il existe une réponse bolzanienne à la question posée, elle doit donc suivre une autre voie que celle qu'a choisie Quine. L'hypothèse de Bar-Hillel se fondait sur la conviction que Bolzano n'avait pas répondu explicitement à cette question. C'était laisser de côté un texte essentiel quoique ignoré de tous les commentateurs, qui apporte sur la question un éclairage définitif, et permet en même temps de confirmer la lecture de l'alinéa 3 que nous venons de tenter.

Dans ce texte, l'analyticité est mise en relation avec une certaine structure de renvoi sémantique aux propositions de ce genre, et que nous pouvons caractériser provisoirement comme une structure de *double inclusion*, pour les analytiques vraies, et d'inclusion sur exclusion, pour les fausses. L'analyticité, ainsi que la propriété particulière de la composante interchangeable, dépendent donc d'une *restriction* opérée par la proposition sur une vérité valable pour un ensemble d'objets. Prenons l'exemple de proposition analytique vraie que propose le §148 :

« Ce triangle a la propriété que la somme de ses angles vaut deux droits. »

On sait déjà qu'il existe dans cette proposition une composante variable *salva veritate*. Comment savoir laquelle, sinon en tâtonnant, c'est-à-dire en essayant successivement de varier toutes les composantes ? Bolzano donne au § 197 le moyen de l'identifier :

> « La particularité de la proposition considérée réside en ceci que sa représentation du sujet « ce triangle » contient une composante, (la représentation *ce*) qui est reliée avec le reste (qui est un triangle) d'une manière telle que les différents objets qu'elle représente quand cette composante est considérée comme arbitraire, et échangée avec n'importe quelles autres représentations, appartiennent tous à un certain genre de choses (ici aux triangles en général) desquels la propriété exprimée dans la représentation du prédicat vaut de manière universelle. » (t. II, p.333)

La composante variable est donc déterminée en vertu d'une propriété extensionnelle, qui explique à la fois le rôle qu'elle joue et l'analyticité de la proposition. En effet, elle réalise une *restriction* sur l'extension universelle d'un concept, qui fonctionne relativement à la proposition comme un donné venant limiter les possibilités de la variation. Pour mettre plus clairement en lumière cette propriété, appelons « v » la composante interchangeable, « p(v) » la proposition analytique, « g » le concept générique dans lequel « v » prend ses différentes valeurs, et « p(g) » la proposition universellement vraie qui porte sur l'extension maximale g. Si nous supprimons, dans l'exemple précédent, la restriction à « ce triangle », nous obtenons une vérité qui vaut de tout le genre triangle :

> « Tout triangle a la propriété que la somme de ses angles vaut deux droits ».

Rappelons en effet que Bolzano considère que toute représentation est à prendre universellement chaque fois qu'elle se présente sans déterminant. En supprimant le démonstratif, on obtient donc une proposition universelle. Si cette proposition est vraie comme dans notre exemple, la collection des concrets dénotés par la représentation du sujet est incluse dans celle des concrets obtenus à partir du prédicat par concrétisation. Cette inclusion est le signe de la vérité de la proposition universelle, et c'est à partir de cette vérité que se détermine la vérité de la proposition restreinte par la variation de v. Nous pourrions représenter tout d'abord le cas de la proposition vraie par le schéma suivant (à des fins de clarté, nous représentons l'extension du sujet comme si elle était *strictement* incluse dans l'extension du prédicat, mais il est évident que les deux extensions peuvent aussi être exactement identiques) :

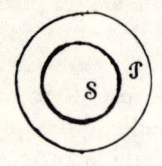

La composante v a donc ceci de particulier que chacune de ses variantes s'inscrit à l'intérieur de l'extension totale du sujet S de p(g). La proposition analytique énonce ainsi à propos d'un individu ou d'un sous-ensemble ce qui vaut déjà du genre. C'est la composante variable qui permet d'opérer une restriction sur le genre. La proposition analytique peut donc être représentée par une double inclusion, la première décrivant p(g), la seconde p(v) elle-même :

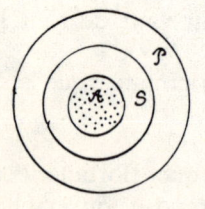

Dans une proposition analytiquement vraie, toutes les variations sur une composante particulière ne pourront s'effectuer hors du genre des objets qui, étant inclus dans les concrets du prédicat, forment le sujet d'une proposition vraie. L'action complémentaire de la clause de l'objectivité prévient toute sortie incontrôlée des limites tracées par l'extension totale du sujet g que nous appellerons, en raison de ce rôle, « genre dominant ». Illustrons cette analyse sur un second exemple. Dans :

« Un homme moralement mauvais ne mérite aucun respect »,

c'est la composante « homme » qui assure la restriction de l'extension du genre dominant « tout être moralement mauvais ». Il y a autant de variantes analytiques qu'il y a d'individus et de sous-ensembles dans l'extension totale des êtres moralement mauvais. Nous observons à nouveau comment la clause de l'objectivité assure la clôture de la variation à l'intérieur du genre.

Nous pouvons maintenant rendre compte sans difficulté de l'analyticité du principe du tiers-exclu : « Tout A est B ou non-B ». La différence qui distingue ce cas des précédents réside seulement dans le fait qu'il y a cette fois deux composantes variables qui opèrent chacune une restriction sur l'extension maximale de « la collection de tous les objets ». En effet, les composantes substituées à A dénotent des suites d'objets de cette collection totale, sans pouvoir sortir de cette extension, qui, par définition, est maximale. Quant à la disjonction « B ou non B » qui forme le prédicat de la proposition, il est clair que les concrets correspondants coïncident avec l'extension de tous les objets, une fois admis que « non-bleu » est un « caractère éloigné du théorème de Pythagore » (*P.U.*, § 26, p. 37). Remarquons toutefois que, contrairement à ce qui a été établi plus haut dans le cas de propositions analytiques mathématiques, l'usage des lettres syntaxiques *autorise* la variation. Si en effet nous considérons les lettres syntaxiques comme non variables en ce qu'elles désignent déjà la collection de tous leurs représentés, le principe du tiers-exclu devient une vérité synthétique, ou inclusion simple.

Quoique Bolzano n'en développe pas spécifiquement le mode de fonctionnement, les propositions analytiquement fausses peuvent recevoir un traitement extensionnel analogue. Dans ce cas, il n'y a évidemment plus double inclusion, mais inclusion sur exclusion. La restriction sur l'extension complète d'un genre continue à caractériser la fonction de la composante variable. Là encore, aucune substitution ne permet de sortir du genre pour produire une inclusion du sujet dans le prédicat, c'est-à-dire une vérité. Ainsi, dans l'exemple

« Un homme moralement mauvais jouit cependant d'un bonheur éternel »,

c'est la composante « homme » qui désigne l'emplacement des variantes à l'intérieur d'un genre dominant, « être ». Les figures 3 et 4 illustrent la variation dans le cas des analytiques fausses, suivant qu'elle s'opère respectivement sur le sujet ou sur le prédicat.

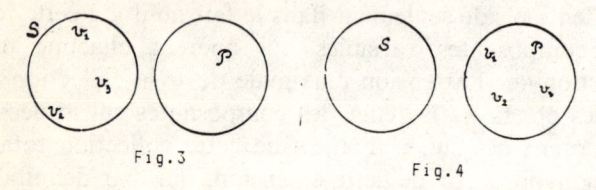

Fig. 3

Fig. 4

La figure 3 correspond au cas de variation que nous venons d'analyser sur l'exemple de Bolzano. Les diverses variations objectives se situent toutes dans un même genre, lequel est strictement disjoint du genre qui figure dans le prédicat, « ce qui a la propriété de jouir d'un bonheur éternel ». Aucune inclusion ne peut donc se produire au gré des variations : de la substitution renaîtra toujours le faux. La figure 4 expose le cas symétrique, quoique non évoqué dans les exemples de Bolzano, d'une variation portant sur le prédicat d'une proposition fausse. Nous pouvons en donner pour exemple :

« Tout A qui a b, a non-b ».

Les classes des « b » et des « non-b » étant disjointes et complémentaires, il est certain que toutes les substitutions sur « b » ne modifieront pas cette caractéristique du « faux en vertu de l'espèce ».

S'il fallait enfin tenter de donner le statut des synthétiques à partir de cette représentation schématique, la définition en serait purement négative : il n'y a pas, dans une proposition synthétique, de composante qui puisse être variée sans changer la valeur de vérité de la proposition. En d'autres termes, rien ne s'oppose à ce que certaines variations dénotent de nouveaux individus et occasionnent de ce fait une « sortie du genre » de nature à inverser la valeur de vérité de la proposition de départ. Ainsi dans l'exemple de synthétique « vraie » :

« Dieu est omniscient »,

qui énonce de Dieu un attribut essentiel et exclusif, nous ne pouvons faire varier la représentation « Dieu » sans que la proposition devienne fausse. Quant aux substitutions sur « omniscience », elles donneront évidemment tantôt des propositions vraies, si les substituts représentent une propriété divine, tantôt des fausses dans le cas contraire. La figure 5 illustre ce cas de la synthétique vraie : la partie hachurée représente l'ensemble des variantes vraies, qui comprend la proposition de départ. Mais il est clair que d'autres variantes sont possibles tant sur le sujet que sur le prédicat pour lesquelles l'inclusion ne sera pas réalisée.

Réciproquement, une proposition synthétique fausse se produit quand certaines des variations exercées sur le sujet ou le prédicat produisent une inclusion de l'extension du sujet dans celle prédicat, tandis que d'autres produisent une exclusion. Bolzano cite l'exemple :

« Un triangle a deux angles droits ».

La variation sur la composante « triangle » permet de rencontrer quelques propositions vraies et un très grand nombre de fausses. Un autre exemple dans lequel la variation s'opère sur le prédicat est fourni par :

« Un triangle rectangle a deux angles droits »,
dans lequel la composante « deux » peut être variée en sorte de rendre la proposition vraie.

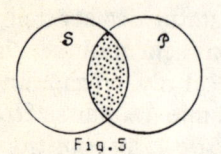

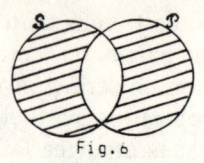

Fig. 5

Fig. 6

La figure 6 représente la manière dont l'exclusion peut devenir, après variation, une inclusion entre extensions du sujet et du prédicat. Ici la partie hachurée représente l'ensemble des objets auxquels font référence le sujet et le prédicat au cours des substitutions qui produisent une proposition fausse. L'intersection non-vide du sujet et du prédicat dans leur extension « maximale » montre que certaines substitutions produiront le vrai.

L'approche de l'analyticité que nous pourrions dire « sous-modélisante » qui se découvre à nous dans le § 197 doit-elle être comprise comme une manière de « deuxième définition » ? Ce serait revenir bien inutilement aux hypothèses historiques dans le style de Bar-Hillel. L'explication que nous avons tenté de développer à partir du texte allusif du § 197 nous paraît plutôt expliquer le « fonctionnement » sémantique d'une propriété qui était énoncée au § 148 dans sa généralité systématique. Ce que l'on gagne à éclairer le premier texte par le second, c'est de mieux percevoir ce qu'est une *espèce* ou une *forme* de propositions. Car on dispose maintenant de repères extensionnels pour comprendre la parenté entre propositions. Une proposition analytique est une proposition que nous pourrions dire « ectypiquement » vraie, dans laquelle la composante variable effectue une restriction au sein du genre du sujet dont un prédicat vaut universellement (ou, respectivement, au sein d'un genre prédicatif qui vaut universellement du sujet). Ce « genre dominant » constitue la donnée préalable que présuppose l'analyticité. Il est donc de son côté le sujet (ou le prédicat) d'une vérité synthétique. Il ne faut pas comprendre ce donné synthétique de manière subjective : il n'est pas « donné à un sujet », comme c'était le cas de l'analytique kantien. C'est un donné « objectif » que la proposition analytique se borne à explorer par secteurs, et qu'elle exemplifie pour tel ou tel individu ou telle ou telle espèce appartenant au genre. Le synthétique est la propriété des propositions qui ne peuvent faire fond sur un donné prélable quant à leur valeur de vérité. La mise en évidence du donné préalable dans l'interprétation de l'analyticité d'une proposition nous permet d'apporter toute la clarté sur l'alinéa 3 dont nous avions jusqu'alors proposé une lecture purement corrective. Car c'est ce donné préalable qui fait entrer en jeu des « connaissances extra-logiques ». Dans la première série d'exemples, la composante variable est cachée ; pour la découvrir, nous devons reconnaître la vérité universelle – ou la proposition universellement fausse – à laquelle elle doit sa propre valeur de vérité. Dans la seconde série, ce fonctionnement sémantique n'a pas à être découvert dans un donné, il se trouve explicitement décrit. Nous retrouverons plus bas, dans le chapitre consacré à l'analyticité en logique, le problème des « connaissances purement logiques ».

Chapitre 4

ÉPISTÉMOLOGIE DE L'ANALYTICITÉ

En quoi la clarification du sens véritable de la définition des propositions analytiques par Bolzano permet-elle de comprendre le rôle de ces propositions dans l'exposition d'une science qui soit « fondée et convaincante », exposition dont le logicien a, selon Bolzano, la tâche d'indiquer les règles ? Etant donné que l'intérêt proprement *théorique* d'une proposition tient à son statut dans une *suite déductive*, notre interrogation se porte d'emblée sur le rapport exact qui unit l'analyticité à la *dérivabilité*. De l'élucidation de ce rapport dépend la position d'une proposition analytique dans un raisonnement déductif : peut-elle être principe, théorème ? Prémisse, conclusion ?

Analyticité et dérivabilité

Pouvons-nous caractériser le rapport entre la propriété d'analyticité et la relation de dérivabilité en disant avec Ursula Neemann que la dérivabilité est, chez Bolzano, « une version élargie de sa définition des propositions analytiques [34] » ? Tout dépend de la manière dont nous comprenons *l'élargissement* en question. Tandis que l'analyticité est au nombre des *propriétés internes* des propositions, la dérivabilité est une *relation* entre propositions. Elles n'en présentent pas moins toutes deux une analogie : elles sont l'une et l'autre des « cas-limites ». L'analyticité est, comme nous l'avons vu, le cas-limite de la validité ; la dérivabilité est quant à elle le cas-limite de la relation de *probabilité* (§ 61,3°, t. II, p. 172). En effet les propositions M,N,O... sont dites dérivables (*ableitbar*) des propositions A,B,C,D... par rapport aux composantes i, j... lorsque *toutes* les représentations qui, mises à la place des occurrences i,j... rendent vraies les propositions A,B,C,D... rendent également vraies les propositions M,N,O... (§ 155, 2°, t.II, p. ll3). Lorsque la « validité comparative » de la proposition M par rapport à A,B,C,D... est inférieure à 1, il n'y a plus de rapport de dérivabilité, mais relation de probabilité. Quant au cas-limite symétrique de celui de la contravalidité universelle, c'est celui de la non-dérivabilité absolue qui se trouve réalisé par la condition d'*exclusion* (*Ausschliessung*) (§ 159, t.II, p.147). En termes tarskiens, nous pourrions résumer l'analogie entre analyticité et dérivabilité en disant qu'une proposition est analytique si toute suite d'objets est soit toujours, soit jamais modèle de l'espèce propositionnelle. Pour qu'il y ait dérivabilité, tout modèle des prémisses doit être aussi modèle des conclusions.

Quelque instructive qu'elle soit, cette analogie structurale entre analyticité et dérivabilité ne peut encore nous renseigner sur les échanges « fonctionnels » de l'une à l'autre. Y a-t-il entre elles une quelconque relation de prééminence ou d'antériorité logique ? Pour répondre à cette question, le recours à notre interprétation extensionnelle du critère de l'analyticité est essentiel. Nous avons en effet pu mettre en évidence l'existence d'un certain rapport entre composantes qui conditionne l'analyticité de la proposition. Nous avons appelé p(g) la proposition qui résulte de la variation extensionnellement maximale de la composante variable et constaté que $p(v_1)$, $p(v_2)$, etc., forment différentes variantes propositionnelles effectuées par restriction de p(g). Nous avons vu dans p(g) le support d'une information latente que la proposition analytique suppose, puisqu'elle se borne à actualiser, ectypiquement, l'un des sous-modèles de p(g). Il est maintenant possible de caractériser cette proposition p(g) comme la *prémisse* d'une dérivation que toute proposition analytique met nécessairement, quoique implicitement, en jeu. Dérivation qui, en l'occurrence, est d'un type particulier. Il se trouve que, sans pourtant le mettre en rapport avec le problème qui nous concerne maintenant, Bolzano étudie ce cas de dérivation dont la pertinence pour l'analytiquement vrai saute aux yeux :

« Quand deux propositions 'A a x', 'B a x', ont le même prédicat, qui doit être pris comme seule représentation variable en elles, la seconde est dérivable de la première quand la représentation du sujet de la première, A, est dans un rapport d'inclusion (*Umfassen*) avec la représentation du sujet de la deuxième, B. Et quand ce n'est pas le cas, il n'y a pas non plus entre elles de rapport de dérivabilité » (§ 155, t.II, p.127, 35º).

Bolzano examine aussitôt après le cas symétrique où la variation s'exerce sur le sujet :
« Quand deux propositions 'X a a', 'X a b', ont la même base, qui doit être prise en elles comme la seule représentation variable, la deuxième est dérivable de la première quand la représentation B (le *concretum* qui correspond à b) contient la représentation A ; et quand ce n'est pas le cas, il n'y a pas non plus entre elles de rapport de dérivabilité. » (*ibidem*, 36º)
Notre schéma extensionnel nous permet de comprendre ainsi que les propositions analytiques aient un comportement similaire à celui des *conclusions* d'une déduction lorsque celle-ci n'est pas réversible. Les conclusions entretiennent avec leurs prémisses deux corrélations : elles « disent moins », mais elles ont une validité plus élevée. Que faut-il entendre par « dire moins » ? La remarque suivante le laisse entendre :

« ...il est absolument vrai que les prémisses toutes ensemble *enferment davantage en elles (mehr in sich schliessen)* que leurs conclusions, quand on entend par là que l'on peut en général déduire davantage à partir d'elles qu'on ne le peut à partir de leurs conclusions »(§ 155, rem. 2, t. II, pp.132-3).

Cette potentialité déductive propre aux prémisses n'est-elle pas le corollaire d'une attribution portant sur la totalité d'un genre ? Une telle propriété désigne donc tout spécialement les propositions *synthétiques* à figurer comme prémisses dans une déduction. Nous ne pouvons évidemment pas en conclure que les conclusions de tout raisonnement soient de manière générale des propositions analytiques. Mais ce que nous pouvons affirmer à coup sûr, c'est que toute proposition analytique peut être conclusion d'un schéma déductif déterminé. La seconde propriété des conclusions est solidaire de la première, quoiqu'elle paraisse à première vue être paradoxale :

« Cependant, il n'est pas moins vrai que le rapport entre prémisses et conclusions peut être comparé aux rapports entre représentations comprises et compréhensives, et qu'il y a ordinairement un plus grand nombre de représentations qui permettent de rendre vraies les conclusions, qu'il n'y en a pour rendre vraies les prémisses ; ou, ce qui revient au même, que le degré de validité des conclusions est ordinairement plus grand et toujours au moins aussi grand que le degré de validité de leurs prémisses. » (*ibidem*, p. 133)

Ce qui fait le paradoxe de cette affirmation, c'est que Bolzano applique aux prémisses et conclusions d'une déduction la relation de compréhension (*Umfassen*) dans le sens *opposé* à celui auquel nous nous attendons. Un exemple banal de dérivation comme :
« Tous les A sont B »
« Quelques A sont B »
tend en effet à montrer que le sujet de la conclusion est *compris* dans le sujet de la prémisse. Mais si nous ne

considérons plus l'extension *prise absolument*, c'est-à-dire par référence au nombre d'individus qui sont *objectivement* dénotés, mais *par rapport* aux cas où la proposition est fausse quand nous effectuons la variation sur les composantes i, j..., la condition qui « dit moins » pose aussi des conditions moins fortes pour sa vérité, et par conséquent, est satisfaite par un plus grand nombre de modèles. Si nous qualifions de « formelle » cette extension, par opposition à la précédente, que nous pourrions appeler « matérielle » puisqu'elle désigne ce que dénote la proposition prise isolément, nous voyons que le paradoxe précédent, dont Bolzano est parfaitement conscient, tient à ce que l'extension plus grande des conclusions du point de vue formel peut aller de pair avec une extension plus restreinte du point de vue matériel.

Mais ce sont les propositions analytiques qui permettent le mieux de comprendre ce rapport inverse entre extension matérielle et extension formelle de la validité : une proposition analytique vraie, comme « ce triangle a pour somme angulaire deux droits », dénote matériellement *un seul* individu ; mais, par variation sur *ce*, il parcourt tout le genre « triangle ». Ce qui fait ainsi la validité universelle de la proposition analytique vraie, c'est d'être en quelque sorte infalsifiable par construction, à l'abri d'une vérité synthétique qui au contraire s'expose à la falsification « formelle » de la variation. Les deux propriétés qui viennent d'être évoquées constituent un embryon de théorie sémantique de l'information contenue dans une proposition.

L'analyticité en logique

Ce qui précède permet de situer le rôle des propositions analytiques dans une déduction : elles sont toutes désignées pour jouer le rôle de conclusions, mais sont exclues du rôle de prémisses. Qu'en est-il alors de leur intervention effective dans les sciences particulières ? Emporté par une polémique contre les tenants d'une logique *purement analytique* (Fries, Hoffbauer, Twesten sur ce point fidèles à Kant), Bolzano va jusqu'à dire, un peu imprudemment :

« Je puis d'autant moins partager ces vues que je pense au contraire qu'il n'y a pas un seul théorème digne d'être exposé, en logique ou dans n'importe quelle autre science, qui soit une vérité purement analytique. » (§12, t.I, p.52)

« N'importe quelle autre science » : on ne prendra pas Bolzano au pied de la lettre, puisque en Mathématiques il faudra reconnaître l'importance décisive de certains théorèmes analytiques en Théorie des Grandeurs. Il reste vrai toutefois que, contrairement à l'idée kantienne de la logique, cette science contient pour Bolzano un « nombre considérable de propositions synthétiques » (§315,t.III, p.240). Il est vrai qu'entre temps, le critère de l'analyticité s'est considérablement modifié. Mais ne méconnaissons pas l'enjeu de l'affirmation bolzanienne : il s'agit de montrer qu'une production de connaissances par purs concepts (sans aucune adjonction intuitive) est possible. La logique forme un exemple particulièrement probant de la possibilité de former des règles indépendamment d'un « donné » – l'hypothèse d'un « donné pur » ayant d'ailleurs perdu tout attrait avec la disparition du sujet transcendantal.

« Qui pourrait définir comme analytiques les propositions "Il y a des représentations, des représentations simples et complexes, des intuitions et des concepts", "une proposition se divise en trois parties au moins", "les vérités sont régies par une relation de fondement à conséquence" et une centaine d'autres du même genre ? » (*Ibidem*, p.240)

Dans la foulée de ces premiers exemples dont la valeur déterminative ou informative paraît évidente, Bolzano analyse le cas plus délicat des règles de la syllogistique :

« Même les règles de la syllogistique sont considérées à

tort comme des vérités analytiques. On peut bien dire que la proposition "Si tous les hommes sont mortels, et si Caïus est un homme, alors Caïus est mortel" est analytique au sens large indiqué au § 148. Mais la règle elle-même que des deux propositions de la forme A est B et B est C, suit une troisième de la forme A est C, est une vérité synthétique. »

Cette distinction n'a plus rien qui puisse nous surprendre. Il suffit de rappeler que les composantes "homme", "mortel", "Caïus" qui sont variables *salva veritate* dans le premier cas, sont désignées dans le second par des lettres syntaxiques sur lesquelles une variation nouvelle ne peut plus s'opérer. Dans les termes de notre interprétation, le premier cas se présente comme une *application* de la règle énoncée par la seconde proposition. Il doit sa validité universelle à la restriction qu'il opère sur l'extension totale de la règle. Il en est un sous-modèle, une exemplification analytique. La règle énonce au contraire une relation de déduction qui s'accompagne sous le point de vue qui est le sien d'un accroissement extensionnel : de l'existence de deux espèces de propositions, à savoir « A est B » et « B est C », elle conclut à l'existence d'une troisième espèce de propositions, distincte des deux premières à la fois par le sujet et par le prédicat : « A est C ». La règle logique indique ainsi le tracé même de la relation extensionnelle qui fait d'une déduction un progrès discursif. Elle est donc, à titre de règle, une vérité synthétique, tandis que chaque syllogisme donne lieu à une proposition analytiquement vraie, en tant qu'il applique la règle dans une illustration où cette universalité synthétique se perd.

Revenons ici au problème délicat que nous avons rencontré plus haut, et qui touche au statut des « connaissances logiques » évoquées au troisième alinéa du §148. Si en effet les règles de la syllogistique, comme structures fondatrices de tout raisonnement particulier, sont des propositions synthétiques, quel peut être le statut de ces autres propositions de la logique, telles que « A est A »,

« A qui est B est A », « A ou non-A », etc. ? Nous savons que Bolzano a déjà partiellement répondu à cette question en indiquant dans ce même alinéa que ces propositions sont analytiques « au sens strict ». Néanmoins la remarque déjà citée de Bolzano nous convie à la prudence : si « aucun théorème en logique n'est analytique », ne faut-il pas rechercher *en-deçà* des propositions analytiques « au sens strict » des vérités synthétiques fondatrices dont les précédentes ne seraient que des instances ? Ainsi s'éclairerait le sens de ces « connaissances logiques » qui, aux dires de Bolzano, devraient suffire à assurer la reconnaissance de l'analyticité des propositions « logiquement analytiques ». Elles consisteraient en principes généraux qui instaurent les conditions de possibilité de la prédication et de la décomposition des concepts.

Examinons par exemple la proposition identique « A est A », en tolérant provisoirement la forme non-canonique de cet énoncé. Nous reconnaissons l'analyticité de cette proposition à la présence d'une occurrence vide de part et d'autre de la copule – du moins dans le schéma prédicatif en « être » que Bolzano récuse. C'est là une « formule sans contenu », à laquelle Trorler attribuait le pouvoir de fonder l'activité de l'esprit connaissant, « sa spontanéité absolue ». Mais cette proposition est pour Bolzano une vérité analytique et donc dérivée d'une proposition synthétique plus générale qui régit les rapports de parties à tout dans le concept :

> « Les caractères qui constituent un concept, pris ensemble, ne lui sont pas *égaux*, mais sont la même chose que lui (*einerlei*), ils sont lui-même. » (§ 45, t. I, p. 209)

Cette vérité fait partie de l'ensemble des règles qui enseignent la décomposition d'une représentation en ses caractères ou d'une proposition en ses parties constituantes ; l'opération de *Zerlegung* est réglée par des vérités synthétiques, mais ses *applications,* en tant que sous-modèles de la règle, sont autant de propositions analytiques. Si en logique la distance n'est jamais considérable qui sépare le modèle synthétique de ses instances analytiques, il en va tout autrement en mathématiques.

L'analyticité en Mathématiques

La nouvelle définition de l'analyticité prend à revers le partage traditionnel entre sciences analytiques et sciences synthétiques : non seulement, comme nous l'avons vu, la logique est-elle essentiellement synthétique ; la mathématique – domaine d'élection du synthétique dans la conception kantienne – est à annexer maintenant à l'analytique, et même, « est la mieux placée pour être appelée science purement analytique », car « sinon tous, du moins la plupart de ses théorèmes me paraissent purement analytiques » (§ 315,t.III, p.241). Le rôle de l'analytique en mathématiques paraît à Bolzano assez remarquable pour que la distinction entre propositions analytiques et synthétiques mérite d'y être explicitée. Prenons par exemple un traité d'Analyse. Une méprise sur la nature analytique d'un théorème se solderait immédiatement par une erreur mathématique. Car cela reviendrait à lui prêter chimériquement la nature de fondement de vérité sans voir qu'il est *déduit* d'une vérité synthétique de portée beaucoup plus générale (*W.*, § 583, t. IV, p.403 ; cf. aussi § 447, p. 117). Revenons par exemple au paradigme kantien de vérité synthétique : « 7 + 5 = 12 ». Cette proposition est déductible de la proposition qui exprime l'associativité de l'addition : « a + (b + c) = (a + b) + c, proposition qui elle-même est déjà analytique puisqu'on peut la dériver de la définition du concept de *somme* au sens très général où Bolzano entend ce terme :

> « Une somme est une collection dans laquelle on ne tient compte d'aucun ordre entre les parties, et dans laquelle les

parties des parties doivent être considérées comme les parties
du tout. » (*W.*, § 305, t. III, p. 186 ; cf. aussi § 84, t. I, et
E.G., III, § 92, 131 r, p. 153)

Un concept aussi général que celui de « somme » trouve
des applications dans des domaines très différents. En
logique, par exemple, puisque les composantes d'une
représentation ou d'une proposition forment une collection
qui possède la propriété d'être une somme. En mathématiques aussi, de toute évidence, puisque c'est de l'identification d'un ensemble quelconque (éventuellement infini) de
nombres à une somme que l'on déduit entre autres la
commutativité et l'associativité de l'addition. Ainsi ces
deux propriétés, exprimées par exemple sous forme
algébrique, donnent lieu à des propositions analytiques
dans lesquelles c'est le signe de l'opération additive « + »
qui doit être pris comme variable *salva veritate* (en
considérant a, b, et c comme des signes d'objet ayant la
propriété indiquée, à savoir d'être les parties d'une somme).
Ce que cet exemple permet de comprendre, c'est qu'il
n'est pas toujours facile de repérer l'analyticité d'une
proposition mathématique, faute de percevoir quelle
composante y fonctionne « à vide ». Il paraît précisément
caractéristique du progrès en mathématiques d'élargir le
domaine de l'Analytique, mais en un sens bien différent
de ce qu'entendaient par là les relativistes. Cette progressive extension de l'Analytique ne procède pas à proprement
parler d'un *enrichissement* des concepts qui occasionnerait
un transfert continuel des productions discursives synthétiques vers un savoir « cristallisé » en propositions
analytiques. Une fois le *concept* distingué du *mot* qui
l'exprime, nous pouvons interpréter ce prétendu changement du concept comme la prise en charge successive sous
le même vocable de concepts différents. Le progrès
mathématique n'est pas à penser par une adjonction de
sens, mais par approfondissement du sens. S'il y a avancée
du savoir mathématique, c'est qu'on découvre la véritable

composition d'un concept que jusqu'alors on manipulait de manière naïve comme une représentation simple. Or que gagne-t-on à mettre à jour la structure interne d'un concept mathématique ? D'une part, cela permet de connaître la dépendance objective des théorèmes où il figure relativement à une vérité plus fondamentale qui leur sert de « fondement objectif ». D'autre part, cela rend manifeste le caractère strictement analytique des théorèmes, en tant qu'ils sont dérivés de la vérité synthétique qui les fonde.

Cependant toute vérité plus générale qu'un théorème donné n'est pas encore pour cela fondement objectif de celui-ci. Il lui faut remplir une condition que nous n'avons pas encore mentionnée : elle doit être aussi *plus simple* que la vérité particulière. Lorsque ces deux conditions sont réunies, il est légitime de faire figurer la proposition synthétique avant ses applications analytiques. Par exemple, on doit dans un traité faire précéder la proposition analytique :

« Les surfaces des triangles semblables se comportent comme les carrés des côtés respectivement semblables »,

par la proposition synthétique plus générale et plus simple :

« Les surfaces des figures semblables se comportent comme les carrés des côtés respectivement semblables. » (§ 602, t.IV, p. 438)

La première de ces propositions doit son analyticité à l'occurrence vide de la composante « triangle ». En quoi peut-elle être dite « plus composée » que la seconde ? Parce que les composantes de la seconde proposition « ne forment qu'une partie des composantes en quoi consiste la première vérité ». Il faut en effet ajouter à la représentation « figures » les quatre composantes « *qui sont des triangles* » pour passer de la seconde à la première vérité. Néanmoins, conformément au principe déductif déjà évoqué, la première proposition « dit moins » que la seconde puisqu'elle n'énonce la vérité que de manière partielle, c'est-à-dire en ne spécifiant qu'une partie de son extension effective. Il est facile de comprendre qu'un lecteur qui ne disposerait que de la vérité analytique serait conduit à la méprise qu'Aristote illustrait ainsi :

« On pourrait croire que c'est en tant qu'isocèle que tel triangle a pour somme angulaire deux droits [35]. »

S'il ne veut pas que « ce qui est réalité une partie du tout » soit pris dans la démonstration « pour le tout », il faut que plus que tout autre l'auteur de traité mathématique se fasse une règle d'or de toujours mentionner explicitement le caractère analytique ou synthétique des théorèmes qu'il introduit. Un second exemple montrera ce qui fait qu'une proposition qui, tout en étant plus générale, est aussi plus composée qu'une autre, ne peut pas être prise pour fondement objectif de celle-ci. Par une brève allusion de la *Wissenschaftslehre*, nous savons qu'« au moins selon une certaine conception » de ce théorème, le binôme de Newton peut être considéré comme une proposition analytique (§ 315, t. III, p. 241). L'introduction à la *Théorie des Grandeurs* est plus explicite et éclaire le statut de ce théorème relativement à la conséquence objective ; elle nous renseigne par là indirectement sur ce qui le rend analytique :

« La proposition bien connue, selon laquelle

$$(1 + x)^n = 1 + nx + n \cdot \frac{n-1}{2} x^2 + n \cdot \frac{n-1}{2} \cdot \frac{n-2}{3} x^3 + \ldots \textit{in inf,}$$

que n désigne n'importe quelle grandeur numérique positive, négative, entière, fractionnaire, irrationnelle ou même imaginaire, pourvu seulement que $x < 1$, est évidemment bien plus générale que la proposition qui énonce cette égalité seulement pour un exposant positif et entier ; pourtant il ne faut nullement considérer la seconde vérité comme une suite objective de la première ; et donc on ne pourrait pas non plus demander que la première proposition soit exposée avant la seconde. Car quoique la première soit beaucoup plus étendue (*weiter*) que la seconde, elle n'est pourtant pas plus simple, mais considérablement plus composée ; car le concept d'une puissance dont l'exposant peut être une *représentation de grandeur quelconque* est beaucoup plus composé que celui d'une puissance à l'exposant entier. » (§ 4, 70r, p.94).

La « seconde » proposition énonce la formule du binôme pour un exposant entier positif : c'est la formule énoncée par Newton en 1663, c'est-à-dire avant qu'il l'étende aux exposants fractionnaires et négatifs. La « première » proposition résulte du travail de divers mathématiciens pour démontrer la formule du binôme pour un exposant quelconque. Bolzano offre lui-même en 1816 une démonstration pour un exposant entier négatif, rationnel et irrationnel (Cauchy le démontre plus tard pour un exposant complexe ; le texte de Bolzano laisse d'ailleurs supposer que la démonstration de Cauchy était connue de lui : il a lu et annoté le *Cours d'Analyse* de Cauchy dans la traduction allemande qui est parue en 1828).

Dans la « seconde » proposition, qui se trouve être historiquement la première, une composante peut *encore* être variée sans porter atteinte à la vérité de la formule : c'est dire que, dans la version primitive de Newton, la formule du binôme est analytique. Mais – fait relativement exceptionnel – nous ne pouvons pourtant pas en conclure que son fondement objectif réside dans la proposition synthétique correspondante qui est la même formule « pour tout n » dans laquelle aucune substitution nouvelle n'est possible. La raison qu'en donne Bolzano peut nous sembler aujourd'hui spécieuse : l'exposant « quelconque » est un concept trop complexe pour pouvoir fonder le concept plus simple d'exposant entier positif. Cette exception ne devrait pourtant pas surprendre si l'on se souvient de l'insistance que met Bolzano à réfuter la prétendue « loi de covariation de la compréhension et de l'extension » des notions. Ce que montre effectivement la comparaison entre les deux concepts, « exposant entier positif » et « exposant quelconque », c'est que si le premier est subordonné au second et par conséquent extensionnellement *moins large*, il est pourtant également *plus simple*. En effet, la démonstration de la formule comportant l'exposant entier positif relève seulement de la combinatoire algébrique. La formule générale, en revanche, requiert pour sa démonstration une théorie de la convergence et des limites.

Cet exemple montre que la simple subordination extensionnelle entre les vérités n'est pas cet ordre uniforme que l'on aurait pu s'attendre à rencontrer et qui aurait permis une hiérarchie des théorèmes directement calquée sur leur degré de généralité. *Il y a une seconde dimension de classement des vérités* dont l'échec de la loi de covariation entre l'extension et la compréhension des concepts laissait prévoir le conflit avec la dimension précédente (selon l'axe synthétique/analytique). Il s'agit de la relation de principe à conséquence telle que l'exige la présentation rigoureusement scientifique des vérités. La relation d'*Abfolge* requiert davantage que la simple *déductibilité*. La conséquence objective qu'elle manifeste exige de la démonstration qu'elle respecte *avant tout* la progression du simple au complexe et *ensuite seulement* et si possible, celle qui va du général au particulier. Le critère de subordination extensionnelle est par conséquent un principe secondaire de hiérarchisation des théorèmes mathématiques.

Ce que nous avons appris du rôle des propositions analytiques en mathématiques se résume à trois choses :

1) Cette science apporte la preuve que les propositions analytiques peuvent être des *théorèmes*, et même, du fait de l'extrême composition de ses concepts, constituent par leur capacité de sous-modéliser et de « dire moins »,

l'indispensable relais démonstratif entre des principes très généraux et la résolution d'un problème particulier très composé.

2) En dépit de la fréquence des théorèmes analytiques, les mathématiques offrent des exemples de conflit entre un ordre idéal de subordination des vérités particulières (analytiques) aux vérités générales (synthétiques) et l'ordre qu'impose la relation de conséquence objective. Ce conflit est évidemment à mettre directement en rapport avec ce qui paraît rétrospectivement une gageure, c'est-à-dire le projet d'exprimer la théorie de la science dans l'élément de la langue naturelle.

3) En dépit de son exactitude et de sa rigueur, l'expression mathématique ne révèle pas toujours la véritable composition des concepts. Cette troisième observation nous engage à élucider la question de *l'énoncé* : s'il y a un *problème de l'analyticité* non seulement en mathématiques, mais aussi dans les autres sciences et dans l'usage courant du langage, n'est-ce pas le plus souvent aux pièges du langage que nous le devons ? En dirigeant maintenant notre attention sur les conditions de l'expression, en tant qu'elles redonnent à l'analyticité importance et utilité selon le versant rhétorique du *Traité* pris comme *Darstellung*, nous changeons de terrain : ce n'est plus une propriété des propositions en soi qui forme l'objet de l'enquête, mais les falsifications auxquelles peut porter l'oubli de l'écart entre l'énoncé et la proposition.

Chapitre 5

ANALYTICITÉ ET RHÉTORIQUE DE LA SCIENCE

Bolzano relève deux illusions d'énoncé qui peuvent pervertir la reconnaissance de l'analyticité de la proposition sous-jacente (*W.*, § 148, Rem.1). Tantôt l'énoncé pèche par excès : la variété des vocables qu'il contient dissimule l'analyticité ou même l'identité de la proposition. Tantôt par défaut : une tautologie apparente recouvre en fait une proposition synthétique. Dans cette remarque, Bolzano tranche en fait le débat qui opposa jadis Leibniz à Locke dans leurs *Essais sur l'entendement humain*. C'est à Locke que Bolzano prête main forte : s'il y a des propositions identiques, ce n'est jamais autre chose qu'une affaire d'explication nominale. Elles n'apportent aucun savoir « instructif ». Chaque fois donc que l'on prête aux identiques une certaine « utilité », c'est que l'on se fie illusoirement à la forme identique *de l'énoncé*, pour conclure à la réalité identique de la proposition. Aussi les deux méthodes qu'indique Bolzano pour démystifier la foi aveugle dans l'énoncé font-elles partie de l'arsenal antileibnizien. S'agit-il de montrer qu'il y a des identités cachées sous les apparences de synthèses, c'est pour leur dénier une portée opératoire intrinsèque. S'agit-il au contraire de montrer la synthéticité effective de propositions maquillées en tautologies, c'est encore pour montrer qu'une proposition identique n'aurait pu prétendre à aucune utilité. Ce texte appelle une seconde observation. Le rapport que Bolzano y instaure entre analyticité et identité est exactement une inversion du rapport qu'y voyait Leibniz. Le fait même que l'identité soit traitée en annexe montre qu'il s'agit désormais d'une question subordonnée à celle de l'analyticité.

Premier cas d'illusion : « l'effet synthétique »

C'est le même phénomène qui rend compte de deux caractéristiques de l'analyticité qui peuvent à première vue sembler sans grand rapport. Nous voulons parler d'une part de la difficulté occasionnelle que l'on peut rencontrer dans la reconnaissance de l'analyticité d'une proposition, et d'autre part, de l'intérêt qu'il y a à recourir à des propositions analytiques lorsqu'on souhaite convaincre un lecteur de la rigueur démonstrative du traité qu'on lui soumet. C'est en effet dans les deux cas parce que l'énoncé joue imparfaitement son rôle, en n'exprimant une proposition que de manière lacunaire ou au contraire emphatique, qu'il devient indispensable de rendre manifeste la véritable nature de la vérité qui est exprimée, tout particulièrement si celle-ci est synthétique – toute méprise de cet ordre se soldant par une erreur sur la fonction démonstrative de la proposition concernée.

Ce qui rend possible ces imperfections de l'énoncé doit-il être recherché dans une incapacité originelle de la langue à traduire adéquatement les idées qui lui préexistent ? Ce serait alors une thèse cartésienne qui inscrirait la *Théorie de la Science* dans la tradition de manuels de Logique vieille de deux siècles, et lui ferait consacrer un chapitre spécial à l'explication des propositions « cryptiques ou exponibles », où l'auteur s'efforce de tirer au clair « les expressions verbales qui, en raison de leur obscurité, méritent une explication » (§169, t.II, p.211). Mais une explication consistant à tenter de rétablir cas par cas le sens plein que cachent parfois les figures de style n'est pour Bolzano en définitive qu'une approche paresseuse et superficielle, qui s'interdit d'atteindre à la véritable raison du phénomène. Non qu'une interprétation des énoncés qui, au nom de l'*intention* de la communication, s'efforce de dépasser la littéralité expressive vers un sens pléthorique ne demeure valable voire même fructueuse. Mais la condition d'une telle interprétation se situe *en deçà* de toute cause psychologique, linguistique ou rhétorique. Il faut la rechercher dans la propriété qu'ont en commun les représentations, les propositions, les signes linguistiques ou mathématiques : ils sont organisés comme une *somme*, dans laquelle les parties des parties sont les parties du tout. Pour que deux contenus (qui ont cette propriété d'être des sommes) soient *les mêmes*, il suffit que leurs composantes *réduites* soient les mêmes dans le même ordre. D'où la diversité des énoncés pour une seule et même proposition : il est possible de découper diversement dans le tissu des composantes, à condition de conserver l'ordre de la composition. (§ 56, t. I, p. 244)

Ce double critère de synonymie – même contenu, même ordre des composantes, à la formulation près – fait entrevoir la fonction que Bolzano assigne aussi bien aux signes mathématiques qu'aux mots du langage : ils ne peuvent prétendre refléter la composition interne objective des représentations qu'ils désignent. Ils ont essentiellement une valeur d'*abréviation*. Ils projettent dans un ordre linéaire (*eine gewisse Folge*) des concepts qui ne sont pas hiérarchisés selon une seule dimension. Ainsi, ils fonctionnent comme *indices* pour des significations complexes que seule une interprétation active permet d'atteindre à travers eux. C'est donc cette caractéristique générale des signes, jointe à la propriété d'associativité des composantes, qui explique la fréquence des énoncés qui expriment en réalité une proposition identique tout en paraissant avoir un contenu de connaissance. C'est évidemment le cas de l'énoncé :

« Un célibataire est un homme non-marié »

qui recouvre une proposition de la forme :

« Tout A qui a b, a b ».

La reconnaissance de l'identité suppose seulement, comme l'avait remarqué Locke, l'intervention d'un savoir linguistique, ou des abréviations déjà introduites dans le cas des énoncés mathématiques.

Explication et identité

Mais que veut-on dire au juste en parlant d'un « savoir linguistique » ? Les propositions dont le rôle est d'expliciter le sens d'un concept, les *explications*, appartiennent en réalité à trois catégories bien différentes.

1) La *détermination* (*Bestimmung*) indique quelle(s) propriété(s) exclusive(s) appartient (appartiennent) à un objet. Le rôle de la détermination est évidemment de fonder la possibilité de parler sur une représentation simple. Elle attribue une propriété sans pour autant requérir une division du concept du sujet dans la prédication. (§ 509, t. IV, pp. 226 sq.)

Comme une telle propriété n'est déterminative qu'en tant qu'elle caractérise exclusivement son objet, il y a entre la représentation et celle du prédicat (après concrétisation) une relation d'équivalence qui requiert une démonstration. L'identité qui est en jeu n'est ici que ce que la tradition appelait « identité numérique ». Ce n'est donc pas une véritable proposition identique qui est énoncée dans une détermination : comme le remarquait Aristote, une proposition identique serait d'ailleurs impropre à déterminer une essence [36]. La détermination appartient donc au registre de la connaissance réelle, et non pas purement nominale.

2) Le second genre d'explication, la division, reste dans les limites du concept du sujet. Elle procède à la décomposition de la représentation en ses constituants, avec un égal succès dans le cas des représentations empiriques et des concepts purs. Contre Kant, et sous l'effet de la disqualification de la logique transcendantale, Bolzano considère les uns comme les autres également

passibles d'une résolution univoque, c'est-à-dire d'une définition close et définitive (§ 559, t. IV, p. 346). Comme cette définition par *Zerlegung* indique « de quelles composantes et suivant quelle liaison un concept est formé », il n'est pas suffisant de considérer comme le font « presque tous les logiciens » que le rapport entre *definiendum* et *definiens* est un rapport d'équivalence. Ce n'est en effet qu'une seule et même représentation qui se présente ici sous sa forme abrégée, en un seul mot, là sous sa version « développée » (*ibidem*, p.340). Ce type d'explication sert donc à mettre en évidence une sorte de synonymie « naturelle », qui est à la source de toute communication par signes. Si des propositions explicatives de cette sorte peuvent avoir une utilité, quoiqu'elles soient identiques, c'est parce qu'un apprentissage de la langue doit toujours refaire le parcours de l'expression simplifiée à la complexité intrinsèque du sens (Bolzano suit ici Locke). D'où ce paradoxe : ces propositions intensionnellement identiques ne doivent-elles pas pourtant être démontrées ? Nous reviendrons plus loin sur ce problème que rencontrera également Frege dans sa théorie de la définition.

3) Le troisième type d'explication ressemble à la définition nominale de Port-Royal : « L'explicitation (*Verständigung*) explique le sens qu'un auteur choisit de donner, arbitrairement (*i.e.* à sa convenance) à un signe quelconque. » D'une telle explication, on ne peut évidemment rien dériver qui concerne la chose même. La seule vérité qu'on en tire est d'ordre linguistique, « une vérité qui concerne les mots ou les symboles » (§ 515, t. IV, p. 244). Ce troisième type semble à première vue se ramener au second. Dans les deux cas en effet, c'est la même représentation que l'on énonce. Néanmoins, ce qui fait ici l'objet de la prédication n'est plus immédiatement le concept avec ses composantes, mais un *signe* qui, en position de sujet, reçoit un certain contenu représentationnel (en position de prédicat).

La *Verständigung* s'établit donc à un niveau métalinguistique d'une manière qui n'est pas sans rappeler la détermination. De même que celle-ci énonce une propriété d'une chose, l'explicitation attribue à un mot le pouvoir de représenter un objet d'un autre type, à savoir la représentation en soi. Alors que la division procède de concept à composantes, pour ainsi dire horizontalement, les deux autres types d'explication travaillent verticalement dans la trame, à lier respectivement l'objet au concept, le sens au son. Mais l'imposition d'un lien entre vocable et représentation n'a pas à être démontré (ce qui n'empêche pas, comme l'avait remarqué Locke, qu'il doive être *appris*). La synonymie qu'on pourrait dire « purement » nominale de l'explicitation est donc bien différente de la synonymie « naturelle » de la division. Cette synonymie « symbolique » ou « métalinguistique » provient d'un échec de la synonymie naturelle. C'est parce qu'on se reconnaît incapable d'exhiber la composition objective d'une représentation donnée qu'on est contraint d'en former une arbitrairement. Le rapport interne entre le *definiens* et de *definiendum* fait alors place à une relation externe de décision ou de convention. Ces dernières précisions permettent de mesurer en quoi Bolzano a médité Locke, sans vouloir comme lui laisser le nominal couvrir presque entièrement le champ du discours scientifique. La division d'un concept en ses composantes n'est pas à penser comme entièrement soumise à l'arbitraire d'une décision linguistique ; à la différence de Locke, Bolzano estime fondées objectivement nos représentations des choses. D'où la bipartition qu'il fait contre Locke entre une synonymie féconde et une synonymie gratuite. Seule la seconde ressortit véritablement au nominal.

Les équations diffèrent évidemment des explications en ce sens qu'elles ne suivent pas le modèle prédicatif, ce qui leur permet d'avoir une structure symétrique gouvernée par la relation d'égalité. La distinction entre les explications du premier et du troisième type, c'est-à-dire entre détermination et explicitation, n'en permet pas moins de comprendre par analogie ce qui différencie deux espèces d'équations. De même que la définition déterminative affirme l'équivalence de deux représentations, la majorité des équations énoncent l'équivalence de deux représentations distinctes, comme :

$$\text{« sin } 45° = \frac{1}{2} \text{ ».}$$

Mais il y a des équations analogues à l'explicitation :

> « Quand les deux représentations (ou plus) dont l'équivalence est énoncée dans une équation sont des représentations de la forme « la signification du signe A » (c'est-à-dire la représentation que nous voulons exprimer par ce signe), je me permets d'appeler « symbolique » cette équation. » (*Einleitung zur Grössenlehre*, § 53, 108r, pp. 131-132).

Les équations symboliques assertent comme les explicitations des propositions destinées à rendre possible une communication linguistique, mais à propos des symboles d'une même représentation posés comme interchangeables. Ce n'est qu'en ce sens métalinguistique que Bolzano semble admettre la validité de l'équation « A = A ». (*Ibid.*, § 54, 109r, p.132)

Deuxième cas d'illusion : l'effet tautologique

Peut-on dire de quelqu'un qui parle sans désir d'être compris qu'il *parle réellement*, c'est-à-dire « donne des signes de lui-même » ? Si l'on considère avec Bolzano que l'expression linguistique est *doublement* contrôlée, par une source unique de rationalité, qui est le sens « en soi », et par une volonté personnelle qui se singularise dans telle intention de communication, il faut répondre négativement à cette question. Ce qui permet d'affirmer cette vérité fondamentale, qui joue chez Bolzano un peu le rôle d'un postulat conversationnel à la Grice : « tout locuteur veut être compris » (§ 387, t. III, p. 555, rem.). Or, les énoncés tautologiques donnent l'exemple de messages où l'on semble ne « rien » dire : communication vide, qui fait peser sur le locuteur le soupçon qu'il pourrait bien être de mauvaise foi. Ce n'est plus ici la complexité de l'énoncé qui laisse penser qu'il cherche à donner le change. C'est au contraire l'*évidence absolue* du message, sa vacuité, qui donnent l'alerte. Locke faisait de ce type d'énoncés une espèce de *jeu*, d'un jeu à peine humain si l'on prend au sérieux la métaphore du singe qui fait passer l'huître d'une main dans l'autre, sans gagner à cette alternance autre chose que du plaisir. Former mécaniquement une vérité par simple redoublement du sujet, comme l'« huître est l'huître » relève de la même « frivolité » assez primaire. Celle-ci fait du langage le terme matériel d'un jeu fonctionnel, au mépris de ce qui en forme la dignité et la finalité véritables, c'est-à-dire le moyen de communiquer une « instruction » qui soit « utile à la conduite de la vie ».

Bolzano suit Locke dont il vante la finesse (*W.*, § 148, t. II, p. 87, Rem. 4). Toute tautologie proprement dite est vide et inutile, et celui qui énoncerait une tautologie ne dirait rien en réalité. Mais il faut toujours créditer le locuteur d'avoir voulu dire quelque chose, et chercher si ce qui paraît tautologique n'apparaît pas tel en vertu d'une ellipse. En prolongeant la critique de la *proposition* tautologique par une mise en question de *l'énoncé* tautologique, Bolzano ne se borne pas à élargir le champ des énoncés doués de sens en dissociant ce qu'on appellerait aujourd'hui le sens de la phrase – sa signification littérale – et le sens du locuteur. Cette interprétation lui permet de venir au secours de la thèse de Locke, qui se trouvait menacée par la série des contre-exemples de Leibniz tendant à démontrer que des tautologies ou des « demi-identiques » pouvaient bien être « d'une utilité particulière [37] ».

« *Un homme sage est toujours un homme* ; cela donne à connaître qu'il n'est pas infaillible, qu'il est mortel, etc. »

Si une proposition tautologique ou semi-identique peut être utile, c'est du point de vue de Leibniz parce qu'elle permet des déductions, que ce soit à partir du sujet ou de l'une de ses parties. Une fois que l'on se rappelle quelles sont les propriétés essentielles et dérivées du concept d'« homme », il devient « instructif » de contraster un des attributs par lesquels l'homme tire vers le divin et l'immortel, avec ceux qui le caractérisent comme « animal » ou comme « être fini ». Bolzano propose une explication toute différente de l'utilité du précédent énoncé. C'est tout simplement que l'identité des mots cache une différence de sens, en sorte que la proposition qui est exprimée sous cette apparente tautologie est en réalité :

« Même un homme sage est faillible [38] ».

C'est donc parce que cette proposition *n'est pas* analytique qu'elle revêt un intérêt pour la communication. L'argument leibnizien est donc débouté.

C'est un deuxième postulat conversationnel que Bolzano utilise pour restituer aux tautologies apparentes leur synthéticité véritable : « un locuteur ne peut pas *vouloir* énoncer une tautologie ». Le recours à un tel postulat ouvre le champ d'une branche de la rhétorique spécialisée dans le repérage et l'interprétation des fausses tautologies. Il faudra discriminer deux types de situations : tantôt la tautologie effectivement prononcée sera une pure bévue d'énonciation, qu'on ne manquera pas de dénoncer dans une réfutation. Tantôt au contraire elle sera voulue comme telle par l'énonciateur, avec une intention sémantique qu'il s'agira de décrypter. Restituer la valeur tropique de l'énoncé tautologique, comme ellipse, suppose que l'on passe outre la sécheresse de la formule. « Ce qui est mal, est mal » doit pouvoir être complété en fonction de l'intention que le locuteur pouvait avoir en recourant à une ellipse. On entre alors dans le domaine des singularités de l'énonciation. Faute de pouvoir les décrire exhaustivement, on se contentera d'indiquer quelques-uns des messages possibles :

« Je ne peux me résoudre à présenter le mal autrement que comme mal »,

« L'effort pour embellir le mal est un effort inutile car on finit tôt ou tard par le découvrir pour ce qu'il est ».

La connaissance du contexte de l'énonciation permet en règle générale de comprendre l'intention de communication qui anime l'énonciation tautologique.

Mais la véritable tautologie n'est pas celle que l'on énonce en toute connaissance de cause pour exprimer indirectement une autre proposition ; c'est celle qui se commet involontairement, à la plus grande honte du locuteur s'il vient à s'en rendre compte. D'où l'avantage, dans une réfutation, d'utiliser la réduction tautologique de l'énoncé pour démontrer qu'une prétendue « démonstration » se réduit à la répétition stérile de la même proposition [39]. L'examen de ces « effets d'énoncé » – fausses tautologies, synthèses apparentes – nous permet de reconsidérer le problème de l'intérêt épistémologique des propositions analytiques. Car si, dans un traité, la présentation d'une véritable tautologie est « inexcusable », il peut devenir opportun, voire nécessaire, de montrer une identité que la complexité de l'énoncé peut faire manquer. Encore la tautologie est-elle un cas-limite. Les propositions analytiques ont devant elles beaucoup plus de possibilités d'emploi.

L'analytique au travail

Comment écrit-on un traité scientifique ? La *Théorie de la Science* a pour objectif fondamental de répondre à cette question, en montrant le rôle à la fois fondateur et architectonique de la logique comme théorie générale des systèmes de vérités. Répondre à cette question suppose que l'on fasse appel à deux genres de règles [40]. Le premier type de règles dépend de la nature objective des objets logiques.

De ce point de vue, les propositions analytiques sont toujours des vérités dérivées, de portée extensionnelle restreinte. Même si elles peuvent mériter l'intérêt du logicien à titre de cas-limites de la validité, elles n'ont pas d'intérêt théorique intrinsèque. Cependant, le processus de connaissance auquel tout traité doit introduire n'a pas directement affaire à des vérités en soi, mais à des énoncés. Le sujet de connaissance est un homme réel, avec des préconnaissances qui font obstacle à la reconnaissance du vrai, ainsi que des objectifs propres qui dirigent sélectivement ses capacités d'attention. Un second type de règles précise donc les conditions de la *transmission écrite* des vérités qui composent une science. On pourrait nommer « rhétorique pure » cette seconde partie de la recherche logique de Bolzano, sous réserve de comprendre par ce mot les règles qui gouvernent une présentation théorique écrite convaincante.

Ce qui distingue donc significativement la « rhétorique pure » ainsi comprise de toute pédagogie pure ou appliquée, c'est que cette dernière discipline ne peut proposer qu'une disposition linéaire enchaînant des énoncés, avec les considérables restrictions qu'imposent les limites de la mémoire ou de l'attention de l'auditoire. Seul « l'espace du livre » peut laisse se déployer un ordre systématique. Comme « l'en-soi » sur lequel il prend modèle, le livre est fait d'une hiérarchie de propositions qu'aucune considération extrinsèque de temps, d'auditoire, ou d'insuffisance du maître ne viennent contraindre d'édulcorer. Le livre est ainsi, dans l'ordre de l'existant, ce qui est le plus loin de l'existence, et le plus proche du mode d'être « en-soi ». Ce n'est que dans la spatieuse « patience du livre » que l'on peut développer tout le faisceau des raisons partielles d'où se déduit un théorème. L'aptitude du livre à transmettre le savoir scientifique ne doit pourtant pas laisser penser qu'en lui l'*intégralité* d'une science peut être en quelque sorte photographiée, et cela pour deux raisons. Tout d'abord, le corps des vérités propres à une science donnée est infini : la logique comme théorie de la science doit nous apprendre à *choisir*, parmi les vérités infiniment nombreuses qui composent une science, celles qui *mériteront* de figurer dans le traité correspondant. Ensuite, un traité qui se bornerait à exposer les *vérités essentielles*, c'est-à-dire strictement constitutives d'une science, serait proprement *illisible*, au moins pour la majorité des lecteurs (§ 436, t. IV, p. 100). Pour qu'un traité atteigne le double objectif qui est le sien de présenter les vérités d'une science de manière *fondée ET convaincante*, il lui faut mentionner, outre les vérités essentielles, deux autres classes de propositions vraies : les *vérités auxiliaires* empruntées à d'autres sciences pour compléter une démonstration, et les *vérités occasionnelles* que sont les exemples, les applications pratiques, les observations stylistiques, en un mot toutes les propositions dont le but est de maintenir l'attention du lecteur.

La « rhétorique pure » qu'édifie Bolzano dans ce traité des traités qu'est la *Wissenschaftslehre* est ainsi elle-même une discipline intermédiaire qui, comme telle, ne peut prétendre à la dignité d'une science, mais qui relève d'un *art*, en vertu de sa nature provisoire. On pourrait caractériser cet art comme la technique de l'écriture scientifique (*W*., § 393, t. IV, pp. 11 sq., et rem. 2 p.14 ; § 395, t. IV, p.24 ; § 11, t.I, p.44). Le livre ne reflète jamais qu'un état inachevé de la science visée comme totalité intemporelle. Il s'adresse en outre chaque fois à une public *déterminé*, et doit s'adapter à ses besoins et à sa culture. La « rhétorique pure » s'élabore donc dans un constant va-et-vient entre la hiérarchie objective des vérités en soi (telle du moins qu'elle est imparfaitement appréhendée à une époque donnée) et des pouvoirs de connaissance particuliers, identifiables collectivement dans des *types de lecteurs* : le savant, le technicien et l'honnête homme (§ 429 et 430, t. IV, p. 87sqq.). Le traité ne peut donc espérer mieux que donner un aperçu, une copie qui se sait maladroite, provisoire, rectifiable, de la Science telle qu'elle est en soi.

Pragmatique de l'analyticité

Comme on le devine, cette double législation du traité – ordre péremptoire de la constitution interne du vrai, contraintes du point de vue fini d'où s'opère sa reconnaissance – détermine l'utilité des propositions analytiques. Si l'ordre du vrai était le seul pertinent, elles devraient s'effacer devant les vérités universelles d'où elles tirent leur propre validité. Mais dans l'ordre de la connaissance, on ne peut se contenter d'énoncés universels ; un difficile équilibre est à trouver entre la généralité impénétrable et le détail redondant (§ 372, t. III, p. 471). Equilibre dans lequel les propositions analytiques constituent un élément essentiel. La libéralité avec laquelle on aura recours à elles dans un traité dépend de trois facteurs qu'on pourrait dire aujourd'hui « pragmatiques ».

Le premier facteur consiste dans la nature particulière de la discipline qu'il s'agit d'exposer. Est-ce une science « très composée », il est clair que l'analyticité – voire l'identité – des propositions ne va pas de soi ; elle est moins aisément repérable, les déductions y sont moins immédiates, au point même que l'on puisse avoir à démontrer les propositions analytiques (comme en Analyse). Le second facteur réside dans les *capacités* du sujet : un sujet entraîné au raisonnement, doté d'une bonne mémoire et d'un pouvoir de déduction autonome sera mieux apte à déduire pour lui-même une vérité analytique d'une vérité synthétique, sans qu'il soit nécessaire de consacrer à cette déduction un développement particulier dans le traité. Si le traité envisagé vise un large public, il sera nécessaire de soutenir les capacités déductives des lecteurs en mentionnant explicitement telle conséquence particulière de la vérité générale [41] (§ 444, t. IV, pp.112-113).

Enfin l'emploi des propositions analytiques dépend de *l'objectif* de l'auteur du traité. S'agit-il pour lui de consolider ou d'approfondir les connaissances de lecteurs déjà instruits dans la science traitée, de former la jeunesse au raisonnement, ou enfin de permettre à des techniciens de maîtriser les applications pratiques dont une théorie peut rendre raison, les vérités analytiques auront dans le traité un rôle correspondant. Nous connaissons déjà leur intérêt dans l'application ou l'illustration (*W.*, § 544, t. IV, pp. 315 sq. et rem. 1). Au contraire, dans un traité strictement scientifique, elles seront négligées en raison de leur pauvreté informative relative [42]. La recherche de ce difficile équilibre entre l'analytique et le synthétique dans chaque traité particulier montre en définitive d'où l'analyticité tire son utilité. C'est d'une *tension* entre le pôle théorique et le pôle pratique de la connaissance. Quoique cette opposition ne concerne en rien les vérités en soi, elle prend dans l'élaboration de traités une portée que, théoriquement, rien ne laissait attendre. Cette tension est néanmoins fondée. Elle s'explique par le principe éthique fondamental auquel toute activité humaine est subordonnée et qui gouverne donc *a fortiori* une activité qui engage aussi gravement la responsabilité de l'homme que la rédaction des traités : le « principe supérieur de toute la théorie de la science » :

> « Dans la division du domaine total de la vérité en sciences particulières et dans la présentation de ces sciences dans des traités correspondants, on doit toujours faire en sorte de respecter les lois de la Morale et par conséquent faire en sorte qu'il en résulte la somme la plus grande possible de biens (la promotion la plus grande possible du bien général). » (§ 395, t. IV, p. 26)

C'est cette promotion du bien commun qui suppose que l'on *sérié* les difficultés, que l'on fasse cas des besoins réels, que l'on s'applique à apporter à chaque lecteur « l'instruction qu'il demande. Le souci d'élargir le public des lecteurs est ce qui motive la particularisation du vrai en sous-modèles. L'analytique est l'instrument d'une stratégie rhétorique qui doit s'efforcer de conjuguer les bienfaits de l'exemple et la rigueur du « dire moins ». Si nous tentons maintenant de prendre une vue d'ensemble sur les diverses maximes d'usage des analytiques que nous avons pu rassembler au fil de l'oeuvre, il apparaît que ces propositions semblent spécialisées dans trois fonctions. Le rôle des analytiques n'est pas, de façon générale, – en réservant le cas des mathématiques – d'exposer une thèse *déterminante* concernant l'objet dont on fait la théorie. Il s'agit plutôt de ressaisir par leur intermédiaire un savoir déjà constitué, à un *moment critique* de sa mise en oeuvre : soit au point où la loi et l'expérience se rejoignent, où la règle et la vie se confrontent, où enfin le langage s'oppose à l'immédiate présentation du sens. Les propositions « expérimentales » sont illustrées par l'exemple déjà analysé :

« Ce triangle a pour somme angulaire deux droits ».

A la différence des énoncés cliniques qui rapportent une observation originale et sont synthétiques, les propositions analytiques expérimentales appliquent à des cas singuliers une vérité synthétique établie par ailleurs. Très proches de cet usage, les propositions analytiques de second type s'en distinguent seulement en ce qu'elles dégagent d'un principe une règle d'action. Au lieu d'être démonstratives, elles sont *pratiques*. De ce type, relèverait l'exemple déjà commenté :

« Un homme moralement mauvais ne mérite aucun respect ».

Enfin, des propositions analytiques de troisième genre seraient essentiellement *explicatives* (aux deuxième ou troisième sens de ce terme, cf. *supra*). En ferait partie par exemple :

« Tout triangle est une figure [43] ».

La stratégie bolzanienne de l'analyticité

La définition bolzanienne des propositions analytiques présente les vérités synthétiques comme formant l'instance déterminante de la vérité d'une théorie. En songeant à la métaphore platonicienne du tissage, on pourrait considérer les synthèses comme la *chaîne* qui soutient le tissu tandis que les propositions analytiques en formeraient la *trame* qui prend appui sur l'autre fil : simples intermédiaires déductifs, auxiliaires « intersticiels ». Mais l'autre aspect de l'analytique trouve son répondant dans la même métaphore. De même en effet que la trame donne au tissu son inappréciable moelleux, le moindre-dire de ces propositions est ce qui permet la communication dans sa dimension pragmatique. Car il *faut* des sous-modèles. Leur trivialité et leur valeur d'intermédiaires les rend aptes à présenter l'ordre objectif de la science dans la dimension de la finitude. C'est donc dans l'élément du dire et du connaître qu'ils opèrent sous le couvert des vérités synthétiques. Et il faut sous-modéliser d'autant plus que le langage dont on dispose s'oppose davantage à la transparente complexité des concepts en soi, d'autant plus enfin que les connaissances présumées du lecteur-élève sont modestes.

Cette division du travail qui exclut l'analytique des fonctions « déterminantes » pour lui réserver les rôles qui relèvent de la finitude cognitive (intermédiaire, exemple, application) ne revient-elle pas finalement à faire reposer toute la philosophie de la logique sur un nouveau dualisme ? Nous avons pu créditer Bolzano d'avoir dépassé certaines des dualités de la philosophie rationaliste classique, telles que « forme/contenu », « intuition/concept », « donné/construit ». Mais que dire de cette division qui persiste depuis que Kant l'a mise en place – à la suite peut-être de la conception lockienne de la substance – entre l'« En-soi » et son « *Erscheinung* » ? Si les représentations, les propositions, les vérités « en soi » sont le foyer du sens où le langage va puiser, comment l'énoncé peut-il dans certaines circonstances s'*interposer* entre le sens que vise le locuteur et celui que comprend l'auditeur ? Comment s'explique que la composition des significations mathématiques exige la longue chaîne intermédiaire de propositions analytiques ? N'est-ce pas qu'il y aurait une vertu propre au symbolisme mathématique ? Le problème que nous avons rencontré à propos de l'explication, relatif à la nécessité de démontrer de quelles composantes se constitue un concept, n'est-il pas l'indice d'un cercle vicieux ? En quoi pourrait bien consister une telle démonstration : doit-elle comparer le *definiens* au modèle « déposé en soi » ? Ou bien justifier la définition par sa conformité à la norme qu'elle-même représente ? La critique de Hegel à la chose en soi kantienne semble s'appliquer avec autant de pertinence à l'En-soi de Bolzano : « (Kant postule) l'existence d'une *chose-en-soi* » étrangère et extérieure à la pensée, bien qu'il soit facile de voir qu'une abstraction comme la *chose-en-soi* n'est elle-même qu'un produit de la pensée, de la pensée abstrayante, il est vrai. » Quel que soit l'intérêt que l'on accorde à ce type d'objection, elle nous paraît négliger la spécificité topique de l'En-soi de Bolzano relativement à la « chose-en-soi » kantienne. Il s'agit pour l'auteur de la *Théorie de la Science* de rendre compte des conditions de possibilité de la reconnaissance du vrai et de sa communication dans le *medium* du *traité*. Or l'En-soi y acquiert la fonction de légitimer la nécessité et l'universalité de l'organisation des propositions. Nous proposons d'appeler « ontotranscendantale » cette fonction de l'En-soi bolzanien ; « transcendantale », parce que Bolzano continue à notre avis à poser en termes kantiens la question de la possibilité de la connaissance. « Ontotranscendantale » parce que la connaissance ne peut être fondée par elle-même – dans la pureté d'un acte d'intuition ou d'entendement –, mais ne peut l'être que par le recours à un domaine indépendant, subsistant dans l'Etre, ou encore « objectif ». C'est cet écart entre le sens « plein » dans lequel le vrai fait « cosmos » et l'expression linguistique et cognitive qui en est donnée dans le *pathos* de la finitude qui circonscrit le champ de l'analyticité.

On comprendra mieux ce changement topique si l'on compare l'analytique de Bolzano au nominal de Locke et à l'analytique de Kant. Locke se contente d'indiquer les bornes du savoir sans pouvoir le *délimiter*, parce que l'En-soi est à jamais « au-delà » de nos capacités de connaître. De la substance, nous ne savons rien, et aucun fil ne conduit des qualités premières aux qualités secondes. Le discours nominal ne fait que traduire notre impuissance à donner des substances une définition réelle. Dans ces conditions, le seul discours certain est un discours sans portée ; les propositions « frivoles » sont seules assurées d'être à l'abri de la réfutation. Kant n'est pas si loin de Locke que l'on pense : si, contre l'empirisme, il estime possible de fonder la légitimité des sciences de la nature, il le fait en opposant à un analytique vide — produit formel d'entendement — un synthétique producteur. L'esthétique et la déduction transcendantale lui permettent de circonscrire les limites dans lesquelles une science du phénomène se déploie. La substance de Locke, la chose-en-soi de Kant, restent encore « extérieures à la pensée », selon les mots de Hegel. Bolzano renverse l'argument de Hegel : dire que l'En-soi est le produit de la pensée abstrayante, c'est s'interdire de comprendre comment une pensée peut jamais être vraie. La vérité n'est pas un processus, mais un être objectif qui n'a pas à être produit. Il doit seulement être retrouvé. Loin donc que l'En-soi soit « produit » par la pensée, c'est parce que l'En-soi *se dispense* à la pensée que celle-ci est possible. C'est l'En-soi qui décide de l'architectonique du système c'est-à-dire des limites de chaque science. C'est lui par conséquent qui forme le modèle sur lequel se guident les rédacteurs de traités scientifiques. L'analyticité leibnizienne était triomphante : clé de toute rationalité et terme de toute démonstration. Celle de Kant était enfermée dans la répétition formelle de la pensée d'entendement. Celle de Bolzano est la modeste et besogneuse messagère de vérités plus hautes.

Section Troisième

FREGE ET L'HYPOTHÈSE DE L'ANALYTICITÉ

Chapitre Premier

L'ANALYTICITÉ ET LE LANGAGE DU SYSTÈME

Le concept de « proposition analytique » apparaît très rarement dans les écrits de Frege. Hors les sept paragraphes que les *Fondements de l'Arithmétique* lui consacrent, on ne trouve pratiquement plus trace explicite du concept. Est-ce à dire que le concept est, pour Frege, sans importance véritable ? C'en est peut-être tout le contraire. Ce n'est pas pour offrir une nouvelle explication ou, comme Bolzano, une explication purement logique à un terme déjà ancien et au passé chargé que Frege évoque ce concept. Car maintenant c'est dans un projet concret que l'analyticité trouve son véritable enjeu : elle doit être le *ciment* de l'édification du système de l'arithmétique. L'analyticité a partie liée avec le pari qui est celui de Frege, de démontrer qu'on peut définir l'ensemble des concepts et même dériver l'ensemble des théorèmes arithmétiques à l'aide d'un petit nombre de concepts de base et de vérités fondamentales purement logiques. Ainsi s'explique que Frege expose une bonne fois ce qu'il entend par « vérité analytique », puis n'y revienne plus. Il ne cesse de rapporter à ce concept la légitimité du système qu'il construit. La manière dont les *Fondements* présentent « l'objet » de la question de l'analyticité et de la synthéticité d'une vérité l'indique en toute clarté. Ce qui, pour Frege, fait le sens de la question de l'analyticité d'une vérité, c'est la possibilité effective de déduire les vérités mathématiques à partir de vérités premières logiques, possibilité dont la seule preuve réside dans la construction effective du système de l'arithmétique :

> « La question est arrachée à la psychologie pour être reversée aux mathématiques – quand il s'agit d'une vérité mathématique. Son objet est de trouver la preuve, et de la poursuivre régressivement jusqu'aux vérités premières. Si l'on ne rencontre sur son chemin que des lois logiques générales et des définitions, on a une vérité analytique – étant supposé qu'on inclut dans ce compte les propositions qui assurent le bon usage d'une définition. »(*G.A.*, § 3, pp. 3-4)

Il est donc clair dès ce texte d'introduction que l'analyticité des propositions *logiques* n'est pas elle-même en question mais constitue plutôt la présupposition du problème que Frege a à résoudre : il s'agit pour lui non de savoir ce qu'est une vérité analytique – c'est une vérité logique, c'est-à-dire comme on va le voir, une vérité qui appartient au système de la logique –, mais de savoir si les vérités d'une science peuvent être clairement identifiées comme analytiques ou synthétiques, c'est-à-dire comme logiques ou non. Tout *l'enjeu* du concept de vérité analytique dépend donc de la possibilité d'opérer la réduction et la déduction logicistes des vérités mathématiques (ou des vérités d'une autre science, si la question de l'analyticité ou de la synthéticité s'y pose). A l'époque des *Fondements*, le système n'est encore qu'à l'état d'ébauche, et l'objet du livre est d'éclairer les conditions qui en annoncent la proche réalisabilité. L'analyticité est un concept qui vaut donc pour Frege non pour son intérêt explicatif, mais pour sa valeur fondationnelle. Est analytique une proposition logique ou dérivée des vérités logiques : le concept de « vérité analytique » est d'emblée conçu par Frege dans sa portée *métasystématique*, en tant qu'il permet de caractériser l'appartenance d'une proposition à un système « purement logique ». Le « critère » d'analyticité que Frege utilise consiste en effet simplement à énumérer les cas où une vérité pourra être reconnue comme logique : ou bien elle est une « loi logique générale », ou bien elle est une définition, ou bien elle assure « l'usage d'une définition », ou bien enfin elle est déduite des précédentes. Tous ces « cas » épuisent les rôles qu'une vérité peut jouer dans un système. Mais alors, nous demanderons-nous, comment expliquer ce qui fait pour Frege l'importance du *système* ?

Systématicité et analyticité

Il est intéressant de rapprocher deux textes que trente ans séparent, et qui correspondent respectivement aux deux phases du pari logiciste de Frege, l'une ascendante et optimiste, l'autre, marquée par la désillusion. Le premier, de 1884, ouvre *les Fondements* :

> « Après que la mathématique se fut pour un temps écartée de la rigueur euclidienne, elle y revient, et non sans de vifs efforts pour la dépasser. »

L'autre, de 1914, est postérieur à l'échec de l'hypothèse logiciste. Le ton est amer, le temps n'est plus à l'optimisme. Malgré cela, Frege montre qu'il n'a rien perdu de sa conviction première relativement à la nécessité de travailler à une systématisation des mathématiques :

> « Euclide a entrevu cette idée de *système* ; mais elle est restée hors de sa portée et il semble presque que nous soyons aujourd'hui plus loin que jamais de ce but. Nous voyons les mathématiciens travailler chacun pour soi à une partie ; mais ces parties ne se fondent jamais en un système, et l'idée de système elle-même paraît s'être presque perdue. Et pourtant, la quête du système est une quête légitime. L'absence de cohésion actuellement dominante ne peut durablement satisfaire. » (*L.M.*, N,I, p. 221)

Qu'est-ce qui fait de ce « *Streben nach dem System* »

une « quête légitime » ? La question paraîtra superflue : le système depuis Wolf ne se confond-il pas avec la scientificité ? Qu'on se souvienne de la seconde Préface de la *Critique de la Raison pure* et de l'hommage rendu à la « sévère méthode de l'illustre Wolf », ou de l'Architectonique de la raison pure qui en expose les règles. On trouve déjà dans ces textes les principaux traits que Frege reconnaît à la connaissance « rigoureusement scientifique ». A la « rhapsodie » des connaissances partielles et dispersées, le système substitue une *articulation* des vérités qui autorise un développement *organique* du savoir. De ce développement par différenciation interne résultent les deux propriétés essentielles du savoir systématique : il est *exhaustif* en ce sens qu'il engendre « de l'intérieur » toutes les conséquences déductives possibles des principes, mais il est en même temps *clos* dans la mesure où aucune adjonction extérieure n'est tolérée, une fois que les principes sont posés [1].

Décrire de cette manière le système n'est pas encore produire le fondement de sa légitimité. On pourrait distinguer un usage transcendantal et un usage formel du système, selon l'interprétation que l'on donne de la continuité démonstrative où la science trouve son unité. Dans la *Critique*, le fil de la déduction transcendantale tient à l'autorité du maître d'œuvre. La raison pure, dans sa fonction critique, exhibe par déduction ce qu'elle a elle-même constitué dans sa fonction transcendantale. La question de la continuité est alors résolue de manière toute négative, par l'absence d'obstacle sur le chemin qui conduit des pouvoirs du sujet à l'objet transcendantal. Comme nous l'avons observé à propos de Bolzano, les philosophes systématiques du XIXe siècle élèvent les contraintes qui garantissent la continuité démonstrative, c'est-à-dire la condition de développement du système. Bolzano démet la Métaphysique de sa fonction architectonique, pour y promouvoir la logique comme science des vérités en soi. Il y a là plus qu'une exigence méthodologique : la théorie des systèmes rompt avec la philosophie du sujet qui faisait du système l'instrument de la raison dans sa quête d'unité. La systématicité ne caractérise plus que secondairement les connaissances pour devenir l'apanage de vérités objectives indépendantes de tout sujet.

Comme Bolzano, Frege conçoit le système comme un modèle objectif dont toute science doit livrer la copie la plus exacte possible. Mais Frege rencontre la question de la continuité non seulement comme la condition objective de l'existence d'un corps de vérités, mais aussi comme une épreuve à laquelle confronter *concrètement* le travail de reconstruction du logicien. On comprend mieux cette différence topique lorsqu'on prend la mesure de ce qui distingue les projets de Bolzano et de Frege. La *Théorie de la Science* enseigne l'organisation logique des vérités en général. La continuité systématique est présupposée plutôt que mise à l'épreuve par la *Wissenschaftslehre*. Frege a en revanche un projet qui est non moins général dans son ambition dernière que celui de Bolzano, puisqu'il s'agit en fin de compte d'exposer « les lois des lois de la raison », mais qui pourtant doit en même temps faire l'objet d'une mise en œuvre concrète sans laquelle il perd toute crédibilité. La continuité doit en effet maintenant être vérifiée dans le détail des enchaînements d'un corps de vérités. Pour qu'une vérité puisse être dite analytique ou synthétique, ou, dans le vocabulaire de la *Begriffsschrift*, logiquement démontrable ou bien empirique, il faut que soit offerte la condition de cette identification, *l'absence de hiatus* (*Lückenlosigkeit*), c'est-à-dire la continuité absolue de la démonstration.

C'est sur ce point que Frege prend en défaut l'axiomatique euclidienne. L'effort pour expliciter toutes les propositions sur lesquelles *l'Aufbau* repose en fait néglige encore l'exposition des règles de déduction et de conséquence [2]. Or quelle source assigner à des transitions non-formelles du type « on voit facilement que... » ? La continuité logique entre les propositions garantit que l'on puisse déterminer la nature des propositions déduites, en entendant par « nature » non seulement l'espèce gnoséologique dont elles relèvent, mais une propriété objective indépendante du sujet connaissant. La continuité démonstrative est donc plus qu'une exigence méthodologique : c'est la pierre de touche de la continuité « naturelle » par laquelle le système se développe à partir du *noyau* (*Kern*) des vérités premières en un tout organique. Cette métaphore biologique organise chez Frege comme chez Kant la saisie du développement du système. Cependant, le déplacement topique du transcendantal subjectif au transcendantal objectif modifie le sens de la métaphore. Dans la *Critique*, elle renvoie à la finalité du travail souterrain de la raison qui cherche à faire valoir son but, par un schème déterminé. Pour Frege en revanche, elle évoque l'extraordinaire capacité déductive « contenue » dans des vérités originaires. Comme l'embryon « contient » l'individu achevé, ces vérités premières de la logique « portent en elles » le système développé :

> « Les propriétés qui appartiennent à ces pierres de fondation de la science contiennent comme en germe son contenu entier [3]. » (*K.S.*, p.104)

L'image organique restaure ainsi de manière inattendue la détermination kantienne du prédicat analytique comme « ce qui est contenu » dans le concept du sujet. En quoi consistent, maintenant, des *Urwahrheiten* qui sont « en soi » tout le système ? Pour le système de l'arithmétique, ce sont seulement des lois « logiques », c'est-à-dire les « lois de l'être vrai ». Nous pouvons maintenant répondre à la question posée plus haut : ce qui rend légitime et nécessaire la « quête du système », c'est l'existence, en amont des théorèmes de l'arithmétique, d'un corps de pensées absolument vraies dont la combinaison permet d'engendrer toutes les vérités de la science mathématique. C'est la diffusion continue de ces vérités privilégiées jusque dans leurs conséquences les plus lointaines que l'analyticité a à assurer.

Comprendre le mode d'insertion topique du concept de vérité analytique dans l'oeuvre de Frege suppose ainsi que l'on examine non pas comment ce concept est *introduit* ou *défini*, mais plutôt comment il est *appliqué*, c'est-à-dire comment la continuité se trouve assurée, des lois primitives aux théorèmes de l'arithmétique, et ensuite comment ces lois primitives gagnent leur titre à former la base du système. La mise en évidence de l'analyticité des propositions arithmétiques suppose donc une technique particulière de construction des concepts, et, plus généralement, une nouvelle écriture formulaire.

Analyticité et langage formulaire

La continuité rigoureuse qui rend possible la mise en évidence des prémisses véritables du système de l'arithmétique impose que l'on soumette à des conditions particulières l'expression des vérités et de leurs relations : la langue naturelle paraît d'emblée à Frege entièrement incapable de satisfaire aux exigences d'une écriture systématique. Faite pour l'oreille, destinée à transmettre rapidement des ordres ou des conseils pratiques, elle cesse d'être utilisable dès qu'une certaine précision, une certaine univocité et une certaine rigueur sont requises ; soit qu'elle ne rende pas l'organisation interne des concepts exprimés dans la structure expressive, comme le montre la variété des relations que la même forme grammaticale permet d'exprimer : « *Berggipfel* » veut dire « sommet de la montagne », tandis que « *Baumriese* » veut dire « géant qui habite dans l'arbre » ; soit qu'elle évoque un concept par des caractères inessentiels ou par une formule métaphorique, ce qui dans les deux cas fait obstacle à l'explicitation rigoureuse du rôle systématique de chaque expression (*N.*, I, 113). La *Begriffsschrift* apparaît ainsi, dès 1879, comme une technique de notation indissociable du projet systématique. La « caractéristique » frégéenne, comme il l'appellera lui-même parfois, fait suite à des essais analogues de Boole, Schröder, Grassmann et même Wundt, parmi les plus récents. Mais elle s'en distingue à la fois par sa *méthode* et par son *ambition*. L'idéographie ne vise pas seulement à résoudre des problèmes, elle ne sera pas seulement *calculus ratiocinator*. Elle vise à élucider au moyen de l'écriture tout le *contenu*, réalisant ainsi pour la première fois une unité de notation pour ce qu'on appelait jadis la « forme » – les règles de formation et de déduction des propositions – et pour le « contenu » des expressions fonctionnelles. C'est donc bien l'objectif de Leibniz que reprend Frege avec des moyens idéographiques beaucoup plus fins : les *caractères* des concepts devront apparaître dans l'écriture, mais ils pourront être construits en utilisant, en place de la traditionnelle *compositio*, toutes les ressources de la « généralité » (quantification), de la négation et de l'implication.

En ouvrant à l'écriture logique le domaine des « contenus » conceptuels, Frege a conscience d'effectuer une révolution qu'il compare à la découverte de la structure interne de l'atome, dont on avait pendant des siècles cru l'insécabilité définitivement établie. L'une des conséquences de cette révolution réside dans le bouleversement complet du rapport traditionnel entre « forme » et « contenu ». *Le concept revêt maintenant indissociablement une fonction catégorématique et une fonction syncatégorématique*. On ne peut plus se contenter de penser la logique comme « simplement formelle » ou « indifférente au contenu ». L'analyticité devenue constructive, la logique peut retrouver un rôle essentiel dans une nouvelle *Mathesis universalis*.

Si la logique a pu donner d'elle-même l'image d'une science superflue, Frege estime que la faute en revient essentiellement à la fascination qu'exerce la langue naturelle. En particulier, la tripartition « sujet-copule-prédicat » fourvoie le logicien dans d'innombrables complications sans que les solutions n'aient d'intérêt proprement logique. Si l'analyticité a pu paraître une simple répétition d'un donné, si le développement du contenu a pu ressembler à une clarification du « déjà pensé », c'est que les théories traditionnelles de la proposition ne pouvaient que venir renforcer les deux obstacles de fond qui s'opposent à la perception des « contenus conceptuels ». Le premier obstacle, venu de la langue et renforcé par les logiciens traditionnels, consiste dans le masquage des identités propositionnelles par l'énoncé. Ce serait encore trop concéder, pour Frege, que d'admettre avec Bolzano une isomorphie générale entre l'énoncé et le sens. Deux énoncés n'ont pas à avoir même sujet et même prédicat pour avoir le même sens. La voie active ou passive est affaire d'« éclairage » et non de sens. Une analyse logique de la langue naturelle devrait distinguer trois niveaux :

– L'énoncé a un sens, en tant qu'il exprime une Pensée (*Gedanke*).

– Il a une dénotation (qui n'est pas, comme le pensait Bolzano, l'« objet » auquel il attribue une propriété, mais le vrai ou le faux).

– Enfin l'énoncé comporte aussi des « représentations associées », qui constituent son « style » ou son « éclairage ». Il s'agit là d'un paramètre étranger à la logique, en raison même des variations intersubjectives qui l'affectent (*K.S.*, 247).

Négliger l'éclairage, c'est donc reconnaître la pluralité des « sujets » ou des « prédicats » possibles pour une même Pensée. La phrase :

« César conquit les Gaules »,

peut être analysée de différentes manières qui se distinguent simplement par le nombre des places d'argument à compléter, c'est-à-dire par l'étendue des composantes « saturées » et « insaturées » :

« César conquit.. »

« ... conquit les Gaules »

« ... conquit... »

L'identité entre énoncés de la même pensée que masque

l'analyse tripartite sera donc rendue manifeste par une analyse simplement bipartite, mais non exclusive, toute bipartition étant admissible dans les limites des places d'argument disponibles. Toute phrase peut en effet être diversement divisée en termes de signe de fonction (insaturé) et signe d'argument (saturé). Mode d'analyse qui s'applique à la langue naturelle mais qui trouve une expression plus adéquate dans la langue formulaire. Or de même qu'ils ne parvenaient pas à identifier la Pensée identique « sous ses divers vêtements », les logiciens traditionnels, étaient dans l'incapacité de saisir la parenté de structure entre les propositions de la langue usuelle et les équations et les expressions analytiques des mathématiques (nous avons vu chez Bolzano les difficultés ressenties à analyser les propositions mathématiques en termes d'« avoir une propriété »); l'idée d'une articulation simplement bipartite s'impose donc à Frege dès la *Begriffsschrift* : « Je suis ici l'exemple de la langue formulaire mathématique, dans laquelle on ne peut distinguer de sujet et de prédicat sans lui faire violence. » (§ 3, 3, p. 3) La bipartition fonctionnelle de la proposition en une partie « complète » et une partie « exigeant complément » se présente dans cette nouvelle analyse comme l'articulation logique fondamentale de toute Pensée, plus fondamentale en particulier que le rapport du sujet au prédicat qui n'en constitue qu'un exemple. Ainsi entendu, le concept peut être identifié à une *fonction* dont la valeur est toujours une valeur de vérité (*E.L.*, *N.* I, 203). Pour parvenir à ce résultat, Frege modifie le concept de fonction en sorte d'étendre son application aux égalités et inégalités. Il accepte comme arguments « tous les objets » (*Gegenstände überhaupt*), au nombre desquels le vrai et le faux. En sorte que le concept se distingue des autres fonctions seulement en ce qu'il fait correspondre une valeur de vérité à chaque argument qui le complète. Son parcours de valeur (*Wertverlauf*) effectue une bipartition entre les objets qu'il subsume et ceux qu'il ne subsume pas, l'extension du concept étant formée de tous les arguments pour lesquels la proposition correspondante a pris la valeur « vrai ».

Un second inconvénient de l'interprétation prédicative de la proposition explique aussi que l'on ait si longtemps identifié analyticité et stérilité de la logique. La langue dissimule en effet sous le même mot « être » une différence fondamentale du point de vue de la logique. « Etre » désigne en effet tantôt la *subsomption d'un objet sous un concept*, tantôt la *subordination* qui indique la dépendance du concept inférieur à l'égard du concept supérieur. La proposition « César est un homme » et la proposition « un homme est un animal rationnel » sont pour la tradition justiciables d'une même analyse, le terme singulier « César » pouvant être analysé comme s'il était le sujet d'une proposition universelle, c'est-à-dire en prenant le concept dans toute son extension [4]. Dans les deux cas, la proposition était dite vraie pour la même raison : parce que l'idée du sujet contenait l'idée du prédicat, ou encore, en termes extensionnels, parce que l'extension du prédicat contenait l'extension du sujet. Frege interdit désormais toute « comparaison » de ce genre. Car la subsomption qui est la relation fondamentale unit deux parties *hétérogènes* : *la partie insaturée dénote un concept, la partie saturée dénote un objet* (l'une des conséquences de cette analyse est de rendre impossible la convertibilité). La subordination ne doit pas à son tour être confondue avec l'« inhérence ». Cette dernière relation unit en effet un concept et sa propriété (par exemple un concept de premier ordre à un concept de second ordre). On dira alors que le premier tombe non pas « sous », mais « dans » le second (*G.*, I, § 13, p.24). Enfin la subordination énonce simplement une implication entre deux concepts de même ordre.

Ce que la langue naturelle confond, l'écriture formulaire le distinguera. Le gain n'est pas seulement dans la distinction supérieure, dans l'analyse plus juste des rapports entre les concepts. Ce que l'on gagne, c'est de pouvoir dériver de façon purement analytique ce qui paraissait jusqu'alors être du ressort de la synthèse, à savoir dériver une propriété de la structure « horizontale » des concepts. En rendant ainsi possible la dérivation de « propriétés » à partir de concepts, l'écriture formulaire déjoue le véto que lui opposait la distinction bolzanienne entre prédication de propriété et prédication de composante. La prédication de propriété n'est plus exclue de la dérivation logique, et la prédication d'objet se trouve inscrite à la base même de tout le système dans l'insaturation fonctionnelle. Associée à ces trois moyens constructionnels que sont l'implication, la quantification et la négation, la subsomption devient un instrument descriptif très souple à la disposition du logicien, si souple qu'il autorise même le traitement des concepts *sans objet* [5].

La langue formulaire et son référent : le réalisme de Frege

Un écrit tardif de Frege, *Gedankengefüge* (1923), met bien en évidence la conjonction des thèses dans laquelle il n'a cessé de penser la nature du concept, et, plus généralement, de la langue comme moyen de savoir et d'échange. « Les ressources du langage ne laissent pas d'étonner » : comment est-il possible, avec si peu de syllabes, d'exprimer un nombre infini de pensées ? Cette observation du caractère *productif* de la langue (*was die Sprache leistet*) le conduit à s'interroger sur le rapport entre la pensée et son expression qui peut rendre compte de cette *fécondité* du langage. Que faut-il supposer pour que cette fécondité du langage soit possible ? Il faut qu'il soit isomorphe à la pensée, c'est-à-dire que des parties de la Pensée correspondent à des parties de l'énoncé. La construction de la phrase vaut comme *image* (*Bild*) de la construction de la pensée. Il ne reste alors qu'à reconnaître comment s'articule l'*Aufbau* de la Pensée, ce qu'explique la notion de partie insaturée. Comme à l'accoutumée, Frege raisonne dans ce texte en termes de conditions de possibilité. Pas de productivité de la langue sans que celle-ci ait valeur d'image. Pas d'image sans construction isomorphe. Toute analyse logique devra se guider sur cette isomorphie dans laquelle la langue trouve la condition de sa dynamique productive. On ne peut donc comprendre l'unité de sens de la pensée sans l'analyser en deux parties complémentaires, l'une insaturée, l'autre saturée.

Mais si nous en restions au niveau du sens, nous laisserions dans l'obscurité la question du vrai. Or la question de la dénotation respective des composantes de la Pensée est évidemment cruciale pour notre compréhension de la *fonction* du système des vérités logiques et du sens à donner à l'analyticité : le système a-t-il seulement valeur opératoire, ou bien a-t-il aussi une portée descriptive ? En d'autres termes, Frege est-il un réaliste [6] ? Ce qui a pendant longtemps compliqué la question, c'est l'impossibilité où se trouvaient les commentateurs, avant la publication du *Nachlass*, de résoudre l'énigme que leur posait l'article *Sinn und Bedeutung* dans lequel l'étude de la dénotation se limite à celle des noms propres. Sans doute l' article *Begriff und Gegenstand* montre que la distinction sens-dénotation s'applique aussi aux prédicats. Néanmoins, l'impossibilité reconnue par Frege de *parler sur* un concept sans le désigner par un nom d'objet laissait encore penser que ce n'était pas un *concept* que l'expression prédicative correspondante dénotait [7]. La confusion atteignit son comble avec ce qu'on pourrait appeler, en donnant tout son sens à cette expression, « le contresens historique de Church », contresens popularisé par Carnap dans *Meaning and Necessity* :

> « En ce qui concerne les prédicats, Frege ne semble pas avoir expliqué comment ses concepts doivent s'appliquer ; cependant je pense que Church est en accord avec les intentions de Frege quand il considère la classe comme la dénotation (ordinaire) d'un prédicat (de premier degré) – par

exemple un nom commun – et une propriété comme son sens (ordinaire). » (§ 29, p.125)

Frege aurait sans doute mis un tel texte au compte de ceux qu'il appelle « les logiciens de l'extension ». Le commentaire contient un noyau de vérité : eu égard à l'identité, ce sont les extensions qui sont pertinentes. Mais il n'en passe pas moins sous silence la différence fondatrice entre un nom de concept, lequel est insaturé, et un signe d'extension ou de parcours de valeur, lequel est saturé. Au reste, quoiqu'encore inédite à l'époque où Carnap écrit, l'explication de Frege existait bel et bien. Qu'il ait réservé le traitement du sens et de la dénotation des concepts pour un article distinct, justement nommé « Développements sur Sens et dénotation », montre assez qu'il était conscient des lacunes de son premier article. Ce nouveau texte permet de comprendre la portée de la thèse de l'insaturation, et présente en outre l'intérêt d'indiquer ce qui a pu conduire Frege à développer cette nouvelle analyse propositionnelle. Une note assez laconique des *Développements* observe en effet :

« Les mots "insaturé" et "prédicatif" paraissent s'appliquer bien mieux au sens qu'à la dénotation ; *mais il doit pourtant bien y avoir quelque chose qui lui correspond dans la dénotation* ; et je ne connais pas de meilleurs mots. Comparer avec la *Logique* de Wundt. » (*N.*, I, p.129, note 2, *i.n.*)

L'allusion à Wundt permet de jalonner le cheminement de Frege vers l'idée d'insaturation conceptuelle. C'est probablement de Wundt que Frege tient l'idée d'une bipartition propositionnelle. D'après Wundt en effet, la copule ne doit pas être comprise comme une *troisième* composante du jugement. Elle appartient au prédicat : « elle est ce qui indique que le concept qui lui est relié doit être pensé *en un sens prédicatif*, écrit Wundt dans sa *Logik* [8]. Si Frege se réfère à Wundt en note, ce ne peut être que pour l'idée d'une catégorie *sémantique* du prédicatif ou de l'insaturé. L'expression conceptuelle, comme l'a bien vu Wundt, est insaturée *dans sa signification*. Mais il faut aller plus loin, et admettre une insaturation analogue dans la *dénotation* du prédicat :

> « La dénotation d'un nom propre est l'objet qu'il désigne ou nomme. Un prédicat dénote un concept quand le mot est employé conformément à ce qu'exige la logique [9]. » (*Ausführungen, N.*, I, 128)

Un nom propre a une dénotation s'il y a un objet désigné par ce nom. Il faut imposer aux noms de fonction une exigence similaire pour que l'écriture formulaire ne soit pas un pur jeu de formules : la propriété de « stricte délimitation » (*scharfe Begrenzung*) pose qu'un prédicat dénote un concept à condition que, après saturation par un nom d'objet quelconque, l'expression résultante dénote une valeur de vérité (nous reviendrons plus loin sur ce principe, et sur son rapport au principe de contextualité). Cette interprétation de la dénotation du prédicat comme étant *le concept lui-même* bouleverse évidemment ce qu'on pourrait appeler le « réalisme du sens commun », qui n'est disposé à reconnaître comme existants (au sens objectif du « *es gibt* ») que les individus et les classes conçues distributivement. Que Frege tienne pourtant à ce que les termes conceptuels aient pour référence un concept, et non pas une extension, et que cette thèse soit pour lui la condition de l'objectivité du travail formulaire, apparaît avec plus de netteté encore dans une lettre [10] où il expose sa thèse à Husserl, dont la conception personnelle en la matière est proche de celle que Carnap prête à Frege :

> « Je voudrais seulement vous dire qu'une différence d'opinion semble exister entre nous en ce qui concerne la relation que le terme conceptuel (le nom commun) entretient avec les objets. Mon opinion peut s'illustrer par le schéma suivant :

Proposition	Nom propre	Terme conceptuel	
Sens de la proposition (Pensée)	Sens du nom propre	Sens du concept	
			→ objet
Dénotation de la proposition (valeur de vérité)	Dénotation du nom propre (objet)	Dénotation du concept (concept)	qui tombe sous le concept

C'est intentionnellement que Frege met à l'écart les objets qui tombent sous le concept dans le coin inférieur droit de son tableau. Puisque c'est en tant qu'insaturé que le concept possède un sens et une dénotation, il n'est pas essentiel au concept qu'il subsume effectivement des objets. Au contraire l'analogie que le schéma souligne, c'est celle qui existe entre les propositions, les objets et les concepts du point de vue de *l'objectivité* ; ils sont en effet *de même objectivité* (*dieselbe Objektivität*, N. II, 96). Idée, rappelle Frege dans la même lettre, qui était déjà présente dans les *Fondements* (§47), mais ne pouvait encore recevoir d'expression adéquate faute de disposer de la distinction sens-dénotation. Cette identité des diverses composantes propositionnelles relativement à l'objectivité garantit la *fécondité* du travail formulaire. Aussi longtemps que les formules sont bien écrites, les noms propres et les noms de fonction ont une dénotation. Les déductions livrent ainsi un état objectif, l'état du vrai, et ne se réduisent pas à une combinaison arbitraire de formules.

Le problème des Schein-Begriffe

Le tableau de Frege précise en outre quel statut assigner au sens d'un prédicat. A chaque niveau d'analyse (proposition, nom propre, prédicat), le sens fournit la médiation entre l'expression symbolique et sa dénotation (respectivement, valeur de vérité, objet, concept). Qu'une expression de concept ou de fonction ait un *sens* dépend seulement du respect des règles de construction, c'est-à-dire

de la disposition d'écriture qui laisse ouverte une ou plusieurs places d'arguments. On peut écrire, par exemple, « la moitié de quelque chose » pour désigner une fonction, l'expression « quelque chose » étant destinée à maintenir ouverte la place de l'argument. Pour que l'expression ait un sens, il suffit qu'ait lieu cette *Darstellung* qui suggère une mise en correspondance possible entre arguments et valeurs de la fonction. Mais la dénotation du prédicat demande plus que cette simple possibilité opératoire. Il faut qu'il soit « strictement délimité », c'est-à-dire que de tout argument, on puisse dire s'il tombe ou non sous le concept. Or si l'on reprend l'exemple précédent, en prenant pour nom d'argument le nom d'objet « lune » (ou tout objet qui n'est pas une extension numérique), on obtient une phrase à laquelle le tiers-exclu ne s'applique pas :
   « La moitié de la lune est plus petite que 1 ».
   La quête du concept licite, c'est-à-dire « strictement délimité » suppose ainsi que l'on enrichisse assez le *sens* du prédicat pour que l'on obtienne une extension précise, par exemple en restreignant la variation des arguments à un domaine d'objets particuliers. Dans le débat qui oppose Frege aux formalistes, et qui porte entre autres sur les conditions auxquelles les définitions doivent satisfaire, Frege voit comme une étape essentielle de la construction des symboles de fonction la preuve que le symbole introduit a bien une dénotation déterminée. Le sens d'une fonction est ainsi une insaturation spécifique dont il reste à établir la valeur référentielle. Il n'y a donc pas de raison de considérer, comme le fait William Marshall [11], que les « expressions de fonction n'ont pas de sens ». Car le sens apparaît, de façon négative, comme ce qui subsiste quand la dénotation fait défaut. Ce qui suffit d'ailleurs à démontrer qu'une expression fonctionnelle a un sens même quand elle manque à dénoter, c'est que l'on peut encore parler *sur* cette expression. Ce que fait Frege par exemple dans sa critique des théories des nombres irrationnels, ce que fait aussi l'historien des mythologies (*G.*, II, 76). Les

concepts « possibles » dont on peut écrire le nom dans l'idéographie, dépassent donc en nombre les concepts « objectifs », c'est-à-dire ceux qui donnent lieu à des propositions vraies ou fausses. Un symbole retenu dans l'expression du système doit ainsi satisfaire à un *double* critère :

> « La logique doit exiger aussi bien des noms propres que des prédicats que le passage du mot au sens et du sens à la dénotation soit indubitablement déterminé. Sinon on ne pourrait même pas parler de dénotation. Cela vaut naturellement de tous les signes et liaisons de signes qui ont la même fonction que les noms propres ou les prédicats » (*Ausführungen*, *N*., I, 135-136).

Le *premier* critère est de l'ordre du sens : l'écriture doit laisser paraître la saturation, l'insaturation, et toutes les relations particulières qui déterminent la Pensée. Le *second* va du sens à la dénotation. La fonction doit être partout déterminée, le concept offrir une partition stricte en deux classes de l'univers des objets. Comme nous le verrons, cette seconde exigence – dénotative – est appliquée à tous les symboles des *Lois fondamentales* : la pensée du système ne sera pas une pensée « aveugle » en ce sens qu'elle contrôlera la dénotation de toutes ses expressions. C'est à ce prix que l'analyticité peut être constructive.

Chapitre 2

COMMENT LA DÉFINITION DEVIENT ANALYTIQUE

Une première inspection du concept frégéen de définition fait apparaître deux traits qui peuvent paraître à première vue contradictoires. D'un côté, depuis la *Begriffsschrift* jusqu'aux derniers textes de *Logik in der Mathematik*, Frege soutient de manière constante le caractère purement *symbolique* de l'acte de définir. Définir, c'est simplement stipuler par convention l'identité de sens entre une expression complexe, l'*explicans*, et un signe court, aisément manipulable, placé à droite de l'équation définitoire, l'*explicatum*. Cette stipulation n'étant introduite qu'à des fins de commodité expressive, il s'ensuit qu'elle n'est nullement essentielle pour la déduction : « Rien ne s'ensuit qui n'ait pu être également déduit sans elle » (*Beg.*, § 24, 56). Idée dont on retrouve l'écho trente-cinq ans plus tard :

> « Il est vrai qu'elle ne contient en fait qu'une tautologie qui n'élargit pas notre connaissance. Elle contient une vérité qui est si évidente qu'elle paraît sans contenu ; et pourtant, on l'utilise apparemment comme prémisse dans la construction du système. Je dis « apparemment » ; car ce qui se présente sous la forme d'une déduction ne met à jour aucune connaissance nouvelle, mais ne produit au fond qu'un changement dans l'expression auquel on pourrait renoncer si la simplification de l'expression ne paraissait souhaitable. » (*L.M., N.*, I, 224-225)

Comment concilier alors cette origine purement conventionnelle, cette fonction strictement stipulative qui gouvernent la syntaxe même de la définition, avec cet autre réquisit que Frege impose aux véritables définitions, à savoir qu'elles soient *fructueuses* ? N'y a-t-il pas là au moins, selon l'expression de Reinhardt Grossmann, une « tension » entre la conception « abréviative » de la définition, et des critères épistémologiques qui en excluent tout arbitraire : « Frege décrit les définitions comme étant fructueuses, comme devant prouver leur valeur en tant qu'admissibles ou non, etc, [12] » ? Aux antipodes de la présentation stipulative de la définition, une seconde série d'exigences concerne en effet son efficacité théorique et son importance logique propres. On trouve mention de ce réquisit épistémologique portant sur la définition dans l'Introduction des *Fondements* :

> « La plupart des mathématiciens, lorsqu'ils s'adonnent à des recherches de ce genre, se contentent de satisfaire aux besoins immédiats. Dès lors qu'une définition conduit aisément aux preuves, qu'on ne se heurte à aucune contradiction, qu'on aperçoit des rapports entre des objets de recherche apparemment éloignés, qu'ils se laissent régir par des lois d'ordre supérieur, on pense ordinairement que la définition est suffisamment assurée, et l'on s'interroge peu sur sa justification logique. Cette manière de faire, en tous cas, a ceci de bon qu'on ne risque guère de manquer son but. Je pense, moi aussi, qu'une définition doit être confirmée par sa fécondité, par le pouvoir de mener à bien une démonstration. Mais il faut bien voir que la rigueur de la preuve demeure une illusion, même si la chaîne des inférences est ininterrompue, quand la définition reçoit sa justification après-coup, par le seul fait qu'on n'a rencontré aucune contradiction. » (*G.A.*, IX)

Ce que ce texte montre, c'est que la fécondité d'une définition *résulte* de son accord avec deux séries de règles (« une définition est *confirmée* » mais elle ne peut pas être *légitimée* par sa fécondité). Elle doit premièrement satisfaire une exigence de *systématicité*. On ne peut se contenter de constituer une définition « en fonction des besoins », c'est-à-dire au coup par coup, sans aucune précaution formelle, ou encore, comme dit Frege, « sans justification logique ». Il faut ici clairement distinguer le rôle des axiomes et celui des définitions et indiquer quelles règles sont à respecter pour garantir une dénotation à la définition. Deuxièmement, la définition est soumise à un impératif d'*opérationalité*. Frege demande qu'on n'introduise pas de définition sans l'utiliser effectivement dans la démonstration, c'est-à-dire que l'on s'abstienne d'encombrer le système de définitions purement « ornementales ». Mais si l'on se souvient que la définition, dans son acception première, est une simple stipulation abréviative dont Frege dit et répète qu'elle est logiquement superflue, une telle demande ne va pas de soi. Une telle définition n'est-elle pas naturellement vouée au rôle d'ornement, entendant par là, à vrai dire, non pas une *adjonction* affectant le style de la présentation démonstrative, mais au contraire une *économie* présumée élégante de moyens expressifs ? Si la définition se borne à remplacer un groupe de signes par un signe simple, sans que le sens, ni, *a fortiori*, la dénotation ne s'en trouvent modifiés, comment peut-on faire peser sur elle des exigences épistémologiques, préférer une définition à une autre, voire considérer comme fausse une définition ? Les exigences de systématicité n'outrepassent-elles pas la loi du *Sic volo* propre à la stipulation ? Plutôt que de voir ici une *tension* entre des conceptions rivales de la définition entre lesquelles Frege serait en quelque sorte tiraillé, comme le laisse entendre Reinhardt Grossmann dans ses *Reflections*, ne peut-on tenter de comprendre cette dualité de la théorie frégéenne comme étant topiquement fondée ? Un texte du Nachlass [13] confirme la nécessité de distinguer deux points de vue possibles sur la question de la définition.

Les œuvres « techniques » comme la *Begriffsschrift* ou les *Grundgesetze* traitent de la définition comme « partie du système de la science ». Selon ce point de vue que nous dirons « intrasystématique », la définition apparaît comme une simple tautologie, qui, par l'identité qu'elle pose entre deux expressions, n'accroît en rien l'information contenue dans la suite déductive où elle intervient. Mais ce point de vue intrasystématique qui ne concède à la définition que le statut formel de tautologie répond à l'ordre *objectif* des significations, non à l'ordre *subjectif* de leur acquisition. Doit-on s'étonner de cette prise en compte du subjectif, de « l'activité de l'esprit » qui mène à la définition, de la part d'un philosophe qui pose comme principe premier de ses *Grundlagen* « la séparation du subjectif et de l'objectif » ? Ce serait manquer la véritable finalité de ces considérations. Leur but n'est ni d'élever la représentation au rang d'objet de la logique ni d'analyser la définition comme une activité mentale spécifique de division ou de construction, mais, tout au contraire, de situer ce travail préliminaire à l'édification du système, en tant que moyen d'accès intuitif à la structure logique (*Die Einsicht in den logischen Bau, die sie gewärt...*).

Ces réflexions sur la genèse et sur l'acquisition de la définition ont en outre une seconde motivation. Frege est confronté à la nécessité d'expliquer le système, d'en expliciter la structure, d'en justifier les définitions, en un mot, de montrer que la formalisation qu'il propose engendre bien l'arithmétique. Ce travail à la fois critique et métasystématique, amorcé dans les *Grundlagen*, amplifié dans de nombreux textes du *Nachlass* (en particulier ceux qui sont réunis sous le titre *Ueber die Grundlagen der Geometrie*), consiste essentiellement à évaluer à la fois dans leur méthode et leur contenu les autres approches de la définition. Ainsi s'éclaire la série d'exigences portant sur la vérité, la fécondité, l'utilité de la définition. Dire qu'une définition est fausse, ce n'est pas revenir sur la nature conventionnelle de la stipulation qui l'institue, c'est contester à la fois le sens et la dénotation d'un signe pris comme *explicatum*, dénier, par exemple, que le nombre soit une suite d'unités. C'est donc en vertu de la même nécessité critique ou métasystématique que Frege dénonce les définitions ornementales, implicites, conditionnelles ou fractionnées, en montrant que ce ne sont là que des définitions *apparentes*, et qu'il s'attaque aux définitions du nombre proposées par les traités d'arithmétique. Il y a ici une *importance* propre de la définition, qui relève moins de son statut *logique dans* le système que de la *compréhension* du système :

> « La véritable importance (*Bedeutsamkeit*) de la définition réside dans la construction logique à partir des éléments de base.(...) L'examen logique qu'elle permet n'est pas seulement en soi précieux, mais est aussi condition de l'examen de la liaison logique des vérités. » (*K.S.*, 289)

Affirmation qui n'est contradictoire avec les textes où Frege qualifie de « logiquement inessentielle » la définition que si l'on se borne à une lecture superficielle. Le choix des termes :« examen » de la construction logique, « examen » de la liaison des vérités, indique que la véritable pertinence de la définition est *épistémologique* et non *logique*. Nous retrouvons ici une distinction familière à Bolzano, et qui semble bien être inséparable de la double valeur des propositions d'un traité. Un parallèle pourrait être fait entre le statut des propositions analytiques dans la *Théorie de la Science* et celui des définitions dans l'oeuvre de Frege. Pour Bolzano, les propositions analytiques sont objectivement moins riches de contenu que les propositions synthétiques correspondantes, mais elles ont pourtant un rôle à jouer dans un traité scientifique. Une chose en effet est le système de la science, comme ensemble objectif de vérités entretenant entre elles des relations objectives de déduction et de conséquence. Autre chose l'appréhension que nous pouvons avoir du système, laquelle désigne la fonction propre du traité. C'est la même distinction que suggère ici Frege en évoquant l'« examen » auquel nous soumettons les concepts grâce à la définition. Celle-ci ne peut donc manquer d'avoir une signification différente (au sens double de *Bedeutsamkeit* : « signification » et « pertinence »), suivant que l'on adopte le point de vue du système ou celui de la recherche et de la justification du système. Il nous faut à présent saisir toutes les conséquences de cette double et inégale thématisation de la définition.

Le travail préliminaire à l'introduction d'une définition, rappelle Frege, peut être de deux espèces. Ou bien il consiste à décomposer un concept déjà donné, utilisé par exemple dans la théorie naturelle de l'arithmétique. Ou bien il se présente comme une construction, c'est-à-dire comme une combinaison nouvelle d'éléments connus, comme Dedekind en donne l'exemple avec son concept de coupure. On se souvient de la radicalisation apportée par Kant à l'opposition entre ces deux types d'activités, rapportées par lui à des facultés différentes et donnant lieu à des définitions distinctes dans leur méthode et dans leur résultat. La définition constructive du mathématicien peut déterminer effectivement et complètement son objet. Dans la décomposition – par exemple, dans la définition philosophique –, la complétude n'est pas garantie, et ce n'est pas un objet qui se trouve déterminé ; c'est une signification qui se trouve fixée. Il est intéressant de voir comment Frege transpose ces données de la problématique critique dans sa propre philosophie réaliste : il verse tout le dossier de la distinction donné/construit au registre de ce que nous appellerons le « présystématique » :

« Et donc *il revient au même* pour le système des mathématiques que cette activité antérieure soit décomposante ou constructive, que ce qu'il y a à définir soit déjà donné auparavant d'une manière quelconque ou bien soit fraîchement gagné. Car dans le système, aucun signe (mot) n'apparaît avant la définition qui l'introduit. Ainsi, pour le système, toute définition est une dénomination, sans distinguer par quel chemin on y est parvenu. » (*K.S.*, 290, *i.n.*)

Le rejet en deçà du système de la distinction *Zerlegend-Aufbauend* s'accompagne du côté du système de la dissolution de l'opposition entre le nominal et le réel. Le système procède bien par manipulation de signes, *in abstracto*, mais les concepts qu'il engendre n'en sont pas moins *effectifs* (*wirklich*). Cette réconciliation entre le procédé purement opératoire et la portée authentiquement constructive de la définition constitue précisément la condition de possibilité de l'interprétation réaliste du système. Mais il fallait bien supprimer toute *hétérogénéité* entre les constituants, qu'ils soient obtenus par décomposition de concepts tenus à tort pour élémentaires par les théories naturelles ou qu'ils entrent en composition dans des formules avec d'autres concepts « fraîchement » dérivés dans le système. Le problème que tout réductionnisme doit résoudre en premier lieu est justement d'assurer que la construction recouvre la réduction, sans aucune préséance épistémologique de l'une sur l'autre dans le cas où, comme chez Frege, la réduction s'effectue dans un esprit « réaliste ».

Au-delà de la définition, on voit que c'est la conception du *symbole* qui est directement affectée par la réconciliation du nominal et du réel qui rend au nominal la puissance du réel et qui soumet le réel à l'ordre du symbole. Si la définition mathématique était réelle au sens de Kant, c'est-à-dire si elle formait son objet *in concreto*, elle aurait, selon la formule de Frege, « le privilège d'introduire l'objet ». On pourrait en conséquence supposer « qu'il ne peut être donné que d'une seule manière » (*G., A.*, § 67,78). Mais la possibilité d'un développement systématique suppose que la définition ne donne qu'un des accès à la dénotation, sans fermer les autres voies possibles vers le même référent. Derrière le refus de séparer le nominal et le réel, il y a l'assise de la théorie de l'identité et la distinction entre sens et dénotation qui en est la pièce maîtresse (cf. chapitre III). On se demandera alors sous quelles contraintes *la définition est habilitée à jouer sur les deux tableaux, c'est-à-dire produire un objet et composer des symboles* : qu'est-ce qui rend la définition frégéenne capable de conjoindre l'arbitraire de la *Namengebung* à l'effectivité de la construction d'une dénotation ? Il est clair que la réponse à cette question doit conjoindre des règles formelles qui garantiront la grammaticalité des formules construites et des règles sémantiques permettant d'interpréter les expressions bien formées. L'originalité de la solution frégéenne consiste à poser comme thèse métasystématique fondamentale le caractère indissociable de l'élaboration syntaxique et de l'interprétation sémantique. Ainsi s'énonce en effet « le principe supérieur des définitions » :

« Les noms correctement construits doivent toujours dénoter quelque chose. » (*Rechtmässig gebildete Namen müssen immer etwas bedeuten*) (*G.*, I, § 28, 45)

Reste ici à comprendre le sens de ce *müssen*. Nous y discernons évidemment la valeur d'une condition de possibilité de l'*Aufbau*. Si la présentation systématique de la science a une valeur, c'est à la condition que les suites déductives ne soient pas simplement un jeu sur les signes, mais renvoient à un ordre objectif des vérités et des concepts. Pour comprendre la nécessité que revêt chez Frege ce principe, il faut évoquer la critique qu'il adresse aux arithmétiques formelles dans les *Lois fondamentales*. Admettons en effet l'hypothèse d'un système conçu comme un ensemble de figures gouvernées par des règles, comme celui de E. Heine ou celui de J. Thomae (*G.*, II, §86 à 137, 96-139). Les règles sont conçues comme de simples stipulations arbitraires. Aucune contrainte ne pèse sur les symboles de renvoyer à des objets antérieurement donnés. Dans un tel système, « les signes sont tout ». Ils ne représentent rien et par conséquent ils n'ont pas de référence au sens frégéen du terme. S'il fallait qualifier leur contenu, on pourrait dire qu'il consiste dans leur « comportement par rapport aux règles. » Si elle s'avérait opératoire, une telle fiction aurait l'intérêt que lui ont attribué ses auteurs, c'est-à-dire de développer des méthodes de calcul sans s'embarrasser des « difficultés métaphysiques » liées à l'assomption de l'existence des nombres. Mais d'un point de vue frégéen, cette entreprise rencontre trois difficultés insurmontables.

Parlons d'abord de la *simplicité* et de l'*économie* escomptées de la transposition de l'arithmétique en jeu formel. Les choses apparaissent vite manquer de la clarté attendue. Le refus d'interpréter les signes rend déjà pénible et peu gratifiante la tâche démonstrative qui n'a pas dans sa progression l'appui de Pensées. Le calcul avance uniquement sur des configurations de signes et des règles de transformation. En outre, une analyse attentive du fonctionnement de ce jeu formel oblige à distinguer entre les *signes du jeu*, et leur mention dans la *théorie du jeu*. Les pièces reçoivent ainsi un double rôle, suivant qu'on les appréhende dans une configuration donnée du jeu (où elles sont dépourvues de référence), ou dans la métalangue (où elles font référence aux éléments du jeu). Mais il y a aussi un double rôle des règles, qui dans le jeu peuvent apparaître comme des stipulations arbitraires autorisant certaines transformations et en interdisant d'autres, alors que dans la théorie du jeu reparaissent les notions de déduction valide et de théorème. Cette double inscription complique à ce point la structure du système qu'on peut penser que celle-ci a été inventée pour porter la confusion à son comble. L'arithmétique formelle ne représente en rien une simplification et un allègement du travail de l'arithméticien.

Un second obstacle réside dans les possibilités d'*expan*-

sion d'un système purement formel de l'arithmétique. Sans accorder de référence aux éléments manipulés, comment se donnera-t-on des critères d'identité ? Non seulement un objet ou une fonction ne pourront être reconnus dans des formulations différentes, mais il sera même théoriquement impossible d'identifier un signe comme le même sous deux présentations ou occurrences distinctes. C'est en revanche l'existence d'une référence déterminée qui garantit la possibilité de reconnaître *l'identité* des signes et des entités qu'ils dénotent et *l'unicité* de la référence pour des expressions équivalentes.

Enfin le traitement purement syntaxique d'un système formel pose le problème de son *application*. Le jeu d'échecs n'a pas d'application parce que les configurations de jeu n'ont pas de référence. Comment, en suivant cette analogie, rendre compte du fait que l'arithmétique n'est pas un jeu mais une science, c'est-à-dire qu'elle est applicable ? La seule réponse possible à cette question consiste à considérer l'arithmétique comme un système de pensées, exprimées par ses formules et ses théorèmes. D'où son universalité. Toutes ses propositions dénotent une valeur de vérité : d'où sa nécessité. Insolubles dans une conception formaliste, ces trois types de problèmes mettent en évidence *a contrario* le triple rôle d'une construction simultanée des noms et des références. *Cognitif*, en tant que l'intuition du mathématicien s'appuie sur l'existence d'un contenu de pensée. *Démonstratif* en ce que l'expansion des axiomes s'appuie sur la mise en évidence de l'identité des références. *Fondationnel* enfin, puisqu'il aurait été impossible de fonder l'universelle applicabilité de l'arithmétique si les signes n'étaient gagés sur des dénotations, si les propositions n'étaient gagées sur la vérité.

Le principe supérieur des définitions vaut ainsi d'abord comme exigence *a priori* qui s'impose à tout système. Mais il doit être assorti de *règles* qui garantissent la correspondance demandée entre construction correcte et dénotation. Ces règles sont à leur tour de deux ordres. Il faut démontrer qu'une fois que l'on dispose de noms simples dénotants, on peut les utiliser dans une construction qui formera de nouveaux noms dénotants. Ces règles relèvent de ce qu'on pourrait appeler la dérivation *formelle* des dénotations. Mais il faut également démontrer qu'il y a des noms simples dénotants. C'est là l'affaire de l'équivalent de la déduction *transcendantale* de Kant. La dérivation formelle est entreprise par Frege au paragraphe 29 des *Lois fondamentales*. Elle consiste à donner les règles de formation d'expressions bien formées à partir d'expressions antérieurement dérivées, et, simultanément, à apporter la preuve que l'expression nouvelle a une interprétation : ou bien elle dénote une valeur de vérité, ou bien elle entre dans l'expression d'une valeur de vérité. Il y a en fait deux procédures pour introduire une expression dénotante. On peut obtenir des noms de fonction dénotants à partir de noms propres déjà reconnus dénotants. Il suffit ici de saturer l'expression fonctionnelle à tester au moyen de noms propres dénotants. Si le nom propre obtenu dénote à son tour dans chaque cas, l'expression fonctionnelle a elle-même une dénotation. Cette « première manière » consiste à aller de la dénotation de l'argument et de celle de la proposition complète à la dénotation de la partie fonctionnelle. Le prédicat est ainsi construit au moyen des dénotations saturées, c'est-à-dire par saturation anticipée.

Une « seconde manière » consiste à l'inverse à gagner des noms de fonction dénotants par désaturation de noms propres composés. On ménage ainsi une place d'argument là où figurait une constante. Mais, de même que l'on peut utiliser les noms propres soit pour saturer un nom de fonction à éprouver, soit comme creuset d'une expression fonctionnelle obtenue par suppression d'une composante du nom propre, on peut également *combiner* ces procédures pour construire réciproquement des noms propres dénotants à partir de noms de fonction dénotants. Soit que la fonction, saturée par le nom propre à tester, redonne un nom propre dénotant. Soit que l'on prenne la fonction comme argument d'une fonction de second ordre à tester : celle-ci sera dénotante si le tout où elle entre est encore dénotant. Ainsi ces règles font de l'écriture formulaire un procédé de construction *effectif* à condition qu'on y respecte les clauses gouvernant la liaison entre les diverses composantes, et, en particulier, à condition qu'on observe la spécificité des marquages de places d'argument par les lettres gothiques ou latines (indiquant respectivement des variables liées ou libres), et qu'on ne confonde pas les expressions fonctionnnelles avec les noms d'objets.

Reste pourtant encore à faire la preuve qu'*il y a* des expressions simples dénotantes, utilisables comme « *Bausteine* », c'est-à-dire à appuyer la dérivation formelle sur une déduction transcendantale. Ce que fait Frege : une fois exposé le principe de compositionalité des dénotations, ainsi que les règles afférentes au paragraphe 29, Frege se livre au paragraphe 31 à la dérivation du contenu sémantique du vocabulaire de base. Il s'agit maintenant de montrer que les règles précédentes s'appliquent *aussi* aux noms de *fonctions élémentaires* sur lesquels s'édifie tout le système. La première pierre de l'édifice, comme condition de possibilité de toute la dérivation sémantique subséquente, est posée et non démontrée :

« Nous partons du fait que les noms de valeurs de vérité dénotent quelque chose, c'est-à-dire le vrai ou le faux. » (*G.*, I, § 31, 48)

Le vrai et le faux sont ainsi les deux objets qui forment la base référentielle du système. Le second pas est effectué en testant la fonction $—\xi$ et son complément $\dashv \xi$. Car si l'on prend comme valeur d'argument de ces deux fonctions les objets de base, il est clair que le résultat est chaque fois défini. C'est l'une des deux valeurs de vérité. Les deux expressions fonctionnelles sont donc bien dénotantes. Le même exercice est ensuite répété au bénéfice des noms de fonction respectifs de la condition, de l'égalité (en prenant à nouveau comme arguments les valeurs de vérité) et de la généralité. Enfin Frege s'attaque au problème « moins simple » de la dérivation sémantique de l'expression du parcours de valeur « $\overset{\,\,\check{}}{\varepsilon}\,\varphi\,(\varepsilon)$ » :

> « La chose est moins facile pour $\overset{\,\,\check{}}{\varepsilon}\,\varphi\,(\varepsilon)$; car nous introduisons ici non seulement un nouveau nom pour tout nom de fonction de 1er ordre à un argument (parcours de valeur) et justement pas seulement pour ceux qui sont déjà connus, mais à l'avance pour tous ceux qui peuvent encore être introduits. » (*G., ibid.*, 49)

On sait combien la déduction de cet objet est capitale pour le propos frégéen, puisque la définition du nombre suppose établie la dénotation de cette expression. Frege décompose ici la difficulté en deux étapes. D'abord, il faut démontrer qu'un « vrai nom de parcours de valeur », pris comme argument d'expressions fonctionnelles déjà reconnues dénotantes, $-\xi$ et $\top\!\!\!-\xi$, redonne un nom propre dénotant. Ensuite, que mis en position d'argument pour les fonctions de condition et d'égalité déjà testées, il forme avec chacune d'elles le nom d'une fonction de 1er ordre à un argument. Déduction capitale, mais qui est le talon d'Achille du système. Car si l'inférence

[f(x) expression bien formée dénotante $\Rightarrow \overset{\,\,\check{}}{\varepsilon}\,f\,(\varepsilon)$ nom propre bien formé dénotant]

est valable dans la majorité des cas, elle cesse d'être valide lorsque le parcours de valeur est pris lui-même comme argument de la fonction qui a servi à sa construction. Cette procédure, nommée « imprédicative » par Russell, est considérée par Frege à l'époque de la rédaction du premier volume des *Lois fondamentales* comme garantie par sa conformité aux règles générales de dérivation sémantique exposées plus haut ; il paraît cependant évident que ce sont ces règles qui demanderaient révision, et non pas simplement l'objet « parcours de valeur [14] ».

L'existence de cette déduction des dénotations permet à Frege de justifier ce qui rend *effectives* les définitions du système. Ce n'est pas la définition comme abréviation qui peut rendre compte de cet aspect, mais bien l'architecture logique qui, avec l'appui du principe de compositionalité des dénotations, élabore des expressions qui sont *a priori* pourvues de référence. Nous comprenons aussi qu'il n'y a aucune contradiction à exposer une théorie stipulative de la définition et à exiger en même temps de toute définition qu'elle exprime en effet une dénotation. Ce dernier réquisit correspond à un principe constructif général, qui vaut bien au-delà du cas particulier où la définition vient condenser en un signe une genèse formulaire donnée. Les réflexions précédentes permettent maintenant d'établir une seconde « ambivalence fonctionnelle » de la définition. Dans les pages qui précèdent, nous avons vu ce qui fait d'elle l'instrument d'une capacité cognitive finie, laquelle s'appuie sur des marques extérieures faute de pouvoir ressaisir l'ensemble des pensées et de leurs relations avec une précision sans défaut. Or le premier principe de la définition lui impose de pouvoir *toujours* déterminer, de *tout* objet, s'il tombe ou non sous le concept défini. Ce principe de « détermination complète » qui « correspond » dans l'esprit de Frege à l'exigence plus générale de dénotation des expressions bien formées transcende au contraire la finitude de notre savoir :

« Il ne doit y avoir aucun objet pour lequel la définition ne permet pas de décider s'il tombe ou non sous le concept, même s'il ne nous est pas toujours possible, à nous autres hommes, du fait de notre savoir lacunaire, de décider de cette question. » (*G.*, II, § 56, 69)

L'effectivité de la définition qui détermine l'interprétation « réaliste », descriptive, de l'analyticité comme propriété « transformulaire » du système objectif de la science passe ainsi par un principe régulateur plutôt ontologique que strictement sémantique. Le principe de détermination complète enjoint à l'*Aufbauer* de calquer ses constructions sur les extensions et sur les fonctions « en soi ». Sans doute, l'application inconditionnée de la variation reste hors de notre portée. Ce qui est à notre portée en revanche, c'est de conformer le statut de la définition dans le système au rôle qui lui revient de consigner l'organisation objective des êtres mathématiques, fonctions et objets. D'où les objections que Frege adresse aux mathématiciens de son temps dans leur usage des définitions. On pourrait en résumer l'esprit en disant que ces mathématiciens n'ont pas su comprendre la portée référentielle de l'analyticité du système, et par suite ont ignoré trois types d'exigences destinées à la préserver. Le principe de *complétude* conduit Frege à refuser les définitions *conditionnées* ; le principe de la *continuité* formulaire (qu'enfreignent les définitions fractionnées) doit attester à la fois la correction et l'organisation intrinsèque du concept dénoté. Enfin, le principe de simplicité est remis en cause par les définitions par postulats. Effectivité, continuité et légitimité absolue, ces trois traits caractérisent précisément les formules du système en tant qu'analytiques : examinons de plus près ce qui arrive lorsqu'une définition enfreint l'un ou l'autre de ces principes.

L'incomplétude des définitions conditionnées

Une définition qui ne respecterait que des règles syntaxiques de construction resterait de portée seulement nominale. Tel est le cas des définitions « conditionnées » de Peano, qui échouent à déterminer une dénotation faute de valoir absolument :

> « Les définitions conditionnées que vous donnez souvent, écrit Frege à Peano, je les rejette parce qu'elles sont incomplètes, parce qu'elles disent seulement pour certains, et non pour tous les cas, que la nouvelle expression doit dénoter la même chose que l'expression qui sert d'explication. Et ainsi

elles manquent leur but, à savoir donner une dénotation à un signe. » (*N.*, II, 182)

Ce refus d'utiliser la restriction du domaine de variation des fonctions définitionnelles a pour contrepartie la licence – que Frege comme Bolzano n'a jamais songé à remettre en question – d'admettre comme fausses des propositions que l'on pourrait tout aussi bien écarter comme dépourvues de sens (*L.M.*, *N.*, I, 262), au contraire de Peano (*N.*, II, 192). On peut penser que Peano n'a peut-être pas tort de considérer que la querelle de Frege relative aux définitions conditionnées « se réduise à une simple question de notation ». A condition d'ajouter que cette question de notation n'est pas dénuée de signification philosophique. Elle marque la différence entre la construction d'un système formel clos et limité au traitement d'un domaine partiel, et l'édification dans un langage universel d'un système interprété, conçu comme calqué sur un référentiel « absolu ».

L'incertitude des définitions fractionnées

Au paragraphe 4 de la première partie du *Formulaire* de Peano, on lit la définition suivante de l'égalité entre classes :

a,b, ∈ K ⊃ : a = b. =. a ⊃ b. b ⊃ a (Def) (p. 5)

Cette définition implique l'existence d'autres définitions valant pour d'autres domaines de variation. Ainsi, la définition de l'égalité doit être reformulée pour les entiers, les rationnels, les irrationnels, les imaginaires etc. La « définition fractionnée » (*Stückweise Definieren*) paraît ainsi être la suite naturelle de la définition conditionnée et répondre de façon appropriée aux exigences d'une science en développement [15]. Mais du point de vue de Frege, l'équivalence entre définitions à référentiels

« absolu » ou « partiel » supposerait que soient satisfaits trois réquisits que l'on voit rarement simultanément remplis. D'une part, que les hypothèses successives épuisent effectivement les cas de valeurs possibles pour la variable ; ensuite que les domaines de spécification considérés par chaque définition partielle soient strictement disjoints [16] ; enfin, qu'aucun symbole à définir ne soit utilisé dans des théorèmes comme s'il était défini *avant* d'achever la série des spécifications. Or, c'est précisément une telle possibilité qui constitue aux yeux des mathématiciens l'avantage de la procédure de définition partielle. C'est parce qu'il est sensible à ce caractère opératoire et heuristique du symbole que Peano n'écarte pas une « diversité d'opinions » sur ce que les signes dénotent en fait. « Enormité », commente Frege (*ein grosses Wort*) : le sens doit être fixé d'emblée pour que la science soit possible. Sans un accord préalable sur ce que dénotent les signes, il n'y a pas de compréhension possible entre mathématiciens, pas de vérité possible pour les énoncés. Examinons de quoi est faite une définition fractionnée : si le premier élément de la série qui la constitue ne fournit pas une définition complète, ce n'est pas même une définition. Mais si elle est définit bien son objet, de deux choses l'une : ou bien elle « trace les mêmes frontières » que les définitions suivantes ; mais la succession discontinue des définitions compromet alors la *continuité démonstrative* de l'édification systématique, c'est-à-dire l'analyticité du système. Ou bien elle ne dénote pas le même objet que les suivantes, et dans ce cas les contredit, quoique la contradiction soit rarement patente du fait du morcellement de l'explication [17]. Le formaliste ne partage pas l'inquiétude de Frege car il n'attend pas de son système la détermination objective qu'en attend le logiciste. Pour ce dernier, l'édification du système suppose que l'analyticité soit établie au plus près de la constitution »organique« des êtres mathématiques : elle ne souffre aucun accommodement, aucun artefact constructionnel.

Les « définitions-postulats »

Le troisième principe, dit « principe de simplicité » est typiquement enfreint par les formalistes. Il pose en effet que :

> « Le nom défini doit être simple ; c'est-à-dire qu'il ne doit pas être composé de noms inconnus ou restant à expliquer ; car sinon il serait douteux que les explications de noms fussent en accord les unes avec les autres [18]. » (*G.*, I, § 33, 51)

Une définition pour Frege doit se présenter comme une équation à une inconnue accompagnée de sa solution : on ne doit plus avoir à démontrer l'existence ou l'unicité de la solution puisque les règles de construction des formules dénotantes les ont déjà garanties. Mais il ne faut pas se méprendre sur la fonction de l'*indication* (*Andeutung*) : son rôle est de représenter des concepts ou des objets, non de les déterminer. On connaît déjà les règles de la représentation : si le *definiendum* est une expression de fonction, il faut maintenir ouverte dans l'expression du *definiens* une place d'argument (au moins) ; s'il s'agit d'un nom propre, la lettre latine figure dans la définition avec mission de représenter le nom propre. Tant que le remplacement de cette indication par un nom propre dénotant n'est pas effectué, l'équation définitionnelle n'a pas à proprement parler de sens, mais c'est le schéma d'une pensée vraie possible. Il en va tout autrement si, dans l'esprit formaliste, l'indication qu'assure le symbole a pour office de circonscrire un *espace de jeu* dans lequel doit se situer le sens de l'expression définie. Ainsi, dans la procédure hilbertienne, les axiomes sont considérés comme autant de caractères qui concourent à définir les notions primitives : cette définition dite « implicite » selon le terme de Gergonne [19] consiste à énoncer les relations ou les propriétés essentielles à l'objet à définir. Comme c'est la totalité des axiomes qui compose la « définition » hilbertienne, l'objection relative au fractionnement s'applique ici. Mais une autre raison de refuser valeur définitoire à cette procédure concerne l'absence de détermination référentielle : au lieu de *fixer une dénotation,* elle laisse *deviner* ce qui est en question et admet une infinité de solutions [20]. Enfin pour Frege les axiomes sont non-contradictoires parce qu'ils sont vrais ; la mise en oeuvre de la définition hilbertienne suppose que l'on inverse ce rapport. Faire du vrai un résultat, pour Frege, c'est s'interdire d'y accéder jamais : la vérité des axiomes est ce qui fonde *a parte ante* la possibilité même du système ; c'est elle qui donne tout son sens à l'exigence d'analyticité. Il n'y a pas de procédure définitoire aveugle.

Résumons les points acquis.

1) Considérée du point de vue du système, la définition est une simple *stipulation* qui résume une construction de concepts ou d'extensions par un signe posé comme identique en sens et en dénotation à l'expression complexe. La syntaxe de la définition préserve parfaitement la *continuité* de la construction. Aucun saut ne se fait, ce qui rend la définition parfaitement éliminable. En d'autres termes, la substitution du *definiens* au *definiendum* est toujours possible.

2) Cette continuité syntaxique ne peut pourtant suffire. Elle s'appuie sur une déduction sémantique des « pierres de fondation » de l'édifice systématique, en sorte que l'on peut s'assurer *a priori* de la dénotation d'une définition en la soumettant aux trois exigences de complétude, d'univocité et de simplicité.

3) Si enfin la définition est effective dans le système, c'est qu'elle reste toujours subordonnée à des vérités antécédentes, dont la reconnaissance est indépendante de la définition. C'est dire que la définition est non créative. Elle ne doit pas rendre possible une déduction qui serait impossible sans elle. Réciproquement, aucune démonstration ne doit être nécessaire pour justifier l'intervention d'une définition, ce qui ne veut pas dire que toute légitimation philosophique, c'est-à-dire épistémologique ou

mieux : présystématique, soit elle aussi à proscrire. Le discours *sur* la définition constitue au contraire le lien entre l'édification formelle, intrasystématique, et la saisie « intuitive », présystématique, des objets et des concepts. En lui se réconcilient l'activité décomposante du premier stade de la recherche et la construction proprement dite. Mais il faut garder en mémoire qu'un tel discours est aux frontières entre la logique et l'épistémologie entendue comme « psychologie » de la connaissance.

Chapitre 3

IDENTITÉ OBJECTUELLE ET ANALYTICITÉ DU SYSTÈME

Pour comprendre la mutation que Frege fait subir à la définition, il faut clarifier la relation qui unit le *definiens* au *definiendum*. Frege pose que cette relation ne se réduit pas à une simple *équivalence*, mais est l'expression d'une véritable *identité*, conçue comme coïncidence d'un objet avec lui-même. Une telle interprétation de l'identité assure la possibilité d'une réduction comprise comme la mise en évidence de l'essence logique de l'arithmétique, et, par conséquent elle est étroitement dépendante, du point de vue topique, de la valeur de l'analyticité comme ciment systématique. L'enjeu de la réduction eût-il été plus modeste, d'autres solutions auraient pu être choisies. Frege aurait pu distinguer, comme Russell et Peano, le signe d'égalité de la définition du signe d'égalité qui figure dans les équations mathématiques. Mais il aurait fallu alors renoncer à la « reconnaissance » de l'identité qui se produit dans les « bonnes » définitions, pour se limiter à n'y voir qu'une stipulation arbitraire, ce que fait Russell dans une lettre où il répond sur ce point à Frege [21]. Si l'on garde en mémoire les contraintes que Frege impose à la définition, on comprend qu'il ne lui restera finalement pas d'autre possibilité que d'invoquer l'indéfinissabilité de l'identité. Reconnaître que l'identité de la définition forme un cas différent de celui des identités de la théorie obligerait à prendre parti entre deux possibilités également intenables pour Frege :

— soit à admettre l'équivocité constitutionnelle du signe « = » : ce que Peano peut en revanche accepter sans difficulté, puisqu'il n'a pas le souci d'ancrer sa construction dans un référentiel objectif ;

— soit à en rabattre sur les prétentions descriptives du système, en déclarant que la construction est purement arbitraire : mais si le système cesse d'avoir les attributs d'un développement organique pour ressembler à l'ouvrage discontinu d'une *technê*, il perd aussi tout intérêt fondationnel. Pour caractériser la manière dont Frege conçoit la relation entre les éléments du système, il faut rappeler l'opposition que fait Trendelenburg dans ses *Recherches logiques* :

« Dans l'organique tout est développement (*Entwicklung*), ce n'est que dans le travail artisanal qu'il y a de la juxtaposition (*Zusammensetzung*). » (*Logische Untersuchungen*, Berlin, 1840, t. II, p. 7l)

Le système est organique ou il n'est pas. L'analyticité perd toute efficience si elle s'établit par une composition mécanique, c'est-à-dire par le biais d'*artifices* de construction. L'identité frégéenne est donc mêlée à l'hypothèse de l'analyticité en ce qu'elle doit parvenir à annuler toute distinction — ruineuse pour un projet dont le réductionnisme est d'inspiration réaliste — entre l'identité *métalinguistique*, qui pose des équivalences entre les formulations, et l'identité *intrathéorique* qui gouverne par exemple les égalités numériques. On sait comment Frege parvient à adapter l'identité à ce double rôle en sorte de justifier un traitement homogène du signe d'égalité. Il fait assurer la dualité fonctionnelle non pas par une distinction entre des relations d'identité spécifiques, mais par une distinction qui porte sur les dimensions fondamentales de tout signe. Chaque nom a un *sens* et une *dénotation*. Une identité « métalinguistique » n'est pas une catégorie particulière de « *Gleichheit* », mais une relation d'égalité entre des noms pris entre guillemets. C'est leur sens habituel qui, dès lors, est dénoté. Réciproquement, une identité « intra-théorique » pose simplement la coïncidence de dénotation entre deux expressions dont le sens peut être différent. Il n'y a donc qu'*une* identité, de portée « absolue » ou « objectuelle [22] » puisqu'elle exprime la coïncidence complète de dénotation entre les signes qui sont à gauche et ceux qui sont à droite du signe d'égalité. C'est précisément l'univocité de l'identité ainsi comprise qui fonde la valeur *descriptive* du système et conjure les soupçons d'artifice qui pourraient laisser planer une incertitude sur la valeur de la reconstruction.

Mais l'identité intervient encore à un autre titre dans la mise en oeuvre frégéenne de l'analyticité comme concept métasystématique. En effet, à partir de la distinction entre le sens et la dénotation d'un signe, Frege *déplace* le critère kantien de l'analyticité – et de son corrélat, la synthéticité – : « l'élargissement de la connaissance » cesse de constituer l'apanage du synthétique et s'interprète maintenant comme le passage d'un *sens* à un autre, sans encore préjuger de la *nature* (analytique ou synthétique) de ce passage. Une enquête plus précise sur les conditions de la découverte de l'identité de dénotation est nécessaire pour que l'on puisse se prononcer sur la nature de l'identité en question. Si la vérité du jugement identique peut être démontrée *a priori* à partir des seules lois logiques, l'identité sera analytique ; elle ne sera pas pour autant toujours livrée dans une évidence immédiate, dans les cas non triviaux où le sens des deux termes est différent. Si au contraire la preuve de l'identité de dénotation exige le recours à l'observation, l'identité sera synthétique. Ainsi la différence *épistémologique* qui servait à Kant de critère fondamental de l'analyticité et de la synthéticité d'une proposition doit être interprétée comme une différence *sémantique*. Mais le critère finalement retenu par Frege n'est ni épistémologique ni même sémantique. Il est logique ou « métasystématique » (au sens qui est précisé au chapitre I de cette section) en ce qu'il s'appuie sur le type de validité démonstrative qui fonde la vérité de l'identité.

Que la contribution de l'identité au succès de ce que nous avons appelé « l'hypothèse de l'analyticité » de l'arithmétique doive ainsi être *double*, sous la forme de la distinction sémantique entre sens et dénotation *et* sous l'aspect complémentaire de l'interprétation « objectuelle » de la relation d'identité (comme coïncidence de dénotation entre des signes) n'est pas apparu immédiatement à Frege. Nous allons voir que c'est la *conjonction* de ces thèses, et non, comme on le croit en général, la démonstration de la première d'entre elles, qui fait la nouveauté radicale de l'article *Sens et dénotation*.

L'abondance des commentaires prenant pour objet la première page de « Sens et dénotation » est l'indice du problème qui nous intéresse ici [23]. Frege y annonce qu'il abandonne la thèse qui fut la sienne à l'époque de la *Begriffsschrift*, à savoir que l'identité est une relation « entre des signes d'objet ». Il en finit ainsi avec une conception « extrinsèque » de l'identité, et c'est sur ce point qu'il situe lui-même la révolution conceptuelle proprement dite de l'article de 1892. Il est évidemment tentant de retenir de l'article une leçon tout autre et d'interpréter comme seule vraiment décisive l'introduction de la distinction désormais classique entre *Sinn* et *Bedeutung*. Une mise en parallèle de ce célèbre article avec le paragraphe 8 de la *Begriffsschrift* apporte pourtant la preuve que ce n'est pas la distinction en question qui est neuve, mais une autre thèse qui, il est vrai, métamorphose à la fois la distinction telle qu'elle était ébauchée dans la *Begriffsschrift* et le statut de l'identité.

Quelle est « l'illusion » que Frege cherche à dissiper dans le texte de 1879 ? C'est la fausse impression que l'identité, comme relation entre des noms de même « contenu », puisse concerner seulement *l'expression* et non la *pensée*, en sorte qu'en définitive on puisse parfaitement se passer d'elle dans une écriture formulaire. La formulation du problème montre que Frege cherche à concilier une interprétation « métalinguistique » de l'identité avec le fait qu'un jugement d'identité puisse « concerner la chose même », c'est-à-dire ne pas se réduire à une « pure affaire de forme ». Comment parvient-il à supprimer cette « illusion » ? Très clairement par les mêmes moyens que ceux qu'emploiera « Sens et dénotation ». Si l'on passe sur une différence terminologique, on retrouve aisément sous les termes « manières de déterminer un contenu », et « ce qui est donné », ce qui sera distingué plus tard comme constituant respectivement le sens ou « la manière dont un objet est donné », et la dénotation. En outre, l'exemple géométrique de 1879 annonce l'exemple voisin qui apparaît dans le texte de 1892 : soit A un point fixe pris sur la circonférence d'un cercle. Supposons qu'un faisceau de droites tournent autour de A. Appelons B le point qui est à l'intersection de chacune de ces droites et de la circonférence. Si l'on considère la droite tangente en A, le point B est confondu avec le point A. Le nom A et le nom B ont dans ce cas précis le même « contenu », « et pourtant il était impossible de n'utiliser par avance qu'un seul nom, car ce n'est que par la réponse que cela devient légitime ». L'existence des deux noms pour le même référent est ainsi fondée sur la différence objective entre des « façons de déterminer » le même objet. L'interprétation de l'exemple est pleinement conforme à la distinction ultérieure : c'est la différence entre les manières de déterminer le référent – à laquelle correspond la différence entre les noms – qui explique la valeur cognitive des jugements d'identité et fait qu'ils concernent « l'essence de la chose même ». Ici pourtant l'analogie entre les deux textes tourne court. Car, emporté par sa démonstration sur la différence objective entre les deux *Bestimmungsweisen*, Frege en vient à faire une concession au kantisme qu'il ne pourra manquer de regretter :

« Dans ce cas, écrit-il, le jugement qui a pour objet l'égalité de contenu est synthétique au sens de Kant. » (*B.*, § 8, p.15)

Concession de taille, puisqu'elle conduit à donner aux identités mathématiques le statut de propositions synthétiques au même titre que les propositions de la géométrie, dès lors qu'on leur reconnaît un intérêt pour la connaissance. Frege n'admet-il pas ici implicitement que les propositions de l'arithmétique (dont il a indiqué dans la préface le caractère logique et *a priori*) sont en fait *synthétiques a priori* – en substituant à vrai dire les lois logiques à l'intuition pure de Kant dans le rôle constructif ? Le texte de 1879 présente un état transitoire de la réflexion frégéenne sur la portée théorique du concept d'analyticité. L'emploi que fait Frege de l'expression kantienne « ... ne sont pas une pure affaire de forme » montre que la problématique kantienne s'insinue encore dans une conception de la logique pourtant opposée à celle de Kant. On se souvient en effet que pour Kant la logique est « pure affaire de forme ». C'est de ce trait qu'il déduit la stérilité des jugements analytiques. Il y a donc une certaine difficulté à maintenir, comme le fait Frege en 1879, que la propriété des jugements synthétiques est d'être porteurs de connaissance, alors que l'on tente par ailleurs de libérer la logique du ghetto de la « forme indifférente au contenu ». Il appartiendra aux *Grundlagen* de consommer la rupture avec le critère kantien – que Frege persistera à reconnaître comme identique au sien, mais, comme on le verra, conformément à des contraintes topiques particulières – d'une part en identifiant l'opposition analytique/synthétique avec l'opposition qui ouvre la *Begriffsschrift* (entre propositions déductibles de vérités logiques et vérités de fait), et d'autre part en distinguant complémentairement lois générales de la logique et axiomes

lement *a priori*, mais non logiques) des sciences particulières. Alors seulement la logique verra-t-elle reconnue sa fécondité. Les identités deviendront à la fois et de plein droit analytiques et informatives.

Mais la thèse de la synthéticité des identités « cognitives » dispose encore d'une seconde caution, dans le paragraphe 8 de la *Begriffsschrift* : elle est solidaire de la thèse du double rôle des signes, thèse qui, à son tour, va de pair avec une conception « métalinguistique » de l'identité. C'est sur ce point que *Sens et dénotation* introduit un bouleversement essentiel au destin de l'hypothèse de l'analyticité.

La thèse de « l'effacement des signes »

L'identité est présentée en 1879 comme une relation entre des *noms*. Afin de justifier ce fait d'exception dans la langue formulaire, Frege doit bâtir au pied levé une théorie du double usage des signes, tantôt représentants d'un contenu, tantôt se représentant eux-mêmes :

> « Tandis que d'ordinaire les signes représentent seulement leur contenu, en sorte que toute combinaison où ils entrent se borne à exprimer une relation de leur contenu, ils se mettent eux-mêmes en avant dès qu'ils sont reliés par le signe d'égalité. » (*Ibid.*, pp.13-14)

Si les relations d'identité portent sur des *signes*, il va de soi qu'une théorie de l'identité doit prendre l'une ou l'autre forme : ou bien on revendique une portée *objectuelle* de l'identité, conçue comme coïncidence physique : mais alors seules deux occurrences du même signe pourront former les termes d'une identité vraie, ce qui exclut les identités non triviales qui sont précisément les seules intéressantes. Une telle interprétation excluant par exemple que l'on puisse comprendre ce fait fondamental que 1/2 et 3/6 sont égaux, elle ne peut être retenue (*K.S.*, 108).

Reste alors cette autre solution : par « identité », on entend une relation entre des signes qui ont le même « contenu » (*Inhalt*). Mais on renonce du même coup à comprendre l'identité comme coïncidence complète, puisque les signes sur lesquels porte l'identité ne *coïncident pas*. La découverte de l'identité suppose que l'on examine la relation de chacun des signes à ce qu'il désigne (c'est-à-dire à son contenu). Mais cette relation n'est qu'un fait linguistique parfaitement contingent. Comme Frege le remarque dans « Sens et dénotation » :

> « On ne peut interdire à personne de prendre n'importe quel événement ou objet arbitrairement choisis pour désigner n'importe quoi. » (*K.S.*, 143)

Comment comprendre alors que, partant des mêmes prémisses, Frege en vienne à tirer maintenant (en 1892) une conclusion qui paraît contredire terme à terme celle qu'il tirait en 1879 :

> « Dans ce cas, la proposition a=b intéresserait, non plus la chose même, mais la manière dont nous la désignons. » (*Ibid.*, 143)

Il n'y a contradiction qu'à supposer que les prémisses sont restées les mêmes. Mais Frege entre temps a renoncé à la thèse de l'identité métalinguistique. Ce qui le contraint à l'abandonner, nous le savons déjà : si l'identité est une relation entre des *signes*, il faut limiter la portée de la construction. Le système vise à mettre en ordre un domaine de significations, mais les voies vers les entités désignées sont coupées. En outre, l'unicité de l'objet des mathématiques est laissée à la discrétion des langages utilisés. Pour rétablir la force constructive de l'identité « objectuelle » interprétée comme coïncidence complète, il fallait donc modifier profondément la *conception du signe* en sorte d'interdire ce retournement possible de la fonction représentative des symboles, devenant eux-mêmes objets mathématiques dans les égalités. C'est cette nouvelle conception qu'expose avec clarté « Sens et dénotation » :

> « Quand on use des mots de façon habituelle, c'est de leur dénotation que l'on veut parler. » (*Ibid.*, 144)

Cette nouvelle thèse permet à Frege d'ancrer l'ensemble du système dans « la chose même ». Le symbolique est un préliminaire extrinsèque à la saisie des significations. Sa fonction est d'*exprimer* un sens et de *désigner* une dénotation. Mais il n'est jamais opaque, en ce sens qu'un signe ne peut plus se mentionner lui-même : il est toujours désigné par un autre signe, et dans ce cas, son sens est la dénotation de ce nouveau symbole. Cette thèse est l'indispensable ingrédient de l'analyticité des identités mathématiques : une identité sur symboles eût exigé un apprentissage empirique des significations et donc eût revêtu une valeur synthétique. Mais si l'identité « traverse » les signes et concerne un « état de choses » objectif, à savoir le rapport d'une référence à ses sens, la démonstration *a priori* de l'identité dispose d'un fondement *indépendant du discours*.

Les réflexions précédentes permettent de tirer au clair les thèses fondamentales sur lesquelles Frege construit le concept d'identité.

1) Thèse de la portée objectuelle de l'identité : l'identité doit être comprise comme coïncidence complète.

2) Thèse sur l'usage des signes (ou thèse de l'effacement des signes) : les signes ne figurent jamais dans une proposition pour se représenter eux-mêmes, mais servent à désigner une dénotation.

3) Thèse de l'unicité d'emploi de l'identité : il n'y aura pas une relation d'identité métalinguistique distincte de l'identité figurant dans le système.

Nous avons vu comment ces thèses concourent à rendre possible l'hypothèse de l'analyticité. Il nous reste à comprendre comment elles inspirent ce qu'on pourrait appeler la « grammaire de l'identité ».

Si l'on recense les passages où Frege introduit le concept d'identité, on constate qu'il évoque quatre traits. D'une part, il présente l'identité comme ce que les mathématiciens pensent sous le concept d'*égalité*. D'autre part, il fonde l'identité dans une *propriété essentielle* de tout *objet*, d'être « sich selbst gleich », relation dont il faut rendre manifeste le caractère strictement logique. Mais il ne faut pas confondre ce principe purement logique avec sa version ontologique : chaque objet n'est identique à *rien d'autre que* soi-même. C'est le principe des indiscernables qui soutient cette dernière thèse, dont la nature strictement logique peut donner lieu à discussion. Enfin, Frege présente l'identité comme propriété de certaines formules du système, et ainsi l'éclaire sous l'angle de la syntaxe :

« Toutes les lois de l'identité sont en fait contenues dans la substituabilité, entendue sans aucune restriction. » (*G.*,§ 65, 77)

L'égalité comme identité

La réduction de l'égalité à l'identité est un pas essentiel de la logicisation de l'arithmétique, à la fois pour balayer définitivement la diversité des opinions qui prévaut en arithmétique sur la signification du signe « = » et pour démontrer sur ce concept clé l'intérêt du projet logiciste. Le passage, dira-t-on, est suffisamment préparé par la foule des logiciens qui, bien avant Frege, ont admis la coïncidence de l'égalité mathématique avec l'identité logique. Mais il revient à Frege de procéder à cette réduction de manière systématique, c'est-à-dire de concevoir ses termes primitifs et ses lois fondamentales en sorte de rendre opératoire une telle réduction. Si en effet l'égalité mathématique, interprétée comme identité, devient une relation assez générale pour s'appliquer aux nombres, aux termes d'une définition aussi bien qu'à des descriptions empiriques, c'est qu'un élargissement préalable du concept de *fonction* ainsi que l'assouplissement complémentaire de la notion d'argument, étendue à des objets qui ne sont pas des nombres, ont préparé le terrain d'une telle généralisation.

L'identité est donc une fonction de premier ordre, dont les arguments sont nécessairement des *objets*. Une égalité entre fonctions ne peut pas être directement construite dans l'écriture formulaire. Néanmoins, la relation « correspondante » peut être facilement obtenue par l'application de deux procédures. La loi V, d'un côté, qui justifie la transformation de la généralité d'une identité entre fonctions en une identité de parcours de valeurs et réciproquement, permet de déduire de l'égalité des extensions l'identité des fonctions correspondantes. D'un autre côté, la possibilité de réduire une fonction de second ordre à un parcours de valeur au moyen de la définition

$$\vdash \backslash \overset{\text{`}}{a} \left(\underset{\boldsymbol{u} = \dot{\varepsilon}\mathfrak{g}(\varepsilon)}{\overset{\boldsymbol{\mathfrak{g}}(a) = a}{\sqcap}} \right) = a \frown \boldsymbol{u}$$

(*G.*, I, § 34, 53)

garantit la dualité entre objets et fonctions d'ordre quelconque du point de vue de l'identité – ou de son « répondant » d'ordre n.

Que l'identité soit une fonction de premier ordre n'est pas sans conséquences : cela motive en particulier l'interprétation des propositions comme noms propres de valeurs de vérité qu'il faut traiter sémantiquement comme des *objets*. Si les propositions ne nommaient pas des objets, on ne pourrait assimiler à l'égalité mathématique la relation qui les unit dans l'équivalence logique. Ainsi l'on voit comment Frege évite la prolifération des relations d'identité selon la hiérarchie des ordres fonctionnels. Sa mise en oeuvre de la réduction des fonctions d'ordre supérieur à des objets, au moyen de l'arche et du concept d'extension joue le rôle du principe de réductibilité russellien, mais en assumant, à la différence des auteurs des *Principia*, l'existence des classes [24].

De la réflexivité de l'identité à l'indiscernabilité

« Y a-t-il des choses qui ne coïncident pas et qui pourtant ne se distinguent en rien ? Certes ! Justement les choses sans nature. » (*Die Zahlen des Herrn H. Schubert, K.S.*, 247)

Concevoir l'identité comme la propriété qu'a tout objet d'être identique à lui-même, comme Frege le fait dans la préface des *Lois fondamentales* ou encore comme résultant de « l'impossibilité de reconnaître un objet comme différent de lui-même » apporte une détermination logique de l'identité indispensable au propos logiciste, invoquée également au cours de la polémique contre les outrances des abstractionnistes [25]. Mais il faut ici distinguer deux aspects bien différents de l'identité ; d'une part, la propriété purement logique de réflexivité, en fonction de laquelle tout objet, quel qu'il soit, est dans la relation indiquée avec lui-même ; d'autre part, une propriété qui n'est plus formellement réductible à la simple réflexivité, en vertu de laquelle un objet n'est identique *à rien d'autre qu'à lui-même*.

Or quoique la propriété purement logique de réflexivité soit utilisée par Frege – lors de la construction du nombre « 0 » – , il doit aussi faire appel, quoique de manière implicite, à une propriété plus forte en vertu de laquelle une chose n'est identique à rien d'autre qu'à elle-même, cette propriété étant comme nous allons le voir nécessaire pour assurer la détermination descriptive du système. L'identité de la chose, commandée par le principe de l'indiscernabilité des identiques, sera prise comme une vérité évidente qui, en conjonction avec le principe des indiscernables, soutient toutes les approches de l'identité : l'approche systématique aussi bien que les approches substitutive ou opératoire. Qu'énonce le principe de l'indiscernabilité des identiques ?

> « Sequitur etiam hinc non dari posse in natura duas res singulares solo numero differentes : utique enim opportet rationem reddi posse cur sint diversae, quae ex aliqua in ipsis differentia petenda est [26]. »

Le principe en question pose que deux choses ne peuvent pas être différentes de manière exclusivement numérique (*solo numero*) ; elles doivent différer par une qualité ou une propriété quelconque, telle qu'on puisse « rendre raison de leur différence » ; on peut le noter ainsi :

(1) $(\forall x) (\forall y) [(x = y) \supset (\forall \varphi) (\varphi x \equiv \varphi y)]$.

Le principe ne peut se comprendre pleinement que dans son rapport à deux autres axiomes leibniziens. La théorie des substances individuelles pose, d'un côté, qu'il ne peut y avoir de dénomination extrinsèque des substances. Toutes les relations où elles interviennent doivent avoir un fondement dans leur essence individuelle. A cette détermination de l'essence, doit d'un autre côté correspondre une différence cognitive adéquate : le principe de raison suffisante garantit que l'on puisse rendre raison de la diversité de deux substances :

(2) Si $a \neq b$, $(\exists P) (P(a) \land \sim P(b))$.

Ce second principe énonce la possibilité d'indiquer le caractère qui fonde l'existence séparée des substances.

Néanmoins, la conjonction de ces deux thèses, sur les relations internes et sur la raison suffisante, ne suffit pas encore à démontrer réciproquement l'impossibilité logique de l'existence de deux choses indiscernables. Elle montre que des choses singulières différentes ont des prédicats distincts (au moins un, que l'on peut caractériser), mais non que des choses ayant les mêmes prédicats ne peuvent coexister. Comme l'écrit Leibniz à Clarke, une telle supposition « est possible en termes abstraits ». Il faut donc admettre un second principe, le principe des indiscernables proprement dit, selon lequel il serait incompatible avec la sagesse divine de poser deux choses parfaitement indiscernables ; en d'autres termes, il pose que deux choses qui ont leurs prédicats en commun sont identiques (et non plus, comme dans (1), que deux choses qui sont identiques ont leurs prédicats en commun) :

(3) $(\forall x)(\forall y)[(\forall \varphi)(\varphi x \equiv \varphi y) \supset (x = y)]$.

La conjonction de (1) et de (3) permet d'obtenir une équivalence, dite « loi de Leibniz » :

(4) $(\forall x)(\forall y)[(x = y) \equiv (\forall \varphi)(\varphi x \equiv \varphi y)]$.

Or la loi de Leibniz, étayée comme on l'a vu sur l'assomption d'un Dieu sage et économe, assume dans le système caractéristique une fonction essentielle : c'est de garantir la *portée réelle* de la caractéristique. Comme Frege, Leibniz attend en effet de son écriture qu'elle puisse décrire adéquatement l'univers. Le principe de continuité joint à la loi de Leibniz fondent la correspondance entre les constructions formulaires et l'univers, assurant par exemple une application physique au calcul infinitésimal. Frege lui aussi utilise implicitement le principe des indiscernables pour assurer la reconnaissance de l'*unicité de dénotation* entre expressions de sens différent. Sans un tel principe, rien ne nous autoriserait à poser que l'étoile du soir est identique à l'étoile du matin. Car même un ensemble de propriétés communes, vérifié de l'une et de l'autre, ne pourrait justifier que l'on conclue à l'existence d'un unique objet qui les possède toutes. Le principe des indiscernables fonctionne donc en définitive comme principe ordonnateur du cosmos et de sa connaissance possible. Il tient lieu de principe de l'unité synthétique de l'aperception. C'est le principe des indiscernables qui, chez Frege, fonde une connaissance possible comme *rapport déterminé des prédicats à un objet*[27]. Alors que chez Kant c'est l'identité d'un *acte* qui fonde l'identité de l'objet de connaissance sous la diversité des représentations, l'identité de dénotation chez Frege est garantie par une thèse qui reste implicite : « tout objet n'est identique à rien d'autre que soi-même ».

On comprend maintenant en quoi ce principe apporte un complément aux réquisits des deux premières « thèses sur l'identité » exposées plus haut. L'identité ne peut être conçue comme coïncidence complète, les signes ne peuvent dénoter une entité précise, *que* si l'on dispose d'un principe d'identification de l'objet de connaissance. Le principe permet ainsi de désigner comme *l'*objet d'une recherche la classe d'équivalence de ses propres « *Bestimmungsweisen* ». Sans lui, « quel chaos de nombres aurions-nous ! » (*N.*, II, 195). Il n'y aurait pas, par exemple, un nombre unique qui soit caractérisable comme « le nombre premier successeur de 5 », mais un nombre infini de tels nombres : 7, 8-1, (8+6)/2, etc. La légitimité d'emploi de l'article défini trouve ainsi dans la loi de Leibniz son fondement dernier. C'est dire que la compréhension de l'identité comme « identité d'un objet avec lui-même et lui seul » joue avant tout le rôle de condition de possibilité de l'écriture formulaire comme instrument scientifique, de même que le règne objectif du sens joue le rôle de condition de possibilité d'une pensée et d'une communication en général.

L'identité comme « substituabilité sans restriction »

L'approche substitutive de l'identité intervient dans les textes de Frege tantôt comme « explication », « définition », ou « principe exprimant l'essence » de l'identité, tantôt comme une conséquence du principe logique de l'identité d'un objet avec lui-même. Ainsi Frege affirme-t-il d'abord simplement reprendre la « définition » leibnizienne de l'identité (*G.A.*, § 65, 76-7). Cependant, la légitimité des substitutions est présentée, en 1903, comme dépendante de l'unicité de dénotation entre deux expressions (*G.*, II, § 104, 111). Ce changement est à mettre en rapport avec les objections adressées à la présentation frégéenne de l'identité par Husserl dans sa *Philosophie der Arithmetik*. C'est d'ailleurs précisément dans le compte-rendu qu'il donne de l'ouvrage de Husserl que Frege amorce un recul par rapport à la thèse de l'« explication » de l'identité, comme en témoignent ces considérations embarrassées :

> « Cependant, je partage avec l'auteur l'idée que l'explication proposée par Leibniz : *eadem sunt quorum unum potest substitui alteri salva veritate*, ne mérite pas d'être appelée définition, mais pour d'autres raisons que lui. On pourrait dire que la proposition de Leibniz est un principe qui exprime la relation d'identité ; en tant que tel, son importance est capitale. » (*Ecrits*, p. 148)

Il apparaît tout d'abord que la fidélité à Leibniz n'impose aucunement de considérer sa formule de la substitutivité comme une *définition* de l'identité. Une autre formule leibnizienne : *omnis autem substitutio nascitur ex aequipollentia quadam* autorise l'interprétation de la substitution comme une règle d'usage des signes dérivée de l'axiome de l'identité proprement dit [28]. En second lieu, qu'elle remonte à Leibniz ou qu'elle soit due à Frege, l'intention de *définir* l'identité par la substitutivité ne semble pas pouvoir échapper au cercle vicieux que Husserl met en évidence. Supposons en effet que l'on ait *démontré* la substituabilité *salva veritate* de deux contenus. Il est encore légitime de poser la question *quid juris* : « quelle est la raison qui permet de substituer un contenu à un autre dans quelques, ou dans tous les jugements vrais ? » Pour Husserl, la réponse va de soi : c'est l'identité des contenus qui fonde leur substituabilité et non la réciproque. Mais cette identité de contenu exige un critère intensionnel plus puissant que la seule équivalence, à savoir une composition identique de caractères identiques, conformément au critère bolzanien de l'identité propositionnelle. Mais la critique husserlienne approfondit l'analyse, en montrant que toute *application* d'une substitution nous reconduit fatalement à reconnaître une identité :

« Si c'était dans l'interchangeabilité que résidait le fondement de la connaissance de l'égalité de deux contenus, il faudrait dans chaque cas faire précéder notre reconnaissance de l'égalité par celle de l'interchangeabilité. Mais ce dernier acte ne consiste lui-même en rien d'autre qu'en un certain nombre, voire même un nombre infini, d'actes dont chacun implique la reconnaissance d'une identité, c'est-à-dire de l'égalité d'un jugement vrai qui se rapporte au premier contenu, et du "même" jugement qui se rapporte au second contenu. Mais, pour reconnaître toutes ces égalités, on aurait besoin de la connaissance de ce qui, relativement à chacune de ces paires de jugements, vaut comme "mêmes" jugements vrais, etc. [29] ».

Cette objection pertinente en vertu de laquelle la définition de l'identité par la substituabilité enveloppe un cercle vicieux méritait sans doute mieux que le commentaire méprisant qu'en offre Frege. Car s'il y a une voie frégéenne hors de ce cercle, elle n'évite pas des difficultés nouvelles. Frege dispose d'une riposte pour répondre à l'objection de Husserl en tant qu'elle s'appuie explicitement sur une théorie atomiste du sens :

« Ce sont les caractères égaux pris un par un qui fondent l'égalité des jugements, et non pas les mêmes jugements qui fondent l'identité des caractères. »

Frege part en effet de l'hypothèse contraire : « Ce n'est qu'en composition que les mots signifient quelque chose. » L'objection de Husserl perd alors toute force : c'est la comparaison des *cas de vérité* des jugements où entrent les constituants à tester qui fournit le critère de leur identité, et non l'examen *intensionnel* de l'identité de contenu de ces jugements. Dès lors, la substitution peut en fin de compte rendre raison de l'identité, comme propriété du substituable, parce que la substitution n'exige rien d'autre que la corrélation de chaque proposition avec la valeur de vérité qu'elle *nomme*. Mais en apportant cette réponse à l'objection de Husserl, Frege est, comme on va le voir, confronté à la difficulté nouvelle de préserver une acception intensionnelle à sa logique.

L'identité extensionnelle et l'identité « du contenu »

La réponse de Frege à Husserl a fait naître un nouveau doute. Si l'on entend l'identité comme la propriété du « substituable *salva veritate* », n'a-t-on pas défini simplement un critère purement extensionnel d'équivalence, en soi insuffisant à déterminer la coïncidence de contenu qui relève d'un critère intensionnel ? Que le sens forme ici en quelque sorte un « supplément », selon l'expression de Frege, n'est d'ailleurs pas en soi le fait problématique. C'est le résultat direct de l'interprétation de l'identité comme relation entre dénotations, dont la valeur cognitive procède précisément de la différence entre le *sens* des noms propres. Cependant, l'attribution d'un domaine strictement référentiel à l'identité laisse pendante la question de savoir ce qui, pour les *sens* (*Sinne*, les significations), constitue la propriété d'être « les mêmes » ou « identiques l'un à l'autre ».

Pour que la solution de ce problème soit indépendante du cas du recouvrement extensionnel, Bolzano avait distingué deux relations : *l'équivalence* est la relation qui unit des composantes interchangeables *salva veritate*. Mais l'identité de sens ne vaut qu'entre des *expressions* qui désignent la même composante. La synonymie fait donc appel à un critère plus fort que l'équivalence. A la différence de celle-ci, elle s'attache néanmoins à des énoncés (et non à des « propositions en soi »). Ainsi c'est en dernier ressort le concept de « proposition en soi » qui, dans la logique de Bolzano, permet de clarifier ce que des énoncés synonymes ont en commun. La Pensée revêt dans la philosophie de Frege une fonction comparable. C'est le contenu que « l'on reconnaît comme le même dans la traduction. »(*L.M.*, *N.* I, 222) Cependant, à la différence de Bolzano, Frege n'infère pas directement la structure sémantique, c'est-à-dire la Pensée, de la structure de l'énoncé. Dès lors qu'il récuse ainsi la congruence propositionnelle (*Satz* veut dire chez Frege « énoncé ») comme critère de synonymie, il lui faut produire un critère objectif pour l'identité des Pensées, afin « d'ouvrir la voie à de véritables analyses logiques » (*N.* II, 102). La lettre à Husserl du 1er Novembre 1906 représente un premier état de cette recherche de l'objectivation logique de la Pensée. Frege évoque celle-ci comme ce qu'une « proposition normale », représentant « un système de propositions équipollentes » (quoique différentes par le style ou la coloration), exprime d'essentiel sous l'angle logique. La lettre du 9 décembre suivant reprend la question dans l'intention de fournir un critère plus précis. Mettant de côté le cas des propositions qui « contiennent une composante logiquement évidente », Frege propose le critère suivant : deux propositions A et B expriment la même Pensée si l'on ne peut tenir l'une pour vraie et l'autre pour fausse – et réciproquement – sans engendrer une contradiction logique (détectable par le seul moyen de lois logiques). Mais la stricte application du critère conduit à considérer comme « la même Pensée » des énoncés commutatifs comme « $3+4$ » et « $4+3$ », que Frege souhaite ailleurs considérer comme de sens distinct (*K.S.*, 226). En outre, la restriction portant sur les « composantes logiquement évidentes » rend peu opératoire un concept désigné à servir de pierre de fondation du travail logique. Etendu aux objets logiques, le critère aurait le résultat de confondre toutes les thèses du calcul des propositions comme étant de même sens (puisqu'on ne peut nier l'une sans contredire les autres), résultat qu'Ajdukiewicz opposera plus tard à la théorie du sens de la *Syntaxe Logique* de Carnap. Sans doute conscient de ces difficultés, Frege modifie légèrement le critère dans un texte de la même année. Deux propositions expriment la même Pensée si on ne peut reconnaître A comme vrai sans *reconnaître immédiatement* la vérité de B et réciproquement (*N.* I, 213). Comme la précédente, cette nouvelle formulation exclut d'emblée le cas de propositions contenant des composantes logiques, qui rendraient triviale la reconnaissance de la vérité de A ou de B. Ce que ce second critère met au premier plan ne semble pas suffire à en faire un critère « objectif ». Sans doute l'appel à la « reconnaissance immédiate » de la vérité en remplacement de la mise en oeuvre des lois « purement logiques » a l'avantage de restreindre le champ des propositions qui vaudront comme synonymes [30]. Mais il semble que cette « reconnaissance » dépende à son tour d'une saisie antécédente du sens. Une reconnaissance immédiate sera possible dans le cas où le sens du jugement A rend compte de la formulation propre au jugement B. Par exemple, la commutativité fait partie du sens de l'opérateur de composition, en sorte que « A et B » est immédiatement reconnu comme équivalent à « B et A ». C'est ce dernier critère qu'évoque l'article tardif intitulé « *Gedankengefüge* ». En contradiction avec certains textes antérieurs [31], Frege y soutient la synonymie des couples de propositions suivantes :

« A et B » *et* « B et A »
« non ((non A) et (non B)) *et* « A ou B »
« Si B, alors A » *et* « non (non A et B) ».

Le passage de la première de chacune de ces propositions à la seconde est *analytique* en un sens un peu différent de ce qu'on entendait sous ce terme précédemment. Ce ne sont pas à proprement parler les lois logiques qui justifient la dérivation de la seconde formule, mais simplement la « prise de conscience du sens » des opérateurs. L'une et l'autre écriture sont ici équivalentes au sens intensionnel, les différences étant alors affaire de style ou d'éclairage. Reste à savoir si *l'identité* intensionnelle de « A » et de « non non A » peut être défendue de façon convaincante. A ne retenir comme « Pensée » que ce qui est logiquement pertinent, Frege s'interdit de pouvoir expliquer l'effet cognitif particulier de propositions du genre :

$(A \wedge B) = [(A \vee B) \text{ et non } (B \supset \text{non } A)]$.

De ce fait, toute une partie du travail logique opère dans ce que Frege désigne comme « accessoire ». Ce que montre cette difficile quête d'un critère de l'identité de pensée, c'est que l'interprétation de l'identité comme indissociablement relation intensionnelle de coïncidence et propriété extensionnelle de ce qui peut être substitué *salva veritate* ne peut que partiellement correspondre à la pratique du système. Nous avons vu que l'interprétation « objectuelle » est indispensable pour que l'*Aufbau* soit en même temps construction *et* description. Ce qui est défini (le nombre 1 par exemple) doit être l'unique objet auquel se rapportent les expressions numériques 1^2, $1/1$, cos 0, etc. Mais en fait rien n'interdit de concevoir le système comme un calcul ne progressant que par équivalences, sans se donner la liberté d'identifier des objets. Il suffit de renoncer à l'identité pour assainir en quelque sorte la construction. Mais nous avons vu que la matière logique elle-même, la Pensée, est prise dans l'interprétation objectuelle du résultat des équivalences.

Chapitre 4

DU STATUT DES AXIOMES : L'ANALYTIQUE EN GERME

Nous avons examiné jusqu'à présent les moyens dont Frege s'est doté pour fonder l'*expansion* des vérités logiques fondamentales dans le système de l'arithmétique. Nous avons vu comment la langue formulaire de Frege se prête à un véritable travail logique tout en restant sous le contrôle de l'exigence générale de dénotation. Il nous reste maintenant à considérer ce qui forme le point de départ du système, à savoir cet ensemble de vérités que le calcul a pour finalité de développer dans ses conséquences déductives. Ce serait un contresens que de comprendre ces axiomes comme un ensemble d'hypothèses arbitraires pour des manipulations ultérieures, au sens où les formalistes en usent. Les axiomes sont pour Frege l'instance qui lègue au système sa *vérité*. C'est en eux que s'instaure la valeur référentielle du système dans son ensemble. Cette vérité doit ensuite se « diffuser » dans l'ensemble des propositions qui en sont déductibles, pourvu que le réquisit de *Lückenlosigkeit* soit strictement observé. La vérité purement formelle des conséquences se double donc d'une vérité en quelque sorte « matérielle », à savoir celle des propriétés et relations logiques fondamentales consignées dans les *Grundgesetze*. Ce sont là des vérités *données*, sans lesquelles le projet de construire un système serait non seulement voué à l'échec, mais entièrement impossible. La valeur du système réside dans son ancrage dans le corps primitif des propositions « absolument » vraies.

Cette caractéristique des axiomes comme « donnée » préalable de l'analyticité invite évidemment à revenir à la définition kantienne du jugement analytique. De même en effet que la proposition analytique, pour Kant, se borne à développer dans le prédicat un caractère déjà donné dans le concept du sujet, de même les vérités analytiques sont-elles pour Frege des propositions dérivables de *principes vrais donnés*, à savoir les lois logiques fondamentales [32]. De cette analogie, on peut être tenté de conclure que Frege reconduit la conception kantienne de l'analyticité.

Trois ordres d'arguments semblent autoriser le rapprochement. Tout d'abord, Frege se réclame lui-même de la distinction kantienne : il « ne cherche pas à modifier le sens des expressions » d'analytique et de synthétique, et « vise précisément ce que d'autres auteurs, Kant en particulier, ont voulu dire par là » (*G.A.*, 3, n. 1). En second lieu, on peut être attentif à la caractéristique « cognitive » des axiomes frégéens : ce sont des propositions indémontrables, mais garanties par leur *évidence*. Enfin, on remarque que Frege s'est curieusement tu sur une question qui semble incontournable : pourquoi et de quel droit admet-on comme vraies les lois de la logique ? Le silence de Frege ne constitue-t-il pas la preuve tacite qu'il reconduit la solution kantienne ? Ces trois types de réflexions conduisent alors à inscrire le logicisme frégéen dans le prolongement de l'épistémologie kantienne. Epistémologie (au sens anglo-saxon du terme [33]) très « psychologique », puisque l'instance démonstrative est censée être fondée sur l'exhibition des processus d'inférence comme producteurs de *croyance*. Ainsi l'interrogation portant sur la vérité « donnée » des axiomes conduit-elle finalement à se prononcer sur la distinction que Kant et Frege font entre propositions analytiques et propositions synthétiques. La lecture « cognitive » suggère que Frege n'a nullement l'intention d'innover à l'égard de la problématique kantienne, mais a seulement l'ambition de la compléter là où elle est insuffisante [34].

On voit comment cette interprétation conditionne la compréhension de l'analyticité comme expression de l'organicité du système de l'arithmétique. Frege est-il simplement un logicien kantien qui aurait mieux vu que Kant l'extension possible des propositions analytiques au point d'y enfermer toute une partie du synthétique *a priori* ? Ou bien faut-il comprendre tout autrement ses concepts et marquer des ruptures là même où Frege n'en discerne pas ? Trois questions nous paraissent ici de nature à clarifier ce problème. 1) Les axiomes logiques doivent-ils être pensés selon le schéma kantien, à savoir comme un type de connaissance privilégié en vertu de la *source cognitive* qui les a produits ? 2) L'entreprise logiciste est-elle « avant tout » épistémologique ? 3) La distinction entre propositions analytiques et synthétiques développée par Frege est-elle un appendice de la distinction kantienne ? De la réponse à ces trois questions interdépendantes dépend le sens que l'on donnera à la réduction frégéenne de l'arithmétique à la logique. Une réponse partout positive indique qu'il faut interpréter le logicisme frégéen comme la tentative de rapporter à un entendement producteur de règles l'arithmétique tout entière, et, au-delà, toute la mathématique. La fondation de la mathématique est à comprendre dans le cadre de la philosophie transcendantale. Si contraire on répond négativement à ces questions, le logicisme apparaît comme une exigence théorique inédite qu'il nous appartiendra de déterminer.

Les axiomes de la logique et les sources de la connaissance

On se souvient du rôle essentiel que jouent les axiomes de la logique dans la définition des vérités analytiques. Citons à nouveau, et plus longuement, le texte pertinent des *Fondements* afin de souligner le partage qu'il effectue entre deux types d'axiomes :

> « Si l'on ne rencontre sur son chemin que des lois logiques
> générales et des définitions, on a une vérité analytique – étant
> entendu que l'on inclut dans ce compte les propositions qui
> assurent le bon usage d'une définition. En revanche, s'il n'est
> pas possible de produire une preuve sans utiliser des
> propositions qui ne sont pas de logique générale, *mais
> concernent un domaine particulier*, la proposition est synthé-
> tique. Pour qu'une vérité soit *a posteriori*, il faut que la preuve
> ne puisse aboutir sans faire appel à des propositions de fait,
> c'est-à-dire à des vérités *indémontrables* et *sans généralité*, à
> des énoncés portant sur des *objets déterminés*. Si au contraire
> l'on tire la preuve de lois générales qui elles-mêmes ne se
> prêtent pas à une preuve ni n'en requièrent, la vérité est *a
> priori*. » (*G.A.*, § 3, 4, *i.n.*)

La difficulté de ce texte réside dans la conjonction de
deux critères qui paraissent se recouvrir exactement. Une
vérité analytique étant nécessairement *a priori*, la tentation
est forte de considérer comme *a posteriori* tous les
jugements *synthétiques*. Mais, comme le montre une lecture
plus attentive, ce recouvrement est illusoire : l'opposition
entre vérités *a priori* et *a posteriori* est établie à partir de
la notion de *démonstration*. Les vérités *a posteriori* sont
« indémontrables » en ceci qu'elles ne peuvent être
réduites à des axiomes (« à des lois générales qui
elles-mêmes ne se prêtent pas à une preuve ni n'en
requièrent »). L'erreur serait ici d'identifier trop vite ces
axiomes aux lois logiques proprement dites. On sait en effet
que Frege admet avec Kant la nature synthétique *a priori*
des vérités géométriques. Ce sont là des propositions dotées
de « généralité » et susceptibles de démonstration à partir
d'axiomes donnés (par l'intuition *a priori* de l'espace). En
revanche, l'opposition analytique/synthétique opère une
division *à l'intérieur du démontrable*. Cette distinction
requiert des vérités analytiques non seulement qu'elles
soient dérivables à partir d'axiomes généraux, mais que
les axiomes dont elles sont dérivables soient en outre des
« propositions de logique générale », et non des « axiomes

concernant un domaine particulier ». Ainsi, à ce stade de la pensée frégéenne, la géométrie se trouve du côté des sciences spéciales.

Or les deux distinctions (analytique/synthétique – *a priori/a posteriori*) s'appuient sur deux concepts bien différents de *généralité*, ce qui ne peut manquer d'engendrer des confusions. Il y a, d'un côté, la généralité « relative » des axiomes de la géométrie. Ses principes sont généraux en ceci qu'ils ne concernent pas des « objets déterminés ». Ils forment un cadre transcendantal à toute position d'objet dans l'espace. Néanmoins la généralité « absolue » leur fait défaut dans la mesure où ils ne valent que dans un domaine *particulier*. Les axiomes de la géométrie ne sont nécessaires que dans la pensée de l'objet spatial ou physique. Mais ils ne couvrent pas tout le champ du pensable par leurs déterminations. Ainsi, ces axiomes synthétiques sont bien *généraux* en ce sens qu'ils sont des vérités transcendantales, mais ce sont aussi des vérités *déterminées* dans la mesure où elles ne sont pas des conditions *universelles de la pensée en général*, comme c'est le cas exclusif des vérités logiques. La distinction correcte entre vérités analytiques et synthétiques suppose donc que l'on puisse discriminer les lois logiques des axiomes des sciences spéciales. Les vérités logiques ont dans la définition de l'analyticité une position éminemment privilégiée : indépendantes de tout processus déductif en ce qu'elles n'ont pas besoin d'être prouvées (et du reste ne pourraient pas l'être, en tant qu'elles sont, en un sens à expliciter, « indécomposables »), elles n'attendent pas non plus une quelconque légitimation de la fécondité des déductions qu'elles rendent possibles. Sensibles à cette position privilégiée des axiomes, les commentateurs ont été surpris de constater que Frege ne cherchait aucunement à dériver ce privilège d'une quelconque *origine*, dans une généalogie qui prendrait valeur de légitimation :

« A la question de savoir pourquoi et de quel droit nous

reconnaissons comme vraie une loi logique, la logique ne peut que répondre en la ramenant à d'autres lois logiques. Où cela n'est pas possible, la réponse *doit* rester en défaut. » (*G*.I, XVII *i.n.*)

Faut-il voir dans cette phrase un « aveu d'impuissance », comme le suggère Michael Resnik ? Ou bien cette phrase fournit-elle effectivement la réponse frégéenne à la question du fondement de la légitimité de la logique ? Que dit Frege ? Ce n'est qu'à la condition de *sortir de la logique* que l'on peut répondre à la question : qu'est-ce qui fait qu'un axiome logique est vrai ? Si l'on *accepte* cette question, on est inévitablement conduit à faire appel à un sentiment d'évidence. C'est dire que l'abstention de Frege devant cette question est motivée par le strict respect du concept de *limite de la logique* :

« Je ne veux ni combattre, ni défendre cette opinion, et simplement remarquer que nous n'avons ici aucune déduction logique. »

Dans la mesure où l'appel à l'évidence ou à une quelconque contrainte mentale forçant la reconnaissance ne peut concerner que la raison du *tenir-pour-vrai* (*Fürwahrhalten*) et non celle de la *vérité* des axiomes, une « justification » de ce type resterait empirique, c'est-à-dire qu'elle se bornerait à mettre en avant des propositions de fait sans « généralité ». Il en résulte que ce ne peut être *en vertu de leur évidence* que les axiomes sont vrais. Une raison psychologique peut en effet être battue en brèche par un raisonnement anthropologique : à ce niveau d'analyse, rien n'interdit d'imaginer qu'un autre être, autrement conformé, rejetterait ce qui nous semble évident. Cependant, en disqualifiant l'évidence de tout statut fondateur, Frege n'entend pas se priver de la valeur de *symptôme* qu'elle possède. L'évidence est l'indice de l'existence d'axiomes logiques vrais. Sans doute, rien n'interdit d'imaginer un être qui serait insensible à l'évidence telle que nous la ressentons. *Mais* il nous est impossible de dénier la vérité de ces lois logiques une fois que nous l'avons reconnue. La reconnaissance de la loi « nous interdit de douter lequel des deux, lui ou nous, a raison » (*G.*, *Einleitung*). En d'autres termes, c'est la nécessité de la loi qui transparaît dans l'apodicticité du jugement par lequel nous affirmons sa vérité. C'est parce que la loi est *objectivement* vraie que, contrairement aux suggestions des sceptiques, portés à ne voir dans la loi que l'effet d'une habitude de pensée, nous sommes incapables de concevoir ce que serait une pensée qui puisse s'en affranchir. La nature objective de la loi, qui en fait une *description de l'être-vrai*, explique sa nature *prescriptive* et *universelle* (*wo immer, wann immer und von wem immer geurteilt werden mag*).

La loi oeuvre donc comme *condition de possibilité*, non seulement du jugement, mais du tenir-pour-vrai, du penser et de la déduction. Il est par conséquent exclu que le *jugement* puisse rendre compte de ce qui fait d'une proposition un axiome. Cet acte de juger est secondaire par rapport à l'ensemble des lois logiques qui en fondent la légitimité et en autorisent le développement. Le jugement consiste dans le passage d'une pensée (préalablement « saisie ») à sa dénotation [35]. Mais le fait qu'une pensée déterminée ait telle valeur de vérité n'est pas le *produit* du jugement. C'est une propriété objective de la pensée :

> « A toute propriété d'une chose est liée la propriété d'une pensée, à savoir celle d'être vraie. » (*Der Gedanke*, *K.S.* 345)

Ce qui vaut de toutes les pensées vraies vaut aussi de ces pensées universellement (et *a priori*) vraies que sont les axiomes de la logique. Il apparaît donc que la quête des « sources de connaissance » des axiomes ne peut aucunement *éclairer* les pierres de fondation logiques de la pensée.

Ce qui fait d'une proposition un axiome

Il faut donc reformuler en termes non-psychologistes la question des caractères distinctifs des axiomes logiques : qu'est-ce qui habilite une proposition à être axiome, et qu'est-ce qui distingue intrinsèquement un axiome logique d'un axiome « spécial » (en entendant par là l'axiome d'une science particulière) ? Les axiomes sont des vérités qui ne *peuvent pas* être démontrées. Frege développe une conception de l'axiome différente de celle de Leibniz, aux yeux duquel les axiomes doivent *prouver* leur vérité par réduction au principe d'identité. Mais cette conception diffère aussi de celle de Kant, pour lequel les axiomes tirent leur validité de l'évidence inhérente à la construction dans une intuition pure (mais il s'agit alors d'axiomes mathématiques ou physiques ; la logique ne se développant précisément pas dans l'intuition, elle ne comporte que des règles). Pour Frege, les axiomes *ne peuvent pas* recevoir de démonstration parce qu'ils sont *l'instance constitutive* de l'idée même de démonstration (dans le cas des lois logiques) ou les vérités indécomposables constitutives d'un objet de science déterminé (dans le cas des sciences particulières). Mais aussi bien *ne doivent-ils pas* en recevoir. Les vérités axiomatiques de manière générale n'ont pas besoin de preuve. En quoi consiste donc cette auto-suffisance des axiomes qui fait d'eux les germes du système ? Si les axiomes sont vrais en dehors de tout recours à leurs conséquences déductives, c'est qu'ils sont pourvus d'une structure particulière en vertu de laquelle leur *présentation* peut coïncider avec la *reconnaissance* de leur vérité. Tel est l'argument que Frege oppose à la compréhension formaliste des axiomes :

> « Quand je comprends comme je le fais les mots "droite", "parallèle", et "couper", je dois reconnaître l'axiome des parallèles. Si quelqu'un ne le reconnaît pas, je dois admettre qu'il comprend autrement ces mots. Leur sens est inséparable-

ment lié à l'axiome des parallèles. » (*L.M.*, *N.*, I, 266)

La dernière phrase de la citation dissipe la confusion possible occasionnée par la première. Ce n'est pas la compréhension *isolée* des expressions « point », « droite », « parallèle » etc., qui force la reconnaissance de l'axiome. Mais tout au contraire, conformément au second principe des *Grundlagen*, c'est dans le contexte de l'axiome que les constituants trouvent leur emploi « essentiel ». Ainsi la vérité des axiomes ne peut être comprise que dans cette philosophie réaliste du sens propositionnel. L'axiome est vrai parce qu'il expose une relation objective entre une fonction, (comprise comme *ce qui est dénoté* par l'expression fonctionnelle) et des objets construits comme extensions de concepts. L'évidence de la vérité de l'axiome n'est alors qu'un effet de cette « occurrence essentielle » du constituant dans son contexte déterminant. On remarquera ici que si, dans l'ordre de la *reconnaissance*, on passe du sens des constituants, livré dans le contexte de l'axiome, à la dénotation de celui-ci, dans l'ordre de *l'être*, c'est la relation objective entre les dénotations qui fonde la vérité de l'axiome.

Par conséquent ce qui légitime au yeux de Frege la fécondité potentielle des vérités fondamentales, ce n'est pas leur « évidence », mais leur nature « déterminante », c'est-à-dire la propriété de circonscrire l'essence de l'objet de science. Ce qui habilite une vérité à valoir comme axiome n'est ainsi pas du même ordre qu'un « critère ». Etant donné que l'ordre du connaître n'est jamais que second relativement à l'ordre de l'être, rien ne nous garantit que notre construction de l'axiome, la relation que nous découvrons entre ses constituants, correspondent effectivement à l'état objectif des relations visées. Un constituant considéré comme simple peut s'avérer ultérieurement décomposable. En outre lorsqu'on bute sur des constituants simples, on bute en même temps sur les limites du langage. Etant dans l'incapacité de décomposer, on ne peut pas non plus *définir* les constituants des axiomes. Une procédure de substitution peut être employée, mais elle n'est pas partie du système. L'« éclaircissement » (*Erlaüterung*) appartient seulement à la pédagogie du système. Elle est doublement informelle puisqu'elle utilise le langage courant afin de « pointer vers » (*winken*) les dénotations des constituants simples et puisqu'elle reste largement implicite, s'appuyant sur la compréhension « à demi-mots » du lecteur. Ces obstacles à la mise en évidence de ce qui serait le *critère* des axiomes, et qui tiennent à leur fonction générale de conditions de possibilité, expliquent le retour occasionnel du vocabulaire des « sources de connaissance » dans les textes de Frege. La distinction épistémologique entre des types de connaissances spécifiées par leur rapport à l'intuition, à la raison ou aux sens permet de caractériser positivement non seulement ce qui permet de reconnaître la vérité des axiomes, mais encore ce qui distingue les axiomes de la logique de ceux de la géométrie.

Les rares mentions de cette caractérisation épistémologique des axiomes dans l'oeuvre de Frege suffisent-elles à remettre en cause l'interprétation réaliste qui est ici défendue ? Trois raisons semblent indiquer le contraire. Tout d'abord, les textes invoqués en faveur d'une approche essentiellement épistémologique des axiomes se réduisent à deux textes. Le premier est une lettre à Hilbert du 27 décembre 1899 dont le passage relatif à notre problème tient en une phrase :

> « J'appelle axiomes des propositions qui sont vraies mais ne sont pas démontrées parce que leur connaissance provient d'une source de connaissance toute différente de la source logique, que l'on peut appeler intuition de l'espace. »

On ne retrouve mention de cette « source logique » que vingt-cinq ans plus tard, dans un texte qui appartient à la période post-logiciste de Frege. Ces deux textes sont-ils de nature à menacer la doctrine que livre la préface des

Grundgesetze ? La lettre à Hilbert doit être replacée dans le contexte de la polémique qui a opposé Frege à Hilbert sur la nature des axiomes. Soucieux de montrer que c'est la vérité des axiomes qui les habilite à valoir comme principes, Frege emprunte dans sa lettre un raisonnement qui est indéniablement de type kantien. Néanmoins le recours à Kant relève d'une argumentation elliptique qui ne permet pas de conclure que Frege présentait là sa « théorie » des axiomes. Quant au texte de 1925, l'intervention des sources de connaissance doit être clairement rapportée à son objectif. Frege vise avant tout dans ce texte à expliquer pourquoi la contradiction de Russell a pu ruiner sa construction, lors même que les lois fondamentales devaient exposer les conditions de toute pensée rationnelle et donc être pures de toute adjonction extrinsèque issue de l'expérience. Il s'agit alors de rendre compte de l'*erreur* qui a conduit aux paradoxes de la théorie. La réponse de Frege reste typiquement réaliste, dans ce texte pourtant tardif, et, à cet égard, aux antipodes de Kant :

> « La liaison d'une pensée avec une proposition donnée n'est nullement nécessaire ; mais qu'une pensée consciente soit pour nous liée dans notre conscience à une proposition quelconque, cela est nécessaire pour nous autres hommes. Cela ne tient pas à l'essence de la pensée, mais à notre propre essence. » (*N*. I, 288)

L'erreur s'explique donc par ce hiatus entre l'essence de la pensée et notre essence humaine. La « disposition logique » des hommes s'exerce dans la même langue où d'autres dispositions concurrentes, comme la disposition poétique, trouvent une expression. Ainsi le concept de « source de connaissance » n'est invoqué dans ce texte que pour rendre compte des *Verunreinigungen* qui ont gêné la progression des axiomatiques : les illusions des sens, l'insuffisance de la langue, etc. Si l'on ne peut donc expliquer ce qui distingue les axiomes des sciences spéciales des lois fondamentales de la logique d'une manière qui serait directement « épistémologique », c'est-à-dire en termes de « source cognitive », existe-t-il une caractéristique objective qui nous permette de justifier cette distinction ? Une telle caractérisation peut effectivement être obtenue en partant de la définition de la logique comme science des « lois les plus générales de l'être-vrai » (*N.* I, 139). On discerne en effet dans cette définition trois traits distinctifs non seulement de la logique, mais de ses axiomes.

1) La *normativité* de la logique la distingue de toute autre discipline. Les autres sciences conçoivent la *règle* comme régularité et non comme prescription. Quant à l'éthique, quoiqu'elle fasse elle aussi partie des « sciences » normatives, elle ne peut empêcher qu'une action *transgresse* ses interdits. La logique en revanche énonce des réquisits tels qu'on doit s'y soumettre si l'on veut *pouvoir penser*. Les axiomes logiques ont donc valeur de conditions de possibilité aussi bien que de normes de la pensée.

2) La logique traite du *vrai*, c'est là son objet ou, comme dit aussi Frege, son « but ». Le vrai est pour la logique l'équivalent de prédicats comme « lourd » et « chaud » pour la physique ou « acide » pour la chimie. C'est son objet « spécifique » (*in ganz besonderer Weise*). Il y a pourtant une différence fondamentale entre cet objet de la logique et les prédicats particuliers des sciences de la nature : le vrai détermine à lui seul et complètement l'essence de la logique, alors que la physique et la chimie ont encore d'autres objets que le « lourd », l'« acide », etc.

3) Néanmoins, comme les sciences particulières ont également la prétention de dire le vrai, il faut préciser que lorsque la logique fait du vrai son objet, elle ne vise pas tel contenu de jugement vrai, mais les conditions les plus « générales » de la pensée vraie – universalité étroitement associée au fait que les lois logiques sont *a priori* et ainsi ne dépendent d'aucune particularité empirique. Cependant,

comme on l'a vu plus haut, leur universalité dépasse la pure *a prioricité*.

Ces trois traits suffisent-ils à assurer le partage entre axiomes logiques et prémisses « spéciales » ? Ils correspondent à une description systématique, c'est-à-dire qu'ils énoncent le statut qui, dans le système des sciences, est celui de la logique. Mais s'il s'agit d'extraire les axiomes de la logique de l'ensemble des prémisses dans la construction formelle d'une science, ils ne peuvent suffire à obtenir la démarcation recherchée. C'est pourquoi Frege reconnaît le caractère encore *indéterminé* de cette caractérisation [36]. On pourrait penser que la nature « formelle » des axiomes logiques permet de réduire l'indétermination de la distinction. Or, que veut dire au juste « formel » ? Ce mot s'applique à certains *usages* de la logique, en particulier aux schémas de déduction, en tant qu'ils règlent le jeu des *substitutions*. En ce sens du mot « formel », la logique ne peut, selon le mot de Frege, être dite « formelle sans limite ». Frege rejoint ici Bolzano en revendiquant un *contenu* pour la logique, contenu qui la circonscrit comme science : « A l'égard de ce qui lui est propre, elle ne se comporte pas formellement. » (*K.S.*, 322). Il y a des concepts spécifiques qui forment le contenu irréductible de la logique. Ce sont précisément les « pierres de fondation » à partir desquelles Frege élabore le système des *Grundgesetze* : « Il y a quelque chose qui... », le vrai, l'extension d'un concept, la négation, l'implication, etc. Ces concepts ou objets strictement logiques ne sont pourtant pas identifiables autrement que comme le résidu des substitutions. Comme le remarque Kambartel dans sa Préface au *Nachlass*, rien ne vient combler le fossé entre, d'un côté, la logique comme science des lois *générales* du vrai, science pure, *a priori* et universelle, et de l'autre, la manière purement factuelle dont on en vient à repérer ses constituants, à partir d'une analyse de propositions déterminées de la langue commune et scientifique [37]. On voudra peut-être voir là un *inconvénient* de la doctrine frégéenne ; mais on ne peut pas y diagnostiquer une *incohérence*. En effet, le parti pris réaliste considère comme *donnés* les matériaux derniers à partir desquels nous élaborons une science. Les objets logiques font partie de ces éléments que nous avons à saisir sans pouvoir les produire. La médiocrité opératoire de la frontière entre ce qui est formel et ce qui ne l'est pas est la conséquence inévitable d'une philosophie réaliste de la logique.

L'entreprise logiciste est-elle avant tout épistémologique ?

« Dans ses recherches sur les fondements des mathématiques, Frege était engagé dans une entreprise qui était, à la racine, épistémologique, et qui présupposait des assomptions sur la connaissance qui étaient héritées de ses prédécesseurs et qu'il n'a jamais remises en question. » (Philip Kitcher, *art.cit*, 236)

L'enquête sur le fondement dernier des axiomes de la logique s'avère décisive relativement au jugement que l'on portera sur la nature du logicisme frégéen. Les axiomes trouvent-ils en dernière analyse une légitimité « cognitive » ? Il faudrait alors interpréter l'oeuvre de Frege comme une épistémologie issue de Kant, quoique, à vrai dire, il s'agisse d'un Kant abâtardi par le psychologisme de Herbart ou de Wundt. Si au contraire les axiomes sont vrais « avant » d'être évidents, si par conséquent les caractéristiques de notre connaissance des axiomatiques sont sans pertinence fondationnelle, le projet logiciste ne peut se laisser enfermer dans un cadre épistémologique. Ce qui précède permet de conclure que seule est praticable la seconde branche de cette alternative. La question que nous ne pouvons éluder consiste alors dans ce que recouvre au juste la « dette » que Frege reconnaît avoir contractée à l'égard de Kant. Ce qui précède permet d'établir que Frege ne « reprend » pas purement et simplement les concepts kantiens : il fait dépendre l'activité de pensée de l'existence d'un règne objectif et indépendant de *Gedanken* et de dénotations. En effet, alors que chez Kant l'entendement est producteur de ses propres règles, sans autre critère d'objectivité que l'accord entre les diverses synthèses, Frege introduit comme Bolzano une séparation radicale entre ce qui relève du Vrai et ce qui dépend du *Fürwahrhalten* : le sujet rationnel cesse dès lors d'être le producteur de l'intelligibilité de son propre savoir pour en être seulement l'*effet*. L'activité rationnelle est chez Bolzano et chez Frege de l'ordre de la reconnaissance du vrai, l'un et l'autre divergeant toutefois quant aux moyens d'obtenir cette reconnaissance (Frege voit dans l'écriture formulaire un instrument supérieur au langage, tandis que Bolzano considère que la langue elle-même forme le véhicule de la théorie). L'entendement kantien produit les catégories, l'entendement frégéen *est produit* par les pensées.

Dès lors, n'est-ce pas pur conformisme de la part de Frege d'inscrire sa réflexion dans le sillage de celle de Kant ? Une telle appréciation ne rendrait pas justice à la filiation subtile qui continue d'oeuvrer de Kant à Frege. La « dette » de Frege consiste à poser le problème du savoir objectif en termes de *conditions de possibilité*. Quelle voie suivre pour manifester la légitimité d'une science, pour en exhiber le caractère universel et nécessaire ? La réponse kantienne consiste à montrer que nécessité et universalité sont deux traits interdépendants et signes d'un *pouvoir de connaissance a priori* [38]. Frege ne conteste pas cette thèse mais il recherche *en-deçà* du pouvoir de connaissance le système des vérités qui le fonde. Si Frege était purement kantien, il préciserait que la mathématique, réduite à la logique, est une science d'entendement. Mais il ne songe pas à le faire parce qu'il situe *ailleurs* que dans un pouvoir les conditions de possibilité du développement des vérités logiques en un système de l'arithmétique. Il y a ainsi à la fois dépendance de la philosophie frégéenne à l'égard de Kant et en même temps modification significative de l'idée de condition de possibilité. Chez Kant, présenter une condition de possibilité revient à déduire d'un pouvoir transcendantal des types de synthèses pour les représentations, soit des formes de connaissance en tant qu'elles déterminent *a priori* la configuration des sciences. Pour Frege, la condition de possibilité intervient dans une problématique et dans une rhétorique différentes. Le problème ne prendra plus la forme de la question à la manière kantienne : quels sont les espoirs légitimes que les pouvoirs couplés de la sensibilité et de l'entendement nous permettent d'avoir ? Mais plutôt celle d'une affirmation : il y a une science objective, il y a de la pensée effective, il y a une logique qui est non seulement rigoureuse, mais efficace et créative ; *il faut donc bien* que cette fécondité repose, non sur la constitution mentale d'un homme singulier, ni sur celle d'une espèce, ni même sur un quelconque « pouvoir » du sujet transcendantal, mais sur la nature indépendante du vrai qui est à l'origine de l'esprit humain lui-même comme raison. Sans ce domaine organisé de vérités, avec leur hiérarchie entre lois fondamentales, axiomes particuliers d'une science, théorèmes, nous serions incapables de penser.

De la philosophie transcendantale au réalisme frégéen le rapport entre *l'entendement* et le *donné* est ainsi ce qui subit l'inversion topique la plus caractéristique. En effet, le problème que la *Critique* avait à résoudre était de concilier l'idée d'une connaissance *a priori* avec le fait que la connaissance doive se conformer à ce que les objets des sens donnés par l'intuition sont « en eux-mêmes »[39]. Frege déplace les conditions du sujet connaissant à l'objet connu selon un mouvement que nous avons déjà, à propos de Bolzano, qualifié de *dogmatique*. Ce sont ici les caractéristiques objectives du donné, c'est-à-dire des pensées, qui nous permettent de les concevoir d'une manière uniforme et, par conséquent, universelle. Quant à ce *medium* que constitue en la matière la « source de connaissance », ce n'est pas la tâche de la logique d'en pousser plus loin l'exploration. La tâche de la logique, c'est-à-dire de la philosophie[40], se borne à affirmer le caractère objectif, indépendant et constituant du règne des *Gedanken*.

Nous pouvons maintenant répondre à la question qui forme l'en-tête de ces développements. Lorsque Frege évoque la nécessité d'une reconstruction de l'arithmétique, ce n'est pas afin d'en avoir une connaissance certaine, c'est afin de mettre en évidence l'essence de cette science, essence qui est « contenue, comme dans un germe, dans les vérités originaires ». Ainsi l'objectif de la réduction est de manière prioritaire non pas « épistémologique » au sens où il s'agirait avant tout de restituer aux preuves une force qu'elles n'auraient pas sans cela, mais si l'on veut « ontologique » dans la mesure où il s'agit avant tout de décrire dans son essence la nature de la science arithmétique. C'est dire que le but final de la réduction est de relever le défi du kantisme. Il y a une connaissance *a priori* sans intuition préalable, rendue possible par un ensemble de vérités logiques fondamentales qui sont *données*. De leur réseau résulte le corps entier des mathématiques, et par leur truchement notre esprit devient raison (*G.A.*, § 105, 115). J'ai proposé plus haut d'appeler « ontotranscendantale » cette problématique nouvelle des conditions de possibilité, dont la philosophie de Bolzano nous a offert un premier exemple. Au lieu de fonder la science sur une théorie de la connaissance, elle pose un domaine objectif de vérités valant comme référentiel absolu dont les modes de donation (pensées) sont absolument déterminés. C'est ce « réservoir de pensées », inépuisablement disponibles et soustraites au devenir, qui rend compte de toute activité de connaissance. L'ontotranscendantalisme de Frege est par conséquent à comprendre comme un moyen de rendre l'épistémologie superflue, comme j'ai montré ailleurs qu'il dispensait de la nécessité d'une *philosophie du langage*[41].

Frege, Kant et la question des « sources cognitives »

Entre Kant et Frege il n'y a pas de rapport de simple « influence ». Frege emploie accessoirement le langage des « sources cognitives », mais pour subordonner la connaissance à un règne objectif véritablement constituant. Du point de vue de la topique comparative, la difficulté véritable consiste donc à comprendre ce que Frege a voulu dire lorsqu'il indique dans la note du paragraphe trois des *Grundlagen* :

> « Il est bien clair que je ne cherche pas à modifier le sens de ces expressions ; je vise précisément ce que d'autres auteurs, Kant en particulier, ont voulu dire par là » (p.3),

ou encore, lorsqu'il dresse le bilan de l'ouvrage en écrivant, dans le paragraphe final :

> « Tout ce qui précède a eu pour résultat de rendre hautement vraisemblable la nature analytique et *a priori* des vérités arithmétiques, et nous avons pu parfaire la doctrine de Kant. » (p.118)

Pour « parfaire la doctrine de Kant », Frege a bien dû effectivement concevoir son propre travail comme dépendant de la problématique kantienne. Comment peut-on continuer de défendre l'orthodoxie frégéenne contre un gauchissement « épistémologique », alors que Frege paraît se refuser à faire oeuvre de novateur ?

La légitimité de l'acte de juger

Ce qui fait l'étrangeté de la note citée, c'est qu'elle s'insère précisément dans une phrase où, incontestablement, Frege expose un critère d'analyticité qui ne coïncide plus, sur un point essentiel, avec le critère kantien :

> « Les distinctions de l'*a priori* et de l'*a posteriori*, de

l'analytique et du synthétique, ne concernent pas à mon avis le contenu de jugement, mais la légitimité de l'acte de juger. Là où elle fait défaut, la possibilité de ces distinctions s'évanouit également. » (p.3)

Si la distinction de Kant partait du « contenu du jugement », celle que Frege propose part plutôt de *ce qui légitime* l'acte de juger. Or ce qui donne sa validité à ce « mouvement », c'est l'ensemble des prémisses et des lois déductives du système dont la proposition à juger fait partie. Ce n'est donc que dans un cadre systématique que l'on peut appliquer le critère de l'analyticité. Cette limitation du domaine de validité de la distinction par l'intermédiaire de la notion de système ou de démonstration, fournit comme nous le savons la clé de l'énumération à laquelle procède le paragraphe suivant : « Si l'on ne rencontre sur son chemin que des lois logiques générales », « des définitions », « des propositions qui assurent le bon usage des définitions » etc., « on a une vérité analytique ». Ce n'est certes pas en enquêtant sur les motifs que l'on aurait, dans chaque cas, de « croire » (en une proposition) que l'on dissiperait l'impression d'« arbitraire » de cette classification. En revanche, on a un fil conducteur entre ces différentes rubriques une fois qu'on identifie en elles les parties d'un système déductif.

La manière dont Frege réinterprète la définition kantienne ne laisse donc pas indemne l'extension de l'analytique. Puisque la possibilité d'appliquer la distinction *s'évanouit* quand un jugement est produit sans légitimation, c'est-à-dire hors de toute démonstration, un grand nombre des propositions que Kant tenait pour analytiques cessent d'être caractérisables comme analytiques ou synthétiques. Il en va ainsi en particulier des affirmations informelles du langage courant dans lesquelles Kant puisait ses exemples, quand du moins elles ne peuvent pas être reconstruites comme proposition d'une suite déductive déterminée, ainsi que d'un certain nombre de propositions philosophiques dans la mesure où leur contenu n'est pas passible d'une reconstruction systématique (« l'univers est infini », « l'âme est sans extension » ne sont ainsi ni analytiques, ni synthétiques ; les positivistes diront bientôt : elles n'ont aucun sens). Quoique la définition frégéenne de l'analytique en resserre ainsi l'extension, Frege observe ailleurs que la définition kantienne est « trop étroite » (*G.A.*, § 88, 99 sq.). Ce qu'il veut dire alors, c'est que la définition de Kant n'est *pas exhaustive*. Non seulement parce qu'elle ne traite que du cas particulier où c'est un concept qui forme le sujet de la proposition (prenant ainsi le jugement universel affirmatif pour le type de jugement auquel tous les autres se ramènent), mais aussi parce que l'analyse kantienne du concept comme conjonction de caractères n'exploite qu'une relation, et la moins féconde, des relations possibles entre constituants propositionnels. Si l'on tente par conséquent d'apprécier l'étendue des modifications que le critère frégéen fait subir à la définition kantienne de l'analyticité, on voit donc que le critère de Frege : 1) réinterprète le contenu du jugement kantien en termes de système déductif ; 2) modifie l'extension des propositions analytiques ; 3) et enfin, modifie les propriétés essentielles qui sont liées à l'analyticité : à la stérilité de l'analytique kantien, Frege substitue comme on l'a vu la *fécondité* de l'analytique. Par suite de la substitution du système au point de vue de la conscience clarificatrice du sujet, le sujet perd chez Frege la maîtrise directe de ses propres productions. Et c'est le système en tant qu'il reproduit objectivement l'essence de la logique qui fait preuve de « fécondité », non la conscience qui en juge.

Ces trois traits de l'analyticité frégéenne constituent indubitablement des corrections que Frege tient pour essentielles. C'est en ce sens que Frege estime qu'il a « parfait la doctrine de Kant ». Et l'on est maintenant en mesure de comprendre ce qui a motivé la note du paragraphe 3 des *Fondements*. C'est précisément parce que Kant et Frege « *visaient* » *le même concept*, « ... est analytique », qu'un débat était possible à ce sujet. Topiquement, la note appartient à la même philosophie métalogique que celle qui inspire tout l'ouvrage. Sans doute le *sens* de la définition de Frege ne recouvre pas celui que Kant lui a donné. Mais c'est bien le *même concept* qui est « visé » dans les deux cas, de même que c'est le même concept de nombre que cherchent à définir par des voies différentes Cantor, Schröder, Baumann, Mill, Lipschitz, etc. Pas plus qu'il n'y a de multiples entités objectivement dénotées par l'expression de « nombre », pas plus n'est-il légitime d'envisager la propriété « ...est analytique » comme variable d'un auteur à l'autre : il doit bien y avoir une description correcte de cette propriété qui en donne la véritable dimension logique. Kant « semble avoir eu quelque idée de la conception plus large des jugements analytiques qui fut ici la nôtre », dit encore Frege (*G.A.*, § 88, 99-100), parce que, sans encore disposer des instruments logiques de la *Begriffsschrift*, il était déjà sensible à l'ampleur métasystématique du concept. L'interprétation que nous proposons comprend donc la note de Frege non comme l'aveu de l'influence de la théorie de la connaissance kantienne sur sa propre recherche, mais au contraire comme l'expression de la perspective réaliste qu'il prend aussi bien sur les objets de la théorie (le vrai, le faux, la « condition », etc.) que sur ses propriétés (l'analyticité, la continuité, etc.).

De l'a priori de Kant à celui de Frege

L'hypothèse de l'analyticité formulée par Frege en 1884 s'inscrit dans le sillage du retour à l'optimisme qui s'opère au dix-neuvième siècle par le biais de la philosophie des systèmes. Si l'on peut parler d'un retour à Kant, c'est au sens où l'on croit désormais pouvoir répondre de manière positive à la question critique. L'interrogation qui ouvre la *Critique de la raison pure* : « Comment faire progresser la Métaphysique ? », aboutit à l'examen du pouvoir de la raison par rapport à une connaissance pure *a priori*. C'est alors la possibilité de poser des jugements synthétiques *a priori* qui fonde la possibilité d'une Métaphysique comme Science. Cette distinction entre propositions analytiques et synthétiques joue encore un rôle fondateur dans la philosophie de Frege. De même que, chez Kant, c'est le jugement synthétique *a priori* qui garantit l'objectivité d'une science des principes, c'est ici la possibilité de développer *a priori* un système de la logique qui élève la mathématique elle-même au rang de véritable science des principes.

Cette analogie ne doit pourtant pas masquer la différence de statut entre l'*a priori* de Kant et celui de Frege. L'analyse des conditions de possibilité *a priori* de la connaissance conduit Kant à la déduction d'un pouvoir transcendantal de constitution et d'organisation des formes du savoir. L'*a priori* frégéen reste la marque d'une connaissance universelle et nécessaire, mais ce transcendantal s'est affranchi du support d'un *sujet*. Il reste condition d'objectivité, mais ne reste pur qu'à s'avérer indépendant de tout processus de connaissance. L'acte d'un sujet n'est donc plus fondateur, la primauté de l'*a priori* est celle d'un originaire absolu, dont le sujet (en tant que rationnel) est le produit. C'est en ceci que l'on peut parler d'optimisme : la rationalité est celle de la *chose-même*. Le système en soi des vérités ainsi que l'organisation originaire des significations en pensées forment un cosmos pour la raison. En outre, la représentation de l'essence dans une reconstruction symbolique adéquate ouvre l'ère du progrès scientifique et de la foi en des résultats définitifs, puisque c'est le noyau de la science que l'on a finalement découvert. La rhétorique kantienne de Frege ne doit donc pas faire illusion. L'approche transcendantale certes persiste, mais *sans* son arrière-plan critique. Rupture fondamentale, qui appelle d'autres divergences.

l) L'« ontotranscendantalisme ».

La question que se pose Frege est encore de type

kantien : « Comment une science pure et *a priori* des mathématiques est-elle possible ? » Mais la réponse qu'il fournit à cette question est indéniablement précritique. Il n'envisage pas de passer au crible les instruments de production du savoir dont nous pouvons légitimement faire usage – l'écriture formulaire par exemple n'est pas rattachée à la valeur fondatrice d'une intuition *a priori* opérant *in concreto*. Frege recherche un fondement *en amont* de toute connaissance : l'objectivité du règne des *Gedanken* et des *Bedeutungen* précède toute activité de pensée et de connaissance. Non seulement est-elle ce qui *oriente* l'activité discursive, elle en forme aussi la *condition de possibilité*. J'ai appelé « ontotranscendantalisme » cette problématique philosophique qui consiste à placer dans l'existence indépendante d'essences et de visées d'essence (sens) les conditions de possibilité d'une connaissance par un sujet.

2) La fécondité de l'analytique.

Une telle approche dogmatique s'accompagne typiquement de la mise à l'écart de l'opposition qui, dans le kantisme, sert au contraire de fil conducteur des déductions. L'intuition n'est plus aussi radicalement opposée à l'entendement, parce que ce n'est plus la faculté de connaître qui décide de l'objectivité du connu. Il est frappant à ce sujet de constater que Frege ne considère pas que les caractères formulaires fassent appel à l'intuition. Frege met ici fin à la division des rôles entre la simple décomposition (dont l'entendement dans son usage formel avait, chez Kant, la spécialité) et la production de contenus *a priori* que l'intuition pure pouvait engendrer dans l'activité mathématique. Mais dire qu'une connaissance nouvelle peut être acquise sans intuition, c'est aussi dire que l'analytique n'est pas cette terre stérile et désolée que décrivait la *Logique* de Kant. La forme logique proprement dite est assez puissante pour engendrer toutes les vérités de l'arithmétique.

3) La finitude.

Avec cette libération à l'égard du dualisme kantien entre production de formes nouvelles et reproduction (qui fait pendant à la division fondamentale entre production et réception), c'est tout le site de la finitude qui est modifié. Chez Kant, la figure de la chose-en-soi signale la limite de la connaissance possible, tandis que, sur l'autre versant, l'analyticité marque l'emplacement du seulement reconnu. Le « déjà pensé » constitue en quelque sorte le bord interne de la connaissance. Frege dissout ces deux repères des limites de la connaissance. Le savoir redevient absolu comme au temps de la grande époque de la Métaphysique. Toute connaissance reflète l'Etre de la chose, toute trace subjective étant effacée de l'objet du savoir (d'où la fonction cathartique de l'écriture formulaire). L'analyticité de son côté subit une mutation inédite puisque ce qui était jusqu'alors le modèle de la non-connaissance, du savoir d'entendement, devient maintenant ce qui, dans la pensée, reproduit la genèse en soi du système de la logique.

Puisque le savoir est savoir de l'essence, c'est du côté de la représentation que, de manière plus insidieuse, la finitude vient s'exercer. Il y a en effet une *distance* entre le modèle et sa copie qui peut être exploitée dans une philosophie réaliste pour rendre compte de l'erreur (comme du mal, et de la laideur). L'objet connu l'est-il tel qu'en lui-même ? L'épaisseur du mental, de l'historique, et, surtout, du linguistique, ne risque-t-elle pas en permanence de faire dévier la recherche de son but idéal ? L'essence a-t-elle été correctement saisie par la représentation qu'en offre le système ou bien n'a-t-elle été que fugacement, incomplètement entrevue ? Telle est l'incertitude constitutionnelle que l'essentialisme fait peser sur l'hypothèse de l'analyticité. Celle-ci n'est justement d'abord qu'une hypothèse parce que le logicien doit expérimenter concrètement les possibilités opératoires du système afin de s'assurer que c'est bien l'essence du mathématique qu'il exhibe et non quelque artefact étranger à l'essence du nombre.

Le logicisme après l'antinomie

Le projet logiciste de Frege s'articule sur deux thèses qui sont étroitement soudées dans la conception frégéenne du *système* : 1) Les notions mathématiques sont en fait réductibles à des notions purement logiques, et les vérités mathématiques sont déductibles des axiomes de la logique [42] ; 2) *toutes* les vérités de l'arithmétique, et, par suite, de la mathématique entière, sont déductibles des lois logiques. C'est la première de ces deux thèses qui se trouve la plus directement touchée par l'antinomie de Russell [43], tout d'abord par l'incertitude qu'elle découvre concernant l'extension du *logique*, ensuite par les limites où elle cantonne l'entreprise de réduction du mathématique au logique. La logique tout d'abord. Pierre de fondation de l'analytique, ciment des déductions, elle devait constituer un matériau sûr qui jouerait sans défaillance le double rôle fondateur et constructif. L'antinomie révèle brutalement que l'une des notions les plus fondamentales du système, celle de « parcours de valeur », n'est peut-être pas « logique » après tout, puisque c'est elle qui occasionne une incohérence dans le système des lois fondamentales. Le ver est dans le fruit : toute entreprise fondationnelle ne cessera de buter sur la valeur du signe d'appartenance : s'agit-il d'une notion « strictement mathématique » ? Il convient dès lors de donner un sens à ce mot indépendamment de la logique, par exemple en postulant une source indépendante de savoir mathématique, comme le feront par des voies différentes l'école intuitionniste et Gödel [44]. Et si l'on tient à tout prix à maintenir l'unité du logique et du mathématique, on continuera à annexer à la logique la grammaire du signe « ∈ ». Mais un tel coup de force aura-t-il permis d'éclairer la véritable nature de l'appartenance, et du logique, ou au contraire surchargé l'un et l'autre d'une confusion supplémentaire ?

La logique apparaît après coup comme une dénomination qui serait devenue triviale par nécessité. Est *logique* ce que le logicien doit considérer comme tel, ce qui est pour lui élément de manipulation. Plus qu'elle ne crée cette trivialité dans l'emploi du terme « logique », l'antinomie révèle un usage ancien. C'est en recourant à un raisonnement circulaire que Frege isole en tête des *Fondements* le logique de l'empirique : les vérités fondamentales sont logiques parce qu'universelles, universelles parce qu'*a priori*, et *a priori* parce que logiques. Cercle qui paraît indissociable d'une argumentation essentialiste, impuissante à spécifier positivement l'origine du donné pur. D'où peut-être la tentation de faire valoir une source de connaissance qui rendrait compte de ce donné. Mais si l'on commence à soupçonner l'artifice latent que recouvrirait l'emploi du terme « logique », c'est l'idée de « réduction » qui se trouve à son tour la proie du soupçon. Frege avait l'ambition d'exposer l'essence du nombre. L'échec de sa tentative dirige le doute sur l'existence d'un tel noyau, unique et absolu, de la science du nombre. L'idée de formalisation de l'arithmétique n'est pas ce qui est ici remis en question. De nouvelles tentatives au contraire vont être faites sous la stimulation des antinomies. La première de ces reconstructions est la théorie des types formulée dans l'Appendice des *Principles*, et qui sera développée dans les *Principia*. Les diverses formalisations de la théorie des ensembles, de Zermelo-Fraenkel à Von Neumann, exhiberont pour le même objet, le nombre, des représentations rivales et incompatibles entre elles. L'idée de réduction perd alors de sa vraisemblance. Comment accréditer la thèse de la mise à nu de l'essence, quand au lieu d'une explicitation définitive et unique, on dispose d'une pluralité hétérogène de représentations formelles ? Il semble dès lors plus approprié d'interpréter chaque construction non pas comme offrant une *réduction* de l'arithmétique à la logique, mais, selon la suggestion de Hao Wang, comme constituant simplement une *traduction* de l'une dans l'autre [45]. Plus précisément, chaque formalisation paraît démontrer qu'arithmétique et théorie des ensembles sont des théories équivalentes, en ce sens qu'à chaque proposition vraie de l'une correspond dans l'autre une traduction également vraie. Mais le foisonnement des représentations formelles incompatibles, c'est-à-dire non intertraductibles entre elles, disqualifie l'une d'entre elles dans sa prétention à exprimer l'essence du nombre. La problématique de la réduction s'efface ainsi devant celle de la multiplicité des jeux de langage.

On découvre du même coup que la problématique fondationnelle ne sort pas indemne de ce changement de vocabulaire. Si une formalisation de l'arithmétique par la théorie des ensembles n'offre à chaque fois qu'une traduction de l'une dans l'autre, pourquoi continuer à penser que l'arithmétique a besoin de ce fondement ? N'est-elle pas au moins aussi sûre que les constructions formelles qui lui servent de traduction ? Pourquoi ne peut-on se borner à prendre de ces systèmes ce qu'ils peuvent offrir, à savoir des modèles locaux d'intelligibilité, sans chercher à promouvoir par leur intermédiaire un fondement de l'arithmétique qui, depuis des siècles, se soutient de sa seule pratique ?

La première thèse du logicisme frégéen a ainsi subi, sous le coup de l'antinomie, deux graves revers. Mais la seconde thèse ne tardera pas non plus à trouver un démenti encore plus radical. Cette seconde composante du logicisme, rappelons-le, réside dans la conviction selon laquelle « le » système de l'arithmétique est *complet* : toutes les vérités de l'arithmétique sont effectivement déductibles des axiomes de la théorie formelle. Or Gödel montre en 1930 l'impossibilité de déduire toutes les vérités de l'arithmétique à partir des axiomes de la théorie des ensembles. Dans la formulation qu'en propose Tarski ultérieurement, cela revient à dire que la classe des vérités de la théorie élémentaire du nombre n'est pas *récursivement énumérable*[46]. Ces résultats sont encore plus graves pour le projet logiciste que ne l'étaient les antinomies. Car si la signification de celles-ci peut à la rigueur être minimisée par une philosophie réaliste, à titre d'imperfections techniques d'une première tentative, les théorèmes d'incomplétude énoncent des propriétés valables de toute formalisation de l'arithmétique. Il est maintenant parfaitement clair que les limitations énoncées par le premier théorème d'incomplétude ainsi que par le théorème de Church [47] ferment définitivement tout espoir d'obtenir une représentation exhaustive des vérités de l'arithmétique dans un système entièrement « logique ».

La philosophie de la logique découvre ainsi dans la pratique des formalismes des raisons d'abandonner l'essentialisme. Le chemin est ainsi pavé pour une nouvelle thèse, qui connaîtra au cours du vingtième siècle une faveur exceptionnelle : les lois de la logique sont de nature purement linguistique. La laïcisation de l'analyticité s'opère en même temps que se prépare sa récupération par une philosophie officiellement « empiriste », quoique, comme nous le verrons, peu regardante sur l'origine essentialiste de l'héritage.

Section Quatrième

LES STRATÉGIES FONDATIONNELLES DE RUDOLF CARNAP

Chapitre Premier

D'UN PARI À L'AUTRE

Il y a une analogie profonde entre l'oeuvre de Frege, *Les fondements de l'arithmétique*, et le premier ouvrage de Carnap, *La reconstruction logique du monde*. Carnap y reprend le combat contre les jugements synthétiques *a priori* là où Frege l'avait laissé. Etant acquis (ce qui était le pari de Frege) que les propositions de l'arithmétique sont effectivement réductibles à des théorèmes purement logiques ; étant acquis que les propositions de la géométrie sont, en tant que parties d'un théorie mathématique (et non pas : physique), des propositions purement analytiques (selon le résultat de Russell), il est maintenant possible de démontrer que les concepts empiriques des sciences de la nature peuvent être entièrement dérivés des données d'observation élémentaires à l'aide de constructions purement logiques. Ainsi, le secours des « synthèses *a priori* » se trouve définitivement écarté, en tant que de telles propositions sont dépourvues de toute utilité et même de toute signification. L'analyticité des mathématiques a été établie par Frege au moyen d'une redéfinition des concepts de l'arithmétique en termes purement logiques. Il s'agit là pour Carnap d'un résultat définitif que ne saurait remettre en cause le paradoxe de Russell. Il convient maintenant d'exploiter ce premier acquis, en montrant qu'une réduction similaire peut être obtenue hors des mathématiques. Non pas, bien entendu, en démontrant le caractère purement logique de l'ensemble de la Science, mais en démontrant avec exactitude la *part du logique* dans la composition de ses concepts. De même donc que Frege « réussissait » à fonder les mathématiques en montrant que leurs énoncés étaient traductibles en termes purement logiques et pouvaient en outre être déduits des seules lois logiques, Carnap projette de fonder l'unité de la Science en traduisant tous ses énoncés en termes clairement logiques *ou* empiriques (c'est-à-dire en termes d'expériences élémentaires). C'est donc bien l'idée d'analyticité élaborée dans les *Fondements* qui inspire la *Reconstruction logique du monde*, la distinction tranchée entre termes logiques et termes factuels étant le principal présupposé que le système a pour charge d'appliquer au réel de la science et dont il doit en même temps prouver la légitimité. Le système des concepts empiriques conjoint quatre traits qui en constituent l'originalité au sein de la tradition systématique dans laquelle la déduction de Kant et le système de Frege constituent des étapes essentielles :

1) La *mise en série* de concepts *empiriques* montre, contre l'avis de Kant, que les concepts empiriques peuvent recevoir une *définition* rigoureuse et exhaustive, et qu'ils peuvent être *déduits* à partir d'une base commune.

2) C'est de sa place dans le système que chaque concept reçoit son statut épistémologique et rationnel. L'idée de hiérarchie entre les sciences est remplacée par la notion plus claire d'implication entre les concepts de « la » Science.

3) L'édification concrète du système de constitution permet de manifester la continuité discursive entre les propositions des sciences des divers niveaux. Cependant, cette « *Lückenlosigkeit* » ne s'accompagne pas de l'inter-déductibilité des propositions des sciences, comme c'était le cas des théorèmes mathématiques à partir des lois logiques dans les *Lois fondamentales*. Seuls sont concernés par la réduction les *matériaux* des sciences, leurs « objets ». L'intérêt de la continuité systématique consiste surtout à écarter les « concepts usurpés » (intérêt déjà

remarqué par Kant). Une fois constitué, le système permet de poser à tout concept la question « *quid juris* ? » Le système étant achevé, la réponse à cette question peut en quelque sorte être « calculée ». Tout concept mal formé sera dépisté, ce qui permettra de confondre les métaphysiciens, fauteurs de « faux problèmes ».

4) Enfin et surtout, l'édification concrète du système permet chaque fois de démontrer sa possibilité et de confirmer son objectivité. Le fait d'engendrer à partir d'un seul principe l'ensemble des éléments du domaine est représenté comme la garantie de l'objectivité de son mode de développement. C'est ce trait du système qui faisait de l'analyticité frégéenne le critère indiscutable de l'essence *logique* du nombre. Carnap tire le même avantage d'être venu à bout de sa reconstruction du monde, avec toutefois une nuance essentielle.

Kant et Frege concevaient l'un et l'autre le développement systématique comme l'efflorescence qui est virtuellement contenue dans le germe. Rien de tel chez Carnap. Le système ne montre nullement comment les sciences « élémentaires » sont porteuses de vérités plus hautes, mais seulement qu'une *traduction* des secondes dans les termes des premières est toujours possible. La réduction a donc perdu l'ambition de manifester l'essence de l'objet réduit. Il lui revient maintenant d'assigner respectivement au formel et à l'empirique leur portion congrue dans la langue de la science unifiée. Cette constatation peut laisser penser que la réduction fait désormais partie d'une stratégie *empiriste* consistant à limiter le champ du connaissable à ce que l'expérience elle-même permet de justifier. C'est d'ailleurs précisément ainsi que l'entendent les membres du Cercle de Vienne, qui appellent « empirisme logique » le nouveau courant de pensée qu'ils représentent. Nous allons voir pourtant qu'il faut procéder ici à des distinctions indispensables. L'orientation antispéculative du Cercle de Schlick suggère à ses membres – lesquels ne sont pas, pour la plupart, des philosophes de formation – de se présenter comme « empiristes » et de dissocier la logique d'une philosophie réaliste essentialiste. Mais le qualificatif d'« empiriste » a ici une valeur polémique plus qu'il ne revêt un sens technique. Il faut donc examiner les procédures argumentatives ainsi que le projet même du jeune Carnap pour tenter de discerner la véritable fonction de la théorie de la constitution.

La laïcisation de la logique

L'expression même d'« empirisme logique » manifeste bien ce qui est perçu par les membres du Cercle de Vienne comme constituant le fer de lance de leur mouvement : la substitution d'un dualisme sans exception – propositions analytiques (logiques) / propositions synthétiques *a posteriori* (empiriques) – au schéma tripartite de Kant (propositions analytiques, synthétiques *a priori*, synthétiques *a posteriori*). On ne peut pas apprécier la spécificité de ce nouveau dualisme sans saisir précisément en quoi il reconduit encore l'objectif kantien de fondation des sciences : ce qui permet en effet d'abandonner la catégorie du synthétique *a priori*, c'est précisément la capacité de la nouvelle logique à assumer les fonctions jadis réputées transcendantales. *La fonction architectonique et constitutive des formes a priori de l'intuition et des concepts purs se trouve ainsi reprise de facto par la logique.*

Mais il faut s'entendre sur le terme de « logique ». Au contraire de ce que pensaient Bolzano ou Frege, la logique n'a pas pour Carnap d'objet propre, elle est sans contenu. Sans cela l'intelligibilité même de l'unité de la science, sous l'apparent dualisme qu'évoque l'expression d'« empirisme logique », serait compromise. *Il faut que* la logique de Frege soit laïcisée, coupée de tout fondement ontologique et périlleusement remise au compte du nominal pur, c'est-à-dire de l'institution conventionnelle de signes :

« La logique (mathématique comprise) ne consiste que dans

des conventions qui régissent l'usage des signes et en tautologies sur la base de ces conventions. » (*A.*, § 107, 150)

Cette « laïcisation » de la logique, qui permet d'étendre considérablement son domaine en minimisant la gravité des constructions « *ad hoc* » est aussi le seul moyen de sauver le logicisme des difficultés soulevées par les paradoxes [1].

Russell et les constructions logiques

Ce n'est pas Carnap, à vrai dire, mais Russell, qui a le premier eu l'idée d'appliquer aux énoncés physiques le critère frégéo-russellien de la reconstruction systématique. Pour que les énoncés théoriques de la physique puissent recevoir une *confirmation* expérimentale, *il faut* qu'il existe une manière quelconque de mettre en corrélation les objets qui figurent dans les théories physiques (électrons, molécules, etc.) avec des données sensorielles. Mais cette corrélation ne peut pas être établie si on ne peut pas repérer, dans l'expérience, le voisinage d'un terme avec son corrélat. Or seul l'un des termes de la corrélation est donné : rien ne permet donc de vérifier la corrélation de l'objet théorique avec l'expérience qui l'illustre. Il existe une *lacune* dans la démonstration expérimentale, lacune qui affecte la validité des sciences de la nature *de la même façon que* la discontinuité démonstrative des théories naturelles de l'arithmétique mettait en péril la validité de cette science. Ainsi raisonne Russell dès 1914, dans l'article intitulé *The relation of sense-data to physics*. Russell suggère alors de reprendre à propos de la physique la méthode qui a été employée en arithmétique : remplacer l'entité inférée par une *construction logique*, ne retenant de l'objet initial que les propriétés déterminantes pour la vérité des propositions où il est décrit. Ce qui montre qu'une telle construction est possible en physique, c'est qu'une prédiction de l'expérience *y a déjà lieu* :

« Dans la mesure où l'état de choses physique est inféré des données sensorielles, il doit pouvoir s'exprimer comme une fonction des données sensorielles. »

Il faut donc inverser le parcours de l'épistémologie naïve : au lieu d'aller de l'objet théorique aux prédictions expérimentales, il faut tenter de reconstruire l'objet théorique en termes de données sensorielles. En d'autres termes, Russell propose d'entreprendre la « déduction empirique » des concepts physiques. Le profit en est avant tout la clarification apportée à la physique ; et ce n'est qu'en passant que Russell fait allusion à l'intérêt proprement logique d'une telle entreprise :

« La question que pose cette expression (de l'objet théorique en termes de données sensorielles) suppose un travail logico-mathématique intéressant et ample [2]. »

Sur son propre exemplaire du texte de Russell, Carnap griffonne en marge : « Cela, ce sera ma tâche. » Car d'une telle déduction empirique, Carnap voit d'abord l'intérêt *logique*. Recentrage essentiel, qui suffit à infléchir vers un nouveau type de rationalisme le projet initial de Russell. *Aussi est-ce avant tout sur ses procédures formelles qu'il faut juger du succès de l'*Aufbau. Même si Carnap montre ces procédures *in concreto*, et fait mieux qu'esquisser ce que serait le système des concepts de la Science, ce n'est pas sur l'accomplissement exhaustif des dérivations que l'on pourra évaluer la constitution. Ce sont les procédures formelles qui forment les *thèses* de la constitution, et non telle chaîne de définitions dans laquelle ces procédures s'illustrent. Alors que le pari de Frege ne pouvait être gagné qu'à la condition de mener le système *à son terme*, c'est-à-dire à la condition de dériver les vérités mathématiques des vérités logiques, celui de Carnap exige seulement que l'esquisse proposée soit probante, c'est-à-dire qu'elle démontre la *possibilité* de l'entreprise d'unification des sciences.

L'idée de réduction

Construire un système de constitution suppose que l'on sache « réduire » les concepts des théories naturelles, c'est-à-dire que l'on parvienne à les exprimer au moyen d'un vocabulaire plus limité. On comprend alors d'ordinaire la réduction carnapienne comme une application du principe de parcimonie de Russell : la réduction permettrait de dissoudre les « entités » inutiles et de clarifier le stock de concepts effectivement nécessaires au raisonnement scientifique. Si c'est là l'un des effets du système, ce n'est pourtant pas une purification ontologique qu'il apporte. Car les objets proches de la base sensorielle n'en sont pas moins déjà abstraits ; le véritable enjeu de la réduction n'est pas de *revenir à un socle originaire* – ce qui est plutôt la démarche de l'empirisme traditionnel que celle des empiristes logiques – mais de manifester l'importance exacte des « composantes de forme » (*Formungskomponenten*) de la connaissance (*A.*, § 183, 260) en appliquant de façon inédite la logique des *Principia*.

> « Réduire un concept *a* aux concepts *b, c*,... » signifie que l'on produise « une règle de traduction qui donne une indication générale de la manière dont toute fonction propositionnelle où *a* figure peut-être transformée en une fonction propositionnelle de même extension dans laquelle ne figure plus *a*, mais seulement *b* et *c*. » (*A.*, § 35, 47)

Cette « indication générale » aura la forme d'une définition, dite « définition constructionnelle », puisque tout en permettant d'*éliminer* le concept *a* au profit des concepts *b* et *c*, elle fournit un *ordre* entre les concepts [3].

L'instrument adéquat de l'étagement des sphères, caractéristique d'un véritable système de concepts, est la *définition par l'usage* : elle permet d'étager le système, c'est-à-dire d'édifier des concepts appartenant à des sphères différentes. Elle exploite donc la dimension proprement constructive de la définition et fait échapper la construction à la trivialité d'une combinatoire élémentaire entre éléments de même type. La définition par l'usage consiste à énoncer les prédicats que doivent posséder les objets afin d'appartenir à la classe que l'on cherche à construire. On définirait par l'usage, par exemple, le concept de « nombre premier » de la manière suivante :

> « x est un nombre premier = df x est un nombre entier et n'a pour diviseurs que 1 et lui-même. »

Définir par l'usage une classe ou un parcours de valeur (ce que Carnap appelle une « extension de relation ») ne consiste donc pas à expliquer le sens du nouveau symbole de manière traditionnelle, en indiquant les caractères du concept pris isolément. Car la substitution qu'autorise la définition par l'usage ne s'opère que dans des phrases complètes (*A.*, § 39, 51-2). Le critère de validité de cette définition est purement extensionnel : l'*explicandum* et l'*explicans* seront dits « de même sens » s'ils sont substituables *salva veritate* dans toutes les propositions où ils peuvent figurer (*A.*, § 40, 53).

L'idée de critère factuel de réductibilité

Afin de hiérarchiser les concepts, il faut évidemment disposer d'autre chose que d'une simple échelle ordinale sur laquelle les disposer. Il faut encore pouvoir discriminer, entre deux concepts, *dans quel ordre* s'effectue la réductibilité et *entre quels concepts* la relation existe. Comment parvenir à une telle comparaison entre les concepts pré-systématiques, et comment être sûr d'être *exhaustif* dans la construction ? Le problème qui se pose ici à Carnap est un problème classique des systèmes caractéristiques que Leibniz avait ainsi formulé :

> « La connaissance de la langue s'avancera avec celle des choses et y servira beaucoup, et une chose pourra avoir autant

de noms que de propriétés ; *mais il n'y en aura qu'un qui sera la clé de tous les autres*, quoiqu'on n'y puisse pas toujours parvenir dans les matières qui dépendent des expériences [4]. »

Il faut en d'autres termes que soit réglée la question de la référence essentielle, c'est-à-dire que l'on puisse toujours découvrir un nom « qui soit la clé de tous les autres » pour un objet systématique donné. Cependant la réduction ne doit pas faire intervenir d'hypothèse ontologique, comme c'était le cas dans la philosophie de Leibniz. Il faut donc obtenir une démonstration purement analytique de la possibilité universelle d'une réduction non seulement logique, mais factuelle. Carnap montre tout d'abord qu'il existe un critère *factuel* de réductibilité qui répond au réquisit formel que nous avons évoqué plus haut. En langage « réaliste », il s'énonce ainsi :

« Nous disons d'un objet *a* qu'il est « réductible » aux objets *b, c*,... si, pour un état de choses quelconque, une *condition nécessaire et suffisante* peut être indiquée qui ne dépende que des objets *b* et *c*. »(*A.*, § 47, 65)

En dépit du fait qu'il s'agisse d'un critère « factuel », la démonstration de l'*équivalence* des deux critères (logique et factuel) se fait de manière purement formelle. Le critère logique requiert l'équivalence du *definiendum* et du *definiens* ; le critère factuel fait état d'une condition nécessaire et suffisante, que l'on exprimera logiquement par une équivalence. Cette première étape est purement analytique puisqu'elle se borne à affirmer le caractère logiquement équivalent des deux critères. Mais on n'a pas encore montré ce que recouvre la clause « pour un état de chose quelconque ». Si le critère factuel exigeait que l'on examine tous les états de chose dans lesquels l'objet à réduire peut intervenir, le critère serait inapplicable car il n'existe aucun moyen *a priori* permettant de savoir si *tous* les états de chose ont été examinés (pas plus qu'il n'existe d'ailleurs de procédure permettant de déterminer si le nombre de ces états de chose est *fini*). La solution de Carnap consiste à substituer à une procédure empirique indéterminée une procédure linguistique déterminée, c'est-à-dire de résoudre ce problème d'une manière qui est encore purement analytique. Il suffit d'indiquer un caractère capable de *représenter* l'objet :

« Il s'avère qu'il y a, pour tout objet, "un état de chose de base" : dans tous les autres états de chose où il intervient, il entre par l'intermédiaire de cet état de chose de base. » (*A.*, § 48, 66)

Cette indication peut laisser penser qu'il s'agit là d'un fait empirique. Mais il n'en est rien, comme on s'en rend compte en lisant la paraphrase de ce « fait du système » en langage constructionnel :

« Pour tout objet, il y a une *fonction propositionnelle* telle que toutes les occurrences de l'objet peuvent être exprimées à l'aide de cette fonction propositionnelle fondamentale. » (*Ibidem*)

L'état de chose de base n'est autre que l'énoncé type minimal dans lequel l'objet reçoit à la fois une caractérisation scientifique ou sensorielle (en termes de propriété ou de relation) et un nom. L'état de chose de base joue, dans l'*Aufbau*, le rôle du nom, qui, dans la caractéristique leibnizienne, est « la clé de tous les autres » : c'est la fonction propositionnelle qui permet de symboliser univoquement chaque concept. Soit par exemple l'objet à construire, « équilibre thermique ». Dire qu'il existe une fonction propositionnelle qui permet d'exprimer toutes les occurrences de cette relation, c'est simplement construire une proposition élémentaire dans laquelle il est fait référence à l'objet :

« X est par rapport à Y en relation d'équilibre thermique. »

L'équilibre thermique devrait être partout traité comme une relation entre deux termes. L'état de chose de base se borne donc à désigner le rapport de la chose à son état de chose au moyen du rapport entre le symbole et l'énoncé minimal où celui-ci intervient. Cette seconde étape de la démonstration d'adéquation est donc encore purement « formelle ». Elle s'appuie sur la possibilité, exposée par Wittgenstein dans son *Tractatus*[5], de concevoir l'espace des choses comme le dual de l'espace des états de chose.

En mettant chaque objet en correspondance avec un état de chose fondamental, Carnap répond à l'une des difficultés signalées par Gilles Granger, concernant le traitement des *propriétés internes* des choses. En effet, la caractérisation de chaque objet par son état de chose de base produit la grammaire *a priori* réglant la manipulation de son symbole, en sorte que toute description empirique de faits relatifs à l'objet ne puisse s'effectuer que dans le cadre formel désigné par cette grammaire. De ce fait la règle d'écriture et le constituant essentiel de la chose se répondent, selon l'exigence posée par Leibniz. La thèse de l'existence de l'état de chose de base a donc en définitive pour conséquence : 1) de rendre possible l'articulation du logique et de l'empirique dans le système de constitution ; 2) de garantir au système de descriptions une interprétation sémantique. Si elles sont bien formées, les définitions doivent renvoyer à l'univers des faits possibles.

Définition et identification empirique

L'adéquation du critère suppose enfin que l'on lève l'hypothèque indiquée par Leibniz, c'est-à-dire que l'on démontre que, pour tout état de chose de base correspondant à l'objet à définir, il existe une condition nécessaire et suffisante (et une seule). Soit par exemple le *definiendum* : « X est par rapport à Y en relation d'équilibre thermique ». Comment déterminer le *definiens* ? Carnap répond à cette question en invoquant le principe de vérifiabilité : même si un indicateur (*Kennzeichen*) – c'est-à-dire une condition permettant d'identifier un état de chose – n'est pas explicitement invoqué par une science pour caractériser un concept donné, il *peut* toujours être découvert. Le principe de vérifiabilité enjoint en effet à tout concept de la science d'être issu d'une observation contrôlable. Comme il s'agit là d'une condition de possibilité de la science, il est établi *a priori* qu'à toute expression d'une théorie naturelle correspond un fait d'observation (éventuellement complexe) qui contient dans ses atomes les conditions nécessaires et suffisantes de l'état de chose de base à définir. Dans l'exemple choisi, la condition nécessaire et suffisante sera :

« Si les corps X et Y sont mis en contact spatial (directement ou par l'intermédiaire d'autres corps), ils ne manifestent ni augmentation, ni diminution de température [6]. »

Du *fait* de la science, Carnap déduit *la nécessité* de disposer pour chaque concept d'une description définie servant d'indicateur « infaillible » de l'état de chose correspondant. Cette thèse, issue du principe de vérifiabilité, est une vérité analytique déductible du concept de science, lequel est *donné*. Qu'il existe un indicateur, c'est là une vérité analytique, qui doit garantir la possibilité de fait des réductions. Quant à savoir quel indicateur employer pour chaque concept, ce n'est pas à l'*Aufbauer* d'en décider. Il doit se borner à emprunter les indicateurs employés dans chaque discipline : la validité des descriptions ne peut pas recevoir de réponse *a priori*, et il n'est pas du ressort du philosophe d'en apprécier la pertinence [7]. Le passage du principe logique de la réduction à son application à des concepts empiriques est donc lui-même assuré par la conjonction d'opérations analytiques et du présupposé de l'existence de la science. Mais il nous faut maintenant dégager les grands principes qui règlent dans l'*Aufbau* les rapports de la science au donné, et qui rendent possible l'entreprise de la constitution.

L'Extensionalisme

« La puissance de réduction d'un système de constitution ne consiste pas à démontrer qu'une entité donnée soit identique à un complexe d'autres entités, mais à démontrer qu'il n'existe aucune obligation de prendre la position contraire. » (Nelson Goodman, *The Structure of appearance*, 26)

Du point de vue de Carnap, le recours aux définitions par l'usage se réduit au choix d'une procédure linguistique permettant de parler de certaines extensions. Deux fonctions propositionnelles sont dites de même dénotation (*Bedeutung*) si et seulement si elles ont la même extension, c'est-à-dire si les mêmes valeurs d'argument leur confèrent les mêmes valeurs de vérités. Carnap reprend là la *thèse de l'extensionalité*, exposée dans le *Tractatus*, en vertu de laquelle « dans tout énoncé portant sur une fonction propositionnelle, celle-ci peut être remplacée par son symbole d'extension. » A la suite de Wittgenstein, Carnap radicalise l'application du principe tel que l'employaient les premiers logicistes. Une chose en effet est de considérer cette thèse comme fournissant le critère de l'équivalence logique entre des concepts ; autre chose est la thèse que soutient Carnap : on peut toujours *remplacer* la fonction propositionnelle par son extension. Car le concept perd alors sa « détermination [8] ». La prétention réaliste de la reconstruction s'en trouve déplacée. Sans doute le système des concepts doit-il décrire de façon structurale la réalité (telle qu'elle apparaît dans l'expérience ordinaire et dans l'observation scientifique, l'une et l'autre étant fondamentalement homogènes), mais il n'y aura pas de correspondance terme à terme des constructions avec des objets présystématiques. Ce n'est que *globalement* que le système renvoie au référentiel absolu qu'est l'expérience.

La conséquence immédiate de la thèse de l'extensionalité dans cette version radicale, c'est une grammaire et une sémantique nouvelles du concept. Puisque l'agent de la détermination est maintenant l'extension, le concept devient capable de représenter logiquement tous ceux qui lui sont coextensifs :

> « La fonction propositionnelle qui est exprimée à l'aide du nouveau signe n'appartient donc pas à une seule ancienne fonction propositionnelle déterminée, mais en même temps à toutes celles qui sont de même extension, en d'autres termes : elle appartient à l'extension de ces fonctions propositionnelles. » (*A*., § 40, 53)

La grammaire du concept se trouve simplifiée puisqu'il n'est plus nécessaire de faire état, comme le faisait Frege, d'un signe d'égalité entre concepts « correspondant » au signe d'égalité entre fonctions. Les termes de concepts et d'extensions sont des variantes équivalentes d'une même réalité logique. Cependant, le recours à la thèse d'extensionalité suppose l'appel à trois thèses préalables à l'oeuvre constitutionnelle.

A – Le paradoxe du critère d'identité extensionnelle

Si l'on se place du point de vue du système achevé, l'équivalence entre *definiens* et *definiendum* est un résultat trivial. La définition apparaît comme une simple stipulation abréviative dont la formule est nécessairement tautologique. Comme nous l'avons vu à propos de la définition frégéenne, ce point de vue intrasystématique ne permet pas de comprendre la portée explicative de la définition. Carnap et Goodman en font à leur tour l'observation [9]. Or si l'équivalence entre *definiens* et *definiendum* ne pose aucun problème dans le système, c'est précisément le problème crucial de la constitution de s'assurer de la validité de l'équivalence de l'équation entre le concept ancien prélevé dans le lexique de la science, et le terme nouveau appartenant à la langue du système. Il faut un critère au moyen duquel *juger le système*. La thèse d'extensionalité paraît en mesure de fournir ce critère. Il suffit de substituer à l'expression « ancienne » une expression du système qui préserve dans la traduction la valeur de vérité des propositions de la langue (et de la théorie naturelle) où l'expression intervient. Mais l'application du critère extensionnel rencontre une difficulté que Goodman tente d'expliciter. A quoi allons-nous appliquer le test de la substitution ? Si nous devons par exemple remplacer l'expression présystématique « pensée inconsciente » par un analogue formel du système noté « Sup C », quelle est la valeur de vérité qu'il convient d'accorder à l'équation :

pensée inconsciente de $X = \text{Sup C}(X)$?

L'énoncé ne sera tautologique que si l'ensemble des tests extensionnels est achevé. Or, un certain nombre des phrases à tester supposeront *déjà établie* l'équivalence logique considérée. Goodman propose dans son propre système de remplacer le critère fort de l'identité d'extension par un critère assoupli plus conforme aux possibilités réelles de la réduction. On demandera d'un système de définitions *exact* (*accurate*) – sans encore préjuger de son adéquation – que l'ensemble des *definientia* soit *isomorphe* à celui des *definienda*. Les extensions appartenant respectivement au système et à son modèle présystématique n'ont plus à être identiques. Il suffit qu'elles soient *de même structure* [10]. Carnap envisage aussi la possibilité de construire plusieurs systèmes isomorphes. Mais il conçoit cette possibilité comme devant constituer le potentiel opératoire de la constitution, et nullement comme une limitation interne à son formalisme quant à ses capacités d'identifier une extension d'un monde à l'autre. Il s'assure au contraire à une étape ultérieure du système de l'unicité du modèle pour le système formalisé de l'*Aufbau*.

Quel est donc le fil conducteur qui permet de comparer

des extensions relevant de systèmes différents ? Pour Carnap, il réside dans l'unicité du principe sémantique qui commande aussi bien l'acquisition des connaissances dans le présystématique que leur reformulation dans le système. Le principe d'extensionalité n'est applicable que parce que, *quel que soit le langage envisagé,* les conditions requises pour qu'une expression soit pourvue de sens sont les mêmes, c'est-à-dire que tous les langages ont, selon les mots de Goodman, les mêmes « facteurs ultimes », soit les mêmes composantes logiques et les mêmes constituants empiriques. On peut donc présumer que, quelle que soit la façon dont on découpe dans le tissu des données immédiates, les diverses descriptions seront isomorphes. Ce qui tient ici lieu de principe (en conjonction avec le principe de vérifiabilité et le principe du structuralisme, sur lequel nous reviendrons), c'est le *fait de l'unicité de l'organisation sensorielle.* Ce fait joue ici de façon caractéristique le rôle tenu ailleurs par les conditions transcendantales de l'unité de l'aperception. Quel que soit l'outil expressif où se symbolise l'expérience, c'est une même genèse intuitive qui s'y trouve représentée. Dans les limites de cette genèse, le recouvrement des extensions est en quelque sorte prédéterminé par l'application universelle de ces trois principes.

B – Sens, dénotation et extensionalité

Les réquisits de la thèse d'extensionalité, dans son acception radicale, effectuent en retour une pression sur la notion frégéenne de sens. Quoique Carnap prétende maintenir sur ce point l'orthodoxie frégéenne, l'usage qu'il fait de la distinction entre *Sinn* et *Bedeutung* est bien différent de ce que prévoyait Frege. Deux glissements s'y effectuent.

1) D'une part, comme l'extension remplace le concept, la distinction frégéenne entre *concept* et *objet,* de principielle qu'elle était, devient simple affaire de mot. Chez

Carnap, le souci de fonder « ontologiquement » l'articulation des symboles dans la proposition ne suscite que de la méfiance. « Logiquement cela ne fait pas de différence de dire qu'un signe donné dénote un objet ou un concept », du moment que l'on ne confond pas l'objet qui « correspond » au concept (c'est-à-dire son extension) avec *les objets* qui tombent sous lui (c'est-à-dire les éléments qui appartiennent à son extension). S'il y a différence entre l'objet et le concept, c'est seulement du point de vue psychologique, du fait que les « représentations imageantes » qui accompagnent chaque manière de parler sont différentes (*A.*, § 5, 5).

La clarification terminologique touche également le nom propre, qui chez Frege désignait tout terme représentant une dénotation saturée, et donc, entre autres, les extensions de concept et les parcours de valeur des fonctions. Carnap réserve maintenant aux seules données ostensives constituant la base la possibilité de recevoir un nom propre. Tous les autres prétendus « noms propres d'objet » sont des descriptions définies qui font intervenir des expressions fonctionnelles et des relations, lesquelles cessent du même coup d'avoir une référence indépendante. Les extensions seront de ce fait qualifiées de *quasi-objets* : Carnap suit sur ce point le Russell des *Principia* contre Frege.

2) En second lieu, la distinction *sens/dénotation* est l'objet d'une remise en ordre semblable à celle qui a affecté la distinction entre concept et objet. Seule la *dénotation* conserve une pertinence logique dans le travail de constitution. Le sens est maintenant réinterprété comme du domaine psychologique. Le référent d'un signe est donc globalement considéré comme étant « l'objet » que le signe désigne, tandis que le sens est « ce qu'ont en commun les objets intensionnels, représentations, pensées, que le signe a pour fonction d'évoquer. » (*A.*, § 44, 61). Précision essentielle : étant ce que les représentations évoquées par le signe *ont en commun*, le sens est rattaché au mode

linguistique utilisé, tandis que le référent, tout en étant ce que désigne le symbole, est indépendant de la langue.

Cette dualité de fonction (monde-représentation) conduit à distinguer deux types de « valeurs » : le sens est ce qui rend compte de la valeur cognitive du système de constitution. Mais ce n'est que la valeur logique, ne prenant en compte que les dénotations et les faits extensionnels, qui a valeur fondationnelle. La question de la nature *informative* du système peut donc se résoudre en termes *psychologiques*, ce qui prolonge de manière caractéristique ce que nous avons nommé la « laïcisation » de l'analyticité. Alors que Frege rendait compte de l'intérêt des dérivations en faisant valoir la diversité des « manières de donner la dénotation », manières *objectivement* distinctes, Carnap confond explicitement l'effet de connaissance et le jeu divers des représentations intuitives (*A.*, § 50, 69). Mais il est non moins évident que Carnap ne souhaite pas pour autant abandonner l'effet cognitif des définitions à l'arbitraire d'associations entre représentations. Le tour empiriste de la nouvelle interprétation du sens ne doit pas mettre en danger la compréhension univoque du système. D'où l'importance de la clause soulignée plus haut, dans la définition du sens d'un signe (ce que les représentations qu'il évoque *ont en commun*) : s'il y a des représentations communes évoquées par le signe, c'est que son apprentissage doit susciter une série *déterminée* de représentations. Chez Carnap comme plus tard chez Quine [11], une théorie behavioriste de l'acquisition du langage est ce qui rend compte de la régularité de fait du processus de signification. Mais à la différence de Quine, Carnap maintient la psychologie sous le contrôle de la raison, l'association des idées en marge de la dénotation : le privilège donné à la dénotation et la capacité d'identifier celle-ci de manière extensionnelle font contrepoids à l'empirisme potentiel de la théorie du sens. Ce n'est pas seulement en remettant en question la possibilité d'une telle identification de la référence que Quine corrigera Carnap en un sens empiriste ; c'est aussi, quelque paradoxal que cela puisse paraître, en rejetant la thèse phénoménaliste.

Le phénoménalisme

> « Les déboires provenant de la notion d'analyticité s'enracinent aussi à un niveau plus fondamental, où l'on a sincèrement tenté de mettre en évidence la *Weltanschauung* silencieuse d'où procède la division des énoncés en analytiques et synthétiques. Pour moi, cette *Weltanschauung* est un rejeton plus ou moins lointain du réductionnisme phénoménaliste. »(*The Ways of Paradox*, W.V. Quine, 138)

L'extensionalisme, dans une version plus ou moins « radicale », s'impose comme l'une des conditions nécessaires de l'édification d'un système de constitution. Le *phénoménalisme* est en revanche une décision philosophique [12] concernant la nature de la base choisie pour cette construction. D'autres choix sont possibles. Le choix *physicaliste* prend pour donné élémentaire les *objets* minimaux de la perception, et reconstruit l'univers à partir des atomes. Ce que Goodman appelle un système « réaliste » part des *qualia*, les qualités sensibles étant prises comme indéfinissables. Le phénoménalisme « particulariste » de Carnap consiste à prendre pour base les vécus, pris comme des totalités, antérieurement à tout découpage en objets ou en qualités. En tant que choix philosophique, le phénoménalisme recouvre trois thèses qui se contrôlent réciproquement.

1) La première est une version du principe de vérifiabilité, qui pose la clôture du sens sur le perçu effectif. L'expérience est un donné immédiat (avec la restriction que la thèse 3 apportera à cette « immédiateté », le contenu d'expérience étant logiquement postérieur à la relation d'expérience). Les lacunes dans le flux d'expérience peuvent être compensées par une procédure constitutionnelle permettant de rétablir la continuité empirique, sans que ces

« compensations » portent atteinte à la systématicité. Cette première thèse s'oppose sur deux points au moins à l'empirisme de Hume. D'une part, le rôle qui est attribué au principe de vérifiabilité suppose l'existence d'une science capable de se légitimer *rationnellement*. D'autre part, les « compensations » constructives remplacent l'oeuvre de la croyance et permettent de « rationaliser » les inférences (causalité, identité dans le temps, etc.).

2) La seconde porte sur la capacité d'un sujet à retrouver ce qui pour chaque concept a servi d'origine expérientielle. Il est de peu d'importance que Carnap présente comme une « fiction » nécessaire la possibilité qu'un sujet se souvienne de tout le flux d'expérience antérieur et puisse établir les relations pertinentes. L'important est que le système doive supposer que la réversibilité du processus de connaissance nous reconduit à des données brutes, sans adjonction autre que logique. Ce qu'on pourrait appeler « l'optimisme » de Carnap est ici de considérer que toutes les relations autres que la relation de base sont logiques et n'ajoutent rien au contenu d'expérience. Mais cet « optimisme » se fonde sur un rationalisme qui, parti de la science, reconduit vers l'origine la dualité analytique/synthétique que le système du savoir manifeste.

3) Enfin, l'expérience n'est pas un terrain vague dans lequel le sujet opérerait des relevés intermittents et désordonnés. Le donné est le domaine d'une relation empirique indéfinissable ; non que les expériences individuelles, les vécus, soient déjà composés ou harmonisés par un principe naturel. Etant indivisibles, ils sont « en forme de points, sans propriété » (*A*, § 69-70, 94-95). Mais ce qui habilite ces *concreta* à devenir des blocs de construction, c'est qu'ils sont régis par ce que Hume aurait appelé une « impression de réflexion », la relation de ressemblance mémorielle Er. Cependant, alors que chez Hume les impressions de sensation et les impressions de réflexion forment deux classes disjointes, chez Carnap *les vécus sont*

préorganisés par la relation. En termes kantiens, le « divers » lui est toujours déjà soumis.

Ces trois traits expliquent que, malgré l'apparence empiriste du phénoménalisme, cette thèse puisse recevoir dans le système une fonction essentiellement rationaliste. Certes ce qui apparaît n'est pas encore l'objet reconstruit par la science, mais c'est la contrepartie sensorielle – des extensions de vécus parcourus par la relation de ressemblance mémorielle – préparant la possibilité de cet objet. Ce que Quine dénonce dans cette thèse, c'est précisément qu'elle fonctionne comme un *artefact* et n'établisse la science qu'en déniant la discontinuité dans laquelle celle-ci s'effectue en réalité.

Le structuralisme

Le phénoménalisme représente seulement une option constructionnelle ; le structuralisme est au système d'une nécessité plus fondamentale. Ce n'est pas seulement une proposition de théorie de la connaissance ; c'est une thèse « architectonique » qui définit l'*objet* de la science aussi bien que son *devenir* en même temps qu'elle fonde l'objectivité du système.

Structuralisme et information : la description structurale

La thèse structuraliste consiste à poser en principe la possibilité de traduire tout énoncé portant sur des contenus, c'est-à-dire sur des objets empiriques déterminés, en énoncé purement structural, c'est-à-dire ne mentionnant plus que des relations entre des éléments qui ne sont déterminés que par celles-ci (*A.* § 15, 19). Ainsi formulée, cette thèse se rattache clairement à deux propositions que nous avons déjà rencontrées : 1) seul, le sens logique est pertinent dans la traduction considérée. On peut remplacer par un diagramme ou par une liste de paires la description donnée par une carte de chemins de fer ou par une classification botanique (*A*., § 14, 17). 2) les relations sont toujours premières par rapport à leurs termes. Ainsi, le terme ne contient pas une information excédentaire relativement aux relations dans lesquelles il est pris.

La *démonstration* de la thèse structurale ne peut pourtant pas être menée de façon entièrement formelle, car elle fait intervenir une proposition empirique que nous avons rencontrée en examinant la notion de *réduction*, à savoir que « pour tout domaine d'objets, on peut donner un système univoque de descriptions sans recourir à des définitions ostensives »(*A*., § 13, 16). Garanti par l'existence des *Realwissenschaften*, ce principe régulateur justifie la clôture de l'ensemble des énoncés synthétiques objectivement suffisants pour décrire exhaustivement un champ d'expérience donné.

Or cette clôture du synthétique a une fonction stratégique. Quand on sait qu'une série finie de descriptions permet de coder toute l'information pertinente du champ, on sait aussi, d'une part, que les définitions ostensives ne sont plus nécessaires pour déterminer la référence d'un concept, d'autre part, que tout énoncé synthétique portant sur l'un des éléments du champ ne fera intervenir aucun autre élément que ceux qui appartiennent à la liste existante des descriptions définissant ce champ. En d'autres termes, la clôture de l'information par rapport au système des descriptions autorise la transformation de ce système en une « description structurale » (*Strukturbeschreibung*, *A*.,§ 12, 14). Au lieu d'indiquer la propriété de chaque terme, on caractérise chacun d'eux comme le noeud d'un réseau. C'est là la condition pour que l'on puisse s'intéresser aux relations purement formelles qui existent entre les points de ce réseau, et que l'on prépare ainsi le traitement « analytique », ou plutôt « quasi-analytique » de ces éléments.

Pour mieux comprendre l'originalité de la procédure analytique de l'*Aufbau*, il suffit de comparer la définition implicite de Hilbert et la description définie structurale de

Carnap. Hilbert se propose de ne « définir » les termes
du système de la géométrie que par le réseau des relations
que les axiomes posent comme indéfinissables. Le seul
réquisit d'un tel système réside dans sa non- contradiction.
C'est donc de façon purement analytique que l'on calcule
les propriétés d'un des objets mentionnés par les axiomes,
comme suite logiquement déductible des axiomes de la
géométrie au moyen de procédés purement *a priori*. En
réalité, ce que les axiomes de Hilbert « définissent », ce
n'est pas un *champ empirique déterminé* – la géométrie –,
mais un schéma formel susceptible de trouver des
applications diverses. Le rapport entre analytique et
synthétique est donc ici la relation entre une structure
abstraite et des interprétations variées. La recherche d'une
interprétation se présente d'ailleurs comme une démarche
distincte de l'élaboration du système d'axiomes. La
procédure carnapienne de formalisation emprunte la voie
inverse. Au lieu de partir d'une structure purement
abstraite, il admet comme point de départ un système
donné de descriptions. De ce fait, se trouvent satisfaites
les exigences liées à l'interprétation et de là, à la
non-contradiction du système. Il y a des objets qui,
préalablement à leur « mise en structure », sont l'objet
d'une référence systématique. Le problème de l'*accord*
entre le schéma formel et les objets d'un domaine empirique
se trouve donc résolu *en amont* de la formalisation. On
doit déjà savoir quelle est la dénotation d'une description
et la valeur de vérité des propositions où elle intervient
(au terme d'une enquête *a posteriori* menée dans la science
de la nature concernée, mais que le philosophe n'a pas à
prendre en charge), pour que la formalisation puisse être
effectuée. De ce fait, les théorèmes portant, non plus sur
les *objets* d'un champ empirique, mais sur les *propriétés
formelles* des relations entre les éléments de ce champ, sont
empiriques en tant qu'ils formulent des états de chose
vérifiés (*A.*, §106,147-8 et 268). Ils sont pourtant également
formels, et autorisent comme tels des dérivations purement

analytiques. Enfin, les théorèmes ne caractérisent pas une classe indéterminée d'objets empiriques (c'est-à-dire une structure vide à interprétations multiples), mais des objets d'expérience déterminés. Or Carnap entend faire de cette catégoricité de son système formalisé un axiome *logique*, garantissant *a priori* au système achevé un ancrage univoque dans l'univers empirique.

De la formalisation complète à l'ancrage du système

Si une telle formalisation complète peut être accomplie, c'est entre autres choses parce que « les objets construits à partir des relations de base manifestent un certain comportement empirique » (*A.*, § 153, 205), c'est-à-dire parce que les propriétés formelles des relations sont susceptibles de communiquer toute l'information scientifique nécessaire concernant les termes. Il doit donc être possible en particulier de formuler une description de la relation de base que l'on avait prise comme indéfinissable, en utilisant les constructions qui ont été édifiées à partir d'elle. On obtient ainsi *la conversion du synthétique en analytique*, puisque la relation de base est définie en termes purement formels, quoique son origine soit expérientielle, et quoique l'information codée par son moyen soit synthétique. L'étape ultime de la formalisation consiste ainsi à prolonger la réduction par un retour du système achevé sur sa propre base. Formant une structure close, les données du système permettent de recouvrir toute trace intuitive, et de le refermer sur lui-même comme architecture formelle adéquate et cognitivement suffisante. Il faut néanmoins avérer que cette formalisation ne coupera pas le système de son ancrage empirique initial. L'idée de *relation fondée* (*Fundierte Relation*) est ce qui permet au système de s'assurer un référentiel unique, lors même que le contenu empirique de la relation de base est expulsé du système. Elle garantit en effet la possibilité d'un retour univoque des définitions formalisées du système vers les expériences empiriques qui ont été leur modèle original. Elle donne lieu à un axiome métasystématique fondamental :

> « La relation de base Er (ou toute autre relation de base pouvant servir à édifier un système de constitution) est la seule relation fondée à partir de laquelle on puisse construire de telle et telle manière un objet déterminé donné, d'un ordre suffisamment élevé, qui se comporte empiriquement de telle et telle manière. » (*A*., § 155, 208)

Grâce à cet axiome, on peut alors réduire Er à une relation purement formelle R, définie par ses propriétés structurales dans le système :
Er = Df ι' [fond ∩ $\hat{R}$ (T (R))]
T est ici un théorème empirique quelconque d'un ordre suffisamment élevé. Er est bien la seule relation qui puisse satisfaire « de manière naturelle, dans une expérience », les conditions constitutionnelles abstraites de la dérivation du théorème empirique T.

Cette garantie est loin d'être une conséquence triviale de la construction. Car, d'un point de vue purement formel, on peut imaginer que le système pourrait être satisfait par d'autres instances de relations empiriques que celles qui ont été effectivement utilisées. On serait alors dans la situation d'une axiomatique hilbertienne dont les propositions ne caractérisent pas un système d'objets déterminé, mais une classe potentiellement infinie de tels systèmes, chaque modèle valant l'autre une fois démontré qu'il satisfait les axiomes. Le succès final de l'édification systématique dépend donc de la validité du concept de « relation fondée ». C'est en effet ce concept qui assure à lui seul le va-et-vient univoque entre l'expérience et sa formalisation. Si l'axe de la formalisation (et ainsi, la dimension analytique) est essentiel à l'accessibilité des concepts empiriques au travail discursif, l'axe du retour à l'expérience (la portée synthétique) est capital si le système doit devenir opératoire. Si un *calculemus* est jamais pratiqué dans ce nouveau langage, ce ne peut être qu'en vue d'une interprétation en langage réaliste des éventuelles découvertes de la manipulation « aveugle ». L'unicité du modèle est bien un impératif dans le cadre de ce « formalisme réaliste ». On comprend alors pourquoi Carnap tient à faire du concept de relation fondée une notion *purement logique*. Car ce concept résulte manifestement du désir de garantir *a priori* la détermination empirique de la théorie formelle. Il se borne à décréter, par une convention *ad hoc*, que seule la relation d'origine peut en fin de compte fournir au système une interprétation qui rende tous ses concepts « dénotants ». Puisque l'expérience est extra-logique, le rapport entre la logique et le champ d'interprétation doit lui-même être logique : c'est à cette condition que le théoricien de la constitution peut fonder en raison l'application des formes à un contenu.

Structuralisme et science unifiée

Le structuralisme a enfin une portée plus générale en tant qu'il permet de répondre à la question traditionnelle : « qu'est-ce qui garantit la scientificité du savoir ? » Ou encore : « qu'est-ce qui fait de la science un savoir *objectif* ? » Carnap a rejeté la thèse transcendantale qui fait valoir le pouvoir constituant du sujet de la connaissance sur ses propres objets. Il rejette aussi la problématique que nous avons appelée « ontotranscendantale », qui fait état d'un règne indépendant de significations. On remarque toutefois que Carnap pose le problème de l'objectivité du savoir d'une manière analogue à Frege. De même que, chez Frege, la communication n'est possible que par ancrage dans l'objectivité indépendante des vérités logiques et dans l'universalité des Pensées, la Science est ce qui, chez Carnap, fournit le point fixe rendant possible un accord entre les sujets de connaissance. C'est en effet parce qu'elle n'a trait *qu'aux formes* que la science peut dépasser la contingence de la perception individuelle. Etant par définition privée et incomparable à celle d'un autre sujet, la sensation est incapable de fournir un support à la communication intersubjective. *Il faut donc bien* situer la possibilité d'un accord intersubjectif dans l'universalité des rapports formels qui unissent les contenus (en tant que tels opaques et intransmissibles). Sur un point essentiel pourtant, le traitement carnapien de l'objectivité paraît s'écarter de celui de Frege : si les relations, à la différence de leurs termes, sont publiques, ce n'est pas parce qu'elles sont dotées d'une objectivité constituante, à la manière des lois logiques frégéennes, c'est parce qu'elles relèvent des formes linguistiques. Lorsqu'il exprime des relations, le langage est en quelque sorte en parfaite adéquation à son objet. Les contenus, de leur côté, ne sont maîtrisables, c'est-à-dire « accessibles au travail des concepts » (*A.*, § 15, 19) que dans la mesure où ils sont pris dans des réseaux de relations. Prise comme condition générale de l'objectivité, la thèse structuraliste paraît alors conduire à un résultat paradoxal : le travail scientifique semble dissoudre le contenu au profit des formes. Comme l'écrit Carnap :

> « Notre thèse selon laquelle les énoncés scientifiques n'ont trait qu'aux propriétés structurales revient à affirmer que les énoncés scientifiques ne parlent que des formes, sans préciser en quoi consistent les éléments et les relations de ces formes. A première vue, cela semble paradoxal. » (*A*, §12, 15)

La prise en considération des seules formes ne revient-il pas à confondre scientificité et analyticité ? Si, comme Frege et Russell l'ont montré, l'analyticité représente l'état achevé de la mathématique, n'est-il pas paradoxal de vouloir étendre aux sciences empiriques ce qui ne pouvait réussir que dans une science purement *a priori* ? Une fondation purement *formelle* de la science n'en vient-elle pas à masquer l'ancrage de la connaissance dans le factuel ? Carnap s'estime maintenant en mesure de répondre à cette objection sceptique de l'empiriste non logicien. On ne peut pas fonder le discours de la science autrement qu'en exhibant la manière dont les éléments constitutifs de ce discours peuvent être rationnellement reconstruits, c'est-à-dire en élaborant un système de constitution. Que l'on puisse méconnaître l'importance du rôle des composantes de forme dans l'acquisition et la systématisation des connaissances ne devrait pas étonner, puisque l'intervention du formel dans la connaissance est spontanée et inconsciente : d'où précisément la nécessité de remonter aux conditions formelles de possibilité de l'acquisition du savoir : la logique peut fonder la connaissance expérimentale ; elle seule permet d'expliciter les conditions de la scientificité.

Le système de constitution s'appuie sur un ensemble de thèses destinées à rendre l'édification des structures compatible avec un ancrage empirique. Cinq thèses paraissent ici pertinentes qu'il nous suffira de rappeler puisqu'elles ont déjà été commentées :

1) Thèse de l'unité du domaine d'objets (et, corrélativement, principe de vérifiabilité).

2) Thèse déduite de l'existence des Sciences : il est toujours en droit possible de décrire chaque domaine théorique par un réseau unique de descriptions.

3) Thèse sur la nature relationnelle de toute information.

4) Thèse logique : la théorie des types des *Principia* permet de construire des extensions de types différents, c'est-à-dire d'étager le système.

5) Axiome « logique » de la relation fondée : le système entièrement formalisé est catégorique.

Ainsi se dessine le lien de réciprocité qui unit la *Reconstruction logique du monde* et le projet de Science unifiée. En tant qu'idéal déjà partiellement atteint, l'unité de la science fournit à l'*Aufbau* certaines de ses thèses fondamentales (thèses 1 et 2). Mais en rendant opératoire une formalisation complète des connaissances, l'*Aufbau* témoigne en retour de la fécondité de la problématique unificatrice. Cette réciprocité donne à l'entreprise de constitution sa dimension proprement utopique.

Chapitre 2

LE PROCÉDÉ DE LA QUASI-ANALYSE

Le problème fondamental de la constitution

Comme nous l'avons vu au chapitre un, ce qui fait l'intérêt véritable de l'*Aufbau* ne réside pas dans l'exemple de système de constitution qu'elle offre, mais dans l'ensemble des procédures formelles que l'exemple a seulement pour fonction d'illustrer. Or ces procédures doivent conjuguer deux propriétés que la tradition rapportait à deux « facultés » indépendantes l'une de l'autre : elles doivent être purement *formelles*, c'est-à-dire logiques, afin de préserver la division analytique/synthétique sur laquelle se fondent l'objectivité et l'organicité de « la » Science. Mais elles doivent être également *constructives*. Les procédures en question doivent permettre d'élaborer des chaînes de dérivation à partir d'un donné de base indivisible, l'indivisibilité de la base étant évidemment une exigence *a priori* qui s'impose à tout système de constitution (*A.*, § 68, 93-94). Cependant, l'indivisibilité de la base place l'*Aufbauer* devant une difficulté que Bolzano avait déjà très clairement exposée (*W.*, I, § 64). On pourrait la caractériser en disant que le réquisit d'indivisibilité de la base soulève une contradiction entre ce qu'on pourrait appeler la *forme* et le *projet* du système de constitution. Car, d'un côté, le système cherche à intégrer à ses chaînes de définitions les concepts de la psychologie clinique et expérimentale, par exemple, ceux de « sensation », de « qualité visuelle », d'« émotion », etc. Ces objets sont ordinairement conçus comme des caractéristiques du vécu. Mais, d'un autre côté, le vécu est pris comme l'élément indivisible de base. Comment alors peut-on en livrer une analyse sans enfreindre du même coup l'exigence *a priori* qui rend le système possible ? Remarquons ici que, de même que l'exigence d'indivisibilité est *a priori*, la difficulté dont nous parlons est également *a priori* : on ne peut pas espérer la contourner en choisissant des élements fondamentaux qui échapperaient au paradoxe. La relation primitive, c'est-à-dire la ressemblance mémorielle Er, paraît être déjà en contradiction avec l'indivisibilité de ses propres termes, puisqu'elle est une relation de ressemblance « partielle », et présuppose ainsi, apparemment du moins, l'existence de parties distinctes dans les vécus.

L'inadéquation de la conception *intensionnelle* (« *inhaltlich* », ou « en compréhension ») ou encore « absolue » de l'analyse (c'est-à-dire d'une analyse qui procèderait par décomposition d'un concept en ses parties) n'est pas seulement ressentie en théorie de la constitution. Elle a été soulignée par les travaux des psychologues de la perception. Köhler remarquait en 1922 :

> « Ce qui se produit dans le tout ne peut pas être déduit des caractéristiques des parties séparées, mais à l'inverse : ce qui se produit dans une partie du tout est clairement déterminé par les lois de la structure interne du tout [13]. »

Les théoriciens de la forme concluaient de leurs recherches à la nécessité de développer une nouvelle épistémologie qui romprait avec la commode symétrie que la pensée mécaniste établissait entre l'analyse et la synthèse, la division en composantes et la recomposition du tout. Dans une conférence qu'il donne dans les années 1920, Wertheimer appelle d'ailleurs de ses voeux la nouvelle logique qui serait capable d'exprimer le rapport particulier qu'une configuration donnée entretient avec ses éléments, quand ceux-ci sont irréductibles à de simples « parties constituantes [14] ». Carnap tire parti des travaux gestaltistes non seulement en adoptant pour indéfinissables des totalités irréductibles, les vécus « pris en forme de points », mais aussi en prenant en charge l'invention d'une procédure formelle capable de rendre compte des rapports qu'une telle configuration entretient avec ses « éléments ». Puisque la difficulté provient d'une conception intensionnelle de l'analyse, Carnap développe une analyse *extensionnelle* des vécus, c'est-à-dire une analyse qui n'utilise que des classes d'objets et des domaines de relations. Ce nouvel outil analytique, Carnap l'appelle la *quasi-analyse*. Pour comprendre comment cette procédure dénoue le paradoxe de l'indivisibilité de la base, il faut revenir à un manuscrit inédit de 1923, *Die Quasizerlegung*, qui constitue un travail préparatoire à la rédaction de l'*Aufbau*.

L'idée d'une « analyse immanente »

Carnap examine dans ce manuscrit en quoi la théorie des relations permet de renouveler la conception de l'analyse des concepts. La logique traditionnelle pratique ce qu'il propose d'appeler l'analyse « absolue » : on prédique d'un concept particulier les caractères qui appartiennent aux objets qui tombent sous ce concept. Ces caractères sont alors tenus pour les parties constitutives de ce concept. Ce type d'analyse doit sa popularité à sa « maniabilité ». Elle permet de caractériser un élément singulier sans avoir à passer par les autres éléments du champ. Mais cette maniabilité se paie : elle exige qu'on élargisse constamment les ressources descriptives du langage, sans que l'on puisse d'ailleurs assigner d'avance de limite à l'extension qui sera requise par une analyse exhaustive.

Il existe un autre type d'analyse, l'analyse « relationnelle », qui n'a pas cet inconvénient. Elle consiste en effet à caractériser les objets de l'ensemble à décrire par leurs relations réciproques. Elle peut donc s'effectuer dans les limites du domaine d'objets, et offrir la possibilité d'un « traitement immanent de son domaine » (*eine immanente Gebietsbehandlung*). Mais cet avantage se trouve en partie neutralisé par la lourdeur de la machinerie relationnelle qui doit être mobilisée quand l'objectif est simplement de caractériser un élément individuel du champ.

Carnap a donc l'idée de développer une nouvelle procédure, qui permette de combiner les avantages de l'analyse absolue et ceux de l'analyse relationnelle. Comme la seconde, elle ferait un traitement immanent de l'ensemble des objets qui lui sont soumis ; comme la première, elle offrirait une caractérisation individuelle des éléments du champ. Elle consiste à :

« transformer les relations de description données en sorte qu'elles conservent la propriété du traitement de domaine immanent, tout en revêtant l'aspect formel d'une division de manière à rendre possible le traitement individuel des éléments. » (p.2)

Cette nouvelle méthode d'analyse, appelée alors « quasi-division », consiste ainsi à *convertir* les extensions de relation en *caractères* communs à plusieurs éléments. A supposer qu'elle soit logiquement faisable, nous voyons comment la nouvelle méthode répond au problème formel que posaient les gestaltistes. Le donné de départ étant formé par un ensemble clos de relations, les « composantes » obtenues par le procédé en question sont manifestement dépendantes de la configuration totale du champ dont elles font partie. Pour souligner cet aspect relationnel, nous les appellerons « quasi-composantes ». Mais nous comprenons aussi pourquoi la quasi-division répond du même coup aux paradoxes de la base du système. Car les éléments qui sont mis en relation par les descriptions relationnelles peuvent être *simples* sans que cette indécomposabilité entrave l'application de la quasi-division. Ce que celle-ci met en évidence, ce n'est pas une « partie », mais un « aspect » de l'objet. Le fait qu'un objet tombe sous plusieurs concepts n'implique pas que cet objet soit composé [15]. Ce que l'on croyait dépendre d'une analyse intensionnelle peut être fait de manière purement extensionnelle, en passant à un niveau logiquement supérieur (la classe). Du même coup le paradoxe intensionnel de l'indivisibilité s'évanouit.

Analyse et quasi-analyse : les limites de l'analogie

Lorsqu'il élabore le texte de l'*Aufbau*, Carnap tire du manuscrit antérieur ce qui lui paraît en mesure d'*éclairer* le statut formel du nouveau procédé analytique qu'il rebaptise « quasi-analyse ». Il tend alors à mettre l'accent sur « l'exacte analogie formelle entre le procédé de l'analyse proprement dite et celui de la quasi-analyse » (*A.*, § 71, 97), au risque de ne plus permettre au lecteur de percevoir les caractéristiques spécifiques de la quasi-analyse. C'est d'ailleurs probablement cette volonté pédagogique qui, paradoxalement, vaudra à l'*Aufbau* les incompréhensions majeures qu'elle rencontrera. La lecture du manuscrit de 1923 permet toutefois d'éclairer les développements correspondants, même s'il ne faut pas exclure que Carnap ait modifié certaines de ses idées sur la question au moment de la rédaction finale.

Le « procédé de l'analyse » que mentionne Carnap dans le passage cité fait bien entendu référence à l'analyse relationnelle. « L'analogie » entre ce type d'analyse et la quasi-analyse tient au fait que l'une et l'autre partent du même type de données : on doit disposer de l'extension d'une relation ayant pour champ le domaine à analyser. Dans les deux cas, cette relation doit avoir deux caractéristiques formelles minimales : elle doit être *symétrique* et *réflexive*, en sorte que tout couple d'éléments qui sont unis par cette relation puisse se voir attribuer à l'issue du processus d'analyse une composante (ou une quasi-composante) commune.

Notons encore que l'analyse comme la quasi-analyse *peuvent* partir d'une relation qui est non seulement réflexive et symétrique, mais *transitive* (sans que ce soit là pour l'une ou l'autre une condition nécessaire). Une telle relation détermine des classes d'équivalence disjointes, dont il est possible de dériver directement la propriété commune. L'application du principe d'abstraction à la construction du nombre s'effectue à l'aide d'une telle relation, que Carnap appelle une « identité » (*Gleichheit*) (*A.*, § 11, 13). Dans ce cas, la reconnaissance des (quasi-)constituants est exceptionnellement facile. Mais du point de vue constitutionnel, c'est, comme l'observe le manuscrit, une relation « dégénérée » (*ausgearteter*), parce qu'elle ne permet plus de dériver de nouvelles constructions [16].

Analyse et quasi-analyse gagnent donc à s'effectuer à partir d'une relation symétrique, réflexive et non transitive, c'est-à-dire une *ressemblance*. Mais l'information plus grande que l'on reçoit d'une ressemblance se paie avec les difficultés particulières que l'on rencontre en l'analysant. Car, par définition, une ressemblance entre les objets x, y et z implique qu'ils se ressemblent deux à deux, mais pas toujours sur les mêmes aspects. On ne peut donc pas dériver directement le (quasi-)constituant commun à partir des classes de ressemblance, parce que la ressemblance n'est pas transitive, alors que la relation « avoir une certaine (quasi-) composante en commun » l'est. Le problème formel que pose le passage de l'une à l'autre se pose *aussi bien pour la procédure courante de l'analyse que dans la quasi-analyse*. Afin d'illustrer ce problème, examinons un exemple de quasi-analyse, que Carnap présente dans le manuscrit de 1923 puis reprend dans l'*Aufbau* (§ 71, 98). Supposons qu'un accord musical, perçu comme une totalité sonore indécomposable, soit obtenu en frappant au piano les touches do, mi, sol d'une octave donnée (ce fait reste d'ailleurs caché à l'agent de la quasi-analyse). Pour pouvoir procéder à la quasi-analyse, on doit disposer d'un ensemble d'autres accords et de notes isolées, ainsi que d'une relation de ressemblance qui a tout l'ensemble pour domaine. L'examen de l'extension de cette relation permet de déterminer des classes, définies de la manière suivante : l) chaque paire d'éléments de la classe est dans la relation de parenté P ; 2) il n'y a pas d'élément extérieur à la classe qui ait la relation P avec tous les éléments de la classe.

Ces classes, appelées dans l'*Aufbau* « cercles de ressemblance » (*Aehnlichkeitskreise*) *figurent* ce que leurs éléments ont en commun. Qu'il s'agisse d'analyse (relationnelle) ou de quasi-analyse, les (quasi-) « constituants » ainsi obtenus ne seront pas de même type que les objets qu'ils qualifient, au contraire de l'isogénie caractéristique entre parties et tout. Jusqu'alors, nous n'avons pas rencontré de différence formelle entre la procédure d'analyse relationnelle et la quasi-analyse. Cependant, il existe entre elles une différence formellement essentielle qui apparaît mieux dans le manuscrit que dans l'*Aufbau* et qui consiste dans leur rapport respectif à *l'objet représenté*. Les composantes que l'analyse met en évidence ont une « existence » propre, indépendante de l'analyse. Par exemple, quand on procède à une analyse relationnelle de couleurs dans le jeu de « *Mastermind* », on parvient à un résultat qui doit pouvoir être comparé terme à terme avec la série des couleurs de l'adversaire. De même, dans une analyse, la composition de l'objet doit toujours pouvoir être reconnue par des moyens indépendants de l'analyse elle-même. En revanche, la quasi-analyse a l'originalité de produire les quasi-composantes, sans pouvoir les découvrir. En quasi-analyse, il n'y a pas de tribunal devant lequel faire appel. On pourrait dire que l'analyse est réaliste par définition, tandis que la quasi-analyse est constructive par définition, en ce sens qu'elle ne peut pas soumettre les quasi-objets qu'elle construit à l'épreuve des faits. Plus exactement, les faits que manifeste la quasi-analyse sont ceux là mêmes que nous livrerait la connaissance spontanée si elle s'effectuait à partir des mêmes données. Car la connaissance n'a pas *d'autres moyens formels* que ceux que la quasi-analyse met en oeuvre pour parvenir à abstraire des classes de qualités à partir des vécus indécomposables. Or ce mode de production du représenté n'est pas sans conséquences formelles. Cependant, ces conséquences n'auront à se manifester que dans le cas où analyse et quasi-analyse divergent dans leur principe, c'est-à-dire en fonction de la corrigibilité de leurs résultats. Il faut examiner pour cela *l'application* respective de l'analyse et de la quasi-analyse.

Les « circonstances défavorables »

En tant que méthode issue de la théorie des relations, la procédure de *quasi-analyse*, à l'instar de l'analyse, doit rester dans sa mise en oeuvre un procédé purement logique. L'une des objections les plus graves qui pourraient être adressées à l'*Aufbau* – et qui d'ailleurs, comme nous le verrons, lui ont effectivement été adressées – serait précisément d'échouer à séparer clairement, dans son application de la quasi-analyse, ce qui est procédure strictement logique et ce qui relève de postulats empiriques concernant l'état du donné d'observation. Il faut ici distinguer les trois emplois les plus courants de la quasi-analyse, car ils impliquent dans chaque cas des relations différentes entre le formel et son champ d'application. L'incidence d'un recours extralogique aux données d'observation paraît en effet de plus en plus sensible lorsqu'on va du cas le plus simple et le moins problématique de la quasi-analyse fondée sur une relation *d'identité*, aux procédures correspondantes utilisant une *identité partielle*, et enfin, une *ressemblance partielle*. Le premier type est celui où la quasi-analyse s'opère à partir d'une identité, qui détermine comme nous le savons des classes d'équivalence. Ce qui rend ce cas relativement plus aisé à traiter, c'est que toute classe non vide d'éléments apparentés à un élément donné remplit généralement (sauf si certaines circonstances défavorables se présentent, dont nous reparlerons) les conditions requises pour déterminer une quasi-composante. C'est ce type de construction qui permet par exemple de déterminer les divers domaines sensoriels, qui sont autant de classes d'abstraction des chaînes de qualités (visuelles, auditives, tactiles, etc.). Une relation plus communément utilisée par la quasi-analyse est la relation d'identité partielle (*Teilgleichheit*), qui est une relation réflexive et symétrique, mais non transitive. Deux vécus sont dans cette relation quand il existe une classe de qualité à laquelle tous deux appartiennent. Mais cette classe de qualité peut varier d'un couple de vécus à l'autre, et un même élément appartient en général à un grand nombre de classes qualitatives différentes. Enfin, la relation de ressemblance partielle (*Teilähnlichkeit*) permet de construire des ordres qualitatifs. C'est en effet encore une relation symétrique et réflexive, mais elle exige des éléments apparentés qu'ils aient seulement un trait *semblable* (et non plus, comme précédemment, un trait *commun*). Par exemple, deux objets bleus sont dans cette relation.

Nous passerons provisoirement sous silence les problèmes généraux que suppose, par exemple, la détermination de la *dimension* comme critère distinctif des classes sensorielles, pour ne retenir que les difficultés qui concernent les conséquences formelles qu'entraîne le choix d'un de ces trois types de relations relativement à la quasi-analyse. On admet généralement que la quasi-analyse sur relation transitive ne pose pas de problème particulier. En réalité, elle peut être viciée par l'existence de relations systématiques entre les éléments du champ, tout comme les deux autres formes de quasi-analyse que nous avons relevées.

Nous appellerons à la suite de Carnap « problème de la *complétude constitutionnelle* » la difficulté suivante. On peut imaginer certaines caractéristiques du donné extensionnel dont part la quasi-analyse telles qu'elles interdisent à celle-ci de parvenir à des résultats « exacts ». Tantôt les circonstances seront telles qu'elles empêchent la dérivation d'une quasi-composante. Ce cas défavorable, dit du « compagnon » (Carnap) ou du « campagnonnage » (Goodman), se produit chaque fois que l'une des composantes se trouve ne figurer qu'en conjonction avec une autre. Admettons donc que tout vécu qui comprend une composante donnée en comprenne aussi une autre qui, de son côté, intervient par ailleurs dans d'autres vécus. Ce que la quasi-analyse mettra alors en évidence, c'est la composante qu'on pourrait dire la plus « sociale », c'est-à-dire celle qui est représentée dans les vécus les plus diversifiés. La composante « accompagnante » au contraire n'aura pas de critère extensionnellement distinctif, et se verra ainsi confondre avec la composante qu'elle accompagnait. Remarquons ici que la difficulté du compagnonnage n'est pas le privilège des relations non-transitives. Elle peut aussi se présenter dans le cas d'une quasi-analyse par identités. Le second problème ne se pose en revanche que dans les quasi-analyses sur relation non transitive.

Cette seconde variété de circonstances défavorables à l'application de la quasi-analyse (sur identité partielle) consiste dans la possibilité de parvenir, dans certaines circonstances, à la construction de quasi-composantes *superflues*, c'est-à-dire ne correspondant à aucune classe de ressemblance « objective ». Ce cas se rencontre chaque fois que chaque élément du donné est dans la relation partielle exclusivement avec lui-même et un autre élément (si l'ensemble a trois éléments), ou avec deux autres éléments (si l'ensemble en a quatre), etc. Baptisé par Goodman « la communauté imparfaite », ce cas fait apparaître une classe de ressemblance de trop, du fait que tous les éléments sont en relation les uns avec les autres et paraissent avoir une composante commune déterminée, alors qu'ils sont seulement apparentés deux à deux, ou trois à trois etc.

Nous voyons à présent comment ces difficultés peuvent menacer l'intégrité logique de la reconstruction. Il suffit en effet que l'agent de la constitution *soit contraint* d'écarter l'une des hypothèses défavorables à la réussite de la quasi-analyse pour qu'un postulat empirique se glisse dans la reconstruction « logique ». Toute la force de l'argumentation de Goodman provient du fait qu'il interprète comme une telle « mise à l'écart » ces quelques lignes du paragraphe 70 de l'*Aufbau* :

> « Au cas où n'existent pas de liens systématiques dans la distribution des différentes couleurs, la circonstance défavorable à la faveur de laquelle la seconde propriété fait défaut à une classe de couleurs est d'autant plus improbable que le nombre moyen des couleurs d'un objet est plus petit et que le nombre global des objets est plus grand. » (*A.*, § 70, 96)

Or ce texte ne vise nullement à établir la possibilité de la quasi-analyse, puisqu'il intervient au cours de la présentation d'un exemple d'*analyse proprement dite*. Le texte cité vaut ainsi non comme une solution visant à éluder la difficulté du compagnon, mais comme une stipulation permettant seulement de poursuivre la dérivation des composantes dans l'exemple proposé, comme l'indique d'ailleurs la suite du texte : « Nous voulons faire l'hypothèse que, dans notre cas, ces conditions défavorables ne sont pas remplies... », etc. Si Carnap ne se rend pas coupable du coup de force que dénonce Goodman, à la faveur duquel il imposerait trivialement la condition de possibilité de la réussite de la quasi- analyse, quelle est donc sa solution aux obstacles extensionnels que nous venons d'évoquer ? Deux groupes de textes inédits permettent de jeter un peu de lumière sur la façon dont Carnap évalue cette difficulté et pense pouvoir la résoudre.

La solution formelle de 1923

La comparaison entre analyse et quasi-analyse que développait le manuscrit de 1923, *Die Quasizerlegung*, acquiert ici une importance de premier plan. Rappelons en effet que ce qui distingue l'analyse de la quasi-analyse, c'est justement qu'un contrôle indépendant des résultats ne soit possible que dans le premier cas. Or, s'il n'y a pas de possibilité de contrôle indépendant des résultats, il ne peut y avoir non plus d'*échec* de la quasi-analyse. L'incomplétude caractéristique du compagnonnage peut donc bien vicier une analyse, mais non une quasi-analyse. Cette différence doit être mise en évidence de manière purement formelle, ce que le manuscrit entreprend en édifiant une axiomatique de la quasi-analyse. Les trois premiers axiomes sont communs à l'analyse et à la quasi-analyse. Ils correspondent à la définition des cercles de ressemblance de l'*Aufbau* (§ 71, 97) :

I – Si deux éléments sont apparentés, ils ont au moins une quasi-composante en commun.
II – Si deux éléments ne sont pas apparentés, ils n'ont aucune quasi-composante en commun.
III – Si deux éléments a et b ont la même parenté, (c'est-à-dire si a est apparenté à tous les parents de b, et seulement à eux), ils ont les mêmes quasi-composantes.

Mais un *quatrième principe* permet, dans le cas de la quasi-analyse, d'exclure *a priori* la formation de quasi-composantes qui ne soient pas strictement nécessaires en vertu des données extensionnelles de départ :

IV – Il n'existe pas de quasi-composante dont l'omission laisse inchangée la satisfaction des réquisits I, II et III.

Ce principe fonctionne donc comme *principe d'économie*, d'où l'on dérive le théorème 7, expressément destiné à éviter les quasi-composantes impossibles à détecter par les moyens extensionnels dont on dispose :

7 – Si les réquisits fondamentaux sont satisfaits, il n'existe pas de quasi-composante qui soit le compagnon d'une autre. C'est une conséquence du principe IV, car une telle composante pourrait être omise sans enfreindre I et II.

Le manuscrit présente donc une solution formellement claire et satisfaisante de la question du campagnonnage. La question qui se pose alors est évidemment de savoir pourquoi l'*Aufbau* n'en souffle mot. Nous avons remarqué plus haut que la difficulté du campagnonnage n'y est mentionnée qu'en rapport avec l'analyse. Pourquoi ne pas exposer tout simplement la solution formelle du manuscrit, et dissiper ainsi les objections possibles qui ne pouvaient manquer d'être adressées à la quasi-analyse ? Ce sont les lettres de Carnap qui nous expliquent ce qui a motivé ce silence de l'*Aufbau*.

Dans une lettre à Nelson Goodman du 28 janvier 1938, Carnap s'explique sur le choix qu'il a fait, dans l'*Aufbau*, de se limiter à une « méthode plus simple » de quasi-analyse. Nous citons un long passage de cette lettre, qui a l'intérêt de nous apprendre que la question de la complétude avait été largement débattue aux jeudis du Cercle de Vienne, probablement en 1925 :

> « La raison qui m'a fait choisir la méthode la plus simple pour l'*Aufbau* était, d'abord, sa plus grande simplicité, et, en second lieu, le fait que même une méthode plus complexe ne pouvait pas atteindre le but recherché ("Aucune méthode ne le pourrait", précise-t-il plus loin). J'ai discuté sur ce point avec mes amis. A leur objection que, dans ces conditions, la méthode de "*Quasizerlegung*" n'était pas adaptée au but recherché, je répondais que la construction vise seulement à donner une "reconstruction rationnelle" de ce qui se passe effectivement dans le développement de notre connaissance perceptive, et que si certaines configurations défavorables de l'expérience se trouvent avoir lieu, la personne en question

en viendrait aussi dans la réalité à des résultats dits "incorrects", c'est-à-dire à des systèmes de qualité différents des systèmes normaux. »

Comment faut-il comprendre cette réponse ? S'agit-il d'un constat d'échec reconnaissant les insuffisances de l'axiomatique de la *Quasizerlegung* ? Une lecture rapide pourrait laisser penser que tel est bien le cas, et attribuer à la découverte de la difficulté de la communauté imparfaite, par exemple, ce verdict de l'incapacité de la méthode à garantir la complétude. Mais un examen plus attentif de la réponse de Carnap montre que ce n'est pas une *insuffisance logique* qui est à mettre en cause. C'est précisément parce que la validité des dérivations purement extensionnelles est irrécusable qu'aucune autre méthode *ne peut* ni *ne doit* être mise sur pied pour compenser les prétendues imperfections de la quasi-analyse dans sa version « simple ». Ce qui fait diagnostiquer faussement une insuffisance de la quasi-analyse, c'est la substitution d'un point de vue réaliste au point de vue de la reconstruction rationnelle. Le point de vue réaliste consiste à abandonner les contraintes liées à l'application de la quasi-analyse, en supposant qu'un contrôle est possible en quelque sorte *latéralement*. Les objections de Goodman, par exemple, rétablissent bien malgré lui la fiction d'un Dieu omniscient capable de contrôler par intuition originaire, c'est-à-dire *sans construction*, ce que la constitution dérive à partir de son donné extensionnel. Mais si l'on prend au sérieux le projet *reconstructionnel*, il faut savoir ici en tirer les conséquences. Si le sujet percevant n'a *aucun autre moyen* d'accéder aux concepts que par quasi-analyse de ses propres vécus, ses concepts garderont l'empreinte de leur origine expérientielle. Il n'est pas exclu que, pour lui « les choses se présentent mal », si l'on peut dire, c'est-à-dire que le sujet se construise un système de qualités sans relève objective possible, faute d'être intersubjectivement valable.

Mais il n'entre pas dans la responsabilité de la quasi-analyse de sélectionner une « bonne » image du monde. Il faut plutôt retourner l'objection de Goodman et dire : c'est parce que la quasi-analyse ne fait aucune hypothèse empirique sur l'organisation du donné qu'elle n'a pas à se prononcer sur le caractère « normal » ou « anormal » de ses résultats. A une étape ultérieure de la constitution, on pourra rectifier certaines des constructions élémentaires en fonction d'autrui et des concepts mathématisés de l'expérience. Mais il y aura des bases extensionnellement trop pauvres ; le sujet percevant peut empiriquement être mis en état de privation sensorielle ; c'est son expérience, et non sa logique, qui en souffrira. L'idée même de reconstruction rationnelle n'aurait ainsi qu'un médiocre intérêt si elle n'était solidaire de l'existence de sciences positives. C'est parce que ces sciences ont déjà développé leurs concepts qu'une entreprise de reconstruction a un sens. Car en partant d'un *sujet*, on ne peut parier sur la nécessité et l'universalité des constructions. Mais *l'existence des sciences* garantit *a parte post* la possibilité d'une expérience extensionnellement diversifiée. La quasi-analyse n'attend rien d'autre que cette garantie offerte *a priori* par le système qu'elle-même fonde.

Le problème du recouvrement essentiel

Nous l'avions annoncé, c'est avec la troisième relation, la relation de ressemblance partielle, que commencent les véritables difficultés, et que croît le doute sur la pureté formelle des dérivations [17]. Deux vécus se « ressemblent partiellement » s'ils ont des parties qui *se ressemblent*, comme le bleu-clair du ciel et le bleu-foncé d'une étoffe. Cependant, pour repérer les cercles de ressemblance, il faut vaincre ici une difficulté spécifique, qui est celle dite du « recouvrement accidentel ». Un exemple fera mieux saisir cette difficulté. Supposons par exemple que les trois vécus A, B et C présentent tous trois une tache approximativement rouge et une tache approximativement bleue. Quand on édifiera les cercles de ressemblance, on rassemblera en une classe tous les vécus rouges, et en une autre tous les vécus bleus ; cependant, les vécus A, B et C seront à l'intersection de ces deux classes. Mais cette intersection n'est pas pertinente pour la constitution de l'ordre des couleurs, car le rouge n'est pas voisin du bleu. Il faut donc trouver un critère qui permette de distinguer cette intersection *fortuite* de classes de ressemblance partielle, d'une intersection *essentielle*, celle qui a lieu quand les classes en question sont effectivement des classes d'éléments de couleur voisine.

Existe-t-il un critère *formel* qui permette à l'*Aufbauer* de distinguer les deux types de recouvrements ? Ce critère formel, s'il existe, remplit-il la condition de *Lückenlosigkeit*, de continuité systématique, ou bien fait-il revenir en contrebande un contenu empirique ? Contre tous les commentateurs, unanimes à souligner le glissement, en ce point précis, de la constitution vers une hypothèse empirique, je voudrais tenter, sinon de plaider non-coupable, du moins de présenter les éléments du dossier sous le jour le plus favorable. Ce que l'on reproche ici à Carnap, c'est de fournir un critère du recouvrement essentiel qui ne peut pas être justifié *a priori*. Enoncé dans le langage des « opérations fictives », c'est-à-dire sous forme d'une instruction donnée à l'agent de la constitution, le critère est le suivant :

« *Construction fictive* (des classes de qualité) : A forme l'intersection de toute paire de cercles de ressemblance qui ont une partie appréciable (au moins la moitié de l'un des deux) en commun, et les deux classes restantes. Celles-ci sont à nouveau divisées, quand elles ont une partie appréciable en commun avec un autre cercle de ressemblance etc. jusqu'à ce que l'on atteigne des classes qui ne sont plus recoupées de la manière indiquée. Ce sont les classes de qualité recherchées. » (§ 112)

Ce qu'on objecte à ce « critère », c'est évidemment cette précision numérique non justifiée : pourquoi l'intersection devrait-elle couvrir au moins *la moitié* de l'une des classes ? Qu'est-ce qui permet de dériver cette proportion ? On pourrait évidemment tenter d'objecter ici que cette instruction ne doit pas être prise pour un *critère* du recouvrement essentiel, mais n'intervient qu'à titre d'illustration métrique d'un critère qui serait purement logique. Mais l'objection tombe d'elle-même puisque Carnap reprend une formulation analogue dans le « langage de la constitution » :

« Une classe K de vécus élémentaires est dite "classe de qualités" quand K est entièrement contenue dans tout cercle de ressemblance qui contient au moins la moitié de K et quand il y a pour tout vécu x qui n'appartient pas à K un cercle de ressemblance dans lequel K est contenu mais auquel x n'appartient pas » (§112, 153).

En fournissant ce critère numérique, Carnap renvoie au § 81 relatif aux problèmes théoriques de la construction des classes de qualité. On y lit :

« Dans le recouvrement essentiel, la part du cercle de ressemblance qui est dissociée comprend au moins une classe de qualité complète, et donc une portion non négligeable du cercle de ressemblance ou de l'une de ses parties. » (§81)

Dans le recouvrement accidentel, en revanche,

« la partie dissociée est ordinairement très petite par rapport à la classe de qualité complète et, *a fortiori* par rapport au cercle de ressemblance. »

On concèdera que l'opposition « négligeable-non négligeable », de même que l'adverbe « ordinairement » peuvent laisser soupçonner l'intervention illicite de contenus non logiques dans la construction. Ce que nous remarquerons pourtant ici, c'est que ces contenus ne sont pas moins « logiques » que l'opposition générale entre propositions analytiques et empiriques sur laquelle repose toute la théorie de la constitution. Pour le comprendre, revenons un instant sur l'exemple qu'étudie Carnap au paragraphe 81. Examinons le cas de deux emplacements du champ visuel que nous appellerons respectivement A et B, et que nous concevrons pour simplifier comme composés d'une multiplicité de points colorés discrets. Supposons que A soit occupé par un corps bleuté et B par un corps globalement rouge. Cinq points de A seront voisins par la couleur en sorte que les vécus correspondants se situeront donc à l'intérieur du cercle de ressemblance du bleu ; de même, cinq points du corps B justifieront le rassemblement des vécus corrélatifs dans le cercle de ressemblance du rouge. Cependant, ces deux cercles de ressemblance ne seront disjoints qu'à la condition suivante : A et B ne doivent pas se présenter conjointement dans plusieurs vécus aux mêmes emplacements visuels. En réalité, cette condition est trop forte : elle supposerait effectivement qu'une variation systématique affecte tous les éléments du champ visuel d'un vécu à l'autre. Le problème est donc de savoir distinguer les cas où les cercles de ressemblance se recoupent parce qu'ils contiennent des éléments qualitativement, ou intrinsèquement apparentés (comme deux cercles de ressemblance de couleurs voisines – le bleu et l'indigo –) des cas où ils se recoupent parce que certains de leurs éléments se trouvent fortuitement conjoints aux mêmes emplacements. Si l'on se situe du point de vue « réaliste », on « sait » que ces éléments ne sont pas apparentés entre eux : le rouge et le bleu sont non-ressemblants. Dispose-t-on d'un moyen non réaliste pour démêler les deux types de recouvrement ? Le seul moyen que nous ayons est de comparer les portions des cercles de ressemblance qui intersectent : dans le recouvrement essentiel, l'intersection est très large ; dans le recouvrement accidentel, elle ne porte que sur une fraction insignifiante des vécus de la classe de ressemblance. Sur quoi s'est donc appuyée cette comparaison ? S'agit-il d'une propriété du monde ? Il s'agirait bien d'une telle propriété s'il fallait faire dépendre le succès de la constitution d'un ordre particulier entre les vécus. L'hypothèse fondamentale de la théorie de la constitution consiste plutôt à nier qu'un ordre *a posteriori* puisse se dégager de la série accidentelle des vécus. Ce n'est pas exiger que le monde ait telle ou telle propriété. C'est simplement reconduire dans les extensions la distinction initiale entre propositions empiriquement ou formellement vraies ; l'expérience ne permet pas de rencontrer les rapports invariables qui n'apparaissent qu'avec l'objectivation scientifique, avec la mise en évidence de relations formelles entre des quasi-objets. Cette différence dans la manière dont les vécus se rapportent les uns aux autres selon que leur rapport est conforme ou non à une règle, le système permet de l'anticiper dans la mesure où il s'agit bien d'une *différence de forme entre propositions*, différence sans laquelle l'idée même de science perdrait sa condition de possibilité. Si des « hypothèses analytiques » sont possibles sur les vécus colorés par exemple, qui nous permettent de projeter les propriétés des intersections des boules de couleur sur les cercles de ressemblance regroupant les vécus, c'est en vertu d'une propriété qu'on pourrait dire « grammaticale » de l'espace des couleurs. Comme on le disait volontiers à l'époque, que le rouge soit semblable au carmin est une relation *interne* entre les couleurs. Rien en revanche dans la grammaire ne permet de prédire que cet objet vert sera parfumé, ou bien sera placé sur une surface rouge. Il s'agit là d'une proposition empirique. Ainsi, la différence que le critère de Carnap cherche à exploiter est celle qui oppose deux catégories de propositions, qu'il nommera par la suite respectivement quasi-syntaxiques et synthétiques. Les premières semblent dire quelque chose sur le monde, alors qu'elles réfléchissent un aspect formel du langage descriptif utilisé. En ce sens, la distinction est fondée sur l'opposition que permet le système entre propositions analytiques et propositions empiriques. A cette seconde distinction doit précisément correspondre une image extensionnelle. D'où la possibilité de s'y reconnaître dans l'édification des qualités.

Les développements précédents n'ont pas pour objet de démontrer que la constitution fût une oeuvre *faisable*. Carnap lui-même reconnaissait le caractère *anticipé* de sa propre esquisse. Ils nous paraissent en revanche propres à mettre en valeur la *cohérence philosophique* des règles et du projet de constitution. Une telle précision n'est peut-être pas superflue : en effet, c'est souvent parce qu'on lui posait des questions qui étaient secondaires par rapport à son projet que l'on a cru avoir pris l'*Aufbau* en défaut, ou même en avoir fourni une réfutation. Peut-être les faiblesses de l'*Aufbau* tiennent-elles justement au fait que Carnap ait voulu en faire une oeuvre « accessible ». Le titre tout d'abord : c'est sur le conseil de Schlick qu'en novembre 1925, Carnap opte pour le titre définitif. S'il s'en était tenu au titre rébarbatif et quasi-médical de « *Konstitutionstheorie* », au lieu du titre faussement prometteur de « *Logische Aufbau der Welt* », Carnap aurait évité d'attirer l'attention sur le *contenu* de ses définitions, au détriment de la théorie générale de la constitution.

Un second aspect de l'oeuvre a joué contre elle, c'est la quatrième partie qui sert d'illustration aux trois premières. Carnap a compris trop tard que le lecteur ne prendrait jamais au sérieux la distinction que lui-même traçait avec beaucoup de soin et même de scrupule, entre *thèse* de la constitution et *exemple* de constitution. Or c'est précisément ce dualisme qui a donné corps aux objections adressées à la quasi-analyse.

« Quand je pense à l'opinion que j'ai aujourd'hui de

l'*Aufbau*, écrit Carnap en juillet 1939, ou plutôt à la différence entre mes opinions d'alors et celles d'aujourd'hui, je ne prends pas du tout en compte les détails de la construction du système des définitions symboliques. Même à l'époque où j'écrivais l'*Aufbau*, je n'avançais pas les définitions comme étant l'expression de mon opinion ou comme faisant partie des thèses du livre. Comme vous le savez, j'ai dit à maintes reprises qu'elles n'avaient pas ce but, mais devaient seulement servir d'exemple pour pouvoir présenter la méthode. »

Ce n'est donc pas le caractère *inadéquat* de telle ou telle dérivation qui conduit Carnap à abandonner par la suite la méthode de quasi-analyse. Même quand, dans *Testability and Meaning*, il prendra ses distances par rapport à une approche « moléculaire » du langage – conforme au principe de vérifiabilité au sens strict du terme –, Carnap maintiendra qu'un tel langage *peut* être choisi, la préférence pour tel ou tel type de langage étant purement affaire de convention.

La part des formes

La continuité de la construction, c'est-à-dire la qualité du système que Frege appelait la *Lückenlosigkeit*, n'a plus dans l'*Aufbau* la fonction qui était la sienne dans les *Lois Fondamentales*, de manifester le caractère analytique des mathématiques. Cependant cette continuité permet maintenant d'exhiber la part respective de la forme et du donné empirique dans la connaissance. Le donné se réduit aux extensions de la relation primitive. Les composantes de forme apparaissent de toute évidence comme ce qui constitue le véritable véhicule de l'information empirique. Elles sont à la fois conditions *d'acquisition* des connaissances et conditions du *calcul* de nouvelles formes.

Est-ce pourtant légitime de parler ici de « calcul » ? Ne doit-on pas recourir au savoir accumulé par les *Realwissenschaften* pour pouvoir édifier les formes des quasi-objets ? Dès lors, la description formelle n'est-elle pas guidée par les observations empiriques, et ainsi privée du recours purement déductif que fournit précisément un calcul ? Pour répondre à cette question, il faut être sensible à ce qu'on pourrait appeler la « dynamique » de l'analyticité dans le projet de constitution. Ainsi pourra-t-on comprendre que, par sa logique même, le système de constitution achemine vers l'idée d'un calcul purement déductif des formes d'objets.

Comment une synthèse analytique est-elle possible ?

« *La quasi-analyse est une synthèse qui a les dehors linguistiques d'une analyse.* » (*A.*, §74,104) L'usage de la quasi-analyse, discipline formelle purement analytique, dans la construction synthétique des quasi-objets a pour conséquence de produire la dissociation de deux séries d'oppositions, analyse et synthèse d'un côté, propositions analytiques et synthétiques de l'autre. La distinction entre *analyse* et *synthèse* ne peut plus être opérée à partir des *procédures formelles* utilisées. Car du point de vue de la réalité formelle, la quasi-analyse n'est que très peu différente de l'analyse ; selon l'image de l'*Aufbau*, elle en a « l'habit ». Et pourtant, la quasi-analyse effectue une *synthèse*. Elle opère en effet « en formant des classes d'éléments et en exploitant les relations entre ces classes », (*A.*, § 74, 104), c'est-à-dire en effectuant la synthèse des vécus de base. La distinction entre analyse et synthèse doit donc désormais être faite en fonction du système achevé. Analyser, c'est « remonter » vers la base du système ; synthétiser, c'est aller dans le sens de la constitution, depuis la base vers les formes les plus abstraites :

« Puisque tout objet scientifique est constitué à partir des éléments de base, son analyse désigne avant tout la remontée (*Zurückverfolgung*) du processus de la constitution depuis l'objet lui-même jusqu'aux éléments qui ont servi à le constituer. » (*A.*, §74, 103)

De cela, il résulte qu'« analytique » ne doit plus être opposé à « synthétique ». « Synthétique » est en effet l'adjectif qui qualifie la nature constructive du processus de quasi-analyse (*ibid.*, 104). Comme celui-ci est par ailleurs purement formel et analytique, l'association du critère formel et du critère épistémologique mènerait à une contradiction. C'est donc à « empirique » que l'on doit maintenant opposer « analytique ». Cette seconde distinction est à comprendre dans les termes du critère de Frege, dont l'application s'est trouvée considérablement étendue par la théorie de la constitution. Les axiomes *analytiques* sont ceux qui « peuvent être déduits des seules définitions (en présupposant les axiomes de la logique, sans lesquels aucune déduction ne serait possible. »(*A.*, §106,147)). Les axiomes *empiriques* indiquent en revanche « une relation entre objets constitués qui ne peut être établie que sur la base de l'expérience » (*ibid.*). Par exemple, l'axiome 2 de l'*Aufbau* qui énonce la symétrie de la relation de ressemblance partielle attribue à cette relation une propriété qui en est logiquement constitutive – elle résulte de la définition de cette relation. Il est donc analytique. En revanche l'axiome 1, qui énonce l'asymétrie de la relation de ressemblance mémorielle, se fonde sur l'observation des relations entre vécus, et est de ce fait empirique.

L'organisation précédente des axiomes et propositions du système en *analytiques* et *empiriques* permet de situer sans ambiguïté les procédures utilisées par le système de constitution, telles que les règles qui gouvernent la quasi-analyse ou, plus généralement, les règles de la théorie des relations (*A.*, § 104, 144-145). Ces procédures ne dépendent pas de tel ou tel état du monde. Elles ne sont donc pas établies *a posteriori* ; ce sont par conséquent des principes *analytiques*.

L'ensemble de la théorie de la constitution, c'est-à-dire la logique, est ainsi constitué par des règles de formation et de transformation que l'on peut bien dire *a priori* parce que « c'est d'elles que dépendent logiquement la constitution et la connaissance des objets », mais qui ne doivent pas être pour autant assimilées à des *connaissances*. Ce ne sont que des *conventions*. Comme nous l'avons vu, l'apport permanent de l'*Aufbau* n'est pas à rechercher dans les thèses « matérielles », c'est-à-dire dans les schémas concrets de réduction des concepts empiriques. Mais ce sont les axiomes analytiques et, avec eux, les procédures formelles mises en oeuvre dans les dérivations, qui constituent la contribution originale et définitive de l'esquisse. Puisque l'importance de l'*Aufbau* réside dans ses procédures formelles, ce n'est pas faire violence à la constitution que de la vider de tout rapport à l'empirique. On pourrait dire au contraire qu'en dégageant les traits formels de leur réalisation dans une construction empirique, on accomplit le processus déjà engagé. On passe alors de l'usage intrasystématique de l'opposition entre analytique et empirique à un usage métasystématique qui caractérise le point de vue de la théorie de la constitution (*Konstitutionstheorie*, par opposition à *Konstitutionssystem*, cf., par exemple, *A.*, § 179, 252). L'objet de la théorie de la constitution est en effet non pas d'édifier un système de constitution, mais d'élaborer un système des règles formelles d'où l'on puisse dériver une théorie pure des formes d'objet (*A.*, §105, 146). Les diverses règles de dérivation utilisées dans l'esquisse peuvent alors servir de fil conducteur dans la recherche de règles plus générales. Par exemple, l'énoncé des transformations légitimes des relations qui les rendent accessibles au traitement quasi-analytique (règles 2-7) semble appliquer une seule règle plus générale :

« Transformer une relation homogène de la manière la plus

simple possible qui permette de lui appliquer la quasi-analyse. »(*A.*, §105, 146)

La théorie de la constitution dégage ainsi des *schèmes formels*, en procédant d'ailleurs pour le moment selon un mode strictement « technique » : l'avancement de la théorie de la constitution ne permet pas encore d'atteindre la véritable unité *architectonique* vers laquelle elle tend [18]. Carnap ne renonce pourtant pas à l'idée d'une telle unité. Les schèmes sous lesquels se regroupent les diverses règles formelles doivent pouvoir être à leur tour déduits d'un seul principe : le principe suprême de la constitution occupe le site aménagé par Kant au sommet de son système de la raison pure. D'un tel principe, nous ne savons encore à peu près rien, sinon qu'il est possible qu'on le découvre un jour. Il serait suffisamment général pour que toutes les règles formelles utilisées dans les divers systèmes de constitution en soient déductibles. Ainsi serait atteint l'idéal de formalisation complète, qui ferait de la théorie de la constitution une science purement déductive.

L'extension de l'analytique : du transcendantal au formel

Ce n'est là encore qu'un programme de travail offert à la théorie de la constitution. Mais il permet de mieux voir la contribution qu'apporte la division entre le champ purement analytique et le champ empirique à la délimitation des domaines respectifs de la théorie de la constitution, c'est-à-dire de la philosophie ou de la logique (ces trois termes étant désormais équivalents), et de la science unifiée. La première a pour tâche de fixer des *conventions* (*Festsetzungen*). Car c'est conventionnellement que la logique détermine les règles sous lesquelles doivent s'effectuer les procédures de rassemblement et d'organisation des données ainsi que les transformations légitimes d'énoncés. Pour reprendre une métaphore que Carnap utilise volontiers, on pourrait dire que la théorie de la constitution montre comment on forme un système de coordonnées, les divers systèmes d'axes qui peuvent être choisis et les calculs que chacun d'eux autorise. La science consiste simplement à *appliquer* ce système. D'abord, en sélectionnant un système d'axes et en fixant un point pris pour origine : c'est le moment de la constitution, qui produit le « référentiel absolu » du travail scientifique. Ensuite, commence la possibilité d'une prédication non-analytique, c'est-à-dire que des propriétés et des relations non consignées dans les définitions peuvent être recherchées pour enrichir la connaissance des objets du système [19].

Lorsqu'on change de terrain, en passant de la compréhension intrasystématique aux considérations métasystématiques, on constate que l'analytique voit son importance s'accroître. C'est maintenant le système des définitions tout entier qui est pris comme un ensemble de propositions vraies par convention, servant seulement à expliquer le sens des mots dont la science fait usage. Ces conventions, il est vrai, sont établies sur la base de données d'observation. Mais une fois le système achevé, elles cessent d'être révisables en fonction de l'expérience et n'ont plus qu'une valeur tautologique. Le système de concepts n'est en effet destiné qu'à servir à son tour de base (*Unterlage*) pour des prédications empiriques. Non seulement donc la logique tout entière, y compris sa branche la plus importante, qui est la théorie de la constitution, est purement analytique, mais la science dans son premier mouvement de clarification des références est aussi logique appliquée (appliquée à la science elle-même dans son état historique déterminé), et de ce fait, encore analytique [20]. On ne peut comprendre ce qui motive cette extension de l'analyticité si l'on n'y voit pas l'effet de la réflexion formelle que Carnap exerce sur les concepts transcendantaux. L'analytique prend valeur constitutive et règle non seulement la constitution des objets d'une connaissance possible, mais aussi plus généralement le rapport d'un concept à une intuition, c'est-à-dire la possibilité d'*appliquer les formes*.

L'idée que Carnap puisse substituer le formel au sujet transcendantal de Kant dans la fonction constitutive que Kant attribue à ce dernier va sans doute à l'encontre de l'idée que l'on se fait généralement de l'empirisme logique. Encore faut-il préciser que nous n'entendons pas faire de Carnap un disciple de Kant, mais simplement mettre en évidence une parenté topique destinée à corriger ce que l'appellation d'« empiriste » tend à suggérer. Dès 1925, les conventions deviennent compatibles avec l'empirisme ; il suffit de souligner que les conventions sont sans contenu, et par conséquent sont d'ordre tautologique, c'est-à-dire logique. Elles continuent donc à être pensées comme *a priori*, et permettent par conséquent de faire passer tout le synthétique *a priori* du côté de l'analytique. Nous voyons bien en quoi ce passage est censé marquer une rupture éclatante avec l'une des thèses essentielles du kantisme. Mais la rupture est moins profonde qu'on pourrait le croire, car au fond les questions considérées comme pertinentes et les types de solutions acceptables n'ont pas changé. En quel sens Carnap reste-t-il un empiriste ?

Prenons par exemple le problème capital de la délimitation de notre capacité de connaître. Traditionnellement, l'empirisme est, selon le mot de Kant, « censeur de la raison ». Hobbes et Hume, par exemple, concluent de l'origine expérientielle de la connaissance à l'existence de *bornes* du savoir. Il y a en effet des objets qui ne sont pas « proportionnés » à notre capacité cognitive, comme l'infinité de l'espace et du temps. Ce type d'obstacles opposés à la connaissance, Kant le dit *technique*. Si nos moyens de connaissance s'amélioraient, si de nouveaux instruments pouvaient prolonger notre perception au-delà des seuils actuels, nous aurions accès à une portion plus large du réel. Au-delà des bornes, il reste toujours, du point de vue de l'empirisme classique, quelque chose à connaître. Ainsi, la détermination des bornes de ce que l'on peut savoir repose sur une *conjecture*. Partant de l'état actuel des connaissances, et supputant les améliorations éventuelles des techniques de mesure et d'observation, l'empiriste évalue le champ des questions possibles. Il place la frontière là où cesse la possibilité d'un contrôle empirique.

On connaît l'objection kantienne au langage des bornes : les empiristes s'efforcent de restreindre l'activité de l'entendement sans que cette restriction soit opérée selon un principe *déterminé*. D'où ce recours régressif à une zone obscure de questions à jamais insolubles. Une fois que l'on a compris qu'il n'y a de connaissance que des phénomènes, il ne reste rien qui soit étranger à la raison. Toutes les questions sont solubles, les débordements dialectiques étant eux-mêmes encore du ressort d'une fondation, non pas sans doute dans l'expérience, mais dans l'idée [21]. Comme Kant, Carnap croit possible de délimiter *a priori* l'espace du connaissable. Quoiqu'il emploie indifféremment les mots de *limite* (*Grenze*), de *borne* (*Schranke*) et de *frontière* (*Randpunkt*), il est clair que le principe de vérifiabilité est ce qui *circonscrit* le domaine de l'activité rationnelle. Ainsi se trouve bel et bien *délimité* le champ d'exercice de la Science, et délimité *a priori* puisque le principe de vérifiabilité est un principe *analytique*, donné en même temps que le concept de Science par la théorie de la constitution. A l'intérieur des limites fixées par le réquisit de vérifiabilité, c'est-à-dire par l'exigence que les propositions de la Science utilisent exclusivement des concepts constitués ou constituables, on peut dire que la science n'a pas de bornes. Rien n'échappe à la juridiction de la science, elle s'étend à tout le pensable (*A.*, § 180, 253-5).

Ce qui signe sans ambiguïté le caractère *a priori* de cette affirmation, c'est que la non-limitation de la science (*Unbegrenzheit der wissenschaftlichen Erkenntnis*) n'a pas à être mise à l'épreuve des faits. S'il existe encore aujourd'hui des questions non résolues, on dira qu'elles sont non solubles « pratiquement, mais non pas en principe. » Ainsi se retrouve restauré l'obstacle « technique » des empiriste, avec toutefois la certitude nouvelle – qui n'est plus empiriste – qu'un tel obstacle ne saurait constituer un empêchement d'essence. La théorie de la constitution permet d'anticiper *a priori* sur le développement du système des concepts, et de poser que, tôt ou tard, les concepts concernés auront leur place dans le système [22].

S'il n'y a pas de pensée hors du système des concepts de la science unifiée, que deviennent les questions métaphysiques ? L'esquisse d'*Aufbau* permet d'apporter à cette question une réponse que, faute d'un système de constitution, le positivisme classique n'avait pas les moyens théoriques d'expliciter. Il est vrai que Comte considérait que les propositions métaphysiques sont dénuées de sens, et montrait comment elles s'inscrivent dans une problématique historiquement dépassée. Cependant, comme le remarque Jürgen Habermas [23], il s'agit là d'une remise en cause non radicale, d'une exclusion que l'absence de « réflexion » condamne à l'inefficacité. On peut montrer en effet que les concepts de la métaphysique que Comte croit tenir à distance continuent à oeuvrer implicitement dans le discours de la légitimation positive. On pourrait dire en paraphrasant Habermas que la « réflexion » que n'a pas su faire Comte, Carnap a pu l'entreprendre. Car la constitution permet, comme on l'a vu, de réévaluer toutes les notions traditionnellement investies par le discours métaphysique. Si certaines d'entre elles s'avéraient intraduisibles, elles seraient exclues du domaine des concepts pourvus de sens, sans pour autant échapper à un traitement rationnel (en tant qu'objets historico-culturels etc. ; cf.*A.*, § 181, 256 sq., et § 183, 260-261). Mais certains des concepts métaphysiques peuvent aussi obtenir une *relève positive* ; c'est le cas des notions de réalité et d'apparence, d'identité, d'individu. Le concept que Comte tenait pour métaphysique par excellence, celui de causalité, retrouve dans le monde de la perception une sphère de légitimité et peut y recevoir une définition strictement formelle. Ici encore la démarche de Carnap reproduit celle de Kant. La métaphysique ne doit pas susciter un scepticisme sans lendemain. Il faut encore comprendre ce qui a rendu possible ses concepts, et ce qui a interdit de produire par leur moyen des thèses unanimement reconnues.

Pour Carnap, les deux grands types d'erreurs sous lesquels sont tombés les métaphysiciens tiennent à leur méconnaissance des règles qui gouvernent un langage doué de sens. La première erreur a consisté à user de notions en elles-mêmes légitimes sans se préoccuper de leur domaine d'application. Ainsi, dans le meilleur des cas, on transfère à des objets les propriétés qui appartiennent en propre à une catégorie d'éléments de l'énoncé. C'est le cas, par exemple, de l'usage illicite de l'*identité* dans la pratique ordinaire de ce terme. Dans le pire des cas, on a énoncé une formule vide de sens parce qu'elle viole les conditions d'usage de la notion (quand on dit, par exemple « l'un est identique »). La seconde erreur, plus générale, de la métaphysique, consiste à penser que la philosophie comme telle a un objet qui échappe à la juridiction de la Science. On trouverait un bon exemple de cette illusion dans la division qu'instaure Bergson entre deux régions de l'expérience, l'esprit revenant à l'approche métaphysique, la matière à la Science [24]. Kant lui-même est tombé dans cette erreur, en faisant des propositions synthétiques *a priori* un contenu donné à l'enquête philosophique et qui en conditionne la légitimité. Car ce que démontre bien la « réflexion formelle » des concepts métaphysiques et transcendantaux, c'est que le philosophe n'a pas la vocation des contenus. Il n'opère jamais directement sur l'expérience. En devenant théorie de la constitution, la philosophie découvre que sa mission est toujours et seulement pacificatrice. Elle ne suscite pas des débats d'idées, elle les dissout. Plus exactement, elle promeut des discussions sur l'utilité, sur l'opportunité, sur la fécondité des divers modes de présentation (*Darstellung*) d'une axiomatique donnée.

Etant purement analytique, elle se déploie seulement dans l'espace de la *convention*. Il lui manque l'espace du *vrai*. Par exemple, on ne saurait avoir à *opter* entre réalisme, phénoménalisme et idéalisme. Ce sont seulement les divers moyens de reconstruire le vécu ; chacun d'eux peut présenter des avantages d'exposition que n'ont pas les autres.

Dès l'époque de l'*Aufbau*, Carnap s'emploie à réconcilier les positions apparemment contradictoires sur la scène de la philosophie « scientifique ». Déjà la *pax philosophica* consiste à exhiber l'équivalence extensionnelle des deux thèses qui font l'enjeu de la polémique, l'une et l'autre apparaissant alors comme deux variantes dépendant d'une décision linguistique différente, quoique complémentaire de l'autre sous l'angle de son intérêt formel. Nous verrons bientôt quel rôle de médiateur Carnap cherche à jouer entre les tenants du logicisme et ceux du formalisme. Le *Calculemus* leibnizien prend enfin la place du débat des dogmatiques. Tel est du moins l'espoir que concrétise l'institution du Cercle de Vienne. La philosophie est lancée dans un nouveau type d'activités, à la fois loin de tout contenu propre et proche de ceux que lui propose la Science. De simple concept-limite, l'analytique est devenu déjà le critère de légitimité de la philosophie tout entière. A partir de l'*Aufbau*, il n'y a plus de philosophie qu'à propos d'un langage.

Chapitre 3

LE NOUVEAU PROJET FONDATIONNEL

Le concept d'*analyticité* était dans l'*Aufbau* présupposé plutôt que thématisé pour lui-même. Pliée à une interprétation conventionaliste, la conception logiciste formait l'une des conditions de la pertinence du projet. Car sans l'assurance de la vacuité complète du formel, sans la réduction de tout le mathématique à du pur logique, manquerait l'armature de la constitution. Le logicisme étant massivement présupposé, la question de la logique de la Science se pose, dans l'*Aufbau*, comme celle de l'extension des procédures analytiques au traitement des concepts empiriques. La seconde phase du travail de Carnap, qui correspond à la période où il rédige la *Syntaxe logique* (1931-1935) peut ressembler à un abandon qu'expliqueraient aisément les difficultés à la fois « formelles » et « matérielles » du projet. Le principe de vérifiabilité achoppe sur les concepts de disposition ; le phénoménalisme s'avère incompatible avec la théorie de l'observation qui s'impose progressivement dans les discussions du Cercle de Vienne, etc. Mais ce qui peut passer pour un repli nous semble correspondre au contraire à une radicalisation du même projet. Une fois éclaircie par l'*Aufbau* la tâche proprement logico-philosophique de la constitution, la *Syntaxe logique* s'attaque au problème qui était encore embryonnaire dans l'*Aufbau*. Elle se propose de développer de façon complètement explicite les règles formelles qui régissent, non plus tel système des concepts de la science, mais un système quelconque, qu'il s'agisse d'une axiomatique formelle ou interprétée.

C'est donc une illusion de voir dans la *Syntaxe* une sorte de resserrement du travail philosophique. Car l'explicitation des règles d'une grammaire générale de la langue scientifique doit à la fois indiquer les conditions *générales* de l'application d'un système formel à l'expérience – conditions générales qui ne seront plus seulement *montrées* par l'édification concrète d'un système de constitution, mais *décrites* par un ensemble de règles récursives –, et fixer sans ambiguïté le caractère purement analytique des propositions de la philosophie, c'est-à-dire de ce qu'on pourrait appeler désormais le métalangage de la science. On pourrait caractériser cette seconde phase en disant que le « cercle des fondements » y prend un contour plus précis, et pour ainsi dire, s'y trouve revendiqué. La distinction analytique/synthétique n'est plus comme précédemment *exploitée* à titre de propriété déjà à l'oeuvre dans les théories naturelles, et simplement manifestée dans sa pureté par le système. Elle fait maintenant l'objet d'un traitement formel ; elle reçoit dans la métalangue – analytique – une définition qui en garantit l'applicabilité à toute langue. L'objectif de la *Syntaxe logique* est de démontrer la légitimité d'une telle circularité.

Le caractère tautologique des mathématiques est l'article premier de la charte théorique admise par les membres du Cercle de Vienne. Tous les membres et « sympathisants » du Cercle adoptent avec enthousiasme ce qui paraît être la solution définitive de la question qui constitue pour eux le point faible de l'empirisme traditionnel : quelle est l'origine et la nature des vérités mathématiques ? Si elles dérivent de l'expérience, d'où vient leur validité universelle ? Si elles n'en dérivent pas, serait-ce qu'elles proviennent d'un principe *synthétique a priori* rationnel ou intuitif ? La tautologie a pour les membres du Cercle une fonction nettement définie : elle doit sortir l'empirisme du mauvais pas où Kant et, par la suite, nombre de conventionalistes, l'avaient mis en déployant une théorie du mathématique fondée sur des principes synthétiques *a priori*.

La tautologie comme instrument de combat contre « l'a priorisme ».

Ce que Carnap appelle « empirisme », dans les années 30, se définit par une seule thèse qui est d'ailleurs le plus souvent présentée de manière négative : « C'est la position selon laquelle il n'y a pas de connaissance synthétique *a priori*. » On pourrait tenter de reformuler cette thèse de manière positive, en utilisant la version du principe de vérifiabilité contemporaine de l'*Aufbau* : tout contenu de connaissance est réductible à des relations (purement formelles, quasi-analytiques) entre des vécus immédiatement donnés. En s'attaquant à la notion de proposition synthétique *a priori*, les « empiristes logiques » entendent évidemment interdire la possibilité même de la Métaphysique, laquelle se définit à leurs yeux comme la tentative d'explorer un contenu de connaissance qui lui serait propre, puisqu'il ne serait ni directement accessible dans l'expérience ni non plus réductible à des relations logico-mathématiques. Cependant, ils ont aussi un autre adversaire en vue, qui est plus proche de leurs thèses et a été pour beaucoup d'entre eux le relais qui les a conduits à leur conception présente de l'« empirisme » : il s'agit des conventionalistes qui, tels que Poincaré, ont inspiré le ton anti-empiriste de ce texte du premier Carnap :

« La philosophie proclame depuis longtemps déjà que la construction de la physique ne peut pas reposer sur les seuls résultats de l'expérimentation, mais doit aussi appliquer des principes qui ne viennent pas de l'expérience [25] ».

Ce qui apparaît alors à Carnap former le trait

radicalement anti-empiriste de la science contemporaine, c'est la présence de systèmes axiomatiques qu'il interprète comme des propositions synthétiques *a priori*, non pas au sens strictement kantien de « conditions nécessaires de l'objet de connaissance », mais à titre de conventions posées comme principes en fonction de considérations de méthode (comme le principe méthodologique de simplicité). Les conventions, pour Poincaré, sont des principes synthétiques *a priori* parce qu'elles ne sont ni arbitraires et purement nominales, ni non plus données empiriquement.

Le glissement du synthétique *a priori* vers le conventionnel prépare le rattrapage final du conventionnel dans l'analytique. Le pas décisif est opéré lorsque le conventionnel se trouve réinterprété comme ce dont la validité repose sur une règle linguistique, c'est-à-dire comme ce qui est tautologiquement vrai. Le concept de tautologie a l'avantage de fournir un *explicatum* du concept de convention compatible avec le principe de vérifiabilité : au lieu de dire que la logique et les mathématiques sont des conventions (ce qui laisse encore dans le vague le statut de tels principes et risque de rendre inopérant le principe de vérifiabilité non seulement dans son application, mais même dans sa propre légitimité), on dira que logique et mathématiques forment, selon le mot de Hahn, une « immense tautologie » de manière à annexer le conventionnel dans son ensemble au purement formel, vide de contenu.

Une fois la tautologie pourvue d'une telle fonction, il reste encore à définir la tautologie en sorte de la rendre coextensive au logico-mathématique, et à expliquer pourquoi on avait pu jusque-là croire que les mathématiques avaient bien un contenu. Assez curieusement, la « tautologie » ainsi entendue retrouve toute la valeur du pari logiciste. On pourrait dire qu'elle permet en quelque sorte de renouveler la teneur de ce pari, puisqu'il ne s'agit plus maintenant de mettre en évidence l'essence naturellement et organiquement logique du nombre, mais de montrer qu'en logique et en mathématique, il n'est question que de formes linguistiques. Redéfinie comme « proposition vraie en vertu de sa seule forme », la tautologie a une valeur avant tout heuristique : elle désigne, sous réserve que « certaines conditions se trouvent remplies », non seulement, comme le voulait Wittgenstein, les formules du calcul propositionnel qui restent vraies quelle que soit la valeur de vérité de leurs sous-formules, mais toute proposition mathématique (en tant que le pari frégéen paraît pouvoir être gagné) et même toute preuve mathématique comme suite de transformations formulaires conformes à des conventions. Comme le dit Hans Hahn, « ce que nous voulons dire après la transformation est toujours la même chose que ce que nous voulions dire avant elle [26]. » On peut donc parler de tautologie en présence de toute pratique opératoire réglée par des conventions linguistiques. Même si nous ne calculons pas effectivement chaque membre d'une égalité en sorte d'être en mesure d'exhiber l'identité finale étape par étape, une telle preuve semble être toujours possible. La tautologie se présente donc explicitement comme une propriété putative, un principe heuristique qui, quoiqu'encore en cours de validation, doit être « pour l'essentiel correct [27] ».

Dans les années 1930-1931, les logicistes continuent à buter sur les trois axiomes des *Principia* qui, de l'aveu de Russell, peuvent difficilement passer pour analytiques. L'axiome de réductibilité, que la théorie ramifiée des types rend nécessaire, n'est pas « logiquement valide ». L'axiome de choix et l'axiome de l'infini font des assertions d'existence sur les constituants de l'univers. Comment Carnap espère-t-il plier ces trois obstacles à la solution logiciste ?

L'axiome de l'infini

> « Toute proposition de la logique est une tautologie ; donc il en est de même, selon le point de vue du logicisme, pour

toute proposition des mathématiques. Mais l'axiome de l'infini n'est pas valide sur la base de sa seule forme. Si toutefois il est valide, ce n'est que de façon contingente. Pour certains domaines d'objets, il est valide, pour d'autres non. » (R. Carnap, « *Die Mathematik als Zweig der Logik* », 306)

Les logicistes ne s'entendent pas entre eux sur celui des axiomes qui pose le plus de difficultés. Pour Russell, c'est sans conteste l'axiome de l'infini. Comme il le remarque dans sa conférence devant la Société Mathématique de France, ce qui distingue précisément l'axiome multiplicatif de l'axiome de l'infini, c'est que le premier « a la forme et le caractère des axiomes de la logique : on ne sait pas le démontrer à partir de données empiriques » ; le second, au contraire, n'a même pas les apparences d'un axiome logique. Il postule en effet qu'*il existe* un nombre infini d'objets dans l'univers. Sans un tel axiome, rien ne permettrait de garantir que, passé un certain nombre, tous les nombres cardinaux ne soient équivalents à la classe nulle [28]. L'axiome de l'infini est donc nécessaire pour démontrer qu'il existe des suites infinies. C'est dire qu'il est indispensable à la construction des réels et de l'analyse dans son ensemble, à la définition des cardinaux transfinis, etc. [29]. Afin de préserver le caractère « logique » c'est-à-dire « tautologique » de l'axiome, Russell propose une solution qui, de son aveu même, ne résout pas la difficulté, mais a néanmoins le mérite d'exhiber la structure implicationnelle qui, selon lui, caractérise les propositions mathématiques [30]. Au lieu donc de postuler l'axiome de l'infini I, pour pouvoir démontrer une proposition S déduite par son aide, on pose simplement l'implication I ⊃ S. En d'autres termes, on ne pose plus dans l'absolu l'existence d'un nombre infini d'objets, mais on se borne à affirmer que, *si* certaines structures existent, *alors* il existe aussi certaines autres structures dont l'existence suit logiquement des premières.

En un premier temps, Carnap commente favorablement

ce qui lui paraît tout d'abord constituer une solution recevable du point de vue logiciste [31]. Précaire victoire pourtant : on a bien « déduit les mathématiques de la logique », mais la logique exhibe à son tour l'antériorité de la synthèse sur l'analyse, dans la mesure où ses constructions ne sont valides que si certains états de chose sont donnés. L'activité mathématique ne sera possible que dans certains mondes – situation que la logique peut bien décrire comme une implication, mais non pas produire purement *a priori* [32]. La solution durable apparaît un peu plus tard. Elle utilise une des possibilités d'*interprétation* de l'axiome de l'infini qui est visiblement inspirée de la construction de l'*Aufbau*. Car au lieu de considérer les objets du monde comme ceux que dénote un « langage de choses », on peut les interpréter comme étant les quadruples de réels définis par un système de coordonnées de Minkowski. Ces individus peuvent être déterminés purement *a priori*. Dès lors ce cadre de l'expérience possible, nécessaire à la construction des séries infinies, peut réintégrer le domaine logique. Ces individus pourront-ils toutefois être interprétés sans cercle vicieux comme le domaine requis par l'axiome de l'infini pour garantir l'existence des séries infinies ? En dernière analyse, la validité de l'interprétation de Carnap ne se soutient que si, au moins implicitement, on considère la construction des coordonnées comme indépendante de son remplissement, et la construction d'une série infinie de classes comme toujours possible. La logique doit inclure la notion d'infini préalablement à toute construction de ce concept, ce qu'officialisera en quelque sorte la *Syntaxe logique* en gageant les thèses de la langue sur les règles de la métalangue.

L'axiome de choix

L'axiome de choix (ou axiome « multiplicatif ») est lui aussi un axiome nécessaire : il sert, par exemple, à démontrer qu'un produit est nul au seul cas où l'un de ses facteurs est nul. Il pose en effet que :

> « Une classe quelconque de classes mutuellement exclusives étant donnée, il existe au moins une classe qui a exactement un terme commun avec chacune des classes données [33]. »

Cet axiome avait été considéré comme évident par Zermélo et utilisé dans la démonstration prouvant que tout ensemble peut être bien ordonné [34]. Russell montre en revanche que, si l'axiome est effectivement « évident » dans le cas des classes finies, ce n'est plus du tout le cas lorsqu'on l'applique aux ensembles infinis [35]. L'évidence longtemps accordée à l'axiome de choix a donc ceci de particulier qu'elle « s'efface à partir du moment où l'on comprend ce qu'il signifie [36]. » C'est en effet là où *cesse de s'appliquer* l'énumérabilité des membres d'une classe, c'est-à-dire dans le cas des ensembles infinis, que l'axiome est requis.

L'axiome de choix, dont Russell soulignait l'aspect « strictement logique », n'en fait donc pas moins une hypothèse sur l'existence d'une classe de sélection, qui tente de remédier à l'absence de la démonstration correspondante. Dans son article de 1931, Carnap évoque le caractère non-analytique de l'axiome, mais s'empresse de restaurer la valeur tautologique de son énoncé, en recourant à nouveau aux bons offices de la conditionalisation. La mise en implication de l'axiome de choix C, sous la forme $C \supset S$, permet encore d'évacuer ce qui relève en lui du « contenu », en ne retenant que les traits formels de l'implication dont il est la prémisse [37]. Sans doute le procédé de conditionalisation peut-il apparaître induement *ad hoc* à un fondationaliste frégéen. Mais il annonce la solidarité que la *Syntaxe logique* tentera de manifester entre la validité d'une proposition et les ressources de la métalangue correspondante. Le tort de la conditionalisation n'est pas de postuler ce qu'il revient à la logique de démontrer *a priori*, c'est de confier à un seul et même langage la tâche de démontrer la validité logique de la proposition et celle d'en faire usage dans les inférences.

L'axiome de réductibilité et la question de l'imprédicativité

« Une difficulté plus grave, sinon la difficulté majeure de la construction des mathématiques, a affaire à un autre axiome postulé par Russell, dit axiome de réductibilité. Il est justement devenu la cible principale des critiques du système des *Principia Mathematica*. » (R. Carnap, « *Die logizistische Grundlegung der Arithmetik* »)

Dans l'article de 1931 cité en exergue, ce n'est pas l'axiome de l'infini ni l'axiome de choix qui paraissent à Carnap véritablement problématiques, mais l'axiome de réductibilité. C'est d'ailleurs seulement à cet axiome que Carnap cherche à donner une interprétation logiciste originale.

Frege n'avait pu s'habituer à l'idée de recourir à la théorie des types ; elle contrevenait à l'idée de la simplicité, de la naturalité que devait avoir une reconstruction logiciste crédible. Carnap prend à revers l'impression de Frege : la théorie des types a pour elle sa « naturalité ». Dans l'édification d'un système de constitution, « elle va pour ainsi dire d'elle-même [38] ». Tel n'est plus le cas de la théorie ramifiée des types, et de son indispensable complément, l'axiome de réductibilité.

En effet, la théorie ramifiée ne se contente pas, comme le fait la théorie « simple » des types, de subdiviser les fonctions en « types » distincts selon l'espèce d'arguments qu'elles peuvent légitimement accueillir. Elle subdivise à nouveau les propriétés d'un même type en *ordres*, en fonction de la forme de la définition qui les introduit. L'axiome de réductibilité balaie les difficultés inextricables que posent les différences d'ordre à l'expression des théorèmes mathématiques (en particulier, à la théorie des réels) en stipulant simplement, « par un coup de force », comme dit Carnap [39], que les différents ordres d'un même type peuvent être réduits à l'ordre le plus bas du type. Russell est le premier à reconnaître que, selon le mot de Wittgenstein, si l'axiome de réductibilité est vrai, c'est seulement en vertu d'un « heureux accident [40] ». Mais comment se passer de cet axiome, si l'on veut éviter les antinomies et le principe du cercle vicieux ? Carnap considère que, du point de vue du logicisme, le remède est pire que le mal. Mieux vaut affronter directement le risque des antinomies et cerner exactement le problème que pose le cercle vicieux sans types ramifiés et sans axiome de réductibilité, qu'alourdir la construction des mathématiques de cette procédure encombrante et trop évidemment « *ad hoc* ». Il entreprend donc au cours de 1930-1931 de réexaminer la difficulté que la théorie des types ramifiés était censée résoudre. Sa propre stratégie consiste à séparer deux questions que l'axiome de réductibilité et la théorie des types ramifiés traitaient globalement. *D'une part*, on montrera que la théorie simple des types suffit pour éviter les antinomies. *D'autre part*, on enlèvera à la théorie ramifiée sa seconde motivation en présentant une version inoffensive du principe du cercle vicieux.

Nous n'exposerons pas dans le détail la première partie de ce programme qui reprend sans amendement la solution exposée par Ramsey dans son article de 1925, « *The Foundations of Mathematics* [41] ». L'idée maîtresse consiste à séparer deux catégories d'antinomies. Sont dites « logiques » les antinomies comme celle de la propriété « imprédicable » (*i.e.* « qui ne s'appartient pas à elle-même »), qui peuvent être exprimées dans un langage « purement logique ». Celles-ci ne nécessitent pas le recours à la théorie ramifiée, puisque la théorie simple suffit à prévenir leur apparition. Restent donc les antinomies non exprimables de manière purement logique. Ce sont les antinomies « sémantiques », dont Ramsey souligne le caractère « psychologique ou épistémologique ». Elles ne demandent donc pas de « solution purement logique ou mathématique[42] ».

Cependant, pour Russell, les paradoxes sémantiques naissent d'une violation du principe du cercle vicieux, d'où le second volet du programme de Carnap. Le principe énonce qu'« aucune totalité ne peut contenir de membres qui ne sont définissables qu'en termes de cette totalité, ou en termes de membres qui y font appel ou la présupposent », d'où le rôle préventif de la théorie ramifiée : Russell avait produit la théorie ramifiée parce qu'il cherchait à mettre hors la loi les définitions imprédicatives, diagnostiquées comme causes des antinomies. Ramsey, puis Carnap révisent le diagnostic proprement dit. On peut remédier aux antinomies logiques par la théorie simple des types. Quant aux antinomies de la langue naturelle, elles ne font que refléter les imperfections d'une langue non logique. La vraie question n'est donc plus : *comment* éviter l'imprédicativité, mais *pourquoi* au juste faut-il à tout prix éviter les définitions imprédicatives ? Présentent-elles vraiment un danger pour la construction ?

La manière dont Ramsey dénoue la question de l'imprédicativé a le mérite d'indiquer une voie possible, sans parvenir encore à présenter une solution véritablement constructiviste. Ramsey appuie en effet sa démonstration sur l'idée qu'il est parfaitement admissible de poser l'existence de la totalité des propriétés. Du point de vue de Ramsey, l'erreur de Russell consiste à n'avoir pas poussé l'extensionalisme assez loin, et d'avoir considéré que toute classe, même infinie, devait être définissable[43]. Pour Ramsey, l'équicardinalité telle que Cantor la définit n'est pas une relation *effective*. Pour que deux classes soient dites équicardinales, il n'est pas nécessaire qu'une relation les mettant en relation de correspondance bi-univoque terme à terme soit effectivement *produite*. Il suffit qu'il *puisse* y en avoir une.

Ramsey représente donc la version « absolue » du

logicisme. Il réintroduit dans le logicisme post-frégéen la problématique dualiste des systèmes de la science du dix-neuvième siècle en opposant le caractère nécessaire des êtres mathématiques (ici : les classes) à la limitation empirique (et donc contingente) de l'art du système, entendu comme ensemble de formules reproduisant de façon plus ou moins adéquate les relations *a priori* entre vérités logiques intemporelles. Il est caractéristique du logicisme réaliste de ne pas limiter les idéalités mathématiques à celles qui sont déjà reconnues. Carnap trouve que Ramsey pousse le réalisme un peu trop loin. Dans son zèle logiciste, Ramsey en oublie le réquisit frégéen sans lequel toute réduction perd son exactitude et son acuité. Toutes les expressions du système doivent avoir une dénotation garantie par construction. Les classes non constructibles de Ramsey ouvrent la porte aux *fiat* arbitraires d'une « mathématique théologique [44] ».

Comment rendre non vicieuse la circularité des définitions imprédicatives, une fois écarté le recours à une logique transcendante ? Carnap suit Ramsey sur un point : Russell redoute l'imprédicativité parce qu'il a une conception trop étroite de la notion de classe. Non qu'il y ait place en logique pour des classes non définissables. Mais il y a deux manières de concevoir l'universalité [45]. L'universalité dont il est question dans les *Principia* est une universalité *numérique*. C'est dans ce cas, et dans ce cas seulement, qu'on ne peut faire référence à la « totalité des propriétés » sans l'avoir construite par l'énumération de toutes les propriétés individuelles qui composent l'ensemble. Mais il existe une autre universalité, dite « spécifique ». Elle ne s'établit pas par énumération, mais par dérivation logique à partir d'autres propriétés, c'est-à-dire par une démonstration [46]. Les définitions imprédicatives sont donc parfaitement légitimes si on utilise une procédure démonstrative qui ne passe pas par l'examen de tous les arguments de la fonction. Le caractère *tautologique* de l'énoncé suffit à justifier la validité de l'énoncé pour une fonction quelconque prise comme argument. Peu importe donc la manière dont ce caractère tautologique sera mis en évidence, peu importe même que telle tautologie ne soit pas démontrable « s'il n'existe pas de solution au problème de décision dans ce système logique ». Ce qui compte, c'est que *ce n'est pas l'imprédicativité qui rende en principe impossible dans tous les cas une décision de ce genre*. Le type de solution ici seulement esquissée sera, nous le verrons bientôt, reprise et amplifiée dans la *Syntaxe logique*.

La question de la dénotation des expressions logiques et ses enjeux

Ce qui précède montre ce qui sépare le logicisme de Carnap de celui de Frege. A la différence de Frege, c'est dans la « première thèse » du réductionnisme que Carnap voit l'apport décisif du logicisme. La première thèse concerne en effet la définition des concepts mathématiques en termes purement logiques. Elle satisfait les exigences constructivistes en tant que celles-ci s'appliquent aux concepts mathématiques [47]. Quant à la seconde thèse, qui affirme que *tous* les théorèmes mathématiques sont dérivables d'axiomes purement logiques, elle constitue un horizon de recherche. Les difficultés rencontrées ne font pas douter de la possibilité d'en triompher un jour. Pour Frege et Russell, la question fondamentale était celle de l'*essence* du mathématique. L'existence de dénotations purement logiques étant démontrée, le symbolisme avait pour objectif de *reproduire* une hiérarchie intemporellement valide entre des vérités logiques. En revanche, le réductionnisme de Carnap n'a plus de propos descriptif. Le problème crucial est pour lui celui de la possibilité *d'appliquer* les mathématiques. C'est donc à la solution du hiatus entre *science formelle* et *application des formes* qu'un système logique des mathématiques devra avant tout travailler. Or ce qui justifie le travail restant à accomplir pour démontrer la seconde thèse, c'est bien l'intérêt épistémologique de la première. C'est en effet grâce à cette définition logique des concepts mathématiques que l'on peut justifier les transformations, même les plus élémentaires, des propositions d'arithmétique appliquée. Par exemple, de la proposition :

(1) « Il n'y a dans la pièce que les personnes de Hans et de Peter », nous ne pouvons déduire la proposition :

(2) « Il n'y a dans la pièce que deux personnes »

qu'à la condition de disposer d'une *interprétation*, dans le calcul mathématique, du signe *deux*, qui permette de reconnaître que « les personnes de Hans et de Peter » tombent sous ce concept. Carnap est ici très proche du Frege anti-formaliste : la limite de la conception formaliste des mathématiques réside pour lui dans l'impuissance où cette conception se trouve à légitimer une transformation de ce genre, pas plus d'ailleurs qu'elle ne peut rendre compte d'une quelconque déduction mettant en jeu une application des mathématiques. Appliquer les mathématiques suppose que l'on sache *interpréter* leurs symboles. Or les logicistes sont les seuls à pouvoir fournir une telle interprétation. Une fois le nombre défini comme propriété d'un concept, il est possible de dériver la propriété numérique qui appartient au concept « les personnes de Hans et de Peter », à savoir : « concept dont l'extension comprend deux individus ». Appliquer les mathématiques, c'est donc *utiliser la dénotation logique* du signe arithmétique pour pouvoir raisonner numériquement sur des propositions qui ne sont pas encore mises sous une forme numérique. Mais que faut-il comprendre au juste par le terme de « dénotation logique » ? Chacun sait ce que Frege entend par là : non pas le sens opératoire qui est conféré à un signe par son intervention dans une structure axiomatique, mais ce qui rend possible cette intervention. Le signe renvoie à une entité indépendante du système et antérieure à lui, qu'il est censé dénoter. C'est comme on l'a vu le réalisme de la construction qui, dans le système de Frege ou dans celui de Russell, garantit la détermination de la dénotation logique. Mais que peut encore ajouter le conventionalisme à la conception strictement opératoire de la dénotation des signes formels, c'est-à-dire au formalisme le plus ordinaire ? Si Carnap revient avec insistance sur la question de la *Deutung* des concepts logiques et mathématiques dans les années 1930-1931, c'est qu'il pense disposer d'un *critère* de la dénotation logique. Non pas que l'on puisse rêver d'atteindre la référence extra-systématique des termes logiques : « ils n'ont pas de dénotation indépendante [48]. » Mais des concepts comme ceux de « fonction », de « variable », de « négation » ou de « disjonction » définissent un champ d'opérations purement structurales et procurent au signe correspondant du symbolisme ce qu'on pourrait appeler un « sens formel ». Ainsi, la question de la dénotation des signes logiques est reposée d'une façon qui permet de concilier l'exigence frégéenne et le formalisme. Mais, en même temps, la question du fondement des mathématiques devient l'affaire non d'un retour à des essences logiques, mais de *l'insertion de la mathématique dans un langage total.*

La dénotation logique et le problème des fondements

Afin d'illustrer l'interdépendance de la question de la dénotation et de celle du fondement, citons ces quelques notes manuscrites dans lesquelles Carnap résume la substance d'un exposé donné à Berlin au cours d'un colloque organisé par Reichenbach :

« Problème du fondement des *mathématiques* : pas seulement la Métamathématique (sémantique du système formel mathématique), mais insertion de la mathématique dans la langue universelle ! (Ainsi se trouve satisfait le réquisit de Frege : les signes doivent avoir une dénotation, *c'est-à-dire* être applicables dans des propositions synthétiques ! Mais le réquisit est satisfait avec des moyens formalistes. *Règlement du conflit logicisme-formalisme.* » (*Notes manuscrites du 1er juillet 1932*, Archives 110-07-23).

Carnap expose à Berlin une thèse que nous retrouvons dans la *Syntaxe logique*, ce qui n'a rien de surprenant puisque cette dernière est alors en cours de rédaction. Ce que l'on sait moins, c'est que dès 1929-1930, dans un manuscrit resté impublié intitulé *Untersuchungen zur allgemeinen Axiomatik*, Carnap entend déjà régler la question du fondement des mathématiques par *insertion de celles-ci dans un langage unitaire*. Cependant, à la différence de ce qu'il entreprendra à partir de 1931 dans la *Syntaxe logique*, le langage unitaire en question est « plat », si l'on veut entendre par là qu'il n'effectue pas de description métalinguistique. Néanmoins, ce langage comporte deux parties, correspondant respectivement aux moments alternativement *formaliste* et *logiciste* du travail fondationnel.

Le premier moment est celui de l'invention mathématique, dans le style formaliste : un système d'axiomes est construit, sans qu'on se préoccupe encore de la dénotation des symboles. On complètera pourtant ces axiomes d'axiomes synthétiques, permettant d'appliquer les formules à un domaine d'objets. Le second moment, celui qui coïncide avec l'édification de l'axiomatique universelle, est celui de l'« analyse logique après-coup » (*nachträglich*) : le logicien s'attache à donner une dénotation « logique » aux signes purement formels de l'axiomatique mathématique. Pour ne pas confondre ce moment axiomatique « fondamental » avec les axiomatiques formalistes particulières de l'étape précédente, Carnap appelle « principes » (*Grundsätze*) ces propositions destinées à pourvoir les signes formalistes d'une dénotation logique (leur dénotation étant jusqu'alors indéterminée) :

« Prenons pour exemple d'un système axiomatique

arithmétique le système axiomatique de Peano pour les nombres naturels. Y interviennent aussi le concept de nombre et les nombres individuels 0, 1, 2, etc. Nous les distinguons, en tant que *nombres peaniens*, le "0 de Peano" etc., des *nombres logiques*, le "zéro logique" etc. En tant que concepts logiques, ces derniers ont une dénotation complètement déterminée ; les premiers en revanche ont une dénotation indéterminée en tant que concepts d'un système axiomatique, et sont ainsi applicables aux domaines les plus différents. » (*Untersuchungen...*, 080- 34-03, p.7 ; comp. avec *Uneig.* 361)

D'une telle insertion des théories axiomatiques dans une axiomatique universelle, Carnap attend trois résultats, qu'il résume ainsi :

« 1º Tout signe mathématique reçoit une ou plusieurs dénotations ; et, plus précisément, des dénotations purement logiques. 2º Au cas où le système d'axiomes est non contradictoire, chaque formule mathématique devient une tautologie (...) 3º Au cas où le système d'axiomes est complet (au sens de Hilbert) l'analyse dénotationnelle devient univoque ; chaque signe reçoit exactement une dénotation ; ainsi la construction formaliste deviendrait une construction logiciste [49]. »

Ce projet d'axiomatique universelle constitue la tentative ultime d'exhiber le caractère *tautologique* des mathématiques. Remarquons que le concept de tautologie s'accommode déjà d'une concession importante au formalisme : il n'est plus considéré comme nécessaire à l'hypothèse logiciste que l'axiomatique générale ne comporte que des lois logiques. Carnap propose même d'appeler du terme neutre de « discipline fondamentale » (*Grunddisziplin*) ce langage universel qui comprend, à côté de la logique, l'arithmétique et la théorie des ensembles. L'hypothèse logiciste n'en conserve pas moins une valeur heuristique, et Carnap se consacre au sauvetage logiciste des axiomes dits « empiriques » des *Principia* [50]. Mais l'essentiel est alors que le noyau dur du logicisme cesse d'être un point de doctrine. On pourra concevoir l'arithmétique et la théorie des ensembles comme distinctes de la logique sans avoir à leur dénier une « position fondamentale » (et fondationnelle) dans l'ensemble de la construction. Ce changement d'accent est une conséquence du déplacement, déjà signalé, du *fondement essentialiste* au *fondement intégrateur*. Le langage unique devenant le point de référence du caractère tautologique des mathématiques, le concept d'« analytique » est en position de supplanter celui de vérité « logique ». Comme nous le verrons sous peu, c'est précisément *parce que* l'axiomatique universelle assouplit l'hypothèse logiciste que la découverte de Gödel ne lui portera pas un coup décisif.

En empruntant le concept wittgensteinien de tautologie, Carnap l'infléchit en en étendant l'application aux égalités. La tautologie retient pour l'essentiel les caractères que lui attribuait Wittgenstein : elle ne dit rien parce qu'elle n'exclut pas de cas de vérité (elle est universellement valide). Mais une fois réduites à leur structure logique, les mathématiques sont censées devenir ouvertement tautologiques, ce qu'elles étaient en un sens déjà. Il n'est nullement nécessaire d'interpréter cette *Sinnlosigkeit* comme ce qui montrerait, mais ne parviendrait pas à exprimer, la logique du monde. On pourrait dire que la tautologie est « banalisée » par l'empirisme logique, en ce sens qu'elle est une proposition à part entière, dont la vacuité est suffisamment expliquée par la nécessité qui s'impose à tout langage de poser certaines conventions réglant l'usage des mots et la transformation des énoncés. Rien ne s'oppose donc plus à ce que l'on cherche à exprimer les rapports entre les formes et à ce que l'on dérive les mathématiques de la logique. Elles sont homogènes entre elles, en tant que techniques formelles (non représentatives). La logique étant toutefois plus assurée dans ses procédures, elle permet à la fois de garantir la rectitude de l'opération mathématique et d'en éclairer l'applicabilité. Dans les années 1930-1931, le concept de tautologie est à son zénith : il paraît encore le seul capable de fonder l'unicité du logique et du mathématique. Les difficultés posées par les axiomes non logiques des *Principia* semblent vaincues ou en voie de l'être. Il n'y a donc pas encore de « crise » de l'analyticité. Elle n'est pourtant pas loin : en octobre 1930, Hans Hahn présente devant l'Académie des Sciences de Vienne un court résumé des deux principaux résultats de Gödel, qui seront publiés l'années suivante [51]. C'en est fini des beaux jours de la tautologie. Si les mathématiques sont analytiques, ce ne pourra être au sens où elles sont tautologiques. Mais le logicisme a la vie dure. La *Syntaxe logique* va se charger de tirer l'analyticité des mathématiques du mauvais pas où les théorèmes d'incomplétude l'ont mise.

Analyticité, descriptivité et arithmétisation

Dans une lettre que Von Neumann adresse à Carnap le 7 juin 1931, on peut lire cette appréciation, relative à l'impact de la découverte de Gödel sur ce qu'on pourrait appeler l'« esprit de Königsberg » :

> « Je suis aujourd'hui d'avis que Gödel a démontré le caractère irréalisable du programme de Hilbert (je le sais depuis le 7 septembre 1930, ajoute-t-il en note). (...) Je tiens donc le point de vue que nous avions à Königsberg sur la question des fondements pour entièrement dépassé du fait que les découvertes fondamentales de Gödel ont mis la question à un niveau tout à fait différent. (Je sais que Gödel est beaucoup plus prudent sur la valeur de ses résultats, mais, à mon avis, il ne voit pas les vrais rapports qu'ils ont avec ce problème [52].) »

L'objectif de Hilbert consiste à démontrer avec des

moyens finis le caractère non-contradictoire des mathématiques classiques [53]. Or les résultats de Gödel suggèrent que le prédicat « être démontrable » pour un système comprenant les axiomes de Peano et la logique des *Principia* (avec les nombres naturels pris comme individus) n'est pas récursif, c'est-à-dire n'est pas finitiste. Les théorèmes d'incomplétude semblent condamner tout espoir de donner une *démonstration* de consistance en *employant des moyens finitistes*. Aucun système récursif d'axiomes, et qui soit non contradictoire, n'est complet relativement aux propositions de l'arithmétique. Notons ici que la complétude est une propriété *relative* : un système formel est complet quand toute proposition qui *peut être exprimée* dans son symbolisme conformément aux règles de formation est formellement décidable. Un système est ainsi complet *relativement* à un ensemble de propositions. Il faut que chaque proposition de cet ensemble soit décidable pour que le système soit dit complet relativement à lui. Si l'on choisit donc comme système de référence les axiomes de Peano complétés par la logique des *Principia*, on peut mettre en évidence des propositions arithmétiques qui, quoique « bien formées », ne peuvent ni être prouvées, ni être réfutées *dans* le système. Or ce résultat n'affecte pas seulement le programme de Hilbert. Il remet aussi en question le caractère tautologique de la partie la plus élémentaire de la mathématique, à savoir la théorie des entiers naturels. D'où la déroute des thèses de Königsberg. Comme le dit Von Neumann, il faut maintenant reprendre les problèmes, entre autres celui du statut de la logique et des mathématiques, « à un niveau tout à fait différent ». La *Syntaxe logique* représente l'effort de hausser le logicisme à ce nouveau « niveau ». Le concept d'*analytique* qui s'y trouve redéfini entérine les résultats de Gödel et même prend l'aspect d'une généralisation des méthodes utilisées dans les démonstrations de Gödel (méthodes, il faut le dire, déjà en usage dans l'Ecole polonaise). Trois aspects de la construction du concept d'analytique doivent ici être soulignés. Inaugurant la nature syntaxique de ce type de recherche, la distinction entre langue et métalangue forme le cadre de référence de toute définition de l'analytique. L'analyticité devient une fois pour toutes une notion *métalogique*. Dans ce travail syntaxique, l'*arithmétisation* intervient de façon essentielle pour garantir l'universalité des résultats et, par le même mouvement, la représentabilité de la métalangue dans la langue, ce qui permet à la syntaxe de s'interpréter elle-même comme ensemble de propositions analytiques. Enfin, le concept d'analytique est un concept ouvertement *indefinit*, ineffectif, ce qui est faire de nécessité vertu, et réformer le logicisme une nouvelle fois en sorte de libéraliser un peu plus les critères de la validité.

De la « discipline fondamentale » à la « métadiscipline »

Que l'analyticité soit prise comme une propriété « métalogique » n'est pas en soi une innovation ; nous avons vu que tel était déjà le point de vue que prenait sur ce concept la définition frégéenne. Si la *Syntaxe logique* fait oeuvre novatrice, ce n'est pas simplement en tant que le niveau métalogique serait reconnu et exploité. C'est que les relations entre langue-objet et métalangue – *Hilfssprache* dans le vocabulaire de Frege – sont pour elles-mêmes l'objet d'un travail formel dépendant de la langue-objet choisie. L'analytique cesse du même coup de valoir comme propriété absolue de certaines propositions, comme c'était le cas dans les *Grundgesetze* et même encore dans l'*Aufbau*. Il s'agit maintenant d'un concept dont la définition peut varier suivant le type de langue-objet, et surtout selon les ressources dont dispose la métalangue.

Carnap commente ainsi dans une lettre à Neurath du 23 décembre 1933 l'apport de Tarski, dans l'oeuvre duquel il situe l'une des « racines historiques » de sa *Syntaxe* :

« Cela devient de plus en plus clair : tous nos problèmes

sont des problèmes syntaxiques. Cela permet de renforcer la thèse de la science unifiée. Non pas : tout est résolu, mais un ensemble de nouvelles tâches à prendre en charge [54]. »

Le concept tarskien de métadiscipline a ceci de profondément original qu'il rend compatible une vision *unitaire* de la science avec une interprétation *pluraliste* du travail sur les formes. Et c'est bien à cette bivalence que Carnap s'arrête dans sa lettre à Neurath. C'est là qu'il situe l'aspect à la fois doctrinal (unitaire) et programmatique de l'approche métalogique. Pluraliste, la métamathématique tarskienne l'est dans la mesure où chaque système formel exige un traitement métalinguistique particulier. En d'autres termes, l'examen d'une discipline déductive formalisée requiert l'édification d'une « métadiscipline spéciale [55] ». Mais, par ailleurs, des considérations de caractère général restent à entreprendre, de façon à préciser « le sens d'une série de concepts métamathématiques importants, communs aux métadisciplines spéciales », et à « déterminer les propriétés fondamentales de ces concepts ».

Règle et pensée formelle

Dans le célèbre texte où Hilbert expose sa conception de l'objet de l'arithmétique, il n'énonce le caractère originaire du signe – « Au commencement est le signe » – qu'en écartant les « circonstances particulières de présentation » qui pourraient faire obstacle à la reconnaissance des formes universelles [56]. De même pour Carnap, la logique n'est pas seulement *formelle* en tant qu'elle se détourne de la dénotation non logique, du « contenu de jugement » (*Gedanken oder Gedankeninhalt*), mais elle est formelle *aussi* en tant qu'elle ne retient des expressions symboliques que ce qui manifeste l'universalité des règles (*L.S.*, § 1). Le formel est celui de la règle, plutôt que celui du signe écrit, lequel vaut simplement comme représentation empirique de la *Gesetzmässigkeit*. Soumettre à un traitement formel les phrases d'une langue, c'est donc refuser aussi bien de ne voir en elles autre chose qu'une suite de signes, que de réduire ces signes à des configurations purement singulières (*Gestalten*). Le signe renvoie toujours à un *type* d'expression *en vertu d'une règle*. Tout l'efficace du formel tient à la possibilité de ce renvoi. On ne détruit donc le lien extralogique du mot à la dénotation qu'en renforçant le lien grammatical du signe à la règle qui le gouverne, celle-ci étant le véritable objet de la syntaxe pure. Pour mieux marquer cette différence entre l'aspect extérieur du signe et l'élément différentiel pertinent, Carnap propose de distinguer la forme *syntaxique* d'un symbole, de sa forme « figurative » (*Figurelle Gestalt*) (*L.S.*, § 4, 15). La forme syntaxique est à la forme figurative ce que la tour, comme élément abstrait structuralement déterminé par les règles du jeu d'échecs, est à la pièce concrète de bois ou d'ivoire d'une forme plus ou moins suggestive. Pour parvenir à déterminer l'identité de forme syntaxique de deux signes, on ne peut se fier à la forme figurative. Ce sont les règles du langage qui autorisent cette reconnaissance. En d'autres termes, la règle assume le statut qui revenait chez Frege à la loi logique, de condition de possibilité d'une pensée formelle en général.

Une telle idée du formel impose à la syntaxe pure chargée de son exposition la satisfaction de deux exigences. Il faut d'abord que la règle puisse effectivement être reconnue à la seule forme des symboles de la métalangue utilisée. Il faut aussi que la syntaxe que l'on construit porte clairement sur la structure formelle des expressions, et non sur les signes physiques, pris comme purs événements empiriques. Supposons une « syntaxe spéciale » qui utilise des prédicats descriptifs quelconques pour caractériser les éléments de la langue-objet. Par exemple, le prédicat « être une variable » sera exprimé par « Var », celui de « signe numérique logique » par « Log Zz », etc. On pourra bien, dans une telle syntaxe, exprimer la propriété « n'a pas de démonstration effectivement écrite de S_1 », mais on ne pourra pas énoncer qu'une telle démonstration de S_1 est *impossible*. En d'autres termes, une syntaxe seulement descriptive livrerait au mieux une *géographie* des formes symboliques. Mais la syntaxe pure a une ambition beaucoup plus haute : non pas seulement décrire les règles d'un langage, mais expliciter les fondements du discours logico-mathématique en général. Dépasser, par conséquent, les limites du langage représenté, pour dégager des règles universelles valant pour tout langage possible. Le projet de syntaxe logique requiert donc une méthode permettant de passer d'une *géographie* à une *géométrie* des formes de langage [57]. Une méthode existe, qui permettra de satisfaire ces deux exigences. C'est encore Hilbert qui en eut le premier l'idée [58]. Dès 1904, Hilbert avait suggéré la possibilité de considérer la logique comme une branche de la théorie arithmétique. Cependant Carnap évoque, dans ses notes personnelles, une rencontre avec Gödel d'août 1930, au cours de laquelle celui-ci lui expose sa méthode de corrélation des nombres avec des signes et des expressions. C'est donc de Gödel qu'il reprend la technique d'arithmétisation, jusque dans le détail des définitions [59].

Le procédé d'arithmétisation

Le grand intérêt de la méthode d'arithmétisation pour le projet de syntaxe générale est qu'elle réduit à un seul les foncteurs descriptifs nécessaires à l'application de la syntaxe à un langage donné. Tous les symboles de la langue-objet seront mis en corrélation avec des nombres naturels, selon des assignations qui sont purement conventionnelles sans toutefois être totalement arbitraires. Car du choix des assignations, doit résulter la possibilité de reconnaître univoquement le type du signe ainsi défini. On appelle « nombre formulaire » (*Gliedzahl*) la description numérique correspondant à chaque symbole de la langue-objet. Carnap reprend exactement les assignations choisies par Gödel dans ses théorèmes d'incomplétude. Pour garantir l'univocité de la décomposition des nombres formulaires en termes constituants, on stipule que les prédicats seront représentés par des nombres premiers ou des nombres premiers élevés à une puissance. Les nombres de la langue-objet seront représentés par des nombres premiers $p > 2$, les expressions numériques définies par p^2, les prédicats non définis par p^3, les prédicats définis par p^4, les foncteurs non définis par p^5, les foncteurs définis par p^6. Enfin, les constantes logiques reçoivent des assignations numériques purement arbitraires en termes de nombres non premiers : « 0 » est exprimé par 4, « (» par 6, «) » par 10, « ∃ » par 18, etc. On peut enfin faire correspondre à une suite d'expressions de la langue-objet un nombre de série déterminé (*Reihezahl*).

Ce qui explique la portée des théorèmes de Gödel, c'est que l'arithmétique *apporte avec elle ses moyens combinatoires propres*. Le premier théorème prouvait non seulement que le système de l'arithmétique est *incomplet*, mais qu'il est *incomplétable*. L'adjonction de la proposition indécidable au système des axiomes fait ressurgir la possibilité de construire une nouvelle proposition indécidable dans ce nouveau système. L'arithmétisation confère ainsi à la syntaxe une détermination qu'une syntaxe descriptive n'aurait pu atteindre. Par son moyen, les *possibilités opératoires* d'un système formel peuvent être exprimées, telles que la dérivabilité, la démontrabilité, l'indécidabilité et, enfin, l'analyticité. L'arithmétisation est la méthode qui vient providentiellement réparer les dégâts causés à la tautologie par les résultats de Gödel. Carnap « détourne » en quelque sorte la technique de Gödel pour en faire l'outil d'un nouveau logicisme. Relativement à la question de l'analyticité, l'arithmétisation permet en effet d'obtenir deux résultats capitaux. L'arithmétique étant analytique, toute syntaxe qui sera arithmétiquement exprimée sera elle-même analytique. Ainsi se trouve réglé le statut de la logique de la science. D'autre part, l'arithmétisation étant autoréférentielle, elle permet de plonger la langue-syntaxique dans la langue-objet. D'où l'unification du langage, à la restriction près que tout ne sera pas démontrable à l'intérieur de la seule langue-objet. Cependant, si l'axiomatique syntaxique est arithmétisée, en d'autres termes, si la syntaxe est modélisée dans l'arithmétique, il n'est pas nécessaire de prévoir des axiomes spécifiques pour régler les relations entre signes fondamentaux : les définitions des symboles syntaxiques contiennent déjà les relations que ces symboles entretiennent entre eux, en tant qu'elles utilisent les propriétés des nombres. Par exemple, « un nombre n'est pas un prédicat » n'a pas à être posé en axiome, puisque cette phrase est immédiatement déductible des définitions 25-27 de la syntaxe de L I. Les *définitions syntaxiques* suffiront donc à déterminer complètement les relations entre les symboles. Ce sont des conditions portant sur les exposants des facteurs premiers des nombres qui figurent les différents types d'expressions, formules, séries et séries de séries qui composent la langue. Ainsi parvient-on à ce résultat : il est *un cas* où l'on peut conjoindre *descriptivité* et *analyticité*, c'est celui de la syntaxe arithmétisée. La question qui se pose maintenant est de savoir ce qui rend *applicable* une telle syntaxe descriptive. C'est la mise en oeuvre d'un foncteur descriptif unique, construit par abstraction à partir des divers prédicats descriptifs qu'aurait exigés une axiomatique, tels que « signe de variable », « signe de constante », « signe numérique », « signe d'identité », etc. On reconnaît la catégorie des expressions que détermine ce foncteur unique, « *Zei* » pour « *Zeichen* », « est le signe de... », d'après leur définition arithmétisée, les valeurs de *Zei* étant les nombres formulaires des symboles correspondants.

Tout en admettant une multiplicité de réalisations physicalistes, la syntaxe descriptive arithmétisée est au même niveau de généralité que la syntaxe pure. La seule différence tient au fait qu'au lieu de ne faire référence, comme cette dernière, qu'à des séries de nombres formulaires, elle dispose d'un opérateur d'application. Ce n'est encore que le schéma d'une langue possible, dont la syntaxe désigne « en creux » la représentabilité. Ainsi, ce que nous apprend la possibilité d'une syntaxe descriptive arithmétisée, c'est que la question de l'application, si elle reste bien en définitive le lieu du synthétique, *est elle-même articulée de façon purement analytique*. Ainsi cette science des langages de la science offre le paradigme d'un savoir entièrement subordonné au formel, c'est-à-dire dans lequel la question de la soumission du donné à des formes est entièrement *déjà pensée* dans l'arithmétique.

Les théorèmes d'incomplétude de Gödel ont donné à la *Syntaxe logique* l'instrument de sa généralité. Mais là ne s'arrête pas leur empreinte sur le destin de l'analyticité. Ils dessinent à la fois *l'objectif* du concept d'analyticité qui sera exprimable dans cette syntaxe arithmétisée, et les *contraintes spécifiques* qui pèseront sur lui. Afin de clarifier les choses, nous dirons de manière schématique que le premier théorème commande une *libéralisation* du critère de l'analytique, tandis que le second indique *les limites* dans lesquelles cette construction peut s'effectuer.

Du « premier théorème » aux « C-concepts »

Que dit en effet le premier théorème d'incomplétude ? Que si le système P, composé des *Principia* complété par les axiomes de Peano, est ω–consistant, il doit être incomplet, la formule de Gödel G relative à P étant une formule indécidable dans ce système [60]. En outre, l'incomplétude s'avère être *essentielle* : même si l'on ajoute la formule de Gödel aux axiomes du précédent système, le système qui en résulte comprend à nouveau une formule vraie mais indécidable, et ce à l'infini. Le premier théorème démontre donc qu'il ne peut y avoir de critère « défini » (*definit*) de validité, en entendant par là un processus *effectivement* calculable [61]. Le premier théorème place donc le philosophe des fondements devant un dilemme. Ou bien il exclut du « purement logique » ce qui dépasse les possibilités strictement constructives du formalisme, quitte à ménager la place d'un synthétique *a priori* mathématique dans le prolongement de l'analytique de la logique. Ou bien il doit *élargir* le concept de validité formelle, en sorte qu'elle inclue *dans le logique* les propositions indécidables. Ce que le premier théorème oblige à reconnaître, c'est que si un critère complet de validité est encore possible, ce ne sont pas des procédures effectives qui le fourniront. Carnap choisit donc clairement la seconde branche du dilemme. Le concept d'« analytique » sera *le substitut non effectif de la tautologie*. Il ne pourra lui-même être construit comme un concept *« definit »*. Mais il n'y a pas lieu de voir dans ce trait une limitation, un défaut du concept auquel une approche finitiste encore inédite pourrait remédier. Après Gödel, le choix n'est plus entre le tautologique et l'analytique, mais entre un analytique élargi au non-finitiste et le retour du synthétique *a priori*. S'il y a lieu de continuer de parler d'« analytique », ce sera avec la dimension d'un « C-concept ». Or il faudra construire un tel concept pour chaque langue-objet étudiée.

L I, qui précise les règles d'un langage finitiste, acceptable par conséquent par Schlick et Wittgenstein, est un langage « *definit* » au sens technique du terme : toutes les constantes et les expressions fermées sont soit des termes primitifs, soit des termes réductibles pas à pas à des termes primitifs, les définitions ne comportant que des quantificateurs bornés (*L.S.*, § 15, 45). Cependant, même si un tel langage peut ne comporter que des symboles « definit », il doit nécessairement disposer de règles d'inférence qui ne le sont pas. Prenons le cas de la dérivabilité : il s'agit d'une procédure « effective » en ce sens que les énoncés primitifs sont en nombre fini et les prémisses utilisées dans les inférences sont également finies ; mais comme la longueur des dérivations n'est pas limitée, cette méthode est non effective en ce sens que « dérivable dans S » peut exiger une infinité d'étapes individuelles du type « l'énoncé

P est directement dérivable de l'énoncé Q ». Dans un système où il n'y a que des règles de transformation effectives, « être dérivable de... » et « être conséquence de... » coïncident.

Cependant, la dérivabilité ne permet pas d'obtenir un critère complet de validité pour l'arithmétique ; afin de remédier à l'incomplétude d'une arithmétique restreinte aux « d-règles », il faut faire intervenir un type non finitiste, c'est-à-dire non effectif de règles d'inférence, déjà utilisées par Tarski en 1927 et Hilbert en 1931 [62], ce que Carnap appelle des « c-règles » ; dans cette seconde méthode de déduction, dite de « conséquence » (*Folge*), même l'étape individuelle est non effective : une classe de propositions K est dite « conséquence directe » d'une autre classe K quand toute phrase de K est conséquence directe d'une sous-classe de K. Cette forme d'inférence permet de prendre une classe infinie de propositions comme prémisses. Dans un système qui comporte des c-règles en complément des d-règles, dérivabilité et conséquence cessent de coïncider : les énoncés considérés comme non démontrables en termes de dérivation peuvent être prouvés valides en recourant à des c-règles.

Ainsi, si l'on veut obtenir une ligne de démarcation entre propositions analytiques et synthétiques dans L I, il faut y faire intervenir des concepts syntaxiques « non effectifs », dont la mise en oeuvre s'appuie sur des c-règles ; celles-ci, répétons-le, n'opèrent pas sur des énoncés, mais sur des classes d'énoncés éventuellement infinies : une proposition sera dite « analytique » si elle est conséquence de la classe nulle de propositions, et « contradictoire » quand toute proposition en est la conséquence. Des relations entre dérivabilité et conséquence, il résulte que si toute proposition démontrable est analytique, il existe des propositions analytiques non démontrables.

Analytique dans L II

La *Syntaxe* produit encore les règles syntaxiques d'un langage beaucoup plus riche, L II, suffisant pour exprimer l'ensemble de la mathématique. Comme ce langage n'est plus « *definit* » (il contient des quantificateurs non bornés), les concepts non effectifs y sont également admis. De ces différences, il résulte que la définition d'*analytique dans L II* s'écarte au moins sur trois points essentiels, de la définition correspondante dans L I. Tout d'abord, au lieu de définir « analytique » par « conséquence », on commence par une définition récursive d'« analytique » pour construire par son aide celle de « conséquence ». En second lieu, pour que ce critère d'« analytique » puisse s'appliquer, il faut pouvoir disposer de phrases en forme « standard », c'est-à-dire *réduite*. Enfin, et ce qui nous importe le plus pour le moment, une définition d'« analytique dans L II » suppose que l'on prenne comme domaine de variation des fonctions syntaxiques non pas les prédicats *définis* dans L II, mais, selon la formule de Gödel, « tous les ensembles et relations en général [63] ». Car si on limite la quantification à un domaine limité de prédicats définissables, il peut très bien se faire que, quoique par exemple la proposition M(F) soit vraie de tous les prédicats contenus dans L II, elle ne le soit pas universellement, parce qu'elle peut être fausse d'une fonction restée non définie dans L II. Or, on le sait depuis Cantor, il existe toujours de telles fonctions non définissables dans L II. Le concept non effectif qui sera l'instrument de la définition d'« analytique dans L II » est celui de *valuation* (*Wertung*) : S est une phrase analytique de L II si toute phrase obtenue par valuation sur F dans S est analytique [64]. Une valuation est une classe d'expressions accentuées (expressions numériques) qui sont les valeurs que prennent les symboles de la langue-objet dans leur interprétation classique. On dispose ici du développement suggéré par Gödel : une valuation parcourt *toutes les valeurs possibles* d'une expression numérique, qu'elles soient ou non représentées dans la langue-objet.

Muni de la possibilité de valuer les composantes des phrases de la langue dans la métalangue, il faut ensuite l'exploiter pour parvenir à une évaluation de la validité de la phrase concernée : on passe de la *valuation* à l'*évaluation* par la mise en correspondance de la tautologie $0=0$ avec toute sous-formule vraie dans une valuation, et de la contradiction $0\neq 0$ avec une phrase fausse dans une valuation. On dira donc qu'une phrase est *analytique* si son évaluation ne fait apparaître que des tautologies [65].

Le critère proposé permet donc de distinguer deux catégories de phrases dans un langage : les phrases « L-déterminées » sont celles qui sont analytiques ou contradictoires (§52) : le caractère tautologique de chacune de leurs valuations prouve que leur vérité ne dépend pas du monde, mais des règles de la langue. Toutes les autres phrases de la langue seront dites *synthétiques* (il s'agit alors de phrases déterminées, mais P-valides, ou de phrases indéterminées). L'intervention de l'évaluation en métalangue marque bien que l'analyticité ne peut plus prétendre valoir de manière absolue, comme une sorte de brevet de validité inconditionnelle auquel ne pourraient prétendre que des propositions « éternellement » vraies. Le procédé de valuation fait aussi apparaître que la *complétude* du critère de validité formelle – l'analyticité – est obtenue en enrichissant la langue syntaxique de moyens non-constructifs.

Le « second théorème » et les limites constructives

Le premier théorème d'incomplétude suggérait la nécessité de faire la place à des C-concepts syntaxiques, destinés à compléter les lacunes des D-concepts. Le second théorème d'incomplétude indique plutôt la condition restrictive sous laquelle peut s'opérer la construction d'« analytique ». Un tel concept peut en effet être construit, mais il ne peut jamais l'être *dans le langage-objet*. Si le premier théorème permet de conclure qu'« analytique » et « non démontrable » ne sont pas incompatibles, le second avertit que, à vouloir formuler « analytique dans L » (ou « contradictoire dans L ») en *restant dans L*, on produit des contradictions. On ne peut prouver l'analyticité de L dans L.

Le second théorème produit donc un sous-théorème équivalent en syntaxe générale : certains termes syntaxiques concernant L sont indéfinissables dans L, et certaines propositions syntaxiques de L sont indécidables dans L. Cependant, ces termes peuvent être définis et ces propositions rendues décidables dans un langage formalisé qui ait des variables de prédicats et de fonctions *absents du langage-objet*. Ainsi se trouve formellement justifiée la mesure qui n'avait jusqu'alors qu'une valeur prophylactique *ad hoc* : celle d'empêcher un *regressus in infinitum*. Lorsqu'on évoquait en effet la nécessité de quantifier non pas sur les prédicats *représentés* dans L, mais sur *tous les « ensembles et relations en général »*, on avait en vue les prédicats qui, quoique non représentés dans L, pouvaient cependant l'être dans un langage plus riche. Bien entendu, le passage d'une langue à l'autre implique que l'on effectue les valuations sur des prédicats et des fonctions d'*ordre supérieur* et de *type différent*, ce qui « complique les choses », comme le remarque Carnap dans une lettre à Gödel [66].

Chapitre 4

CONVENTIONALITÉ, TOLÉRANCE ET SYNTAXE UNIVERSELLE

Carnap illustre son critère par la démonstration de l'analyticité de quelques propositions primitives de LII, et en particulier de celles dont le caractère « analytique » avait paru douteux aux logiciens de l'avant-Königsberg. Pour l'établir, il faut supposer que l'axiome de choix est valide dans la langue syntaxique, c'est-à-dire qu'il existe une classe de sélection pour toute valuation (*L.S.*, § 34 h, 123). Le problème que pose ce recours, en métalangue, à une traduction de l'axiome même dont l'analyticité est à démontrer, est évidemment celui du risque de *circularité* : ne présuppose-t-on pas la vérité de ces axiomes, tenus pour logiques, pour en dériver leur vérité logique ? Ne s'est-on pas contenté, de ce fait, de « tirer du chapeau ce qu'on y avait mis » ? Du point de vue de Carnap, cette objection part en réalité d'une conception encore substantialiste du vrai, c'est-à-dire qu'elle méconnaît ce que précisément la distinction entre le langage-objet et sa langue syntaxique permet de clarifier. Il y aurait en effet circularité si c'était dans la langue-objet elle-même que l'on faisait usage de l'axiome de choix (dont l'analyticité est en question à titre de proposition primitive de la langue-objet). Mais le recours à une traduction de l'axiome de choix en métalangue ne fait que mettre en évidence le processus général de la preuve :

« Il est clair, note Carnap, que la possibilité de démontrer une phrase syntaxique déterminée dépend des ressources de la langue syntaxique et de ce qui est considéré comme valide en elle. »(*L.S.*, § 34 h, 123)

On n'a donc pas utilisé l'axiome de choix dans sa traduction métalinguistique comme s'il s'agissait d'une proposition « matériellement correcte » (*inhaltlich richtig*). On a simplement apporté la preuve que la définition proposée pour le concept « analytique dans L » permettait effectivement de caractériser toutes les propositions qui, « en interprétation matérielle », c'est-à-dire dans la langue syntaxique, sont reçues comme logiquement valides. C'est dire la mutation que subit du même coup la problématique des fondements. Il n'est plus question de faire retour à un ensemble de propositions logiques dont la vérité serait en quelque sorte « immédiate ». Fonder veut désormais dire : exhiber les ressources métalinguistiques nécessaires à une démonstration de validité, avec le souci d'éclairer les conditions linguistiques d'une pratique opératoire donnée plutôt qu'avec un propos normatif et exclusiviste. Le concept d'analyticité lui-même est un concept *indefinit*, non effectif ; si l'on prouve par son aide que L II est non-contradictoire, ce n'est pas une certitude absolue de sa consistance qu'on aura ainsi gagnée. Pour pouvoir l'obtenir, il faudrait que la même démonstration soit reconduite pour les syntaxes successives élaborées sur L II, à savoir sur la syntaxe de L II, puis sur sa métalangue, sur la métalangue de cette métalangue, etc. Mais le gain essentiel sera dans la mise au clair des décisions qu'il faut prendre pour pouvoir, en l'état actuel des recherches, obtenir un critère complet de validité pour une formalisation déterminée des mathématiques classiques. On pourra donc discuter de l'opportunité d'utiliser en syntaxe des concepts ineffectifs, en faisant valoir comme Gödel (dans une lettre à Carnap) que ces concepts ne jettent guère de lumière sur les problèmes qu'ils sont censés résoudre, mais non pas s'opposer à leur recours, aucune *raison* théorique ou doctrinale n'étant de mise là où c'est une décision pragmatique qui est souveraine. On voit ainsi combien cette nouvelle approche de la question des fondements a partie liée au *principe de tolérance* : « nous ne voulons pas élever des interdictions, mais poser des conventions » (*L.S.*, §17). C'est pourquoi, « en Logique, il n'y a pas de morale [67] ». Cependant, des positivistes sourcilleux pourront s'inquiéter de cette liberté ; jusqu'où n'ira-t-on pas, en matière d'invention symbolique, si on se met à appliquer littéralement cette tolérance que le principe énonce en matière de syntaxe ? Les concepts « non effectifs » pour lesquels on invoque ce principe n'enfreignent-ils pas eux-mêmes le principe de vérifiabilité ? En leur faisant appel, ne se donne-t-on pas le droit de jeter un voile sur ce qu'on ne sait pas *faire* en recouvrant tout le secteur inconnu sous un concept syntaxique indistinct, dont l'universalité n'est nullement opératoire, mais en réalité quasi-théologique ? N'est-on donc pas tenu de restreindre l'application du principe de tolérance au nom du principe de vérifiabilité, lequel enjoint de ne retenir que les concepts dont on puisse déterminer dans chaque cas, s'ils s'appliquent ou non ? A cette objection, Carnap peut faire valoir deux réponses. La première consiste à établir la nécessité des concepts indéfinis par la nature même du système de l'arithmétique. La seconde aborde de front la question de la vérifiabilité, revue et corrigée par les théorèmes d'incomplétude. Deux réponses, donc, qui font entrer si l'on peut dire la « *Realpolitik* » dans la syntaxe : il est temps de prendre la mesure du fait que la syntaxe n'est *rien d'autre qu'*une partie de l'arithmétique, et qu'aucun critère transcendant ne doit désormais avoir cours.

Que les concepts indéfinis soient nécessaires, et qu'en outre on ne puisse pas obtenir, dans le cas d'« analytique », une traduction de la définition dans la langue-objet, voilà deux propriétés qui paraissent à première vue être arbitrairement introduites dans la syntaxe. Mais, comme on le sait, les termes et phrases de la syntaxe ne sont « rien d'autre que » des termes et propositions *arithmétiques* qui ont été pourvus d'une *interprétation syntaxique*. Ainsi les limitations qui pèsent sur la syntaxe – par son recours à des concepts non effectifs, ou par l'impossibilité de tout définir dans la langue-objet – sont *d'origine arithmétique*. Ce que l'on feint d'ignorer en incriminant l'arbitraire de la syntaxe, c'est que l'arithmétique elle-même se trouve soumise à un double « déficit » : il y a dans tout système de l'arithmétique, des termes *indéfinissables*, et des phrases *indécidables* ; par conséquent on ne saurait s'attendre à ce qu'une syntaxe adéquate de la mathématique classique puisse échapper à ces deux types de lacunes. Une syntaxe générale doit bien plutôt les *refléter* et s'efforcer de restaurer la complétude *en tenant compte* de ces limitations internes.

L'existence de cette syntaxe générale oblige donc à restreindre la marge d'invention des formes que le principe de tolérance pouvait sembler laisser proliférer sans aucune espèce de limitation. Le principe de tolérance doit sa libéralité à la reconnaissance préalable de l'espace de jeu qu'ouvre, mais aussi que délimite la syntaxe générale. Ce qui autorise, en dernier recours, la « tolérance » en matière de logique, c'est la certitude que l'arithmétique fournisse l'horizon à l'intérieur duquel les formes peuvent être librement déployées. Mais il nous faut aussi mesurer l'impact de ces observations sur l'autre principe fondamental de l'idée constitutionnelle ou syntaxique. Si les concepts *non effectifs* renvoient avant tout à un « fait » arithmétique, il faut maintenant tenter de reformuler le principe de vérifiabilité : ne plus dire comme auparavant, à la suite de Wittgenstein, que « le sens d'un concept réside dans la méthode de la détermination de son applicabilité ou de sa non-applicabilité ». Car nous pouvons ne pas savoir *chercher* une réponse tout en sachant *quelle forme elle doit avoir*, c'est-à-dire, tout en sachant à quelles conditions nous dirions que nous l'avons trouvée : par exemple, ce serait une série démonstrative dans laquelle la dernière phrase est celle que nous cherchons à établir. Ainsi la question de savoir si la solution *est la bonne* est bel et bien effectivement déterminable, même si la manière dont cette solution *peut être établie* n'est pas encore déterminée.

Principe de tolérance et universalité de la syntaxe

Lorsque Carnap définit le principe de tolérance en évoquant la nature *conventionnelle* de l'intervention logique, ne risque-t-il pas d'engager son lecteur sur une fausse piste ? Qu'en effet l'on puisse étudier les diverses structures possibles d'un langage de la science ne doit pas laisser penser que les règles de formation et de transformation soient *totalement arbitraires*. Le projet même d'établir les conditions générales du discours montre qu'il s'agit de circonscrire les limites dans lesquelles peut s'exercer l'invention des formes. Le principe de tolérance ne peut ainsi se comprendre que sur le fond de la thèse de l'universalité de la syntaxe logique de la science. Allons plus loin : non seulement l'énoncé du principe de tolérance renvoie-t-il à l'existence antécédente d'une syntaxe universellement valide, mais tout recours métalogique à un ensemble de *conventions* est en quelque sorte *a priori* justifié par la nécessité des règles de syntaxe générale. Faute de ne pas voir comment l'arbitraire du choix d'une langue donnée s'appuie sur la nécessité des conditions formelles réglant tout discours, on ne peut comprendre ce qui fonde l'assurance de Carnap contre les éventuelles difficultés pragmatiques d'application de ces concepts. Ce double niveau d'analyse nous semble particulièrement s'imposer à l'examen de la question controversée de la *synonymie*.

Conventionalité, synonymie et syntaxe pure

Comme les langages considérés en Syntaxe générale ne sont pas tous comme L I et L II des L-langages dont les règles de transformation sont uniquement des règles logiques de déduction, il faut pouvoir discriminer l'*origine de la validité* d'une proposition donnée dans une langue formelle quelconque qui comprend aussi des axiomes physiques au nombre de ses règles de transformation. On observe en particulier que dans une telle langue, toutes les propositions *valides* ne sont pas *analytiques*, pas plus que toutes les propositions *contravalides* ne sont synthétiques. Une proposition P_1 sera dite analytique si elle est L-valide, c'est-à-dire si sa validité dépend du « sous-langage logique » de la langue totale à laquelle P_1 appartient [68]. L'existence d'un *double registre*, *logique* et *physique*, des règles de transformation, contraint à reconnaître l'équivoque de la notion présystématique, non spécifiée, de *synonymie*. En Syntaxe générale, cette notion est maintenant représentée par deux concepts distincts, de L-synonymie et de P-synonymie [69]. De façon générale, on peut comprendre l'opposition entre P-synonymie et L-synonymie comme l'explication syntaxique de la distinction frégéenne entre sens et dénotation. Deux expressions sont synonymes si elles dénotent le même objet ; si de plus elles sont L-synonymes, elles sont de même sens. Or sens et dénotations ainsi compris dépendent les uns et les autres des règles du langage considéré. Et les P-règles tout autant que les L-règles sont affaire de choix :

« Que dans la construction d'un langage S nous ne formulions que des L-règles ou y incluions aussi des P-règles et, dans ce dernier cas, dans quelle mesure, n'est pas un problème logico-philosophique, mais affaire de convention et, de ce fait, tout au plus une question de commodité. Si des P-règles sont exposées, nous pouvons être souvent mis dans l'obligation de changer la langue. Et si nous allons jusqu'à adopter comme valides toutes les phrases reconnues, alors nous devons continuellement la développer. » (*L.S.*, § 51, 180)

C'est donc la *convention* préalable des L- et des P-règles qui, dans la construction de la langue S, décide de la synonymie sous ses deux espèces. Autrement dit, la Syntaxe générale fait remonter à un *fiat* qui coïncide avec l'exposé des règles de la langue considérée l'explication de la synonymie. Par exemple, si le langage en question comporte au nombre de ses L-règles de transformation la réduction :

« Célibataire » → « homme non marié »

la phrase correspondante :

« Un célibataire est un homme non marié »

sera analytique (L-valide). Mais si une telle règle de transformation n'existe pas dans un autre langage S de même vocabulaire primitif, le même énoncé pourra être P-valide, c'est-à-dire synthétique. Le principe de tolérance libéralise ainsi l'application de la distinction L-P synonyme ; certains langages pourront étendre la L-synonymie aux dépens de la P-synonymie, et réciproquement. Or cette libéralité dans le choix des langages, qui fait qu'un énoncé de synonymie pourra être ici P-valide, là L-valide, se trouve topiquement associée au caractère strictement déterminé des catégories syntaxiques pures. On remarque le lien entre ces deux thèses, que nous pourrions appeler respectivement « thèse de la variabilité des formes de langage » (gouvernée par le principe de tolérance) et « thèse de l'invariabilité des catégories de la syntaxe pure » en examinant la réponse que Carnap apporte aux objections de Quine relatives à la construction syntaxique de la notion de synonymie.

Dirigées contre les développements ultérieurs de *Meaning and necessity*, les objections de Quine trouvent en effet dès la *Syntaxe* leur cible appropriée dans cette explication de la synonymie. Ce que Quine se refuse à admettre, c'est que la synonymie soit réductible à une définition ou à une règle, et permette ainsi de définir au-delà du logiquement vrai, la catégorie plus large de l'analytique (comme fournissant l'abréviation définitionnelle d'une proposition logiquement vraie). Car la définition n'apporte ici aucune clarté. Son intervention est un artifice, importé de la théorie de la constitution (provisoirement admise comme valable), que l'on mobilise pour rejeter immédiatement hors de la syntaxe la question de la détermination des synonymies effectives dans une langue donnée [70].

Pour Quine, l'usage légitime des définitions en logique est d'ordre essentiellement *critique* : elle permettent de paraphraser un langage logique riche que l'on souhaite évaluer en termes d'un langage logique pauvre sur lequel on pourrait plus aisément procéder à un travail métalogique. Mais elles ne peuvent pas recevoir de statut autonome dans le langage, ni autoriser des révisions linguistiques. Plutôt que d'expliquer la synonymie de manière conventionnelle, en exhibant une L-règle de transformation, Quine se propose de l'aborder comme un concept *pragmatique*, « qui fasse référence aux critères de la psychologie behavioriste et de la linguistique empirique [71] ». Carnap de son côté n'est pas hostile à l'idée de donner une définition pragmatique de la synonymie, à condition toutefois de ne pas faire de celle-ci « la *base* de la théorie sémantique ». Quoique le terme de « théorie sémantique » supplante maintenant celui de « syntaxe », l'idée est la même : on ne peut fonder une théorie pure de la langue que sur des règles (purement analytiques) de construction.

> « Si le concept de "synonyme" doit être employé en pure sémantique, il faut en donner les règles [72]. »

On pourrait donc aborder la question de l'universalité de la Syntaxe pure en examinant ses rapports avec la pragmatique. Du point de vue de Quine, ce sont les conditions concrètes de la communication qui forment la pierre de touche des concepts de la syntaxe : on ne peut parler d'universalité *a priori* des énoncés syntaxiques parce que les concepts syntaxiques eux-mêmes renvoient à des conditions données de production verbale. Si par exemple les phrases d'une langue donnée peuvent effectivement être spécifiées en pure Syntaxe (ou Sémantique), il n'en demeure pas moins, du point de vue de Quine, que la notion de phrase doit elle-même être empruntée à la pragmatique. De même que la notion de *phrase*, celle d'*analyticité* n'a de sens que si l'on est en mesure d'expliquer positivement ce que veut dire, pour un individu, que telle suite de mots soit analytique :

> « Ainsi, le réquisit que j'ai en tête n'est pas rempli en disant que les énoncés analytiques sont ceux qui suivent des règles sémantiques du langage. Pas plus que la notion générale de phrase serait fournie de façon satisfaisante en disant qu'une phrase est tout ce qui est une phrase en vertu des règles grammaticales de la langue [73]. »

Pour Carnap au contraire le caractère analytique et par conséquent *a priori* des énoncés de la Syntaxe pure habilite celle-ci à valoir universellement, et indépendamment de l'expérience. Dès la *Syntaxe*, le point central de divergence entre Carnap et Quine ne concerne pas la manière de définir tel ou tel concept métalogique, mais il a trait à la question de *l'application des formes*, c'est-à-dire au rapport que la logique de la science entretient avec les sciences. Pour Carnap, la Syntaxe générale, relayée plus tard par la Sémantique pure, peut prendre soin de l'application du formel à des domaines empiriques. Les P-règles sont construites sur le modèle des L-règles. Considérées métalogiquement, les P-règles forment une catégorie syntaxique comme une autre. Une description purement logique de l'empirique est pour Carnap parfaitement légitime. Comme le Wittgenstein du *Tractatus*, il considère que la logique de la science est soit en dessous, soit au-dessus, mais pas au niveau de la science. Quine en revanche n'admet l'intérêt et même la légitimité de l'édification d'un système que dans la mesure où une *traduction* de ce système en « langue indigène » ou, si l'on préfère, dans les termes d'un *locuteur concret donné* est effectivement possible. Mais cette possibilité ne peut plus être à son tour mesurée à l'aune du système. Ce sont les sciences empiriques, psychologie et linguistique, qui viennent délimiter « de l'extérieur », pour ainsi dire, le travail du logicien. C'est dire que seule l'expérience (scientifiquement enregistrée) permet de rendre compte de l'application des formes. Le philosophe perd du même coup sa perspective sur la science unifiée.

Le principe de tolérance doit ainsi être replacé dans sa véritable fonction : attester le caractère *combinatoire* des virtualités syntaxiques, sans pour autant renoncer à l'unification supérieure que fournit la métalogique arithmétisée. La liberté d'inventer des formes et de régler sur elles le rapport à l'expérience culmine dans l'édification des concepts syntaxiques eux-mêmes. Quant à la délimitation même du caractère logique ou physique des règles de transformation, elle n'est pas déterminée dans son application par des raisons logiques ; mais le logicien est en droit de faire valoir l'extrême variabilité qu'autorise en la matière la distinction entre L et P-règles.

L'implicite de Kant à Carnap

La Syntaxe universelle joue ainsi un rôle topiquement analogue à celui des formes et concepts *a priori* kantiens : de même que la logique transcendantale énonce les principes par lesquels on représente la condition générale *a priori* sous laquelle les choses peuvent devenir objets de notre connaissance, la Syntaxe universelle indique les conditions formelles *a priori* de possibilité de tout discours scientifique – logique ou descriptif, déterminé ou non [74], et du rapport du langage à l'expérience. Cependant, la prise en charge par la Syntaxe universelle purement analytique du rôle qui était chez Kant assumé par des fonctions synthétiques relevant de facultés distinctes permet à Carnap de suivre Leibniz et Frege plutôt que Kant, en outrepassant la distinction kantienne entre le nominal et le réel, entre la dérivation synthétique des concepts construits et la déduction analytique des concepts donnés. En effet, une phrase ne peut être classée « P-valide » ou « indéterminée » que conformément aux conventions particulières qui gouvernent le langage considéré. Il est ainsi impossible de deviner *a priori* (c'est-à-dire à partir de la phrase prise isolément) le statut qui est le sien dans le langage. Cela revient à dire qu'une phrase peut relever soit de L-règles, soit de P-règles de déduction. Comme Kant l'avait remarqué, il y a bien deux manières de produire le contenu « implicite » d'une proposition, selon la nature des règles qui sont employées dans sa déduction. Mais il ne faut pas en conclure un dualisme entre le sensible et l'intellectuel qui serait formellement incontrôlable, et confinerait la logique aux rôles subalternes, puisque ces deux types de règles peuvent effectivement être combinées dans un langage unique. En proposant de ménager la place de P-règles, Carnap du même coup fait accéder à la déduction des contenus qui sont en fait synthétiques. Prenons par exemple les deux phrases :

(P_1) « Le corps *a* est en fer »
(P_2) « Le corps *a* ne flotte pas »

Dirons-nous que P_2 soit « contenu implicitement » dans P_1 ? Si nous entendons restreindre l'idée d'implicite à ce qui est *logiquement déductible* de P_1, il faut conclure négativement. Mais nous pouvons choisir d'étendre l'implicite au P-déductible, ce qui fait de P_2 une proposition qui est, en ce P-sens, « déjà contenue » dans P_1 complétée par les règles de transformation (*L.S.*, §52, 185). Il y a donc un P-implicite un peu comme il y avait, dans l'*Aufbau*, une « quasi-analyse ». Il s'agit dans les deux cas d'étendre les procédures purement formelles à des domaines qui, traditionnellement, étaient en-dehors de la logique [75]. Si la division entre propositions analytiques et synthétiques a un rôle fondationnel capital et doit se manifester comme l'un des traits universels de la Syntaxe de la science, ce n'est plus parce que les propositions synthétiques relèvent d'une source cognitive différente, ce qui les rendrait impropres à un traitement purement formel. Tout au contraire : Carnap n'inscrit la division au sein des règles de formation (en opposant des termes logiques et des termes descriptifs) et de transformation (en juxtaposant des L- et des P-règles) que pour mieux mettre sur le même plan déduction, explication et prédiction (*L.S.*, § 82, 319). Un traitement formel *homogène* (quoique non identique) est possible de toutes les opérations discursives d'un langage scientifique. Il suffit pour cela de traduire ce langage de manière adéquate, dans ce qui est encore une « reconstruction rationnelle ». En ce sens, la remarque 6.113 du *Tractatus* garde sa pertinence. Ce n'est pas en effet la proposition synthétique de la théorie naturelle qui dévoile sa propre (P-) validité, mais la traduction métalogique qu'en offre la reconstruction du logicien.

Traduction et interprétation

La mise en évidence de la légitimité de la Syntaxe Générale suppose la clarification d'un concept qui commande sa propre applicabilité (en même temps qu'il détermine la généralité que Carnap revendique pour elle), et qui relève de ce qu'on pourrait appeler la synonymie interlinguistique. Pour que la syntaxe soit effectivement universelle, il *faut* en effet que ses concepts soient *traductibles* dans toute langue que l'on voudra (éventuellement au prix de certaines adjonctions, et contraintes de bonne formation). Pour qu'elle soit applicable, il *faut* que la langue logique S_1 et la langue physique S_2 puissent toutes deux être plongées dans une langue S_3 qui les englobe, et dont les énoncés comprennent la traduction des énoncés de S_1 et de S_2 [76].

Or la notion formelle de traduction a un rôle essentiel à jouer non seulement pour rendre compte des possibilités de changement de langue, si fondamentaux dans le travail théorique (par exemple en physique), mais aussi pour caractériser la nature de l'intervention philosophique. Dans les deux sens du mot « interprétation » – au sens où l'on « interprète » un système formel, et au sens où l'on « interprète » une thèse philosophique, *interpréter revient désormais à traduire*. Au sens le plus ordinaire du terme, traduire consiste à mettre en corrélation les énoncés d'une langue S_1, par exemple le français, avec les énoncés d'une langue S_2, par exemple l'allemand, au moyen d'une langue S_3 qui permette d'énoncer la synonymie des couples d'énoncés appartenant respectivement à S_1 et à S_2. Traduire présuppose toujours que l'on ait formé (au moins implicitement) la langue $S_1 + S_2$ dans laquelle seront exprimées les relations « syntaxiques » entre S_1 et S_2 [77]. Ce qui vaut des langues naturelles s'applique de la même façon à l'interprétation d'un calcul symbolique dans une théorie physique. Si S_1 est le calcul vectoriel et S_2 une langue physique ne comportant pas ce calcul, « interpréter » le calcul consiste à construire un langage comprenant S_1 et S_2 comme sous-langages, c'est-à-dire à traduire le calcul vectoriel dans le langage S_3 de la physique. D'une telle traduction, on peut exiger soit qu'elle soit simplement « équipollente » par rapport à S_3, ou qu'elle respecte un critère plus fort, comme celui de la synonymie des expressions correspondantes de S_1 et de S_2 dans S_3 (dans un sous-langage conservatif, ce critère est toujours respecté).

Nous observons ici encore que, même lorsque l'interprétation est de type *descriptif*, c'est-à-dire lorsqu'on ajoute au calcul non interprété des expressions descriptives, et que de ce fait l'interprétation « produit quelque chose qui n'était pas déjà donné dans la construction du calcul », (§62, 232), la syntaxe dans laquelle s'effectue l'interprétation n'a affaire qu'à des classes de symboles, d'expressions et de phrases. L'essence de l'interprétation ainsi comprise est de ne jamais sortir du domaine de la syntaxe formelle. On se souvient de la difficulté que Carnap avait éprouvée, à l'époque de l'*Aufbau*, à faire saisir la nature de l'intervention philosophique dans l'édification d'un système de concepts. Dans la mesure où le système de constitution comportait des axiomes empiriques et des axiomes analytiques, la contribution proprement analytique, qui était celle du *théoricien* de la constitution, était masquée par la préoccupation du contenu des dérivations, contenu qui n'était pourtant invoqué qu'à titre d'illustration des procédures formelles. La notion de traduction permet maintenant de circonscrire plus clairement la nature du travail du « logicien de la science », et de manifester le caractère purement analytique de ses énoncés. Non pas, faut-il immédiatement préciser, que tous les énoncés syntaxiques soient analytiques (une partie de la syntaxe est syntaxe appliquée, partie de la physique). Mais la manière dont le philosophe aborde les problèmes de la science, au niveau métalogique qui est le sien, est d'ordre analytique, puisque « même ce qui est le plus loin du formel », à savoir les « concepts du sens » (relations de conséquence, concepts de contenu et d'interprétation), « peut maintenant être traité dans les limites du domaine de la syntaxe formelle » (*S.L.*, § 62, 233).

La *Syntaxe logique* n'a cependant pas seulement une fonction « constitutive ». Elle ne se borne pas à relever les propriétés et les relations formelles entre les divers types de langage possibles. Elle a aussi un usage polémique, dans lequel la traduction aura à jouer un rôle de premier plan pour dissiper l'apparence. Il y a une Dialectique de la Syntaxe pure, qui doit permettre de localiser l'erreur qu'exploite la Métaphysique (autant qu'elle en est victime). Le concept central de cette Dialectique est celui d'énoncé *quasi-syntaxique*.

Dialectique de la syntaxe pure et analyticité

Le quasi-syntaxique.
Carnap appelle propriété « quasi-syntaxique » une

propriété qui a les apparences d'une propriété d'objet, mais qui, « d'après sa dénotation », caractérise en fait la *désignation* de l'objet en métalangue. On se convaincra de l'intérêt qu'il y a à introduire cette catégorie de propriétés (et des énoncés correspondants) en examinant les deux exemples suivants :

(1) Il n'y a personne qui se rase soi-même le 19 janvier 1984.

(2) Il n'y a personne qui soit frère de soi-même.

Le premier énoncé exprime l'irréflexivité de la propriété « se raser soi-même en un temps donné » ; de façon analogue, le second énonce l'irréflexivité de la propriété « être frère de ». Or ces deux énoncés se distinguent évidemment du fait que (1) peut fort bien être faux, et même, selon toute vraisemblance, l'est en effet – sa valeur de vérité est d'ordre *synthétique* – , tandis qu'au contraire c'est en vertu des règles de la langue que personne n'est frère de soi-même : (2) est un énoncé analytique.

Il faut conclure que l'irréflexivité a un statut différent dans (1) et dans (2). Dans (1), l'irréflexivité est une propriété empirique d'un champ d'objets. En d'autres termes, (1) énonce bel et bien une propriété du monde. Dans (2) en revanche, l'irréflexivité se fonde sur une nécessité logique. Par conséquent, quoique (2) semble décrire le monde, (2) n'est que la *transposition* dans la langue-objet d'une propriété qui caractérise initialement l'emploi de l'expression « être le frère de ». (2) est donc un énoncé *quasi-syntaxique*. Pour tout énoncé quasi-syntaxique, il existe par définition toujours un énoncé syntaxique correspondant qui énonce dans la métalangue la propriété syntaxique de laquelle la phrase quasi-syntaxique tirait sa validité. Par exemple, « "être frère de" est une expression de relation L-irréflexive » est la phrase de la syntaxe qui justifie (2).

Il est donc maintenant possible de diagnostiquer de façon rigoureuse, c'est-à-dire dans les termes de la syntaxe générale, ce qui a pu *faire croire* aux philosophes que leurs énoncés *avaient un objet*, ou, en d'autres termes, ce qui a pu leur cacher la vraie nature de leurs recherches. Les phrases quasi-syntaxiques peuvent recevoir en effet deux types d'*interprétations*. Dans la première interprétation, la phrase quasi-syntaxique est « de même dénotation » que la phrase syntaxique correspondante, c'est-à-dire qu'elle désigne aussi une propriété syntaxique, mais elle le fait de manière *autonyme*, c'est-à-dire qu'elle substitue à la désignation syntaxique de son argument la désignation correspondante de la langue-objet. Par exemple, si l'on considère la phrase syntaxique :

« "5" est un terme numérique »,

la phrase quasi-syntaxique autonyme correspondante sera :

« 5 est un terme numérique ».

En réalité, le mode autonyme n'est pas très éloigné du mode syntaxique, dit « formel ». Ce n'est donc pas dans ce cas que le quasi-syntaxique pourra créer l'illusion extra-linguistique. Cependant, les phrases en mode autonyme ont une particularité essentielle, qui est d'être *intensionnelles*. Autrement dit, elles ne permettent pas de remplacer *salva veritate* la composante autonyme par une expression synonyme. L'autonymie est bien entendu l'une des caractéristiques des systèmes formels unilingues, et par conséquent explique les restrictions au principe d'extensionalité que ces systèmes suggèrent. L'importante conséquence de la corrélation entre ces phrases intensionnelles autonymes et les phrases syntaxiques qui leur sont équivalentes (*gleichbedeutend*) est que désormais nous avons l'assurance de disposer d'une traduction *extensionnelle* des phrases autonymes.

Reste maintenant le second type d'interprétation : la phrase quasi-syntaxique attribue cette fois non pas une propriété syntaxique à un objet, désigné de façon autonyme, mais une propriété d'objet à un objet. Il ne s'agit là pourtant que d'une apparence, liée à un choix expressif, ou, plus exactement, stylistique, qui est parfois inconscient. Car la marque du quasi-syntaxique se révèle à la possibilité de traduire la phrase considérée en un énoncé syntaxique. Si nous nous reportons à l'exemple donné plus haut, la phrase quasi-syntaxique en « mode matériel » s'énoncerait :

(3) « 5 est un nombre ».

Cette phrase est construite comme un énoncé d'observation du type : « Reagan est un Président ». Elle a l'apparence linguistique d'un énoncé d'objet, en ce qu'elle semble être destinée à communiquer elle aussi un fait. Pour manifester cette sorte d'illusion transcendantale que crée un tel emploi de la langue, nous dirons qu'il s'agit d'un « pseudo-énoncé d'objet » (*Pseudo-objektsatz*). En réalité, la phrase (3) ne nous apprend rien sur l'*objet 5*, mais indique la catégorie syntaxique à laquelle appartient « 5 ».

La traduction en langage syntaxique explicite d'énoncés qui ont l'air de caractériser synthétiquement un objet, mais qui se bornent réellement à énoncer les propriétés syntaxiques d'un langage et sont donc purement analytiques (L- valides) paraît d'emblée à Carnap promise à une vaste carrière. La méthode de traduction *peut* en effet être mise en oeuvre à tout propos, puisque tout énoncé doit pouvoir recevoir un statut déterminé dans une syntaxe qu'il faudra éventuellement exhumer. En outre, elle *doit* permettre de résorber définitivement tous les conflits que l'on croit « idéologiques », mais qui sont en fait ordinairement de simples alternatives pragmatiques entre des manières différentes de parler : les oppositions philosophiques (réalisme-idéalisme, logicisme-formalisme, etc.) se transforment en conflits d'utilité qui ne peuvent être l'objet d'une controverse. L'un des problèmes les plus importants que la méthode de traduction ainsi appliquée permet de poser à nouveaux frais (et qu'elle estime en mesure de dissoudre) est celui du principe d'extensionalité, et en particulier, de la légitimité des langages intensionnels.

Analyticité et extensionalité.

Dans l'*Aufbau*, la thèse d'extensionalité formait l'une des conditions de possibilité du système de constitution. La thèse alors soutenue s'appliquait au langage unifié de la science, qu'elle caractérisait d'une manière « absolue », conformément à la proposition 5 du *Tractatus* :

> « 5. Les propositions sont des fonctions de vérité de propositions élémentaires.
> 5.01. Les propositions élémentaires sont les arguments de vérité des propositions. »

Comme la *Syntaxe logique* se définit précisément par l'abandon du point de vue absolu qui était encore celui de l'*Aufbau*, le logicien est confronté à la tâche nouvelle d'élargir (ou de compléter) la thèse d'extensionalité en sorte de la rendre compatible avec l'existence d'une multiplicité de langages éventuellement non équivalents entre eux et possédant des propriétés formelles très diverses. Le problème qui se pose alors est de savoir s'il faut admettre des langages intensionnels, ou, en d'autres termes, si la syntaxe, qui est par définition extensionnelle (cf. § 67, 246-247), peut aussi s'appliquer aux langages qui comportent des expressions apparemment rebelles au principe de substituabilité des équivalents.

Le problème des langages intensionnels représente pour la Syntaxe générale une sorte de défi, assez comparable au pari qu'avaient représenté en leur temps le système frégéen ou le système de constitution. Il s'agit maintenant d'attester la capacité universelle de la Syntaxe à rendre compte de *tout* langage.

> « Pour cette raison nous formulerons maintenant la *thèse d'extensionalité* d'une manière qui est à la fois plus complète et moins ambitieuse, à savoir : *un langage universel de la science peut être extensionnel* ; ou, plus exactement : pour tout

langage intensionnel S_1, on peut construire un langage extensionnel S_2 tel que S_1 puisse être traduit dans S_2. » (*L.S.*, § 67, 245)

De même que, dans les cas précédents, le pari risquait toujours d'être perdu au moment même où il semblait gagné, par la mise à jour d'un « cas de figure » que le système ne permettait pas de traduire adéquatement (dans l'*Aufbau*, les concepts de disposition) ou par la mise en évidence d'une contradiction inaperçue (dans le système de Frege), il faut maintenant tester l'universalité de la Syntaxe en faisant de la thèse d'extensionalité une *hypothèse*, dont on sait d'emblée qu'elle ne pourra jamais être pleinement « vérifiée », mais pourra tout au plus être démentie si un langage résiste à la traduction extensionnelle :

« Puisque nous ne savons pas s'il existe des phrases intensionnelles d'une toute autre espèce que celles que l'on connaît déjà, nous ne savons pas non plus si les méthodes décrites, ou d'autres, sont applicables dans la traduction de toutes les phrases intensionnelles possibles. Pour cette raison, la *thèse d'extensionalité* (quoiqu'elle semble une supposition assez plausible) n'est présentée ici *que comme une supposition.* » (*L.S.*, § 67, 247)

Si un langage est dit « intensionnel », c'est qu'il existe en lui certaines composantes qui rendent nécessaire la limitation de la règle de substituabilité des expressions L-équivalentes. Si l'on veut fournir une traduction extensionnelle de ces phrases, il faut donc trouver une explication syntaxique qui rende compte de cette limitation et, finalement, trouver un moyen de la contourner. Carnap découvre à propos de ces expressions qu'elles ont toutes un point commun : celui d'exprimer en « mode matériel », et, plus souvent encore, en mode « autonyme », une propriété purement syntaxique.

Prenons par exemple le cas des « attitudes propositionnelles ». La phrase :

(l) « Charles croit que A » (A étant pris ici comme signe d'abréviation pour l'objet de la croyance, et non comme désignation de cet objet),

est *intensionnelle*. Carnap ne remet pas en question la nature « authentiquement intensionnelle » de cet énoncé, contrairement à Russell qui, dans l'Appendice C des *Principia*, traduisait « éliminativement » les énoncés prétendus intensionnels en énoncés extensionnels orthodoxes. Le principe de tolérance enjoint en effet d'admettre la « réalité » des langages intensionnels, que l'on peut effectivement préférer en certaines occasions au langage extensionnel correspondant. Pour rendre (l) extensionnelle, il suffit de l'interpréter en sorte que A soit dans (l) une désignation autonyme. On peut alors *traduire* (l) par (2) :
(2) « Charles croit "A" ».
La phrase (2) est un énoncé de syntaxe descriptive, « croire que » étant un prédicat descriptif, défini ou non, "A" étant le nom d'une phrase, c'est-à-dire d'une suite matérielle de symboles dans la langue concernée. Pour caractériser le passage de (l) à (2), nous dirions aujourd'hui que nous sommes passés de *l'usage* de A à sa *mention*[78]. Le même type de raisonnement permet de traduire en langage extensionnel l'énoncé intensionnel suivant :
(3) « Prim (3) contient 3. »
Si l'on tente de remplacer dans (3) le terme numérique "3" par l'expression numérique logiquement équivalente "2+1", on constate que (3) devient faux. Il est cependant possible de traduire (3) en langage formel, en interprétant la composante intensionnelle "3" dans (3) comme se désignant elle-même en mode autonyme. Après traduction (3) devient :
(4) « "3" figure dans "Prim(3)". » Or, l'énoncé (4) est un énoncé de syntaxe pure, puisqu'il indique un rapport

analytiquement vrai entre une expression complexe et ses symboles constituants [79] (§ 68, 248-9).

Les mots universels

L'examen de l'analyticité propre au discours philosophique – ou, plus restrictivement, propre à la Logique de la Science, puisque les énoncés métaphysiques se révèlent le plus souvent absurdes par erreur sur les types des expressions qu'elles emploient ou faute d'un réglage syntaxique uniforme – suppose que nous tirions au clair la fonction précise d'une catégorie de prédicats qui est appelée à y jouer un rôle essentiel (et d'ailleurs forme déjà l'essentiel de ce qu'on appelle les « concepts philosophiques »). Il s'agit des « prédicats universels », qui correspondent dans la Logique de la Science aux « mots universels » du langage philosophique traditionnel.

Dans la Dialectique de la Syntaxe, les *Allwörter* tirent de leur position *intermédiaire* (du fait de leur double appartenance à la philosophie traditionnelle et à la logique de la science) une fonction stratégique capitale. Leur rôle d'intermédiaires leur confère en effet deux tâches :
- une tâche descriptive : les mots universels sont présents dans le discours philosophique traditionnel ; ils forment même l'essentiel des concepts de la Métaphysique.
- une tâche constructive : les mots universels reçoivent un statut syntaxique déterminé en Syntaxe générale.

Ce qui explique une fois de plus *l'apparence*, c'est-à-dire le caractère non immédiat du passage du mot universel dans son emploi philosophique ordinaire au prédicat universel de la Logique de la Science, c'est l'emploi « matériel » qui en est fait le plus couramment en Philosophie. Le mode matériel joue en effet toujours le rôle d'un milieu opaque, déformant, potentiellement créateur d'illusion, un peu à la manière où, dans la théorie psychanalytique, la réinscription des représentations inconscientes dans le système conscient en masque la fonction psychique réelle [80]. Ainsi, les mots universels servent de *pierre de touche* du caractère effectif de la Syntaxe comme *instrument critique*. On pourrait ici comparer la Dialectique kantienne et la Dialectique carnapienne : Kant soumet à un examen critique les concepts de la métaphysique traditionnelle en les rapportant aux sources *a priori* de connaissance, tandis que Carnap rapporte les énoncés philosophiques aux conditions générales de la formation des énoncés dans une langue quelconque. Un mot universel est une composante qui définit un « genre » à l'intérieur duquel toutes les substitutions reconduiront à une proposition vraie. Soit par exemple l'énoncé :

(1) « 7 est un nombre impair ».

Il s'agit là d'une proposition analytique (en tant que L-valide). Si cependant on effectue une variation sur la composante « 7 », la valeur de vérité de (1) change pour certaines substitutions.

Examinons maintenant l'énoncé :

(2) « 7 est un nombre ».

Dans des langages tels que L I ou L II dans lesquels tous les nombres forment un genre clos, en sorte que les substitutions permises ne s'effectuent qu'entre expressions numériques [81], la phrase (2) reste vraie pour toute expression mise à la place de « 7 », tant que les variantes de (2) gardent un sens (*L.S.*, § 76, 293). On est naturellement frappé par l'analogie de ce cas avec celui qu'étudie Bolzano (« ce triangle a pour somme angulaire deux droits »). Elle tient au fait que, de (1) à (2), on diminue le contenu du prédicat jusqu'à obtenir le prédicat le plus large, sans contenu, et s'appliquant sans restriction à l'ensemble du genre. Mais quoique le parallèle mérite d'être esquissé, en raison de cette commune application de la méthode de variation dans les limites d'un genre, il est plus intéressant de mettre en évidence les points où l'analogie achoppe.

On observe d'abord que Carnap considère comme

« éminemment analytique » si l'on peut dire, la prédication qui *détermine* les frontières du genre – frontières à l'intérieur desquelles toute variation sur l'argument redonnera un énoncé analytique. Ce qui lui permet de l'affirmer, c'est qu'il dispose d'une clause de sens (délimitant les substitutions possibles) qui est extrêmement restrictive, et qui est très facilement contrôlable puisqu'elle résulte d'une convention d'écriture. L'énoncé (2) doit donc son analyticité au fait qu'il dérive d'une règle d'écriture indiquant la catégorie syntaxique à laquelle appartient l'expression « 7 ». Il est clair dans ces conditions que tous les énoncés de la forme « X est un nombre » seront ou bien syntaxiquement L-valides, ou bien mal formés. Bolzano n'a en revanche pas les mêmes raisons de considérer comme analytique la proposition qui délimite le genre « dominant » à l'intérieur duquel toutes les substitutions *salva veritate* sont permises. Nous le savons déjà, son critère d'objectivité (*Gegenständlichkeit*) ne fonctionne pas à l'instar d'une clause d'exclusion du non-sens. Par exemple, il sera permis en logique bolzanienne de faire varier la composante « 7 » dans l'énoncé (2) (« 7 est un nombre ») en sorte de produire la proposition :

(3) « César est un nombre ».

A cette raison apparemment technique, se joint une motivation d'ordre ontologique. De façon générale, le vrai a, pour Bolzano, un contenu (il n'est pas purement nominal). Bolzano ne peut donc concevoir de vérité *analytique* que sur fond de vérité *synthétique*. Dans la *Syntaxe*, Carnap développe au contraire une catégorie du L-valide qui n'est plus dépendante de l'existence de vérités « non nominales ». En d'autres termes, Carnap se met en position de *nominaliser* le *genre* : dire que la prédication générique est analytique, c'est dire que le genre s'applique à toutes les expressions qui, dans la langue, peuvent lui être attribuées. La nominalisation de la prédication générique conduit alors à lui retirer tout contenu. Dire que

« 7 est un nombre », ou que « Caro est quelque chose » revient seulement à indiquer la catégorie syntaxique de l'expression qui occupe la position de sujet.

Carnap distingue deux types d'*emplois* des mots universels ; cette dualité correspond, comme nous l'avons observé, à la double fonction, explicative et critique, du concept général de « quasi-syntaxique ». Dans son usage proprement syntaxique, le concept universel est « dépendant ». Il sert de « symbole grammatical auxiliaire ». Il fonctionne en effet un peu comme un « index », en mettant en évidence le genre syntaxique d'une expression qui est alors utilisée dans un véritable énoncé d'objet (*L.S.*, § 76, 294). Par exemple, les expressions : « le nombre entier » ou « le nombre réel » permettent dans les fonctions d'énoncé suivantes de caractériser le type syntaxique du symbole qu'ils qualifient :

« Le nombre entier 7... »

« Le nombre réel 7... »

Dans cet emploi, le prédicat universel est la transposition syntaxique de ce que Wittgenstein appelle, dans le *Tractatus*, « concept formel », lequel y avait précisément une fonction essentiellement critique et préventive. Pour Wittgenstein, le concept formel n'a d'usage que *dépendant*, en tant qu'il circonscrit le domaine d'une variable (cf. 4.1272). Carnap peut maintenant montrer que la conclusion de Wittgenstein, selon laquelle aucun autre *type d'emploi* des concepts formels n'est légitime, part d'une conception trop étroite des « limites du langage ». Il n'y a plus de raison de considérer comme Wittgenstein que l'expression du type de « 1 est un nombre » soit absurde. Il vaut mieux dire qu'il s'agit de l'emploi *indépendant*, en mode matériel, d'un prédicat quasi-syntaxique. Cet emploi est indépendant dans la mesure où, au lieu de servir d'index dans une proposition d'objet, le terme générique figure seul en position de prédicat. Ce qui rend l'énoncé « 1 est un nombre » parfaitement légitime, c'est qu'il exprime en mode matériel la qualité syntaxique « parallèle » ou « transposée » (*P.L.S*, 63, *L.S.*, §80, 308) qu'énonce : « "1" est une expression numérique ».

Du point de vue « dialectique » qui est le véritable lieu argumentatif du concept de quasi-syntaxique, le mode matériel paraît ainsi avoir un rôle fondamentalement ambigu (qui nous est déjà apparu à propos des langages intensionnels). En vertu du principe de tolérance, on ne peut pas exclure ses énoncés comme étant mal formés. On peut avoir des raisons de préférer le mode matériel, par exemple pour sa souplesse d'usage ou sa commodité (§ 81, 312). Mais on doit aussi savoir qu'il n'est qu'un mode *dérivé* d'expression. Il serait dangereux de rester prisonnier de l'apparence objective de ses énoncés, et de leur attribuer une valeur *représentative*. C'est le piège dans lequel tombe le sens commun, et auquel n'échappe pas non plus la philosophie traditionnelle.

C'est donc un *fait* – un fait que l'on pourrait dire « naturel », psychosociologique – qui explique que les philosophes se soient si longtemps trompés sur le statut de leur propre discipline, qu'ils aient cru que leurs « thèses » étaient comparables aux vérités scientifiques, et que certains d'entre eux aient été jusqu'à imaginer une source autonome du savoir philosophique dans des pouvoirs synthétiques *a priori*. L'illusion motrice n'est ici rien d'autre qu'une tendance naturelle, qui consiste à préférer le « mode transposé » parce qu'il frappe l'imagination (*L.S.*, § 80, 309). Cette tendance ne peut bien entendu que se trouver renforcée du fait de l'absence d'une approche syntaxique. Carnap expose à ce sujet ce qu'on pourrait appeler la « résistance » des hommes de science eux-mêmes à accepter le mode syntaxique à propos des questions métaphysiques : ce n'est pas volontiers que l'on abandonne le discours d'objet en faveur d'une attention strictement linguistique (*L.S.*, § 80, 309). Enfin le mode matériel dissimule la *relativité* des décisions syntaxiques à un langage donné. Cette remarque s'applique non seulement à la presque totalité des propositions philosophiques, mais aussi aux thèses de la constitution de l'*Aufbau*.

Lorsque les axiomes de l'*Aufbau* étaient répartis en analytiques – s'ils étaient une conséquence des définitions – et empiriques – s'ils exprimaient une relation entre objets constitués non déductible de leurs définitions –, les premiers seuls méritant d'être dits « thèses de la constitution », il était fait appel à ce que la syntaxe permet maintenant de désigner plus clairement comme étant l'opposition entre des formes linguistiques (que les propositions analytiques explorent, en indiquant leurs relations, les règles qui les gouvernent etc.) et la consignation d'observations empiriques. Mais des propositions comme « les couleurs forment un continuum » avaient encore dans l'*Aufbau* un statut incertain : héritées de l'état des sciences positives, elles n'en avaient pas moins un caractère quasi grammatical qui permettait justement de distinguer les chevauchements essentiels des chevauchements accidentels des cercles de ressemblance de couleurs.

Il est maintenant possible de donner à la question de la *nature* d'une telle connaissance sa réponse complète. Supposons que les conventions suivantes soient données dans la syntaxe du P-langage en question :

« Une expression de couleur consiste en trois coordonnées ; les valeurs de chaque coordonnée forment un ordre sériel selon les règles syntaxiques ; donc, sur la base des règles syntaxiques, les expressions de couleur forment un ordre tridimensionnel. » (*L.S.*, §79, 306)

On conclura que la continuité des couleurs est en fait une propriété des expressions de couleur de ce langage, et par conséquent, une propriété syntaxique énoncée de manière purement analytique. Mais on peut imaginer un langage qui fasse de la continuité des couleurs une propriété empirique :

« Les expressions de couleur ne sont pas des expressions composées, mais sont des signes de base ; en outre, un pr_8^2 symétrique, réflexif mais non transitif, qui prend pour arguments les expressions de couleur, est posé comme signe primitif ; l'énoncé de la tri-dimensionalité de l'ordre déterminé par ce prédicat est P-valide. » (*Ibid.*)

Cet exemple montre bien qu'on ne peut plus désormais espérer connaître l'espèce cognitive d'un énoncé – son analyticité ou sa synthéticité – en se contentant d'en examiner la teneur ; une phrase doit être rapportée aux règles de formation et de transformation du langage où elle a été formée. Certains langages introduisent les expressions de couleur par une *définition* (comme : « une expression de couleur consiste en trois coordonnées », etc.), en sorte que la continuité de chaque dimension est posée en amont de l'évidence empirique à titre de règle syntaxique. D'autres en revanche posent les expressions de couleur comme des indéfinissables sur lesquels une relation de ressemblance permet de définir un ordre. Suivant les cas, cet ordre pourra être établi d'après les lois empiriques contenues dans ce langage (ce qui fait de la tri-dimensionalité un énoncé P-valide), ou bien être construit empiriquement, par comparaison des paires de couleurs (et alors la tri- dimensionalité devient un énoncé « *indéterminé* »). Mais il est aussi des langages qui, faute d'exposer clairement leurs règles syntaxiques, laisseront dans l'obscurité le statut de leurs énoncés.

La nominalisation de la Philosophie

« *La Philosophie doit être remplacée par la logique de la Science,* c'est-à-dire par l'analyse logique des concepts et des énoncés de la science, car *la logique de la Science n'est autre que la syntaxe logique du langage de la science.* » (*L.S.*, xiii).

Les précédents développements pourraient laisser croire à un émiettement du travail logico-philosophique : la relativisation de l'analyticité (et des autres concepts syntaxiques fondamentaux) à un langage donné aboutit à la construction indéfinie de logiques qui semblent ne plus pouvoir prétendre fonder l'Unité de la Science. De ce point de vue, la logique de la Science semble venir « après les sciences », c'est-à-dire se borner à élucider le statut d'énoncés théoriques produits ailleurs ; sa fonction semble strictement descriptive et clarificatoire.

Mais ce serait oublier qu' une « réunification » de ces syntaxes particulières s'opère en Syntaxe générale, laquelle est en principe « applicable à des langages de forme quelconque » (*L.S.*, xv). Il y a donc plus à attendre de la logique de la Science que la simple mise à jour *a posteriori* des structures linguistiques des théories « naturelles ». Comme nous l'avons constaté plus haut, la logique de la Science exhibe les conditions de possibilité de la scientificité, c'est-à-dire de la rationalité en général. Or ce n'est pas l'élément linguistique qui joue ici véritablement le rôle fondateur. Les expressions linguistiques ne sont objet d'étude qu'en tant qu'elles mettent en évidence un système de règles formelles ; ces règles formelles remplacent, dans la fonction transcendantale, les formes et concepts *a priori* de Kant, les « propositions en soi » hiérarchisées de Bolzano, et les « lois logiques » de Frege.

Ce qui permet de conférer un tel rôle topique au formel carnapien, c'est la double caractéristique qui est la sienne de rendre possible un discours logique en général et d'échapper à tout contrôle empirique. Ainsi, quoiqu'en un sens la logique de la Science vienne « après » les Sciences (en tant qu'elle n'a pas à se préoccuper des contenus expérimentaux, tout en présupposant l'existence de sciences arrivées à maturité), elle n'en conserve pas moins le statut traditionnel de la Philosophie première, en ceci qu'elle seule permet d'exhiber le fondement de la légitimité du discours scientifique dans son universalité. L'éparpillement des tâches logiques ne doit donc pas cacher le grand oeuvre : c'est la construction d'un système « unique » de la science ; non pas unique au sens précédent d'un discours « unilingue », mais unique au sens où une seule syntaxe générale s'applique aux théories régionales et y retrouve le strict partage entre composantes logiques et descriptives, entre énoncés analytiques et synthétiques, que suppose toujours l'activité scientifique. La logique de la Science délimite le pensable : ce qui n'est ni énoncé syntaxique (c'est-à-dire logique), ni énoncé empirique (P-valide ou indéterminé) est un non-sens.

Le combat contre les énoncés métaphysiques est à resituer dans le cadre de cette « prétention [82] ». La logique ne peut rien laisser subsister en-dehors du système de la Science unifiée dont, pour ainsi dire, elle a à « prendre soin ». La Philosophie traditionnelle est en effet soumise au plus drastique des traitements. Ou bien ses énoncés sont traductibles en Syntaxe générale, et cette traduction révèle par là-même leur vacuité réelle. Les énoncés philosophiques qui ont un sens ne sont que des constats grammaticaux sur le langage de la Science ou bien des suggestions pour l'emploi d'un langage « à venir » ; constats et suggestions pourtant sans grande utilité, dans la mesure où ils ne sont pas explicitement donnés en langage syntaxique, ce qui les expose à entretenir « des obscurités et des contradictions » (*L.S.*, § 78, 298, 300, 301 ; § 80, 308, 310, etc.). Ou bien ses énoncés ne peuvent pas trouver de traduction adéquate, même avec les aménagements et compléments d'usage et sont proclamés absurdes (ce qui, pratiquement, signifie qu'aucun commentaire, ni, *a fortiori*, aucun débat ne peuvent prendre pour objets ces thèses). Là où le métaphysicien « trait le bouc », en affirmant par exemple : « Le Monde est le développement de Dieu », ce serait « tendre un tamis » que d'objecter : « Le monde n'est pas le développement de Dieu ».

« Cet énoncé métaphysique n'a pas plus de sens que la

rime enfantine "ene mene mink mank" ; la seule différence vient du fait que force sentiments élevés sont associés à l'énoncé métaphysique [83]. »

La liberté inventive qui est consentie à la logique de la Science part au contraire de la reconnaissance de sa vacuité empirique et du caractère purement pragmatique du choix d'une langue donnée. La logique de la Science peut évidemment énoncer les règles syntaxiques d'un langage, ou d'une famille de langages, ou même de toutes les langues (ce qui est précisément l'objet de la Syntaxe générale). Mais elle peut aussi, à son tour, *proposer* de nouvelles formes syntaxiques : « pour un langage (pas encore établi) que l'on propose comme langage de la science (ou de l'un de ses sous-domaines) », ou même, à titre purement exploratoire, « pour un langage (pas encore établi) dont on propose la formulation et l'examen (indépendamment de la question de savoir s'il doit ou non servir de langage de la science » (*L.S.*, § 78, 299). Comme elle est sans contenu, elle n'a aucune « morale » à respecter (*L.S.*, § 17, 52) (contrairement à ce que les Philosophes traditionnels, soucieux de vérité, croyaient non sans innocence).

Cependant, l'amoralisme dont parle ici Carnap concerne l'examen des diverses syntaxes possibles, et non la Méta-syntaxe qui permet de réunir tous ces essais symboliques divergents. Lorsqu'elle propose un langage, la logique de la science n'a pas y « croire » : ce n'est qu'un schéma linguistique. En revanche, quand le logicien énonce en Syntaxe générale que toutes les propositions scientifiques possibles sont ou bien analytiques, ou bien synthétiques, et qu'il s'agit là d'une division encore *analytique* par rapport à une syntaxe plus haute, il ne fait pas d'« esthétique », si l'on peut dire, mais il décrit un trait universel du langage scientifique.

Il est indéniable que la Philosophie, ou plutôt la logique de la Science, telle que l'entend Carnap [84] est entièrement nominale, purement analytique, et pour cela sans « conséquence ». Mais prise dans ses rapports avec le système de la Science unifiée, elle indique paradoxalement les limites de toute connaissance rationnelle. Cette double valence du travail logique (que Carnap n'a jamais explicitée, mais qui transparaît clairement dans le double aspect – assertif et normatif – de la Syntaxe), a d'ailleurs conduit Quine à montrer l'insuffisance du point de vue qui s'abrite sous le mot de *convention* : arbitraire et nominale du point de vue de son application, la convention doit pourtant disposer, dans le discours métalogique, d'une *raison* qui soit en dernier recours légitimante [85]. Cependant, nous l'avons déjà constaté, c'est de la Syntaxe générale que la « convention » tient sa double valeur, nominale et fondatrice.

CONCLUSION

LA DIVISION ANALYTIQUE-SYNTHETIQUE : UN DOGME DE L'EMPIRISME ?

En dépit des différences de tactique d'emploi que nous avons eu l'occasion de mettre en évidence, la distinction entre propositions analytiques et synthétiques paraît présenter au moins une caractéristique persistante : elle a toujours servi le propos d'une stratégie fondationnelle d'inspiration rationaliste. Dans les quatre systèmes que nous avons analysés, nous avons pu en effet observer la récurrence du type de question auquel Kant subordonnait la pertinence de la démarcation entre les jugements. Pour Kant, le problème du fondement d'une science universelle et nécessaire était celui de la possibilité des jugements synthétiques *a priori* ; Bolzano tente de résoudre le même problème en « redogmatisant » les thèses kantiennes ; c'est l'articulation objective des vérités de la « Science en soi » qui fonde nos efforts de mise en évidence du vrai. Lorsque Frege reconstruit l'arithmétique dans l'espoir d'en dégager l'essence logique, c'est encore l'existence objective des vérités logiques qui détermine la possibilité du système formulaire. Sans doute, Bolzano et Frege ont-ils rompu avec le kantisme en situant en-deçà du sujet connaissant les conditions de l'objectivité de la Science. Cependant, la manière même dont ils décrivent ce domaine indépendant – le règne des propositions en soi ou des Pensées et de leurs dénotations – évoque la déduction kantienne : puisque la science existe, il faut que des conditions *a priori* rendent possible sa connaissance, et ce sont ces conditions *a priori* que le philosophe a pour mission d'exhiber, c'est-à-dire de laisser se manifester dans leur pureté.

On objectera ici que, si la description topique du changement de registre du concept de proposition analytique et de la constellation discursive dans laquelle il prend sa signification conduit à repérer des mutations de problématiques, toute interprétation continuiste paraît désormais interdite. N'y a-t-il pas en effet quelque artifice à supposer la permanence de la « question transcendentale » lors même que toute la thématique critique a disparu ? S'agit-il encore de la « même question », quand on admet par ailleurs que les concepts de logique, de forme, de proposition analytique, etc., ont changé de contenu ? Pourquoi dès lors s'entêter à privilégier comme seule persistante cette unique question ?

La réponse à une telle objection doit être à la fois générale et spécifique, puisqu'elle engage à la fois la méthodologie de ce travail et l'application qui en est faite. C'est tout d'abord pour l'historien des systèmes affaire de principe : si l'on se borne à mettre en évidence des ruptures thématiques, des changements d'enjeux, on s'interdit d'expliquer ce qui, pourtant, forme la condition de possibilité de l'approche comparative ; en outre, on perd de vue ce qui constitue l'intérêt philosophique, et non strictement historique, des systèmes considérés. Parler de discontinuité suppose tout d'abord l'existence d'un lien – si ténu soit-il – entre les systèmes, lien sur lequel on s'appuie pour évoquer la dispersion, mais que l'on trouve souvent plus commode de laisser dans l'ombre. S'il se veut *comparatif*, tout discours discontinuiste doit nécessairement mettre en oeuvre, serait-ce silencieusement, des *hypothèses continuistes* minimales, qui servent de support aux distinctions ultérieures. D'autre part, la question qui ne peut être posée dans la perspective purement discontinuiste, est celle de *l'intérêt philosophique* : conformément à la thèse sceptique qui forme l'arrière-fond habituel du discontinuisme, on suppose que c'est un plaisir d'ordre stylistique qui motive l'élaboration d'un système philosophique autant que sa lecture ; c'est la singularité d'une pensée qui séduit, puisqu'en fin de compte cette singularité ne paraît renvoyer à rien d'autre qu'à celle de la personne de l'auteur ou à celle du système des énoncés qui forment l'oeuvre. En requérant d'un travail comparatif qu'il éclaire ce qui reste commun à deux systèmes dont l'un a pris appui sur l'autre pour s'en distinguer, l'historien reconnaît qu'un système n'est pas purement et simplement captif de ses thèmes et de ses agencements, mais qu'il peut *communiquer*, c'est-à-dire partager avec un autre des enjeux fondamentaux, des schémas d'interrogation, des paradigmes de solution et d'exemples, voire le canon de la forme de l'oeuvre systématique. L'existence de ce niveau fondamental expliquerait donc pourquoi un auteur peut être dit *intéressant* : prise absolument et sans contrepartie, la thèse de la discontinuité implique que le principal effet perlocutoire d'un système soit de l'ordre de la *bizarrerie*. Si l'on souhaite en revanche rendre compte de *l'intérêt* non pas rhétorique ou psychologique, mais proprement philosophique, qui peut être pris à lire, commenter, voire annexer d'autres textes philosophiques, il faut à notre avis faire place à une communauté stratégique globale qui délimite une aire de divergence relative et d'affrontement discursif.

Autour du point charnière d'une même stratégie fondationnelle, les quatre systèmes étudiés nous ont paru déployer respectivement des tactiques analogues. Fallait-il accentuer leur analogie en utilisant à leur propos le qualificatif de « transcendantal » – un terme qui, on le reconnaîtra, a partie liée avec le projet critique kantien, et à ce titre, semble avoir une vocation clairement discontinuiste ? Le problème consiste précisément à savoir quel est le type de *liaison* que le concept de « transcendantal » peut avoir avec l'idée d'une critique de l'origine des connaissances. Dans l'une des *Réflexions*, Kant indique que « la philosophie transcendantale est la critique de la raison pure ». « C'est la question de savoir ce que la raison peut connaître sans recours à toute expérience, quelles sont les conditions, les objets et les limites de la connaissance [1] ». Dans les textes ici commentés, nous avons souvent rencontré la phrase ou la réponse-type qui signalent la présence de ce genre de questionnement, sans toutefois que lui soit associée la solution proprement kantienne du problème. Phrase type : à quelles conditions la science (telle science) est-elle possible ? Réponse type : pour que l'énoncé P soit vrai, il *faut* que... (suit l'énoncé d'une condition universelle *a priori*, constituant l'objet de P comme objet de connaissance, indépendamment de tout recours à l'expérience. L'analogie en profondeur de démarches fondationnelles différentes nous imposait dès lors de distinguer le thème transcendantal « transsystématique », de sa réalisation dans la philosophie critique de Kant. Afin de distinguer plus nettement le schéma commun aux diverses tactiques transcendantales de sa mise en oeuvre dans le système kantien en termes de fonctions cognitives (*Erkenntnisfunktionen*), il aurait sans doute été souhaitable d'indexer le concept en sorte de distinguer, par exemple, ce qu'on pourrait appeler le transconcept de « transcendantal$_t$ » du concept de « transcendantal$_k$ » (= transcendantal dans l'agencement kantien) ; cependant les difficultés typographiques d'une telle notation ne semblent pas être compensées par la clarification qu'elle apporte, des explications supplémentaires étant dans chaque cas nécessaires.

Nous avons donc pu mettre en évidence trois types de tactiques dans la même stratégie fondationnelle : la tactique *transcendantale – subjective*, qui situe l'instance légitimante dans l'acte de jugement d'un sujet connaissant, en tant que cet acte obéit à des contraintes formelles provenant de sa faculté d'origine (forme de l'intuition, fonction de l'entendement, etc.) ; la tactique *ontotranscendantale*, qui expulse du sujet l'instance fondationnelle et l'installe dans un espace objectif et présubjectif ; la tactique *syntaxique* enfin, qui « laïcise » le recours à ces conditions préalables en les vidant de tout contenu et en les réduisant à de pures formes linguistiques. Chacune de ces « tactiques » manipule la démarcation entre propositions selon ses propres finalités. Ainsi, comme nous l'avons vu, elle a chez Kant la fonction essentielle de subordonner le logique au transcendantal, l'analytique au synthétique, tout en circonscrivant la spécificité de la philosophie, puisque ses concepts sont atteints par analyse, par opposition à la mathématique et à la physique, dont les concepts sont construits, c'est-à-dire synthétiques. Chez Bolzano, la fonction des propositions analytiques consiste à rendre une connaissance possible pour les esprits finis que nous sommes, et qui ne peuvent comprendre qu'une partie de chaque vérité universelle. Les vérités analytiques sont ainsi des étapes dans la recherche des lois générales ; des intermédiaires qui ont tantôt valeur propédeutique, tantôt valeur protreptique.

Revenons alors aux discontinuités. Décrire les mutations que subit le concept d'analyticité du Frege des *Lois Fondamentales* au Carnap de la *Syntaxe logique*, c'est mettre en évidence le glissement simultané de l'exigence logiciste. Chez Frege, l'analyticité des mathématiques formait l'essence de cette science ; le déploiement du système de l'arithmétique révélait les potentialités opératoires de la pure logique, qui formait à son tour le fondement de la rationalité dans son ensemble. Carnap abandonne par étapes cette conception du système unitaire. Non pas toutefois sous l'effet du scepticisme qu'on lui prête parfois, mais, croyons-nous, précisément parce qu'il comprend que l'idéal unitaire peut très bien s'accommoder de l'atomisation des tâches logiques. La multiplicité des langages formels, des règles de formation et de transformation, ne fait que mieux ressortir l'unité de fond de la Syntaxe universelle. Partie de l'arithmétique, la Syntaxe universelle forme le cadre dans lequel toute pratique formelle découpe sa rationalité « régionale ». D'un tel cadre, on ne peut pas sortir. Le libéralisme du principe de tolérance est fondé sur la certitude qu'il existe un ensemble *a priori* de conditions générales de la pensée formelle, ces conditions étant à leur tour de nature *analytiques*. Ce glissement de l'exigence logiciste explique donc à la fois que le logicisme ait pu survivre aux théorèmes de Gödel et que la notion de *proposition analytique* ait joué un rôle capital dans la stratégie de son sauvetage. Dans des notes de cours non publiées de 1936, Carnap résume très clairement les grands traits de ce « glissement », c'est-à-dire du changement du contenu de la thèse logiciste. Une lecture superficielle pourrait laisser croire que la thèse logiciste se trouve finalement abandonnée. En réalité, elle est *élargie* et *généralisée*, le concept de « proposition analytique » jouant depuis la *Syntaxe logique* le rôle de catégorie unificatrice du formel. Carnap explique ici pourquoi il n'est plus essentiel à la thèse logiciste que les axiomes de choix et d'infini soient considérés comme purement logiques en dépit de leur allure de propositions d'existence :

> « Aujourd'hui, cette controverse ne paraît plus aussi fondamentale qu'elle ne le paraissait il y a dix ans. Nous pensons maintenant que la question est plutôt une question technique concernant le choix de la forme d'un système mathématique. Nous pouvons construire ce système soit en ajoutant de nouvelles propositions primitives d'une nature spécifiquement mathématique aux propositions primitives logiques si cela s'avère nécessaire ou si cela paraît commode sans être nécessaire pour autant ; ou bien nous pouvons prendre des propositions primitives purement logiques si c'est possible ; enfin nous pouvons ajouter de nouveaux termes primitifs de nature spécifiquement mathématique aux termes primitifs logiques, comme par exemple Hilbert choisit de le faire, ou nous pouvons nous contenter de symboles primitifs logiques ; cela est certainement possible, et a été fait par

Russell. Ici nous rencontrons certaines questions théoriques concernant les formes que peut prendre le système des mathématiques, et certaines questions pratiques concernant le choix à faire entre ces diverses possibilités. Dans certaines de ces formes, la mathématique serait une branche de la logique, et dans d'autres elle serait associée à la logique. Le point essentiel est que dans chaque cas, le système peut être construit en sorte que tous les théorèmes de mathématique soient *analytiques* au même titre que ceux de la logique, c'est-à-dire en sorte que leur vérité ne dépende pas de faits extérieurs au langage, mais soit déterminée seulement par les règles du langage [2] »

Ce qui explique que le débat sur le caractère « purement logique » de l'axiome de choix soit tombé en désuétude, c'est que l'on dispose maintenant d'une idée plus libérale de la construction de systèmes des mathématiques. Toute proposition qui ne dépend pas des faits, c'est-à-dire tout énoncé dont la *fonction* est formelle, est analytique. Or la fonction d'une proposition dépend, si l'on peut dire, de *l'acte* du constructeur, qui pose la règle correspondante. En parlant d'« acte », nous ne voulons pas dire que Carnap rétablisse dans ses droits la « réflexion » qui, chez Kant, subordonne l'enquête logique formelle à une investigation transcendantale. Mais la *fonction* d'un énoncé – dans le langage considéré – est clairement ou formelle ou empirique, et se trouve conférée à l'énoncé par l'établissement des règles qui constituent ce langage. Ces règles procèdent bien d'un décret, quoique l'alternative qu'elles comportent dépasse la simple stipulation [3]. Même si, à première vue, cette dualité paraît résulter d'une convention, elle gouverne aussi la Syntaxe universelle, et forme bien dès lors une condition quasi-transcendantale de la formation d'un langage théorique. Ces réflexions permettent de mettre en évidence le statut de la division analytique- synthétique relativement à la science mathématique existante ; la division fait partie des conditions de possibilité de l'unité de la science en tant qu'elle applique des formes. Elle n'a donc pas à être soumise à une enquête empirique. Car réciproquement, toute enquête empirique la présuppose.

Pris dans ses grandes lignes, ce schéma général nous paraît encore relever d'un projet parallèle à celui de la philosophie transcendantale de Kant. Si l'on comprend en effet par « principe transcendantal » un principe par lequel « on représente la condition générale *a priori* sous laquelle les choses peuvent devenir objet de notre connaissance [4] », on remarque l'analogie entre les démarches de Kant et de Carnap. Précisons-le encore : parler d'analogie ne revient pas à faire de Carnap un philosophe du *sujet* transcendantal. Le transcendantal n'est plus associé comme dans le kantisme avec un rapport de notre connaissance à *notre pouvoir de connaître*. Ce n'est plus sur la *connaissance* que porte maintenant « la condition générale *a priori* », mais sur le *langage de la science*. Mais cette différence d'application du transcendantal ne doit pas dissimuler la parenté topique entre les systèmes de Kant et de Carnap. Comme Kant, Carnap part du donné de la Science en vue de comprendre ce qui l'a rendu possible. Comme Kant, il exhume les conditions générales d'un savoir objectif, universel et nécessaire. Comme Kant, enfin, c'est dans des formes *a priori* qu'il situe ces conditions, avec toutefois *ce déplacement essentiel* : la légitimité *a priori* est tout entière sous la juridiction de la Syntaxe. Toutes les fonctions synthétiques de la philosophie transcendantale kantienne (unité de l'aperception, unité de la matière et de la forme dans la description du phénomène, aussi bien qu'unité architectonique) sont désormais assurées par les formes universelles d'un langage possible : cette recherche, à notre sens, fait la continuité souterraine entre l'*Aufbau* et la *Syntaxe logique*.

Comment alors expliquer que Carnap situe dans l'empirisme sa propre tentative ? Comment se fait-il qu'il se réclame de Hume, de préférence à Kant ? Nous avons eu maintes fois l'occasion d'observer dans ce livre combien dans le dialogue imaginaire que nous pouvons faire tenir à Hume et Kant, Carnap ne manque pas, sur des points essentiels, de donner raison à Kant : pour n'avoir pas de fondement indépendant du sujet de la connaissance, la causalité n'est pas purement imaginative. Il faut bien qu'elle ait un fondement. Au lieu d'appuyer Hume, en arguant qu'un tel fondement n'a rien de nécessaire, et que, même sans certitude rationnelle, nous n'en prévoyons pas moins, et avec la même assurance, d'être dans le vrai, Carnap poursuit sa vie durant un projet dont nous avons souligné les origines kantiennes, en tentant de découvrir le fondement logique de l'induction.

En adoptant sur elle le point de vue extérieur qu'autorise la topique comparative, nous pourrions caractériser la philosophie de Carnap en disant qu'elle substitue la juridiction du formel à celle du sujet transcendantal de Kant. C'est dire, en d'autres termes, que la logique formelle assure désormais, silencieusement, la fonction transcendantale, au sens où elle fournit la « condition générale *a priori* » qui rend possible un langage de la science en général. La Syntaxe universelle expose les conditions de possibilité de toute science. La rationalité étant présupposée, la logique est en mesure de rendre raison des traits constitutifs du langage qui fondent cette rationalité. Hume au contraire soumet les savoirs empiriques à la question de leur genèse naturelle ; en deçà des formes, qu'en est-il des moyens effectifs de connaître, c'est-à-dire de généraliser, d'abstraire, de prévoir ? Au contraire de la lecture qu'en propose Kant, Hume n'exige pas que l'on renonce à connaître, mais que l'on soit sans illusion sur le caractère naturel d'un savoir qui ne peut pas être fondé rationnellement de part en part, *et qui n'a pas non plus à l'être*. Qu'elles soient le fait de l'habitude ou d'un autre principe de l'imagination, les adjonctions au pur donné empirique forment un obstacle de principe à toute ambition réductionniste.

Ce que le logicisme de Carnap a en commun avec les philosophies « ontotranscendantales » de ses prédécesseurs, c'est de rechercher les conditions de possibilité d'un discours de la science dans la structure objective constitutive que décrit la Syntaxe universelle. Une telle syntaxe, on peut en faire une présentation exhaustive dans un langage approprié (elle reste donc interne au langage, elle n'en est pas la limite, comme le pensait Wittgenstein). Tant que les concepts de cette syntaxe pure ne sont pas établis de manière rigoureuse, on ne peut être au clair sur les fondements de la rationalité, ni sur les limites du connaissable. Nous proposons de comprendre le logicisme de Carnap comme l'une des tentatives de dissocier le criticisme de l'examen du pouvoir subjectif de connaître afin de l'associer à la mise en évidence du *medium* objectif que le connaître suppose déjà. Ce qui fait la nouveauté de cet essai, relativement aux précédents essais de Bolzano et de Frege, c'est que l'universalité du vrai (l'ensemble des vérités en soi, ou des lois logiques) se trouve maintenant déplacé vers l'universalité de la règle (les règles de la Syntaxe universelle).

En concluant ainsi que la démarcation analytique-synthétique est l'instrument d'une tradition foncièrement rationaliste, nous sommes évidemment confrontés à un problème dont nous devons pouvoir rendre compte si nous voulons vérifier l'adéquation de la méthode suivie. Ce fait est le suivant : très tôt, c'est-à-dire aux alentours de 1923, Carnap se rallie à l'empirisme et il ne cessera jamais de penser sa propre philosophie comme étant dans la lignée antimétaphysique de Hume. Mais de quelle attitude philosophique Carnap se réclame-t-il au juste lorsqu'il parle d'« empirisme » ? Par principe, l'historien est en droit de mettre à l'épreuve des faits — c'est-à-dire de l'examen de l'agencement précis des thèses, des moyens démonstratifs et des enjeux — la filiation que l'auteur propose pour son propre système. Que Carnap ait jugé « empiriste » l'orientation de sa recherche et de celles de ses amis du Cercle de Vienne ne suffit pas à démontrer la pertinence de ce jugement, ni à décider de la fonction véritable – théorique, expressive, publicitaire, polémique – du rattachement.

Si nous prenons en compte les textes publiés dans les années 1920 par les membres du Cercle de Vienne, nous voyons que le terme d'« empirisme » qualifie une position doctrinale assez vague, qui ressemble plutôt à un mot d'ordre qu'à un ensemble précis de thèses : est empiriste toute attitude « anti-métaphysique » et « pro-scientifique », tout mode de pensée qui se fonde sur l'expérience et rejette la spéculation [5]. Lors même qu'il définit la position philosophique du Cercle comme « empiriste et positiviste », le Manifeste du Cercle de Vienne de 1929, éloquemment intitulé « *Wissenschaftliche Weltauffassung : der Wiener Kreis* », entrevoit ce qui distingue le nouvel empirisme de l'empirisme traditionnel :

> « C'est la *méthode d'analyse logique* qui distingue essentiellement l'empirisme et le positivisme récents de la version antérieure qui était plus biologique et psychologique dans son orientation [6]. »

Rien dans la méthode d'analyse logique ne paraît à première vue s'opposer à l'orientation empiriste du Cercle : non seulement l'application de la logique dans la *réduction* du donné empirique à ses éléments de base ne contredit pas la thèse empiriste fondamentale selon laquelle toute connaissance dérive de l'expérience, laquelle consiste dans ce qui est immédiatement donné, mais elle semble former avec elle une totalité organique. La réduction paraît constituer la méthode empiriste « par excellence », le recours à la logique étant parfaitement légitime puisque celle-ci est formée de propositions analytiques, dépourvues de contenu empirique.

Cependant la radicalité même de la tentative réductionniste fait apparaître l'étrangeté de l'« empirisme » dont elle se réclame. Pour rendre compte du malaise qu'éprouverait l'empiriste « classique » devant l'ambition unitaire et fondationnelle des empiristes logiques, il faudrait mettre en évidence le recours qu'ils font à un *double langage*, le premier étant relatif à la démarche scientifique, le second à l'activité philosophique ; l'empirisme « scientifique » des empiristes logiques consiste à revendiquer, pour toute théorie positive, qu'elle se trouve confirmée par l'expérience, et qu'elle ne s'arroge pas de validité supérieure à celle que l'expérience lui permet d'atteindre. Mais ce qui vaut des sciences ne vaut plus de la théorie de la science. Celle-ci mobilise en effet des concepts qui n'ont plus à se mesurer au donné, précisément parce qu'ils ne disent rien des faits. Ayant d'emblée vidé de tout contenu les concepts syntaxiques, le philosophe n'a plus à faire cas de l'expérience.

Ce qui précède met en évidence le statut *constitutif* de la division analytique-synthétique : être « empiriste logique » suppose que l'on admette que l'universalité de la démarcation entre propositions analytiques et synthétiques soit au fondement du caractère "empiriste" de la logique de la science. C'est grâce à cette distinction que la logique conquiert son statut de science et peut ainsi assumer un champ d'action très large, coextensif à la philosophie. Appelée successivement « théorie de la constitution », « axiomatique universelle », « syntaxe de la science », « sémantique », la logique se trouve désormais chargée de tous les aspects « formels » de la construction scientifique de l'expérience.

La revendication « empiriste » du Cercle de Vienne ne se soutient donc que si l'on adhère préalablement à la thèse de la stricte division entre propositions analytiques et synthétiques ; ce n'est en effet *que si* les propositions de la logique sont toutes analytiques que nous pouvons être assurés que l'analyse logique du donné ne fait pas intervenir de contenu « extérieur au cadre de l'expérience possible [7] ». Dans cette conjoncture, l'interprétation populaire de la distinction humienne entre relations d'idées et faits vient providentiellement laisser penser que la division analytique-synthétique n'est pas la propriété exclusive des rationalistes, identifiés aux partisans des jugements synthétiques *a priori*. Une fois admis que « l'analyse logique » ne joue pas d'autre rôle que celui de simple moyen de traduction ou d'abréviation des contenus empiriques, on peut en effet estimer que les jugements synthétiques *a priori*, et, avec eux, la spéculation métaphysique, sont définitivement disqualifiés, ce qui apparaît comme une « victoire de l'empirisme ».

Cependant, l'empiriste exigeant peut renâcler à s'incliner devant la proclamation officielle de la vacuité ou de la neutralité de la logique. La construction de la Syntaxe universelle, puis de la Sémantique, fait apparaître au contraire que le recours aux formes de langage dissimule de véritables prises de position « ontologiques », prises de position que le principe de tolérance et le principe de l'analyticité de la logique parviennent mal à banaliser. Très éclairant à cet égard nous paraît être un texte de Carnap de 1950, intitulé *Empiricism, Semantics and Ontology*, dans lequel l'auteur tente de démontrer, contre Quine, que l'emploi d'un langage faisant référence à des « entités abstraites », telles que des propriétés ou des propositions, est parfaitement compatible avec une attitude empiriste. Comme Quine le relève à juste titre, la manière dont Carnap met en évidence le caractère purement linguistique, et donc sans portée réaliste, de la construction d'un système référentiel quelconque suppose la validité de la stricte démarcation entre propositions analytiques et synthétiques : les « questions externes » n'ont besoin d'aucune justification théorique parce qu'elles ne font aucune assertion sur la *réalité* des entités dénotées. C'est en d'autres termes parce que la sémantique est purement analytique qu'elle peut s'estimer libre de toute contrainte extralogique. Le métaphysicien, pour Carnap, est celui qui soutiendrait que les entités abstraites auxquelles fait référence un système sémantique « peuvent être expérimentées comme données immédiates soit de la sensation soit d'une sorte d'intuition rationnelle [8] ». Il n'est donc pas étonnant que Carnap refuse d'admettre que l'on puisse qualifier de « platonicien » un langage admettant des variables d'ordre supérieur ; car pour lui, être platonicien suppose justement que l'on passe outre la distinction analytique-synthétique, et que l'on transgresse du même coup la distinction entre les questions internes et les questions externes en adhérant, par exemple, à la doctrine des Universaux.

Aussi, lorsque Carnap, selon ses propres termes, « traduit » Hume après avoir cité le passage de l'*Enquête* dans lequel les métaphysiciens sont pris à partie [9], nous avons le sentiment qu'il se méprend sur ce que Hume appelait des « métaphysiciens » : les plus dangereux d'entre eux, pour Hume, sont ceux qui s'ignorent, comme en donnent l'exemple les mathématiciens essentialistes en élevant au rang de normes une rigueur et une précision qui dépassent nos capacités de discrimination perceptive. En déployant une distinction qui est au-dessus de ce que l'expérience nous permet d'attester, le logiciste ne rejoint-il pas le mathématicien essentialiste ? S'il avait réellement pris Hume au sérieux, Carnap se serait interdit de « constituer » des concepts au profit d'une unité « objective » des sciences – unité objective présupposée puis démontrée.

Car de quelle unité s'agit-il dès lors qu'elle s'effectue au niveau du langage, comme dans la *Syntaxe logique*, ou lorsque le dépassement du donné se trouve banalisé par l'hypothèse d'un transfert analogique des procédures constructives, comme dans l'*Aufbau* ? Eût-il été humien, ou même, tout simplement, empiriste, Carnap n'aurait pas songé à suspendre la possibilité de la philosophie à une distinction qui, quoique « constitutive », n'est pas empirique. Il aurait disqualifié d'emblée toute la gamme des questions « fondationnelles » en tant qu'elles idéalisent le processus de connaissance, au lieu de poser inlassablement la question de droit comme préalable à toute question de fait.

Que Carnap et ses amis du Cercle de Vienne aient néanmoins tenu au label « empiriste » n'est pas dissociable de la conviction rationaliste selon laquelle les formes de langage sont en elles-mêmes vides et indépendantes de l'expérience. Il s'agissait là, d'ailleurs, d'une thèse irréfutable puisqu'aucun fait d'expérience ne pouvait par définition être utilisé contre elle. Aussi, lorsque Quine s'attaque au dogme de l'analyticité, c'est au rôle constitutif du statut de la philosophie qu'il s'en prend plutôt qu'à la difficulté qu'implique la définition du concept de proposition analytique. Il est frappant de constater que les nombreuses « réponses à Quine » semblent avoir méconnu son véritable propos : non pas résoudre le problème technique que représente une définition non circulaire d'« analytique », ni même contester l'intérêt strictement descriptif de la démarcation pour certaines classes d'énoncés, mais montrer en quoi l'usage fondationnel de cette opposition fait nécessairement obstacle au déploiement d'une épistémologie empiriste. Quine propose donc de dégager la recherche philosophique de l'emprise topique de la division kantienne entre les propositions. La sémantique doit être édifiée conformément à une réévaluation empiriste de l'épistémologie, laquelle soumet les concepts métalogiques à l'existence de critères *pragmatiques*. Est-ce à dire que l'on doive se défendre d'utiliser en logique des concepts ou des procédures non constructives ? Faut-il par purisme empiriste renoncer au platonisme latent des logiques non finitistes par exemple ? Nullement : Quine se défend de soumettre l'invention logique à des critères d'adéquation purement philosophiques. On peut admettre que des mathématiciens doivent, dans leur propre pratique, postuler des objets. Mais le cas de concepts comme celui d'analyticité est bien différent : on fait alors intervenir des concepts non expliqués, sans fondement épistémologique ou pragmatique véritable, en les chargeant de fonder l'ensemble du discours. Que le philosophe se permette ces libertés avec le langage de la science, qu'il se mette lui-même en position de législateur universel, et c'en est fait de l'empirisme. A la différence des sciences particulières, la philosophie ne peut se payer le luxe de dépasser le donné. La logique cesse du même coup de justifier le statut principiel d'une « philosophie première » : elle n'est pas l'instrument du seul philosophe, ni son instrument exclusif. L'empirisme de Quine permet ainsi d'obtenir un point de comparaison topique pour comprendre ce qui fait l'unité profonde des systèmes de Kant, Frege, Bolzano et Carnap. *Problématisant comme eux la question de l'unité de la Science, il se distingue d'eux en ne reconnaissant pas la légitimité d'un point de vue transcendantal.* Adopter un point de vue strictement immanent à la pratique scientifique conduit à renoncer au dualisme analytique-synthétique, lequel est fonctionnellement solidaire d'une démarche fondationnelle, qu'elle soit de type « ontotranscendantal » ou « syntaxique ».

Une telle ligne de démarcation entre empiristes et rationalistes ne manquera probablement pas d'encourager le lecteur à découvrir des contre-exemples. Tentons donc de soumettre la topique comparative à une réfutation par les faits, en l'appliquant au système philosophique qui semble le moins capable de s'y soumettre. La philosophie de Karl Popper paraît ici se désigner d'elle-même ; également éloigné des empiristes logiques et des « psychologistes » – au nombre desquels il compterait probablement l'épistémologie naturalisée de Quine –, Popper paraît bel et bien inclassable. Ne se dit-il pas empiriste [10] tout en baptisant « rationalisme critique » sa propre orientation philosophique ? S'il faut le prendre au pied de la lettre lorsqu'il annonce qu'il fait la synthèse du rationalisme et de l'empirisme, c'est toute notre entreprise qui se révèle inadéquate : si le fondationalisme rationaliste peut glisser dans le naturalisme empiriste – chez Popper, l'objectivité des lois est anticipée par l'« attente instinctive » de trouver des régularités, attente au reste généralisée à tout le vivant – si la thèse transcendantale finit en fin de compte par s'accommoder du caractère provisoire des vérités reconnues, pourquoi continuer à tracer des distinctions méticuleuses entre constellations discursives ? Le métasystématique ne s'avère-t-il pas être finalement le lieu des confusions et des compromis, dans lequel il serait vain de chercher des configurations stables ?

Il est vrai que le système de Popper présente l'originalité de rassembler des thèses qui paraissent à première vue remettre en cause les oppositions traditionnelles (rationalisme/empirisme, réalisme/idéalisme, etc.). Ajoutons aussi que la subtilité de certaines de ses analyses a donné lieu à des contresens spectaculaires qu'il a lui-même longuement recensés. Sans pouvoir évidemment produire ici davantage qu'une esquisse, nous voudrions pourtant montrer comment le système de Popper trouve naturellement sa place dans le cadre topique ici développé.

Pour commencer, que penser de l'« empirisme » de Popper ? Nous avons vu plus haut pourquoi on ne pouvait se fier à la profession de foi « empiriste » des philosophes ; l'emploi thématique de ce concept d'« empiriste » est en effet à son tour conditionné par un réseau d'hypothèses de lecture. Pour juger de sa véritable fonction, il ne suffit pas de s'arrêter au *fait* de l'emploi du terme, mais il est nécessaire de rapporter cet emploi à la stratégie d'ensemble dans laquelle il intervient. N'accordons qu'une valeur symptomatique au fait que Popper se fasse le défenseur de « la thèse fondamentale de l'empirisme en vertu de laquelle seule l'expérience permet de décider de la vérité ou de la fausseté d'un énoncé portant sur la réalité [11] ». Car il s'agit là de l'acception « faible » du mot d'« empirisme » et non du sens technique qui nous occupe à présent.

Pour dessiner à grands traits la stratégie de Popper, nous disposons d'un fil conducteur : c'est la lecture que Popper propose de Hume. Nous avons retracé plus haut le biais qu'implique l'interprétation kantienne de Hume. Disons-le d'emblée, Popper reprend à son compte tous les présupposés de cette lecture. Souvenons-nous de la succession, relevée dans l'introduction de ce livre, du moment assimilateur et du moment critique : on la retrouve chez Popper de manière saisissante. Certes, Hume a *eu raison* de souligner qu'on ne pouvait pas démontrer qu'une théorie était vraie. « Mais il a eu tort de conclure que notre croyance dans les théories est irrationnelle » : *il a eu tort* de désespérer de la raison (on croit ici relire les *Prolégomènes* [12]).

Ce qui pour Popper représente l'acquis définitif de l'empirisme de Hume, c'est d'avoir reconnu que l'on ne peut pas connaître la nature (c'est-à-dire acquérir un savoir valide, sur le modèle logico-mathématique de la validité déductive) et qu'il n'existe pas de « savoir inductif ». Mais il se sépare aussitôt de Hume pour affirmer deux thèses foncièrement rationalistes.

D'une part, quoiqu'on ne puisse pas connaître « démonstrativement » dans les sciences expérimentales, on peut néanmoins donner un « accord provisoire, critique » à des théories scientifiques. Or un tel accord manifeste une attitude parfaitement rationnelle : « il n'y a rien d'irrationnel à se fier, pour des raisons pratiques, à des théories bien testées car aucune autre attitude rationnelle ne s'offre à nous [13] ». On sait en effet ce qui fonde pour Popper la rationalité de cette attitude de confiance relative : c'est la notion logique, elle-même relative, de *vérisimilitude* : certes la vérité d'une théorie ne peut être *démontrée* comme un théorème de mathématique ; mais on peut néanmoins dire qu'une théorie T_1 est plus près de la vérité qu'une théorie T_2 si T_1 comprend au moins autant d'énoncés vrais mais moins d'énoncés faux que T_2 (ou si T_1 comprend davantage d'énoncés vrais mais pas plus d'énoncés faux). Une fois déterminés le *contenu de vérité* d'une théorie soit l'ensemble des énoncés vrais non tautologiques qui en sont déductibles, et son *contenu de fausseté*, c'est-à-dire la classe des énoncés faux qu'elle contient [14], on pourrait en principe connaître déductivement laquelle des théories est la meilleure, à la fois logiquement, c'est-à-dire en vertu de sa capacité prédictive, et même empiriquement, en fonction de sa résistance effective aux tentatives qui ont été faites pour la réfuter. Par exemple, quoiqu'on ne puisse pas dire que la théorie héliocentrique de Copernic soit « vraie », on peut cependant affirmer qu'elle est plus près de la vérité que la théorie géocentrique de Ptolémée : celle-ci laisse inexpliqués un grand nombre de phénomènes que celle-là peut au contraire anticiper (rotation du pendule de Foucault, giration des vents, aplatissement de la terre aux pôles, etc. [15]).

Il est ainsi parfaitement rationnel de considérer que la théorie copernicienne, quoique fausse, soit néanmoins plus proche du vrai, « plus semblable au vrai », que la théorie ptolémaïque. Quoique Popper ait disqualifié la prétention « déterminative » de l'idée de vérité dans les sciences expérimentales, il en maintient la fonction *régulative* [16] : de manière très analogue au geste de Kant rétablissant le rôle régulatif de l'idée de liberté après l'avoir exclue du champ phénoménal, et sauvant ainsi la possibilité d'une morale rationnelle, Popper coupe court aux spéculations sceptiques ; c'est bien dans l'horizon de la rationalité que nous pensons et agissons. Même si nous ne cessons de nous comporter en métaphysiciens, sous l'impulsion de tendances biologiques, en postulant des régularités, le contrôle rigoureux de ces conjectures plus ou moins hasardeuses par des tests systématiques rétablit aussitôt les droits de la raison sur l'impulsion naturelle.

Nous en venons ici au second point sur lequel Popper corrige Hume en un sens « critique ». On pourrait reformuler l'objection de Popper à Hume en disant que, puisque la répétition n'a pas « d'en-soi » et n'est que « pour nous », on en chercherait vainement la trace dans un quelconque « donné »[17]. Hume a bien vu que chaque cas était indépendant de l'autre, mais il n'a pas été assez loin : chaque cas est en soi entièrement singulier, et si nous percevons une ressemblance entre plusieurs événements, c'est parce que nous avons projeté notre anticipation sur l'expérience : la répétition est une fonction déterminative, ce n'est pas comme la comprenait Hume une « synthèse passive », selon l'expression de Gilles Deleuze[18]. En exigeant que la réceptivité soit ainsi soumise à la critique, Popper suit à nouveau étroitement Kant ; on sait en effet que la synthèse de la reproduction, chez Kant, (c'est-à-dire la saisie d'une observation comme étant « semblable » à une autre) est commandée par un principe transcendantal : si les phénomènes n'étaient pas *a priori* soumis à une règle, si le cinabre était tantôt rouge, tantôt noir, l'imagination empirique ne pourrait pas se former une représentation cohérente des objets empiriques[19]. De même pour la notion de cause : l'universelle affinité des phénomènes ne peut pas résulter simplement d'une règle empirique d'association ; l'affinité *empirique* dépend de l'*affinité transcendantale* laquelle est fondée dans le principe de l'unité de l'aperception[20]. Il n'y a pas de répétition, pas de régularité *données* dans l'expérience.

Popper est donc très proche de Kant lorsqu'il objecte à Hume que toute observation présuppose déjà l'intervention sélective et anticipatrice de l'entendement. C'est dire qu'il ne peut y avoir de pur « donné sensible », qu'aucune impression ne peut s'imposer du fait de l'imagination. D'où la nécessité de retoucher la carte empiriste de l'esprit humain : la coutume imaginative – effet de la synthèse répétitive passive – est mise au rancart avec les vieilleries associationnistes. Popper installe à sa place une fonction de prédiction/anticipation qui est spontanéité pure : il n'y a plus de synthèse passive, toute synthèse met en jeu une activité de projection catégoriale et théorique ; toute pratique, même la perception, suppose un choix, et fait intervenir un embryon de théorie. « .. Comme il ne vint pas à l'esprit de David Hume que l'entendement était peut-être, par ces concepts-mêmes, le créateur de l'expérience qui lui fournit ses objets, il se vit obligé de les dériver de l'expérience ». La phrase est de Kant [21], mais on peut mot pour mot l'attribuer à Popper, même si le système poppérien d'hypothèses théoriques, à la différence du système des concepts purs *a priori* de Kant, est par principe rectifiable en fonction des démentis de l'expérience [22].

Ce qui précède permet de mesurer le poids de la dénomination de « rationalisme critique ». Critique ? Mais quel est le dépositaire de la légalité et de l'objectivité, une fois le sujet transcendantal disqualifié de tout rôle fondateur ? De quelle prétention fondatrice ou, au moins, normative, cette critique peut-elle encore se réclamer ? De façon pour nous très prévisible, Popper emprunte ici la voie déjà suivie par les philosophes logiciens qui ont cherché à infléchir la philosophie kantienne de la Science en un sens objectif. Du point de vue généalogique, la solution transcendantale qu'il adopte forme, dans la lignée ontotranscendantale représentée par Bolzano et Frege, une tactique inédite au sein d'une stratégie globalement identique. Celle-ci se caractérise par quatre thèses dont nous avons déjà observé la combinaison et l'articulation.

1) Il n'y a d'épistémologie qu'objective

A la suite de Bolzano et de Frege, Popper oppose deux sens de la connaissance et de la pensée : d'un côté, la connaissance au sens subjectif, en tant qu'ensemble des états de conscience, des croyances ou des dispositions d'un sujet, de l'autre la connaissance au sens objectif de contenu « en soi ». L'épistémologie pour Popper comme pour les auteurs que nous avons étudiés dans ce livre ne consiste pas à analyser les conditions subjectives qui sont productrices de croyances fondées, mais à étudier le contenu et les relations d'interdépendance entre les énoncés scientifiques, sans se préoccuper de savoir quand et comment ces énoncés ont été reconnus comme vrais.

En d'autres termes, la théorie de la connaissance est « science de la science [23] » : les faits présentés par le développement des sciences empiriques forment le terrain de mise à l'épreuve des affirmations de cette théorie. L'existence d'une science objective, condition du développement de cette « épistémologie sans sujet connaissant », fait ici comme chez les auteurs de tradition rationaliste réunis dans ce livre figure de principe, c'est-à-dire de présupposé fondamental. « Qu'il y ait des sciences de la nature théoriques est un fait. La théorie de la connaissance n'a pas à douter de ce fait, mais à l'expliquer », écrit Popper en 1933 en rappelant le texte analogue de l'introduction à la *Critique de la raison pure* [24]. Cependant, comme il le note lui-même, l'objectivité ne peut pas être expliquée par le *fait* de la science : seule une *légitimité transcendantale* peut donner corps à une épistémologie objective. Dans les textes ultérieurs, Popper reconnaît que les règles de la méthode que la théorie fait valoir sont elles-mêmes faillibles. Ce n'est pas dire qu'elles sont subjectives. Si elles ne suffisent pas à proprement parler à fonder la connaissance objective, elles conservent pourtant la valeur d'idéaux régulateurs dans la théorie de l'accroissement des connaissances.

2) *Caractère transcendantal du fondement objectif de l'épistémologie*

A la différence des auteurs que nous avons mis à

l'épreuve de la topique comparative, Popper revendique explicitement, dans son livre de 1933, le caractère transcendantal de l'approche choisie. Comme nous l'avons fait plus haut, il utilise le concept de « transcendantal » en le coupant de toute référence à un sujet : est transcendantale « l'analyse de la connaissance scientifique comme état de chose objectif [25] ». Popper s'inspire ici clairement du paragraphe 3 des *Fondements de l'arithmétique* dans lequel Frege corrige comme on l'a vu la problématique kantienne de la validité : quand on analyse la nature d'un énoncé scientifique, on ne s'intéresse « ni aux conditions psychiques, physiologiques et psychiques qui ont permis de constituer le contenu de la proposition dans la conscience, ni à la question de savoir par quel chemin on en vint, peut-être à tort, à la tenir pour vraie », mais « aux raisons dernières qui justifient notre assentiment [26] ». Cette analyse des raisons légitimantes n'est pas d'ordre psychologique ; elle n'est pas non plus strictement logique même si la logique est considérée « dans son rapport à la méthodologie des sciences de la nature » ; elle est « transcendantale [27] ». Sa valeur constitutive est à prendre, comme chez Bolzano et Frege, au sens littéral du terme : l'ensemble objectif des vérités et de leurs relations a plus qu'une valeur explicative : il a un rôle causal.

3) Thèse ontotranscendantale : l'autonomie du « monde 3 »

Tout en reconnaissant comme Frege sa dette envers Kant – dette qu'il reproche précisément aux divers représentants du positivisme moderne de ne pas savoir reconnaître, ce sur quoi nos analyses permettent de lui donner raison – , Popper discerne chez Kant comme chez ses contemporains positivistes des adjonctions impures qui selon lui contaminent l'entreprise transcendantale ; or il n'est pas pour nous d'un médiocre intérêt de constater que ce que Popper relève parmi ces éléments improprement mêlés à la réflexion transcendantale, ce sont justement les alternatives à la version que nous avons appelée « onto-transcendantale » du transcendantalisme : la version « psychologiste » du transcendantal, représentée par Kant, et la version « linguistique » qui apparaît chez Wittgenstein, et, pensons-nous, chez Carnap [28].

Même si le terme de « transcendantal » n'apparaît plus dans les textes ultérieurs, le Popper de la maturité paraît sur ce point fidèle pour l'essentiel aux analyses de 1933 ; le développement d'une « épistémologie objective » doit se fonder sur « la thèse des trois mondes » ; il y a ici plus qu'une analogie avec les philosophies de Bolzano et de Frege ; Popper se réclame de l'un et de l'autre, et désigne du terme bolzanien d'« en-soi » les entités composant le monde 3. Une nuance toutefois : le choix entre l'interprétation réaliste ou idéaliste est laissé ouvert, l'une et l'autre option étant également permises (en tant qu'irréfutables par nature), même si la première est jugée préférable :

> « Le premier est le monde physique ou monde des états physiques ; le second est le monde mental ou monde des états mentaux ; et le troisième est le monde des intelligibles, ou des *idées au sens objectif* ; c'est le monde des objets possibles de pensée : le monde des théories en soi, et de leurs relations logiques ; des arguments en soi ; et des problématiques en soi [29] ».

Combiné au thème du caractère tâtonnant, par « essais et erreurs », de la découverte, le thème de l'objectivité donne naturellement lieu à une épistémologie de type bolzano-frégéen ; le monde de la conscience subjective (le monde 2) peut être éclairé par le monde 3, mais non réciproquement. Le système des vérités en soi ne peut jamais qu'être indéfiniment approché ; la vérité objective constitue un aspect de la réalité distinct des plans du physique et du mental, et qui entre en interaction avec eux : comme Bolzano et Frege, Popper reconnaît qu'elle joue dans une certaine mesure un rôle causal dans la construction théorique. Seule une certaine vérisimilitude peut être revendiquée pour les théories bien testées : on retrouve ici très exactement l'opposition bolzanienne entre la science en soi et le traité, opposition également présente, quoiqu'en termes différents, dans la conception frégéenne du système.

4) Quoique à coup sûr moins tranchée que chez les auteurs de la même tradition examinés plus haut (du fait du statut intermédiaire des propositions de la logique de la découverte, qui ne sont ni empiriques ni formelles), *l'opposition entre propositions analytiques et synthétiques* conserve un rôle dans la théorie de la méthode, en permettant *de distinguer clairement les composantes déductives des composantes factuelles*, au moins dans le cas des théories formalisées. La logique est pour Popper avant tout théorie de la déduction, c'est-à-dire de la transmission du vrai et de la retransmission du faux. Les énoncés des sciences de la nature ne sont réfutables qu'en vertu de la possibilité de faire refluer la fausseté des conclusions vers les prémisses, conformément au *modus tollens*. La rationalité déductive peut ainsi, d'une certaine façon, s'étendre au domaine empirique grâce à la perspective que la logique nous permet de prendre sur les essais qui sont tentés en vue de prédire les événements. C'est ce type d'intervention qui élève la logique (incluant la théorie tarskienne de la vérité et le calcul des systèmes[30]) au rang d'« organon du criticisme [31] ».

L'imbroglio des thèses poppériennes n'est ainsi qu'une apparence. La méthode consistant à repérer la continuité souterraine des systèmes permet de faire apparaître, comme sur une carte en relief, différentes strates de la pensée de Popper : thème continu d'un « ontotranscendantal », dans la lignée de Bolzano et de Frege, accompagné d'une batterie d'objections contre les dévoiements linguistiques ou phénoménistes du transcendantal. Adjonctions à ce thème, dont on peut désormais mieux mesurer le poids ou l'importance, à savoir déterminer s'il s'agit d'une thèse « centrale », commandée par l'agencement des principes, ou d'une thèse conjointe, variante stylistique ou thèse novatrice. A titre d'exemple, nous pourrions suggérer de considérer comme une thèse « centrale » de Popper l'idée que l'approche critique est caractéristique du rationalisme, comme une thèse conjointe la proposition selon laquelle seule une théorie formulée peut être objective. En revanche, le rejet du principe d'induction ainsi que l'affirmation du caractère théorique de toutes les observations formeraient des adjonctions novatrices à l'intérieur de l'épistémè ontotranscendantale.

Comme nous venons de le voir avec le cas de Popper, l'histoire de la logique philosophique « postkantienne » ne s'achève pas avec Carnap. Seule la nécessaire limitation qu'il fallait imposer à notre champ d'investigation dans ce livre pourrait le laisser penser. Si la polémique entre Carnap et Quine a largement dominé la scène philosophique pendant les années cinquante, on ne peut en conclure que s'y réglait une fois pour toutes le destin du fondationalisme *a prioriste*. En rappelant la structure des arguments qui s'opposaient, le propos était ici non pas d'enregistrer le dépassement du rationalisme par l'empirisme finalement triomphant, mais de souligner la nature historique de l'enjeu souvent mal aperçu de la distinction entre propositions analytiques et synthétiques.

Le moment est venu, enfin, de tenter de faire le bilan de la méthode que nous avons appelée la « topique comparative ». L'intérêt descriptif et analytique doit être jugé sur pièces ; mais nous voudrions indiquer pour finir quelques-unes des difficultés que nous avons eu à surmonter ; non plus celles qui concernent les contenus à analyser mais celles qui relèvent du langage, de l'exposé des thèses. Etant donnés le va-et-vient continuel qu'impose le genre entre système-objet et langage comparatif et le risque de lapsus que cela implique, des confusions de niveaux risquent en permanence de compromettre la clarté de l'analyse.

D'un autre côté, l'exigence que nourrit la méthode de procéder à des distinctions fonctionnelles (selon le rôle que joue un concept, une distinction, une thèse donnés dans des systèmes différents) et de discerner sous les homonymies les valences différentes de concepts homophoniques conduit tendanciellement à une prolifération terminologique qu'il s'agit de limiter au maximum. Nous avons tenté dans ce travail de nous tenir à la parcimonie chaque fois qu'elle ne compromettait pas l'intelligibilité. Tout en montrant ce qui les distingue, nous continuons de parler de l'« analyticité » de Bolzano et de celle de Quine. Il y a dans la continuité d'emploi du même terme une raison de fond : quoique le concept de « proposition analytique » soit dans chaque cas mis au service d'une stratégie différente, il s'agit bien pourtant du « même concept », *autant du moins que cette expression peut garder un sens quand on passe d'un système à un autre*. La difficulté dans l'exposition consiste dans ce cas à laisser nettement apparaître la diversité des sens sous l'identité terminologique. Elle provient de la nécessité de distinguer l'appellation des concepts dans le système et la désignation des éléments du système dans la métalangue. La topique comparative ne fait pas exception en rencontrant le jeu contradictoire de ces deux exigences : l'exigence de continuité que commande le maintien des conditions de la communication philosophique (qu'on pense à la lecture assimilatrice, aux références partagées entre des philosophes, souvent pour des raisons bien différentes, qu'on pense à la notion même de « problème philosophique », présenté comme l'invariant de systèmes divers), l'exigence d'innovation ou de mise à distance critique, qui va dans le sens de la construction de néologismes. Elles sont présentes dans tout texte philosophique et contribuent, par l'inégale part qui leur est faite, à individualiser un « style » philosophique.

Le second type de contrainte méthodologique nous a en de rares occasions conduite à recourir dans la langue comparative à des néologismes ou à des usages terminologiques apparemment déviants, voire paradoxaux, pour décrire ce qui n'était pas perceptible quand on restait centré sur un seul système : c'est, par exemple, l'existence de structures argumentatives persistantes qui nous a paru justifier une description du « transcendantal » en termes de stratégie générique, se ramifiant en tactiques diverses quoique apparentées. Le piège principal que rencontre ici l'historien est de ne pas suffisamment distinguer, dans l'exposé topique, le niveau stratégique et son instance tactique et de laisser croire, par exemple, que l'on identifie le transcendantal à sa mise en oeuvre kantienne, ce qui ne manquerait pas de jeter l'obscurité sur la possibilité même des métamorphoses ultérieures. Il est permis d'espérer que le néologisme d'« ontotranscendantal », opposé au « transcendantal subjectif » et au « transcendantal syntaxique » met en évidence à la fois la continuité d'une structure argumentative et la discontinuité des tactiques particulières dans lesquelles elle se réalise. On objectera sans doute ici que l'expression d'« ontotranscendantal » ne peut s'autoriser d'aucune tradition, et qu'elle viole au contraire les règles les plus reconnues du langage des historiens de la philosophie. Comment peut-on invoquer dogmatiquement une ontologie et faire oeuvre transcendantale ? La réponse, on le sait, consiste à rappeler que le « transcendantal » dont il s'agit n'est plus celui de l'agencement kantien ; tout en répondant à une question analogue, il est maintenant pris dans une autre formation discursive, il obéit à d'autres contraintes, le sujet kantien ayant été disqualifié pour un temps [32].

D'autres menaces encore pèsent sur l'entreprise comparative : citons pour finir le risque réductionniste, ainsi que le danger voisin qui est celui de l'approche normative. Il ne s'agissait pas dans ce livre de réduire l'originalité de l'empirisme logique : Carnap n'aurait fait (à son insu) que reproduire Kant, Popper que répéter Bolzano, et Quine Hume. Ce que la mise à jour de soubassements stratégiques généraux permet de mettre en évidence, c'est au contraire la nouveauté propre aux auteurs ; non seulement la nature et l'étendue de la tradition à laquelle ils participent, mais aussi sur cette base commune, les remaniements conceptuels ou doctrinaux qu'ils apportent.

Un autre obstacle au libre déploiement de la méthode consisterait à porter un jugement de valeur sur le devenir des formations discursives ; on pourrait déplorer, par exemple, que l'approche ontotranscendantale perde de vue ce qui, pour un kantien, forme l'essentiel du projet criticiste, voire, comme on l'a envisagé plus haut, rester interdit devant la violence antikantienne du néologisme d'« ontotranscendantal ». La topique comparative se veut *descriptive* : elle analyse donc les systèmes de Frege et de Bolzano comme obéissant à une forme argumentative dérivée du kantisme, produite par variation sur la nature de la condition générale *a priori* requise pour rendre compte compte de ce qui fait qu'un objet de connaissance, ou un discours scientifique, sont possibles. Faisant cela, nous ne croyons pas forcer les textes ; nous laissons au contraire ces textes manifester leur différend avec Kant et récupérer ce qui, dans la *Critique*, doit de leur point de vue être préservé.

Nous retrouvons ici une fois de plus la double orientation, assimilatrice et accommodatrice, de toute lecture philosophique. Ce n'est pas inattendu : toute lecture « intéressée » exerce une certaine emprise sur le texte étudié. C'est de cette emprise que nous avons tenté dans ce livre de nous libérer en montrant de quelles motivations elle procédait.

NOTES

INTRODUCTION

(1) *Philosophisches Magazin*, I-III, Halle, 1789 ; cf. Lettres de Kant à Reinhold des 12 et 19 mai 1789, et sa *Réponse à Eberhard*.
(2) Notre emploi du concept de « topique » rejoint l'usage que Gilles Granger fait du qualificatif correspondant, par l'intermédiaire duquel il décrit la dimension « stratégique » de la rationalité : « (Au niveau stratégique) la rationalité est plutôt alors *topique* que logique, réflexive et métacritique par rapport au logiquement rationnel (...). Cette détermination... n'a pas son origine et son moteur dans des enchaînements logiques, et des *choix* anté-rationnels en commandent les règles. » (« Les deux niveaux de la rationalité », *Entretiens d'Oxford*, 3-9 septembre 1984, Institut International de Philosophie ; cf. aussi *Pensée formelle et Sciences de l'Homme*, Postface.) Yvon Belaval fait aussi usage du mot de « topique » en un sens proche de celui que nous entendons et applique la méthodologie corrélative, par exemple, dans son article « La doctrine de l'Essence chez Hegel et chez Leibniz », *in Etudes Leibniziennes*, p. 264-378.
(3) Wolf, *Philosophia prima sive ontologia*, 1729, § 495 ; sur ce point, cf. G. Lebrun, *La Patience du Concept, Essai sur le Discours hégélien*, 390.
(4) Nous ne pouvons ici que renvoyer aux analyses essentielles que présente G. Lebrun, *op.cit.*, 393.
(5) Par « rationaliste », nous entendons ici toute doctrine qui postule la rationalité intrinsèque de la connaissance scientifique, c'est-à-dire qui présente celle-ci comme universelle et nécessaire, ces deux conditions garantissant la légitimité objective du savoir (que l'on attribue les fondements de cette légitimité à une structure *a priori* de la raison ou à une structure universelle de la syntaxe). « Rationaliste » s'oppose ici à « empiriste », par quoi nous faisons référence à toute doctrine qui subordonne l'analyse critique de notre connaissance au type de genèse qui

l'a effectivement rendue possible, et ainsi ne pose pas de critère absolu d'objectivité. Elle substitue à l'objectivité l'objectivation, laquelle est relative aux conditions naturelles (historiques, linguistiques, psychologiques, etc.) dans lesquelles s'effectue la cognition et ainsi fait typiquement intervenir un dépassement du donné qui échappe à toute légitimation rationnelle.
(6) Afin d'éviter la confusion entre le concept kantien de transcendantal, en tant que tel solidaire de la nature objective des formes de l'intuition et des fonctions intellectuelles, et le concept métasystématique ici utilisé pour désigner *toute* recherche d'une condition générale *a priori* en tant qu'elle rend un objet de connaissance possible, il serait souhaitable de disposer de deux types de graphies, en plaçant par exemple le concept topique entre indices, à la manière de Carnap :« t transcendantal t ». Nous y renonçons pour des raisons techniques, mais convions le lecteur à rester sensible à cette différence essentielle de niveau d'analyse.
(7) Cf. Michel Foucault, *L'archéologie du savoir*, Paris, Gallimard, 1969, 44 sq.
(8) Sur le genre doxographique en histoire de la philosophie, cf. Richard Rorty, « *The historiography of philosophy : four genres* », in *Philosophy in History*, R. Rorty ed., Cambridge, Cambridge University Press, 1984, 61-67.
(9) M. Foucault, *ibidem*, 23.
(10) Cf. Richard Rorty, *Philosophy and the mirror of nature*, Princeton, Princeton University Press, 1979, 315 sq.

SECTION PREMIÈRE

(1) « En ce qui concerne *notre propre existence*, nous la percevons si clairement et avec une telle certitude qu'elle ne nécessite ni ne peut recevoir de preuve. Car rien ne peut être plus évident pour nous que notre propre existence. » (IV, IX, § 3)
(2) Voici par exemple ce qu'écrit Locke dans sa *Première esquisse* :« Ainsi lorsque dans une proposition le prédicat est une partie de la définition du sujet, j'ai une connaissance certaine de la vérité de la proposition ; celle-ci ne consiste en rien d'autre qu'en le fait que l'idée que j'ai formée et que j'appelle *homme*

contient en elle l'idée que j'appelle *raisonnable* et n'est donc qu'une prédication de noms conforme à mon idée, mais non la connaissance de choses existant *in rerum natura* : car il est évident que les enfants pendant quelque temps et quelques hommes, pendant tout le temps de leur vie, ne sont pas aussi raisonnables qu'un cheval ou qu'un chien ;(...) c'est pourquoi notre connaissance de ces choses se limite à celle que nous donnent les sens. » (V. § 15)

(3) La notion de « proposition identique » est en général prise par Locke au sens de la tautologie explicite « un cercle est un cercle ». Cependant, comme il prend pour exemple de négation d'identique « bleu n'est pas rouge », il paraît légitime d'étendre les propositions identiques aux égalités numériques, qu'il range par ailleurs dans les « relations » (dont nous savons par ailleurs, qu'elles désignent en fait toute espèce de proposition). Cf. IV,VII, § 4 et 6.

(4) L'*Esquisse* précise que les *démonstrations* portant sur le nombre sont plus évidentes que celles qui portent sur l'étendue, précisément parce que chaque étape de la démonstration s'appuie sur une saisie immédiate de l'égalité ou de l'inégalité dans le seul cas de l'arithmétique, dont les objets sont toujours distincts, ce qui n'est pas le cas de toutes les idées d'étendue. L'*Essai* reviendra sur cette affirmation, en affirmant : « Les démonstrations sur les nombres, même si elles ne sont pas plus évidentes ni plus exactes que celles qui portent sur l'étendue, sont cependant d'un usage plus général, et d'application plus déterminée. » (II, XVI, § 4).

(5) Car on pourrait, d'un côté, considérer que chaque étape de la démonstration est « analytique » (au sens de Kant) dans la mesure où l'on doit saisir par examen de l'idée ce qui y est « contenu ». Une telle interprétation pourrait d'ailleurs s'autoriser du fait déjà noté plus haut que Locke ne conçoit apparemment pas d'autre relation entre un sujet et un prédicat que l'« appartenance » d'un contenu à un contenant. Mais on pourrait soutenir, d'un autre côté, que pour trouver le bon intermédiaire il faut d'abord que l'on forme une idée de mode susceptible de servir de règle – de *regula*, comme dans la méthode de Cavalieri. S'agit-il alors d'une synthèse ? Nous avons vu plus haut que la composition des modes simples se fait sans aucune limitation, du fait du caractère nominal du mode. Or il y a plus dans l'idée de synthèse que celle de simple composition arbitraire ; une synthèse doit procéder selon un « principe d'unification », ce qui précisément semble faire défaut dans le cas des modes complexes.

(6) Ce n'est pas là revenir sur ce qui a été établi plus haut, et restaurer d'une certaine manière l'objet mathématique dans l'existence. Car de ce que les modes n'ont pas d'existence séparée d'une substance, nous ne pouvons pas conclure qu'ils n'ont pas d'« être » ; ils n'ont pas le type d'existence propre aux substances, mais peuvent pourtant être observés sur le mode de l'abstraction. Les « rapports de proportion entre nombres et entre étendues » sont réglés « *ex necessitate rei* »(*ibid.* § 12). En d'autres termes, ce sont des propriétés « inséparables » de l'idée que nous avons de *la chose*.
(7) Il faut ici prévenir une objection relative au type de certitude des phrases du genre de « bleu n'est pas rouge ». On pourrait en effet douter que cette proposition puisse être *démontrée*, puisque Locke précise en IV,VII, 4, qu'il s'agit là d'une proposition immédiatement évidente. Cependant, Locke prend ailleurs précisément cet exemple comme « pouvant être démontré aussi bien que les idées de nombre et d'extension » (IV, II, § 13). Il semble que la différence des doctrines tient seulement à ce fait qu'en matière de couleurs tout est une question de degré ; suivant le contexte, on peut avoir à prouver que tel vert se distingue qualitativement de tel bleu, et y parvenir en produisant une couleur intermédiaire qu'on reconnaîtra comme distincte à la fois de l'un et de l'autre. On peut aussi n'avoir pas besoin de preuve, et savoir de façon préréflexive que deux couleurs sont distinctes.
(8) Sur les hésitations de Kant relatives à la médiation de la philosophie humienne, cf. Michel Malherbe, *Kant ou Hume*, Paris, Vrin, 1980, p. 21.
(9) Cf., par exemple, A.J. Ayer, *Language, Logic and Truth*, London, 1958, 31 ; W. Stegmüller, *Das Wahrheitsproblem und die Idee der Semantik*, 291 ; Farhang Zabeeh, *Hume, precursor of modern empiricism*, 85 ; H. Reichenbach, *The rise of scientific philosophy*, University of California Press, 1951, 86 ; D.G.C. Mac Nabb, *David Hume, his theory of knowledge and morality*, New York, Hutchinson Press, 1951, 46 ; A. Flew, *Hume's philosophy of belief*, London, Routledge and Kegan Paul, 1961, 54-55 ; J. Bennett, *Locke, Berkeley, Hume, Central Themes*, Oxford, Clarendon Press, 1971, 252.
(10) Sur ce point, cf. G. Deleuze, *Empirisme de Subjectivité*, Paris, P.U.F., 1953, 110 sqq, que nous suivons ici.
(11) On pourrait ici objecter que, s'il est vrai que la relation « naturelle » est extérieure à ses termes, et d'ailleurs impensable en tant que condition de l'activité de comparaison qui *précède* la formation de l'idée complexe, cette raison ne vaut plus de

la relation « philosophique » puisqu'au lieu de produire une comparaison, elle en résulte : pourquoi ne pas admettre qu'en même temps qu'elle produit l'entendement comme système de relations philosophiques, l'imagination permet le développement d'une composition des idées sur le modèle d'une inclusion de classes ? Si l'on peut donc légitimement refuser aux relations « naturelles » la capacité d'instituer une hiérarchie logique des idées, ne peut-on attendre, au niveau des relations « philosophiques » et du travail abstrayant de l'entendement, la mise en évidence de « parties communes » aux idées comparées ? Ce raisonnement, qui paraît être tenu au moins implicitement, par certains commentateurs, procède vraisemblablement d'une extension illégitime du principe de différence. En vertu de ce principe, « tous les objets qui sont différents sont discernables, et tous les objets discernables sont séparables par la pensée et par l'imagination. » (*T.*, I, I, 7, 18, *84*) Si par exemple nous comparons ce vert et ce bleu avec cet écarlate, ne découvrirons-nous pas la propriété commune à ces deux termes, en remarquant que ce vert et ce bleu sont mutuellement plus ressemblants que ce vert et cet écarlate ? Cependant, le principe de différence ne pose pas que la discernabilité se prolonge toujours en intension : comme le remarque Hume dans la section consacrée aux idées abstraites (*T.*, I, I, 7, 20, *85*), même les idées abstraites sont des idées « en elles-mêmes » individuelles, qui ne deviennent générales que dans leur « application ». L'abstraction n'implique donc nullement la décomposition de l'idée concrète individuelle, ou la séparabilité de la propriété qui est commune à la classe. Le passage de l'intension à l'extension, de l'idée singulière aux autres idées singulières « selon une certaine coutume » dispense précisément Hume d'avoir à constituer une « ontologie » des classes ou des propriétés : « Cette coutume produit toute autre idée individuelle qui peut nous être utile ».
(12) G. Deleuze, *op.cit.*, 110.
(13) Hume écrit en effet :« Et, bien qu'on ne puisse juger exactement des degrés des qualités telles que couleur, saveur, chaleur, froid, quand leur différence est très petite, on décide pourtant aisément que l'un d'eux est supérieur ou inférieur à un autre, quand leur différence est très grande.(...) Nous pourrions procéder de même manière pour déterminer les *proportions de quantité ou de nombre* et pourrions d'un regard remarquer la supériorité, ou l'infériorité d'un nombre, ou d'une figure, par rapport à d'autres, surtout quand la différence est très grande et tout à fait notable. » (*ibid.*, 70)
(14) J'ai développé la question de la géométrie humienne *in*

« Comment appliquer les Mathématiques en restant empiriste ? Quelques problèmes relatifs à l'unité de la science », *Appliquer les mathématiques ?* Paris, C.N.R.S., 1984, p.10 et 14 sqq. Sur ce point, cf. aussi Michel Malherbe, *op.cit.*, 52 sq.

(15) Jean Laporte, « Le Scepticisme de Hume », *Revue Philosophique*, 1933, p. 115, 1934, p. 117.

(16) Comme le remarque Hume en tête de ses réflexions sur la divisibilité de l'espace et du temps : « Toutes les fois que des idées sont des représentations adéquates des objets, les relations, les contradictions et les accords entre les idées peuvent tous s'appliquer aux objets (...) La conséquence manifeste est que tout ce qui *paraît* impossible quand on compare ces idées, doit être *en réalité* impossible et contradictoire, sans qu'il y ait de récusation ni d'évasion possible » (*T.*, I, II, 2, 29, *96*). Ce que ce texte fait apparaître, c'est que c'est une relation naturelle de « contrariété » entre les idées qui rend raison de la contradiction objective, et non pas la réciproque. C'est dire en d'autres termes que la contradiction est ressentie dans un acte de comparaison, c'est-à-dire dans un jugement.

(17) Pappus la définit ainsi : « C'est la voie qui mène de ce que l'on cherche comme si on le considérait vrai par l'intermédiaire de ses conséquences jusqu'à une proposition valide du point de vue de la synthèse (...) On appelle analyse cette méthode, parce qu'elle délie en remontant ». *Pappi Alexandrini Collectionis Quae Supersunt*, ed. par Fr. Hultsch, Weidmann, Berlin, vol.II, 634 sq. Cité en grec dans J. Hintikka et U. Rhemes, *The method of Analysis, its geometrical origin and its general significance*, Boston Studies in the Philosophy of Science, vol.75, D. Reidel, Dordrecht-Holland/Boston, 1974.

(18) George Friedrich Meier ed., Halle, 1752. C'est l'*Annonce du programme des leçons de Kant durant le semestre d'hiver 1765-1766* qui l'indique ; elle est en partie reproduite en tête de la traduction de la *Logique* par L. Guillermit (cf. p.7-8).

(19) « In identicis quidem connexio illa atque comprehensio praedicati in subjecto est expressa, in reliquis omnibus implicita, ac per analysin notionum ostendenda, in qua demonstratio a priori sita est. » G.W. Leibniz, *Opuscules*, ed. Couturat, 519.

(20) G.W. Leibniz, *Philosophische Schriften*, ed. Gerhardt, VII, 168-169.

(21) *Ibid.*, IV, 296.

(22) *Ibid.*, VII, 295 : *De Synthesi et Analysi Universali*.

(23) *Ibid.*, VII, 219.

(24) G.W. Leibniz, *Opuscules*, ed. Couturat, 16-17.

(25) Cette première critique kantienne de la Caractéristique

mûrit de 1764 à 1770. La *Dissertation de 1770* s'attache en effet non plus au statut de *ce qui est à représenter*, mais, plus profondément, à *ce qu'il est possible de dire avec des concepts*. Les « caractères intellectuels » ne sont plus réservés au domaine mathématique. Au contraire : ils sont révoqués en raison de leur impuissance à caractériser ce qui n'apparaît que dans la pure intuition. Ce qui guide maintenant la critique de Kant, ce n'est plus l'opposition « arbitraire/réel », mais l'opposition « discursif/intuitif » : il parle en termes de *facultés*, et non plus d'objets à connaître. L'intuition est la capacité de voir immédiatement quelque chose de singulier. Immédiatement, c'est-à-dire concrètement. L'objet est alors saisi dans la singularité d'une donnée sensible : *la* main gauche, *la* main droite. Le rapport de non-superposabilité entre les deux mains, je puis le *voir*, non le *déduire*. Le discours ne peut au contraire que conclure à leur substituabilité. C'est donc parce que le discursif ne peut pas *tout* fonder qu'il faut le *limiter*. C'est parce que l'intuition nous apprend *autre chose* qu'il faut lui reconnaître un mode spécifique de démonstration : non pas par concepts universels, mais par la présentation directe d'objets singuliers. (§15)
(26) Sur le dogmatisme de Descartes et de Leibniz, cf. Y. Belaval, *Leibniz Critique de Descartes*, 62 sq.
(27) Sénèque, *Lettre à Lucilius*, référence fournie par F. Courtès dans les notes de sa traduction de *la Fausse subtilité*, p. 108.
(28) G.W. Leibniz, *Philosophische Schriften*, V, 6.
(29) G.W. Leibniz, *Opuscules*, ed. Couturat, *Elementa Characteristica Universalis*, 42.
(30) J. Cavaillès, *Sur la Logique et la Théorie de la Science*, Paris, P.U.F., 1960, 3 sq.
(31) Akad. XXIV : *Logik Pölitz*, 533 ; *Logik Dohna Wundlacken*, 726 ; *Wiener Logik*, 836.
(32) « En tant que fondement de connaissance, le concept partiel peut être représenté *a priori* avant toute comparaison (*Vergleichung*) grâce au pouvoir de la faculté d'imagination productive. » (XVI, *R*. 2884).
(33) *Auszug*, § 15 : « *Unterscheidungsstücke der Erkenntnis* ».
(34) G.W. Leibniz, *Opuscules*, ed. Couturat, *consilium de Encyclopaedia Nova*, 37.
(35) « C'est comparer à une chose quelque chose que l'on prend comme caractère. » (§1, trad. Courtès, p.55)
(36) Une *Reflexion* observe de même : « Dans tout *conceptus communis* doivent être établies des comparaisons, sans quoi ce

ne serait pas un *conceptus communis* ; mais il ne doit pas être formé à partir de représentations comparatives. » (*R*. 2875)
(37) On objectera ici que la première édition de la *Critique de la raison pure* définit la connaissance comme un « ensemble de représentations comparées et liées » (A., 97, IV, 76, *109*). Mais il ne faut pas entendre par là une quelconque prééminence du logique dans la formation du savoir, puisqu'au contraire cette définition permet d'introduire la triple synthèse nécessaire à toute connaissance. La comparaison est seconde par rapport à la liaison. Dans la période critique, Kant ne ramène plus le jugement à la comparaison, mais à la *liaison* (*Verbindung*) qui comprend l'aspect à la fois interne de la caractérisation d'un objet, et externe de la confrontation des concepts.
(38) « Tous mes concepts rationnels peuvent être complètement distincts mais les concepts empiriques sont exclus de cette propriété et restent toujours incomplètement distincts. » (*L.B.*, XXIV, 134)
(39) C'est bien ainsi que l'entend Hegel : « La connaissance analytique, alors même qu'elle consiste en rapports qui ne sont pas une matière donnée de l'extérieur, mais des déterminations de pensée, n'en reste pas moins analytique, dans la mesure où pour cette connaissance, les rapports sont eux aussi donnés. » (*Science de la logique*, III, III, 2, Ed. Lasson p. 450 ; nous modifions ici la traduction de V. Jankélévitch, p. 510). Quoiqu'analytique, le donné pur n'est pas à confondre avec un principe de pensée purement formel. Dès *L'Unique Fondement*, Kant souligne la spécificité de ces « données et matières du pensable », qui forment le « premier fondement *réel* de la possibilité ». De cet analytique, on peut dériver une connaissance *réelle*. Nous reviendrons dans le prochain chapitre sur les problèmes que pose l'attribution à l'analytique de cette propriété.
(40) « Les choses données de la nature, quand elles sont exprimées sous un caractère collectif, tombent par ce caractère sous un certain concept qui est leur définition nominale. Donc les noms doivent être des marquages (*Anzeichnungen*), servir de classes, manifester une unité dans un morcellement (*Stücken*) mais non pas les propriétés et l'intrinsèque, par conséquent non les fondements de l'explication, mais les fondements de la division. » (*R*. 3004) De même, dans la *Recherche sur l'Evidence*, Kant oppose au simple mot le signe algébrique et la figure géométrique, qui ont valeur à la fois de désignation et d'explication (Considération première, § 2, trad. Fichant, 32).
(41) Cf. aussi *Reflexionen* 2921 et 2927.
(42) Cf. *Reflexionen* 2992-3. Cette opposition entre la simple

recognition et la production intégrale d'un concept rappelle la distinction spinoziste entre la connaissance par signes et la connaissance adéquate. Image purement *indicative*, le signe est incapable d'exprimer la nature des choses. En tant qu'empreinte d'une chose ou d'une idée, il ne permet que de simples recognitions représentatives (*Ethique*, II, 18, Sc. ; II, l6, Cor.II ; IV, 1, Sc.). De cette même opposition, Hegel fera un usage antikantien. Le type même de connaissance indicative est pour lui la Mathématique, qui repère ses objets, mais échoue à les engendrer (« *begriffloses Kalkulieren* », *Science de la Logique*, Introd., Ed. Lasson, 34, *38*). La Philosophie au contraire ressaisit la chose dans son développement complet. La Mathématique n'est donc pas à ranger comme le fait Kant du côté de la connaissance concrète et génétique, alors que la Philosophie serait mise au rang de discipline abstraite. Si la Mathématique peut prétendre au rang de Science, c'est bien plutôt dans la mesure où l'intuition dont elle part est « élevée à son abstraction », où son objet est un « sensible non sensible » (« *ein unsinnlich Sinnliches* ») (*ibid.* III, III, 2, 472, *534-535*). En outre, à l'inverse de la Philosophie, la Mathématique est incapable de surmonter l'opposition de l'Etre et de la Connaissance. Elle ne réussit à démontrer qu'en ayant recours à des procédés contingents par rapport au contenu, purs moyens de connaissance étrangers à la nature interne de la chose (*Phénoménologie de l'Esprit*, Préface III, trad. J. Hyppolite, 36). La Philosophie est donc la seule capable de produire en totalité le concept, et de mettre fin au dualisme de l'Etre et du Connaître.
(43) Il paraît donc contradictoire de parler, comme le fait Lewis W. Beck, de définition « nominale synthétique » (« *Kant's Theory of Definition* », *Philosophical Review*, 65, 1956, 179 sq. Reproduit dans *Studies in the Philosophy of Kant*, Bobbs Merrill Co, Indianapolis, 1965). Beck affirme que cette expression fait référence aux « déclarations » par lesquelles on crée intentionnellement un concept au moyen de la définition. En fait ce que décrit ici Beck n'est autre que ce que Kant appelle une « déclaration réelle », qui se trouve précisément distinguée par Kant de la déclaration nominale :« Ou je donne à un mot son concept (détermination de nom) d'après l'usage ou je donne au concept arbitraire un mot et je crée ainsi un usage ; dans le premier cas, c'est une déclaration nominale, dans le second une déclaration réelle. » (*R.* 2931). Cf. aussi *Reflexionen*, 2924.
(44) L.W.Beck, art.cité, 185.
(45) G.W. Leibniz, *Philosophische Schriften*, ed. Gerhardt, IV, 422-6.

(46) G.W. Leibniz, *Nouveaux Essais sur l'entendement humain*, II, 31, §1.
(47) G.W. Leibniz, *Philosophische Schriften*, ed. Gerhardt, VII, 293.
(48) *Ibid.* 294 ; *Nouveaux Essais*, II, 31, §1.
(49) G.W. Leibniz, *Discours de Métaphysique*, § 24 ; *Nouveaux Essais* II, 31, §3.
(50) Sur la définition nominale de concepts empiriques donnés, cf. *Reflexionen* 2918, 2934-6, 2945 ; des concepts donnés *a priori* : 2914, 2918, 2926, 2968, 2995.
(51) Cf. aussi *R.* 3006.
(52) Textes dans lesquels Kant considère comme *réelles* et *susceptibles de complétude* les définitions de concepts rationnels : *Reflexionen* 2913-2994, 3002. Textes où il les tient pour incomplètes : *Logik*, 142, *152* ; *K.R.V.* A 241-2, note, A 242, IV, 159, *218-9*.
(53) « Les définitions de concepts sont relatives à des concepts qui sont ou bien *a priori* ou bien *a posteriori*. Des premiers on peut donner une explication complète. Des seconds, la définition logique n'est que nominale. » (*R.* 2994) Qu'est-ce qui permet ici à Kant de mettre sur le même pied le principe *a priori* intellectuel ou rationnel et l'intuition *a priori* ? C'est qu'ici la synthèse, là l'analyse, permettent de délimiter un objet *a priori* dont l'essence n'est pas seulement logique, mais aussi réelle : « Les définitions réelles ne sont pas toujours génétiques ; elles ne procèdent pas de la manière dont l'objet apparaît par ses conséquences, mais dont il est d'après ses origines. » (*R.* 3002)
(54) *K.R.V.* B 757, 478, *502* ; *Logik*, §102, 141, 151.
(55) Le paragraphe 103 de la *Logique* qui revient sur les paragraphes 101-2 offre un exemple de cette rupture de classification.
(56) Cette *Reflexion* est vraisemblablement postérieure à la *Lettre* de Lambert à Kant de novembre 1765, où l'on peut lire : « Ce ne sont pas les définitions qui viennent au début, mais ce que l'on doit connaître nécessairement auparavant en vue de faire la définition. » (*Lamberts Philosophische Schriften*, t. IX, 338) Le fait que les empiristes passent à côté du « donné pur » n'exclut pas que Kant s'inspire encore de la démarcation qu'ils tracent entre domaines du savoir selon qu'une définition exhaustive y est ou non possible.
(57) *Reflexionen* 3127-3162 ; sur les « qualités occultes », cf. *Premiers Principes Métaphysiques de la Science de la Nature*, ch.II, Corollaire général à la Dynamique, 4, trad. 111.
(58) *Rezension von Eberhards Magazin*, XX, 408.

(59) Lambert adresse à Wolf le même reproche : « Wolf pouvait sans fin enchaîner des conclusions et tirer des conséquences ; ce faisant, il rejetait toutes les difficultés dans les définitions. Il montrait comment l'on doit progresser mais ce qu'il ignorait, c'est comment l'on doit commencer (...). Wolf paraît aussi n'avoir pas assez remarqué combien Euclide prend soin de disposer l'ordre de son exposé pour démontrer la *possibilité* des figures et d'en déterminer les *limites*. » (*op. cit.*, IX, 337-8).

SECTION DEUXIÈME

(1) L'explication de la proposition en soi comme « contenu qui est abstrait de l'acte mental », que donne Ursula Neemann dans son article « *Analytic and synthetic propositions in Kant and Bolzano* » (*Ratio*, 12, 1970, pp.1-20), est donc inadéquate. Comme le dit Bolzano contre Gerlach : « Nous n'aurions pas de propositions pensées s'il n'y avait pas de propositions en soi. » (*W.*, § 21, 3e, t.I, p.86).
(2) G. Frege, « *Logik* », in *Schriften zur Logik und Sprachphilosophie aus dem Nachlass*, p.36.
(3) H. Scholz, *Mathesis universalis*, p. 262.
(4) De même il n'y a pas deux représentations en soi identiques (*W.* § 91, t.I, p. 428).
(5) Günter Buhl (1961) interprète de manière analogue « la composition des propositions en soi en parties clairement définies » (cf. p. 15).
(6) Comme le montre Bar-Hillel, (*in* « *Bolzano's definition of analytic propositions* », *Aspects of Language*, § 11), le critère d'équivalence entre propositions est pour Bolzano une homomorphie extensionnelle, sans aller jusqu'à l'isomorphie puisqu'aucune contrainte ne s'attache aux plus petits sous-désignateurs. Mais le critère d'identité (ou d'unicité) propositionnelle est l'isomorphisme intensionnel, c'est-à-dire une composition identique de parties L- équivalentes.
(7) Sur ce point, cf. P.Böhner, *Medieval logic*, p.24 ; J.M.Bochenski, *Formale logik*, pp. 179 sqq.
(8) Cf. par exemple G. Buhl, *op.cit.*, pp.14 sqq.
(9) Husserl cite ce texte dans ses *Recherches logiques*, II, 2, § 4,

trad. E. Kelkel, Scherer, p. 94. Après avoir commenté la conception de Bolzano, Husserl retient finalement une conception rigoureusement dualiste des composantes, suivant le caractère « dépendant » ou « indépendant » des significations qu'elles expriment.
(10) J.M. Bochenski, *op.cit.*, p.157.
(11) Albert de Saxe, *Perutilis Logica*, tract. 4, c.1, fol. 24 ra-b. Ed. Aurelianus Sanutus, Venise 1522 ; cité *in* P. Böhner, 1952, p.25.
(12) Cf. l'approche phénoménologique de cette question *in Recherches logiques*, II, 2, pp. 107 sqq.
(13) L'En-soi est à la fois représentation en soi et représenté, indissociablement « sens posant » et « sens posé ». Sur cette ambiguïté, voir la note de Husserl, *op.cit.*, p. 97.
(14) Voir aussi § 147, t.II, p.82 où Bolzano considère les termes de *Form* et d'*Art* comme interchangeables.
(15) Bolzano poursuit en ces termes : « Toute cette explication tire sa force seulement du fait que dans les exemples que l'on utilise en logique, comme dans le syllogisme "Tous les A sont B, tous les B sont C, donc tous les A sont C", les signes A,B,C peuvent, comme on dit, "signifier n'importe quoi" (*was immer bedeuten*). Mais cette manière de parler n'est pas entièrement correcte. Les signes A,B,C peuvent ici signifier des choses très différentes sans doute, mais non pas tout ce que l'on veut. Ils doivent désigner des représentations, et en particulier B doit désigner une représentation qui peut être prédiquée de tous les A ; C de tous les B. Et ainsi l'on voit par conséquent que les objets A, B, C ne peuvent pas être laissés indéterminés dans tous leurs caractères, mais seulement dans quelques-uns. » (*W.*, § 7, t. I, p. 28)
(16) Sur ce point, cf. E. Gilson, *L'Etre et l'Essence*, pp. 174 à 176.
(17) *Seconds analytiques*, I, 4, 73 a. Sur une conception aristotélicienne de l'analyticité, cf. G. Granger, *La théorie aristotélicienne de la science*, pp. 224-229.
(18) Aristote, *op.cit.*, 73 b. Cf. commentaire de G. Granger, *op.cit.*, p. 227.
(19) Outre les tenants du relativisme que cite Bolzano, il faudrait mentionner la conception originale de Schleiermacher. Chaque concept dispose d'après lui d'une capacité de *développement* telle qu'on ne saurait considérer comme fermé le contenu qui est le sien à un moment donné. Si le concept ne donne originairement lieu qu'à des jugements synthétiques, progressivement apparaissent des jugements analytiques comme signes de son enrichisse-

ment interne. Cf « Dialektik », *Sämmtliche Werke*, Bd IV, Abt.2, pp. 88-89.
(20) Si le même vocable exprime des concepts dont la définition est distincte (quoique éventuellement équivalente), il n'y a qu'homonymie entre les représentations exprimées, lesquelles ne sont pas plus identiques entre elles que ne le sont Euclide de Mégare et Euclide Ptolémée Sôter.
(21) Le terme « *gegenständlich* » n'a pas d'équivalent en français. Pour rester aussi près que possible du radical « *Gegenstand* » (= « objet »), nous le traduirons par « objectif ». Néanmoins cette traduction nous expose à confondre les deux concepts de « *Gegenständlich* » et d'« *Objektiv* », ce dernier terme étant l'antonyme de « *Subjektiv* », « subjectif ». Mais comme les deux termes appartiennent à des domaines différents, la confusion risque peu de se produire. En tout état de cause, sauf à créer un néologisme comme « objectité » – qui sert à traduire le concept husserlien de *Gegenständlichkeit*, ou à recourir à des concepts postérieurs (comme « réalisabilité » ou « dénotation »), la traduction proposée reste en français la plus « naturelle ».
(22) *Logique de Port-Royal*, pp. 47-48.
(23) *Philosophische Schriften*, Ed. Gerhardt, t. IV, p.147. Voir sur ce point l'étude de R. Kauppi, *Ueber die leibnizische Logik*, p.36.
(24) Ce qui ne veut pas dire que la satisfaction de la clause de l'objectivité *dépende* d'une telle enquête : c'est là une donnée objective qui anticipe toute prise de connaissance par un sujet.
(25) Cf. par exemple G. Buhl, *op.cit.*, pp.18 sqq.
(26) J.Lukasiewicz, *Die logischen Grundlagen der Wahrscheinlichkeits- rechnung*, p.64.
(27) G. Granger, *op.cit.*, p. 116.
(28) H. R. Smart, « Bolzano's logic », *in Philosophical Review*, vol. 53, 1944, pp. 513-533 ; Y. Bar-Hillel, *op.cit.*, p.7, note 4.
(29) W.V.O. Quine, « Carnap and logical truth », *in Ways of Paradox*, p. 110.
(30) Y. Bar-Hillel, *op.cit.*, p. 6.
(31) Y. Bar-Hillel, *op.cit.*, p. 12.
(32) *Ibid.* p. 13.
(33) Il y a tout d'abord une occurrence du terme « logiquement analytique » dans la remarque 1 du même paragraphe 148 ; en outre, la distinction que fait l'alinéa 3 entre un sens « logique » ou « étroit » et un sens « matériel » ou « large » de l'analyticité est reproduite à propos de la dérivabilité, § 223, t. II, p. 392 ; cf. J. Berg, 1962, pp. 99 sqq.

(34) U. Neemann, *art. cit.*, 8°.
(35) *Seconds analytiques*, I, 5, 18, trad. J. Tricot, p. 32.
(36) *Ibid.* Z 4 1029 b 15, p.359. Sur ce point, cf. G. Granger, *op.cit.*, en part. 8.8.
(37) Leibniz, *Nouveaux Essais sur l'entendement humain*, IV, VIII, § 4.
(38) Contrairement à Bolzano, Bar-Hillel juge analytique la proposition citée « Même un homme sage est faillible », et soupçonne Bolzano d'avoir omis le mot « homme » de sa traduction afin de disposer d'un exemple plus favorable à sa thèse. Or, comme le montre cette variante fausse : « Même un Dieu est faillible », la proposition reste synthétique dans les deux formulations.
(39) Bolzano recourt à ce type d'argument pour disqualifier les prétendues « démonstrations » de ses devanciers dans le célèbre opuscule de 1817 où il démontre le théorème « Il faut qu'il y ait toujours, entre deux valeurs quelconques de la grandeur inconnue qui donnent deux résultats de signe opposé, au moins une racine réelle de l'équation. » (*Reinanalytischer Beweis des Lehrsatzes, dass zwischen je zwei Werten...*, 1817, trad. J. Sebestik, p. 141.)
(40) Cette double réglementation est ce qui explique l'apparente ambivalence de Bolzano en la matière : tantôt c'est la stérilité des propositions analytiques qui est soulignée (§ 12, t. I, p. 52), tantôt les vérités analytiques sont présentées dans leurs potentialités pédagogiques et un certain nombre de cas intéressants sont répertoriés (§ 447, t. IV, p.116, 1°).
(41) Il faudrait ici croiser ce second facteur avec le premier, en raison d'un obstacle spécifique, qui relève à la fois de la discipline et du sujet. Bolzano observe en effet que certaines vérités particulières tendent à se heurter à une « résistance » chez le lecteur, s'il soupçonne que ce qu'on lui enseigne met en question sa conduite ou ses opinions reçues. Certaines disciplines seront évidemment plus propices à éveiller de telles « résistances » ; la morale par exemple (qui est pour Bolzano une science objective) aura pour cette raison plus largement recours qu'une autre aux propositions analytiques pour leur valeur exemplaire.
(42) Comme dans les cas précédents, ce facteur se croise avec les deux autres. Les cas les plus propices aux propositions analytiques sont ceux dans lesquels les trois facteurs renforcent leurs effets. La discipline qui, à côté de l'Analyse mathématique, mériterait le titre de science analytique est la *Casuistique* (science de l'interprétation des cas individuels en morale, cf. § 444, t. IV, p. 113). Elle réunit en effet les trois conditions favorables. C'est

tout d'abord une science du fait concret. En tant que telle, elle doit combiner dans ses problèmes et ses déductions les très nombreuses composantes qui, par leur diversité et leur incompatibilité éventuelle, forment la substance du « cas de conscience ». Ensuite, elle s'adresse évidemment à la classe la plus large des lecteurs. Enfin, elle a un objectif essentiellement pratique et met donc essentiellement en jeu un raisonnement ectypique.

(43) Dans leurs deux premiers usages, les propositions sont le plus souvent intuitives, comme l'indique dans l'énoncé la présence d'un deictique ou d'un nom propre, comme dans ces deux exemples : « ce triangle est une figure », « Caïus qui est moralement mauvais ne mérite aucun respect ». Les propositions explicatives peuvent être purement conceptuelles, comme c'est le cas de la définition du triangle, ou être intuitives si dans l'explication figurent des représentations d'expérience, comme : « L'amarante est le rouge pourpre ». Ainsi se confirme la rupture à l'égard du critère kantien, qui conjuguait les deux distinctions analytique/synthétique et conceptuel/intuitif.

SECTION TROISIÈME

(l) E. Kant, *Kritik der reinen Vernunft*, Ak. III, 22 et 538-9. Sur la notion de *système* chez G. Frege, cf. *Logik in der Mathematik*, *Nachgelassene Schriften* I, 221 ; *Formale Theorien der Arithmetik*, in *Kleine Schriften*, ed. I. Angelleli, 104 ; *Begriffsschrift*, Préface et § 13, *Grundlagen der Arithmetik* §1, 1 ; *Grundgesetze der Arithmetik* I, pp.VI sq. Les traductions du texte allemand sont les nôtres, à l'exception des textes qui font partie des deux ouvrages traduits par Claude Imbert, *Les Fondements de l'arithmétique*, et *Ecrits logiques et philosophiques*, lesquels ont parfois été cités dans la traduction de Claude Imbert. Les références de pages renvoient au texte allemand.

(2) *L.M.*, *N.*,I, 221 ; *G.*, p.VI.

(3) *K.S.*, 104. Claude Imbert voit dans cette métaphore le signe de l'impuissance des *Grundlagen*, « oeuvre non technique, rédigée avant que l'idéographie n'ait atteint sa perfection dans sa nouvelle version », à décrire autrement la fécondité de l'écriture formulaire (cf. Introduction à la traduction française

des *Fondements de l'arithmétique*, Paris, Ed. du Seuil, 1969, p.85). Le retour de la même métaphore dans un texte de 1914, *L.M.*, (*N.*, I, 221), suggère que la métaphore a la fonction d'un d'éclaircissement présystématique, conformément à la doctrine frégéenne du *Winken*.

(4) Voir sur ce point J. Cl. Pariente, « Le système des propositions catégoriques à Port-Royal », communication faite au colloque « Logique et Philosophie », Paris, 19-22 juin 1984.

(5) A propos de ce problème, voici ce qu'écrit Frege : « La proposition affirmative particulière, d'un côté, dit effectivement moins que l'affirmation universelle, mais d'un autre côté, ce qui est facilement laissé de côté, dit aussi davantage puisqu'elle affirme que le concept est rempli, tandis que la subordination a lieu aussi pour les concepts vides et même, dans leur cas, a toujours lieu. Beaucoup de logiciens semblent admettre sans chercher plus loin que les concepts sont remplis, en laissant entièrement de côté le cas très important du concept vide, peut-être parce que, bien à tort, ils ne reconnaissent pas la légitimité des concepts vides. C'est pourquoi j'utilise les expressions « subordination », « universelle affirmative », « particulière affirmative » en un sens un peu différent de ces logiciens, et parviens à des énoncés qu'ils sont enclins à tenir à tort pour faux. » (*G.*, I, 24-5, note 2). On observera que Bernard Bolzano était parvenu de son côté à des remarques analogues ; mais la mise en oeuvre de ces propriétés dans une écriture formulaire confère évidemment à ces remarques une portée différente dans les deux cas.

(6) La question du *réalisme* frégéen a été l'occasion d'une importante polémique dans les années 1970, à la suite de la publication par Michael Dummett de son ouvrage, *Frege, the philosophy of language*, Duckworth, London, 1973, dans lequel Dummett présente ce qui fait de Frege un réaliste (cf. aussi « Frege as a Realist », *Inquiry*, vol. 19 (1976), n°4, 455-468). Cette interprétation fut contestée par Hans D. Sluga, à la fois dans des articles : « Frege as a Rationalist », *in Studies on Frege*, F. Fromann Verlag, Stuttgart-Bad Canstatt, 1976, vol. 1, 27-47, « Frege and the rise of Analytic Philosophy », *Inquiry*, vol.18, (1975), 471-87, et dans son livre, *Gottlob Frege*, London, Routledge & Kegan Paul, (1980). Voir aussi : G. Currie, « Frege's Realism », *Inquiry*, vol. 21, (1978), 218-21 ; M. Dummett, *The interpretation of Frege's philosophy*, Harvard University Press, Cambridge 1981, chapitre 20 : *Realism*, et son compte rendu du livre de H. Sluga, *London Review of Books*, 18 septembre-1er octobre 1980.

(7) Cf., par exemple Max Black, « *Frege on Functions* », W. Marshall « *Frege's Theory of Functions and Objects* », 374-90 (Klemke, 249-67) (critiqué in Michael Dummett, « *Frege on Functions : a reply* », 96-107 (Klemke, 268-83)), et « *Sense and reference : a reply* », 342-61, (Klemke, 298-320).
(8) W. Wundt, *Logik*, Bd I, 154-55, *i.n.*
(9) Même idée dans *Einleitung in die Logik*, *N.*, I, 76 sq.
(10) Lettre à Husserl du 24 mai 1891.
(11) « *Frege's Theory of Functions and Objects* », Klemke 250, note 2.
(12) Reinhardt Grossmann, *Reflections on Frege's Philosophy*, 116.
(13) La nécessité d'une double approche de la définition est l'objet de développements circonstanciés de *L.M.*, *N.* I, 225 sqq. et de *Ueber die Grundlagen der Geometrie*, *K.S.*, 288 à 290.
(14) Sur ce point, voir le remarquable article de Christian Thiel, « *Zur Inkonsistenz der Fregeschen Mengenlehre* », *in* : *Frege und die Moderne Grundlagenforschung*, ed. par Chr. Thiel, 1975, 134-159.
(15) G. Peano, *Revue de mathématique*, VI, citée par Frege, *G.* II, § 58, note 1.
(16) La définition peanienne de l'addition contrevient à ces deux règles : la clôture du champ numérique n'est pas démontrée *a priori* ; elle n'est pas non plus « évidente d'après la forme des conditions » énoncées par les définitions successives du signe « + ». Rien ne garantit donc la fermeture de la définition sur le domaine numérique pris dans sa totalité. Ensuite un nombre donné peut relever de deux sens différents de l'opération additive, par exemple selon qu'ils sont exprimés par l'entier ou par le rationnel équivalent.
(17) On comprend alors ce qui rend inopérantes ces définitions : elles rendent les théorèmes incertains et fluctuants, à l'image des significations prises elles aussi « *im Flusse* ». Quelle réponse donner, par exemple, à la question suivante : « Combien y a-t-il de racines carrées de 9 ? » Si la définition du concept de racine carrée a pour domaine les entiers positifs, on prouvera qu'il n'en existe qu'une seule. Mais ce théorème deviendra nul et non avenu quand on aura reformulé la définition en sorte de l'étendre aux entiers négatifs. Qui peut dire quand nous aurons atteint le théorème définitif ? « Qui peut dire si nous ne serons pas conduits à reconnaître quatre racines carrées de 4 ? » (*G.*, II, § 61 ; cf. aussi § 66, 79.)
(18) Cf. aussi *G.*, II, § 66, 79.

(19) J.D. Gergonne, « Essai sur la théorie des définitions », *in Annales de mathématiques pures et appliquées*, IX, 1818, 1-35.
(20) Ce qui, pour Hilbert, n'est pas un défaut formel, mais un avantage (fécondité heuristique, preuves d'indépendance, etc.) : *Lettre à Frege* du 29 décembre 1899, *N.*, II, 67.
(21) « A l'objection selon laquelle le signe d'identité qui est à définir est déjà supposé connu, je réponds avec Peano que "=..Df" a pour moi la valeur d'un symbole qui n'exprime pas la même chose que "=". Les définitions ne font en fait pas vraiment partie de la théorie, mais sont des stipulations typographiques. "= ..Df" n'est pas l'une des idées primitives de la Mathématique, mais exprime seulement ma volonté. » (*N.* II, 251 ; cf. aussi *N.* II, 248 et *Principia Mathematica* 13.01, t. I, p.168. Le même problème apparaît dans la correspondance Frege-Peano, *N.* II, 184 et 191.
(22) M. Schirn, *Studien zu Frege* : « *Identität und Identitätaussage bei Frege* », 181-215 ; *Ibid.* : B. Kienzle, « *Notiz zu Freges Theorien der Identität* », 217-9 ; R.E. Nusenoff : « *Frege on Identity sentences* », *Philosophy and Phenomenological Research*, vol. 34, 438-442.
(23) A.N. Whitehead & B. Russell, *Principia Mathematica*, I, 57-8.
(24) *G.* I, Préface, p.XVII ; *G.A.*, § 74, 87 ; *K.S.*, 247.
(25) *Phil* VIII, 6 rect. cité *in* L. Couturat, *La logique de Leibniz*, 228.
(26) *K.R.V.*, Ak. III, 111.
(27) Sur ce point, voir mon article « Sens Frégéen et compréhension de la langue », *in Meaning and Understanding*, Walter de Gruyter, Berlin, New York, 1981, 304-323.
(28) *Phil. Schriften*, VII, 31.
(29) E. Husserl, *Philosophie der Arithmetik, psychologische und logische Untersuchungen*, Halle-Saale, R. Stricker, 1891, 97-98.
(30) Dans un article intitulé « *Frege on sense identity* » (*Journal of Philosophical Logic*, 1977, 6, 103-8), Jean Van Heijenoort tente de réconcilier les deux critères en proposant d'interpréter le terme de « conséquence immédiate » (dans l'expression : « la reconnaissance du contenu de Aa pour *conséquence immédiate* la reconnaissance du contenu de B ») comme la relation de prémisses à conclusion dans un système de déduction naturelle, les « lois purement logiques » de Frege formant les règles en question. Comme le remarque l'auteur, la synonymie cesse dans cette hypothèse d'être une relation transitive.
(31) *K.S.*, 226. Cf. sur ce point C. Thiel, *op.cit.*, p. 131-139.
(32) Par exemple *K.R.V.*, Ak. III, 143.

(33) Par « épistémologie », nous entendons ici non pas l'étude critique des sciences, mais la partie de la théorie de la connaissance qui caractérise les contenus cognitifs par leur mise en correspondance avec des types de processus psychologiques.
(34) Les principaux représentants de cette tendance interprétative sont Philip Kitcher, « Frege's epistemology », *Philosophical Review*, 88, 1979, M.D. Resnik, « The Frege-Hilbert controversy », *Philosophy and Phenomenological Research*, 34, 1974,3, et *Frege and the philosophy of Mathematics*, Cornell University Press, Ithaca and London, 1980. Hans Sluga adopte une position voisine quoique plus nuancée dans son *Gottlob Frege*.
(35) « *Sinn und Bedeutung* », K.S., 149.
(36) « ...Unbeholfenheit des Schriftsteller und der Sprache mögen daran Schuld sein. » (*Logik, N*. I,139).
(37) Préface aux *Gelassene Schriften*, p. XXII.
(38) *K.R.V.*, *Einleitung*, Ak. III, 29.
(39) *Ibid.*, 34-5.
(40) Cf. *L.M.* : « *Wenn man nun die Logik zur Philosophie rechnet...* », *N*. I, 219.
(41) *Art.cit.*, en part. 323.
(42) La définissabilité des notions mathématiques en termes purement logiques et la déductibilité des vérités mathématiques à partir des vérités logiques sont, dans la philosophie frégéenne, deux formulations équivalentes en fonction du second principe des *Grundlagen*. Alan Musgrave les distingue dans son étude du logicisme *russellien* (« *Logicism revisited* », *British Journal for the Philosophy of Science*, vol. 28, 1977, 101).
(43) Sur l'antinomie de Russell, cf. R. Carnap, *Logical Syntax of Language*, 138 ; W. O. Quine, « *On Frege's way out* », *Mind* 64, 1955, 145-59, et Klemke 485-501 ; Boleslaw Sobocinski, « L'analyse de l'antinomie russellienne par Lesniewski », *Methodos*, vol. l, 1949 et Chr. Thiel, *op.cit.*, 134-159.
(44) Dans « *What is Cantor's continuum problem ?* », Gödel écrit : « Cependant, en dépit de leur éloignement de l'expérience sensible, nous avons pourtant quelque chose comme une perception des objets de la théorie des ensembles, comme on le voit dans le fait que les axiomes s'imposent à nous comme vrais. » (*The American Mathematical Monthly*, 54, 1947, 515-525 ; reproduit dans *Philosophy of Mathematics, Selected Readings*, P. Benacerraf et H. Putnam Eds., Prentice-Hall, 1964, 271.)
(45) Hao Wang juge ainsi ce qu'il estime être l'apport véritable de l'entreprise frégéenne : « Dedekind et Frege parlent de réduire les mathématiques à la logique, et une grande signification

philosophique a été attachée à ce résultat. Mais, tandis que leur définition du nombre en termes d'ensemble est mathématiquement intéressante dans la mesure où elle met en relation deux disciplines mathématiques différentes, elle n'est pas assez puissante pour procurer un fondement aux mathématiques. » (*A survey of mathematical logic*, North-Holland Pub. Company, Amsterdam, 1963, 37). Sur ce point, cf. J. Bouveresse, *La parole malheureuse*, Paris, Ed. de Minuit, 46 sq.
(46) A. Tarski, *Undecidable Theories*, North-Holland Pub. Company, Amsterdam, 1953.
(47) Sur les théorèmes d'incomplétude de Gödel, cf. Section IV. Le théorème de Church énonce que, pour un système formel tel que celui que l'on obtient en ajoutant aux axiomes de Peano la logique des *Principia*, il n'existe pas de méthode effective de décision permettant de savoir quelles propositions de ce système sont démontrables. Cf. « *A note on the Entscheidungsproblem* », *The Journal of Symbolic Logic*, 1, 1936, 40-41.

SECTION QUATRIÈME

(1) Cf. R. Carnap, « *Die logizistische Grundlegung der Mathematik* », Erkenntnis, vol. II, 1931.
(2) B. Russell, « *The relation of sense-data to physics* », in *Mysticism and logic*, London, Allen & Unwin, 1917, 146.
(3) Si le concept a est réductible aux concepts b et c, et si le concept b est à son tour réductible aux concepts x et y, a est réductible aux concepts x, y et c, mais il est évidemment faux que les concepts x, y et c soient réciproquement réductibles à a.
(4) Leibniz, *Philosophische Schriften*, t.VII, Gerhardt, p.23.
(5) Cette dualité revient à poser la détermination du sens comme de même puissance que la détermination possible des faits. L'espace des états de choses, selon Wittgenstein, est ce qui permet de déterminer les choses. Réciproquement, l'espace des choses, par les relations entre éléments qui s'y manifestent, indique quelles sont les configurations possibles d'objets. Cf. Wittgenstein, *Tractatus logico-philosophicus*, London, Routledge and Kegan Paul, 1922, 2.011 & 2.0141. Sur l'ensemble du problème,

cf. Gilles Granger, « Le problème de l'espace logique dans le *Tractatus* », *L'Age de la science*, 1968, 3, 180-195.
(6) La forme de cette définition la rend en réalité rebelle à la procédure de réduction telle qu'elle est présentée dans l'*Aufbau*. Carnap tentera d'y remédier ultérieurement, dans *Testability and Meaning* I-IV, *Philosophy of Science*, 1936-1937 et New Haven, Graduate Philosophy Club, Yale Univ. 1950.
(7) *A.*, § 13, 16.
(8) Simultanément, les extensions qui sont construites n'ont pas d'*objectivité* indépendamment des énoncés où elles figurent. Carnap rompt ainsi avec l'essentialisme du premier logicisme. Le nombre cinq, par exemple, ne peut pas être reconnu comme une entité indépendante, même dans la définition qu'en donnent Frege et Russell : « Ce que la classe de mes cinq doigts est, on ne peut le dire, car cette classe n'est qu'un quasi-objet (c'est-à-dire un complexe autonome). Un signe introduit pour le désigner n'aurait en lui-même aucune signification, mais ne servirait qu'à formuler des énoncés sur les doigts de ma main droite, sans avoir à énumérer ces objets un par un (...) De même, on ne peut dire ce qu'est la classe de toutes les classes de cinq objets. » (*A.*, § 40, 54).
(9) N. Goodman, *The structure of appearance*, Harvard University Press, 1951, 3.
(10) *Ibid.*, 7.
(11) Cf. W.V. Quine, *Word and object*, par exemple § 5, p.17.
(12) J. Vuillemin, *La logique et le monde sensible*, Flammarion, 1971, 306-307 ; N. Goodman, *op.cit.*, 102 et lettre de Carnap à Goodman du 2 juillet 1939 (102-44- 01) ; Carnap y écrit ceci : « Aujourd'hui je préférerais construire le langage de la science sur une base physique, en commençant par des prédicats physiques désignant les propriétés observables des choses et étant par conséquent intersubjectif, plutôt que d'adopter une base « autopsychologique » comme dans l'*Aufbau*. A l'époque, je reconnaissais déjà la possibilité d'une base physique (voir le paragraphe sur la base physique), et aujourd'hui j'admets évidemment la possibilité d'une base « autopsychologique » (voir dans *Testability and Meaning* le paragraphe sur les termes de la perception comme base), puisque mon attitude générale est maintenant plus tolérante, plus libérale, ou plus relativiste (*relativistic*) comme vous diriez sans doute (on peut à mon avis trouver le germe de cette attitude de tolérance dans l'attitude neutre que j'adopte dans l'*Aufbau* à propos des différents points de vue ou façons de parler, par exemple le point de vue réaliste et le point de vue idéaliste. Ainsi, c'est en premier lieu une

différence d'accent ou de préférence pratique plutôt qu'une croyance théorique ; mais à un degré moindre c'est aussi une différence théorique. J'ai maintenant de sérieux doutes concernant l'idée que la construction partant de l'« autopsychologique » reflète le véritable développement de la connaissance. Mais je ne sais pas si j'irais jusqu'à affirmer le contraire de cette assertion. J'aurais plutôt tendance à penser que la question n'est pas formulée de façon assez précise pour qu'on puisse tenter d'y répondre. Nous pouvons parler de quelque chose comme « une connaissance immédiate des choses » ; Reichenbach, dans son dernier livre, apporte sa part à cette discussion ; mais, comme je l'ai dit, l'ensemble du problème a encore grand besoin d'être clarifié. »

(13) W. Köhler, « *Gestaltprobleme und Anfänge einer Gestalttheorie* », *Jahresbericht über Physiologie und experientielle Psychologie*, 1922, vol.3, 512-539.

(14) M. Wertheimer, *Ueber Gestalttheorie*, Berlin, 1925 ; trad. anglaise *in Social Research*, 1944, 11, 1, 81-99.

(15) Ou bien on dira, ce qui revient au même, que la notion de *composition* a deux sens différents. C'est le parti que choisit Ziehen, dans ce texte de 1920 : « Le terme de "composé" a un sens double. Il peut signifier "formé par synthèse" ou bien – par opposition à simple – "divisible en représentations partielles". Une représentation complicative (*Komplexionsvorstellung*) est toujours "composée" dans les deux sens. Une représentation contractive (*Kontraktionsvorstellung*) tout comme une représentation générale est au contraire toujours composée au premier sens, et peut de ce fait fort bien être simple. Par exemple la représentation "couleur" n'est pas divisible en "représentations partielles", mais peut cependant être formée par synthèse à partir des "membres" rouge, vert, etc... » De la distinction ici faite entre *partie* (*Teil*) et *membre* (*Glied*), Ziehen tire cette conséquence qu'il juge à juste titre remarquable : « Dans certains cas une analyse (isolation, abstraction) est possible sans que se soit produite une synthèse dont nous ayons conscience comme telle. » (*Lehrbuch der Logik*, A. Marcus & E. Webers Verlag, Bonn, 1920, 346).

(16) « Il s'agit là d'un cas dégénéré : tous les éléments (à l'exception des éléments isolés, c'est-à-dire de ceux qui ne sont apparentés qu'à eux-mêmes) sont apparentés entre eux ; l'ensemble est donc homogène, il n'y a plus de propriétés distinctives, et, de ce fait, il n'y a plus de possibilité de mise en ordre. » (*Die Quasizerlegung*, p.3)

(17) Cette différence qualitative entre les deux types d'obstacles

est bien mise en évidence dans l'article de Gilles Granger, « Le problème de la "construction logique du monde" », *Revue Internationale de Philosophie*, 144-145, 1983, fasc. 1-2, 5, 36. L'auteur souligne en effet que la difficulté du compagnonnage n'en est une que si l'on confronte la quasi-analyse au « postulat étranger » de l'analyse au sens strict. Les textes utilisés dans la présente étude confirment que telle était bien la stratégie suivie par Carnap pour protéger la quasi-analyse contre l'objection d'incomplétude. Gilles Granger estime en revanche que Carnap n'a pas réussi à triompher du second obstacle dont il est ici question.

(18) Le paragraphe 105 de l'*Aufbau* nous paraît relever du type de réflexion dont l'Architectonique de la raison pure constitue le prototype. Notre recours au concept de *schème* s'inspire du passage bien connu de ce texte où Kant oppose unité « technique » et unité « architectonique » : « Pour être réalisée, l'idée a besoin d'un *schème*, c'est-à-dire d'une diversité et d'une ordonnance des parties qui soient essentielles et déterminées *a priori* d'après le principe de la fin. Le schème qui n'est pas esquissé d'après une idée, c'est-à-dire d'après une fin capitale de la raison, mais empiriquement, suivant des fins qui se présentent accidentellement (dont on ne peut savoir à l'avance le nombre), nous donne une unité *technique*, mais celui qui résulte d'une idée (où la raison fournit *a priori* les fins, et ne les attend pas empiriquement) fonde une unité *architectonique*. » *K.R.V.*, B 861, III 539, (trad. fr. par A.Tremesaygues et B. Pacaud, P.U.F.,1963, 558-9).

(19) « La constitution d'un objet est comparable à la donnée de coordonnées géographiques d'un endroit de la surface terrestre. Ces coordonnées permettent de caractériser univoquement cet endroit ; toute question portant sur la propriété de cet endroit (par exemple sur son climat, sur l'état du sol, etc.) a maintenant un sens déterminé. Répondre à toutes ces questions constitue alors une tâche ultérieure, sans fin, qui doit être entreprise au moyen de l'expérience. » (*A.*, § 179, 253)

(20) « A la première tâche, celle de la constitution des objets, s'ajoute une seconde, celle de rechercher les autres propriétés et relations non constitutionnelles des objets. Le premier problème est résolu par une stipulation, mais le second l'est par l'expérience. » (*Ibid.*)

(21) E. Kant, *K.R.V.*, III, 330 et 497.

(22) *A.*, § 180, 253 sq. La solubilité de principe des questions douées de sens suppose en particulier que les propositions qui énoncent des relations entre vécus soient toujours décidables.

Comme le remarque Arne Naess (*Four modern Philosophers : Carnap, Wittgenstein, Heidegger, Sartre*, trad. anglaise par A. Hannay, Chicago, London, University of Chicago Press, 1968, 52), le statut qu'a dans *l'Aufbau* cette dernière présupposition n'est pas clair. Carnap fait de celle-ci une « thèse de la constitution » et s'appuie sur elle pour justifier, contre les enseignements de la psychologie de la connaissance, la fiction de la durabilité du donné (§ 101, 139-140). La seule manière de comprendre ce présupposé est d'y voir une condition de possibilité de la construction de concepts qui, en un sens, est déjà acquise, la constitution n'ayant que la charge d'en mimer logiquement la genèse formelle. Si en d'autres termes, les lacunes de la mémoire avaient un effet dévastateur, aucune connaissance ne serait possible.

(23) Jürgen Habermas, *Connaissance et intérêt*, trad. fr. par G. Clémençon, Paris, Gallimard, 1979, 113.

(24) H. Bergson, *La pensée et le mouvant*, Paris, P.U.F., 1963, p.1286 ; comp. *A.*, § 182, 258.

(25) « *Ueber die Aufgabe der Physik und die Anwendung des Grundsatzes der Einfachsheit* », *Kantsstudien*, Bd 28, Heft 1/2, 1923, 90-107 ; cf., en particulier pp. 90 et 97.

(26) Hans Hahn, *Logik, Mathematik und Naturerkennen, Einheitswissenschaft*, II, 1933, trad. anglaise *in Ayer, 1959, 158,* et R. Carnap, *Die alte und die neue Logik*, trad. angl. in Ayer, 141. Sur la notion de tautologie, cf.*Wissenschaftliche Weltauffassung* : *der Wiener Kreis, in* Otto Neurath, *Empiricism and Sociology*, D. Reidel, 1973, 311 ; cf. aussi O. Neurath, « *Sociology and Physicalism* » *in* A. Ayer ed., *Logical Positivism*, 284 ; Hans Reichenbach, « L'empirisme logique et la désagrégation de l'*a priori* », *Actes du Congrès International de Philosophie Scientifique*, Paris, Hermann, 1936, I, 30. A propos de l'usage que fait Russell du concept de « tautologie », on se reportera aux textes suivants : *Introduction to Mathematical Philosophy*, (204-205 et note) où l'auteur évoque l'aspect purement heuristique de ce concept (« Pour le moment, je ne sais pas comment définir "tautologie" ») ; *Logic and Knowledge*, 240 ; *My Philosophical Development*, 119 ; cf. aussi J. Vuillemin, *Leçons sur la Première Philosophie de Russell*, 244.

(27) « A coup sûr, la preuve du caractère tautologique des mathématiques n'est pas encore complète dans tous ses détails. C'est une tâche ardue et difficile ; cependant, nous ne doutons pas que la foi dans le caractère tautologique des mathématiques est essentiellement correcte. » (*Ibid.*, 158)

(28) Russell & Whitehead, *Principia Mathematica*, vol.II, 183 ;

I. Grattan-Guiness, *Dear Russell-Dear Jourdain*, Columbia Press University, New York, 1977, 173 ; cf. aussi B. Russell, *Introduction to Mathematical Philosophy*, 131 sq.
(29) *Dear Russell-Dear Jourdain*, 173. Russell avait cru d'abord qu'on *pouvait démontrer* l'axiome de l'infini. Si n est un nombre fini, il existe au moins une classe qui a n membres. Rien ne semble donc s'opposer à ce qu'on construise la série infinie n, (n), ((n)), (((n))), etc. Mais la théorie des types anéantit l'espoir de démontrer l'existence d'une telle suite, puisque, chaque terme étant d'un type différent de son prédécesseur, on ne peut réunir en un ensemble les termes de la série. Sur ce point, cf. J. Vuillemin, 1968, 144.
(30) Cf. B. Russell, *Principles of mathematics*, ch.I, § 1 : « la mathématique pure est la classe de toutes les propositions de la forme « p ⊃ q » où p et q sont des propositions contenant au moins une variable, la même dans les deux propositions, et où ni p ni q ne contiennent d'autres constantes que logiques. » (p.3)
(31) R. Carnap, « *Die logizistiche Grundlegung der Arithmetik* », trad. anglaise p.35.
(32) Aussi Russell ne présentait-il pas sa « solution » comme une issue véritable, mais au contraire comme la marque même des limites sur lesquelles bute la tentative logiciste. Russell continue néanmoins d'adhérer au principe heuristique du logicisme, et voit dans l'interprétation tautologique des propositions mathématiques la seule approche satisfaisante, tout en admettant qu'il ne sait pas encore définir « tautologie » (cf. *Introd. to Math. Phil.*, 205, déjà cité, et *Dear Russell-Dear Jourdain*, 162-163). *L'Autobiographie* de Carnap nous livre une indication sur la manière dont il juge après coup la valeur de ce premier essai de solution : « Je penchais pour une interprétation analytique (de l'axiome de l'infini et de l'axiome de choix) ; mais pendant mon séjour à Vienne, nous ne sommes pas parvenus à éclaircir parfaitement la question. » (Schilpp, ed. 1963, 47).
(33) B. Russell, *Introd. to Math. Phil.*, 122 ; cf. *Principia*, vol I, 88, et vol III, 257-8.
(34) *Mathematische Annalen*, 1904, vol. 59, 514-516.
(35) Russell, 1920, 123. Russell illustre la difficulté au moyen d'une comparaison entre la construction d'une classe de sélection respectivement pour un ensemble infini de paires de bottes et pour un ensemble infini de paires de chaussettes. Dans le premier cas, chaque paire de bottes étant composée de deux éléments distincts, un « pied droit » et un « pied gauche », on dispose

d'un critère de choix, lequel fait défaut dans le second cas, les chaussettes étant toutes identiques deux à deux. La possibilité de parvenir à un bon ordre pour une classe infinie de paires non ordonnées n'est donc nullement acquise. Zermelo avait cru qu'il était toujours possible d'organiser une classe de sous-classes en séries dans lesquelles toute sous-classe ait un premier terme. Mais il n'avait pas vu qu'il pouvait dans certains cas n'exister aucun critère de sélection du représentant de la sous-classe.

(36) *Dear Russell- Dear Jourdain*, 172.
(37) R. Carnap, art. cit., 34.
(38) *Die Mathematik als Zweig der Logik*, Blätter für deutsche Philosophie, Berlin, 1930, vol. 4, 308.
(39) *Die logizistische Grundlegung* , 36.
(40) L. Wittgenstein, *Tractatus*, 6.1232.
(41) Frank Plumpton Ramsey, 1931, 1-61.
(42) *Ibid.*, 29.
(43) « Qu'il y ait ou non des classes indéfinissables est une question empirique ; les deux possibilités peuvent parfaitement se concevoir. Mais même si, en fait, toutes les classes sont définissables, nous ne pouvons pas identifier dans notre logique classes et classes définissables sans détruire l'apriorité et la nécessité qui sont l'essence de la logique. » (*Ibid.*, 22-23)
(44) R. Carnap, art.cit., 39.
(45) Carnap emprunte cette distinction à F. Kauffmann, *Das Unendliche in der Mathematik und seine Ausschaltung. Eine Untersuchung über die Grundlagen der Mathematik*, Leipzig et Berlin, 1930.
(46) Cf. *Foundations of Set Theory*, 178 et Carnap, art.cit., 41.
(47) Cf. R. Carnap, « *Die logizistiche Grundlegung der Arithmetik* », par exemple ce passage : « Le logiciste n'établit pas l'existence de structures ayant les propriétés des nombres réels en posant des axiomes ou des postulats ; en revanche, il produit par des définitions explicites des constructions logiques qui ont, en vertu de ces définitions, les propriétés habituelles des nombres réels (...) Cette méthode « constructiviste » forme une partie de la véritable substance du logicisme » (*in* Benacerraf et Putnam, 1964, 34 ; comp. avec Russell, 1956, 239-240.
(48) « *Eigentliche und uneigentliche Begriffe* », 358.
(49) *Erkenntnis* II, 1931, 143-144.
(50) *Wittgenstein und der Wiener Kreis, Aus dem Nachlass*, 218.
(51) « *Ueber formal unentscheidbare Sätze der Principia Mathematica und verwandter Systeme* », *Monatshefte für Mathematik und Physik*, 1931, 38, 173-198, trad. anglaise *in* Jean Van Heijenoort, *From Frege to Gödel, a source book in*

Mathematical Logic, 1879-1931, 596-617 ; cf. résumé de Gödel in *Erkenntnis* II, 1931, 149-151.
(52) Lettre consultée aux archives de la Collection Rudolf Carnap, University of Pittsburgh Libraries, ref. 029-08-03.
(53) Cf. P. Bernays, « *Die Philosophie der Mathematik und die Hilbertsche Beweistheorie* », *Blätter für deutsche Philosophie*, 1930, 4.
(54) Lettre à Neurath du 23 décembre 1933, citée avec la permission du conservateur de la Collection Rudolf Carnap.
(55) Cf. Alfred Tarski, « *Fundamentale Begriffe der methodologie der deduktiven Wissenschaften* », I : « La métamathématique ne doit pas être considérée dans son principe comme une théorie unique ; il faut au contraire construire une "métadiscipline" spéciale adaptée aux besoins de l'examen de chaque discipline déductive. Cependant, les réflexions présentes sont de caractère plus général : elles ont pour but de *préciser le sens d'une série de concepts métamathématiques importants et de déterminer les propriétés fondamentales de ces concepts* qui sont communs aux disciplines spéciales. » (*Collected Works of A. Tarski*, Berkeley, 1971, vol. I, 353 ; trad. française sous la direction de G. Granger, Armand Colin, Paris, 1972).
(56) D. Hilbert, « *Neubegründung der Mathematik, erste Mitteilung* » in : *Gesammelte Abhandlungen*, III, Julius Springer Verlag, Berlin, 1935, 163.
(57) *Ibid.*, § 2,7 ; Carnap utilise la même métaphore dans un exposé donné devant le Cercle de Vienne le 18 juin 1931 : « La différence entre la métalogique arithmétisée et la métalogique présentée jusqu'à maintenant est la suivante : la métalogique arithmétisée ne traite pas des configurations (*Gebilde*) empiriquement présentes, mais des configurations possibles. L'ancienne métalogique est donc comparable à la géographie des formes de langage, la métalogique arithmétisée en revanche est la géométrie des formes de langage. » (*Vortrag über Metalogik*, 081-07-18, p.9).
(58) Cf. sur ce point W.& M. Kneale, *The Development of Logic*, 714.
(59) Dans une lettre du 23 décembre 1963, Ina Carnap éclaircit ce qui était resté pour beaucoup de commentateurs, et, en particulier pour son correspondant, Herbert G. Bohnert, un prodige inexplicable : comment Carnap avait-il pu si vite après la publication des résultats de Gödel non seulement en prendre acte, mais construire un concept de validité formelle « de rechange » ? La réponse est bien simple : « Carnap dit qu'au cours de conversations avec Gödel il avait assimilé ses idées avant

que l'article de Gödel sur l'indécidabilité soit publié, ce qui explique la brièveté de l'intervalle. »
(60) On appelle « ω-consistant » un système d'arithmétique formalisée si on ne peut avoir dans ce système à la fois pour une quelconque variable x et une formule $A(x)$, $\vdash A(0)$, $\vdash A(1)$, $\vdash A(2)$... et $\vdash \sim \forall\, x\, A(x)$. Un système est « simplement consistant » s'il n'est pas possible d'y dériver à la fois une proposition et sa négation. Le critère d' ω-consistance est ainsi plus fort que celui de simple consistance ; il existe des systèmes de l'arithmétique qui sont consistants mais non ω-consistants. Dans un article de 1932, « *Einige Betrachtungen über die Begriffe der* ω *-Widerspruchsfreiheit und der Vollständigkeit* », Tarski indique qu'il avait déjà esquissé la distinction entre les deux types de contradictions dès 1927 (cf. *Logique, Sémantique, Métamathématique*, vol. II, 7).
(61) Pour éviter l'ambiguïté de la traduction des deux couples d'expressions allemandes formées sur le même radical : « *definiert-undefiniert* » et « *definit-undefinit* », je traduirai « *definit* » par « effectif » (et « *indefinit* » par « ineffectif » ou « non effectif »).
(62) D. Hilbert, *Grundlegung der elementaren Zahlenlehre, Mathematische Annalen*, 1931, 104. Dans l'article cité en note 60, Tarski établit contre Hilbert le caractère non-finitiste de la règle en question. Cf. le commentaire de Carnap, *L.S.*, § 48, 173.
(63) K. Gödel, Lettre à Carnap du 28 novembre 1932.
(64) *L.S.*, § 34 c. Dans son article de 1963, (Schilpp, 478), E.W. Beth montre que les démonstrations de la *Syntaxe logique* ne peuvent échapper aux conséquences du paradoxe de Löwenheim-Skolem que si l'on présuppose qu'elles font référence à un modèle intuitif. Ce type de présupposé, déjà présent dans l'*Aufbau*, nous semble caractéristique du logicisme du second Carnap, en tant qu'il reflète les exigences universalistes de la Syntaxe (cf. chapitre IV.)
(65) Mais du simple fait qu'une évaluation contienne une contradiction pour une valuation donnée, on ne peut conclure que la phrase considérée soit contradictoire. Ce n'est le cas que si la phrase examinée est logique. Si elle contient un prédicat descriptif sur lequel s'effectue la valuation, la phrase n'est contradictoire (logiquement fausse) que s'il n'existe pas de propriété qui rende la phrase vraie (*L.S.*, § 34 c, 108).
(66) Lettre de Carnap à Gödel du 27 septembre 1932.
(67) *L.S.*, § 17, 52 ; cf. aussi, § 44, 164.
(68) La caractéristique définitoire des L-règles d'un langage S

réside dans la substituabilité générale qui y est permise pour les expressions descriptives. Le L-sous-langage de S est donc la partie de S qui contient les mêmes phrases que S mais n'a que des L-règles de transformation (*L.S.*, § 51, 181). Sur le problème du « ,conservatisme » des mathématiques, cf. Hartry Field, *Science without numbers*, 16 sq.

(69) Deux énoncés sont L-synonymes s'ils sont conséquences l'un de l'autre, leur mutuelle déduction ne faisant intervenir que des règles de transformation logiques. Par exemple, deux tautologies sont L-synonymes. Deux *expressions* sont L-synonymes si elles sont substituables *salva veritate* dans toutes les phrases de la langue en fonction des règles de désignation présentes dans sa syntaxe. Par exemple, l'expression « célibataire » est L-synonyme avec l'expression « homme non-marié ». En revanche, « étoile du soir » et « étoile du matin » sont deux expressions P-synonymes. Tout ce qui est dit de l'une vaut de l'autre, en tant qu'elles désignent la même « sphère de rocher », selon l'expression de Quine dans une lettre, ce que les P-règles de transformation de la langue doivent permettre d'établir. Enfin la P-équipollence entre énoncés, qui correspond à la P-équivalence entre expressions, peut être illustrée par deux énoncés physiques qui sont P-conséquences l'un de l'autre : (l) Dans ce tube d'un volume de 5000 cm^3, il y a deux grammes d'hydrogène à telle pression. (2) Dans ce tube d'un volume de 5000 cm^3, il y a deux grammes d'hydrogène à telle température.
(70) W.V. Quine, Lettre à Carnap du 5 janvier 1943 ; cf. aussi *Word and Object*, Chapitre II ; « *Epistemology naturalized* », in *Ontological Relativity and Other Essays*, Columbia University Press, New York, 1969, 69-90.
(71) W.V. Quinc, Lettre citée.
(72) Lettre de Carnap à Quine du 21 janvier 1943.
(73) Lettre de Quine à Carnap du 7 mai 1943.
(74) Carnap appelle « déterminés » tous les énoncés dont la vérité ou la fausseté dépendent des règles de transformation de la langue considérée, qu'il s'agisse de L- ou de P-règles (*L.S.*, § 48, 173-4). Le valide (comme le contravalide) se subdivise donc généralement en L- et P-valide. Par exemple, une proposition déduite d'une loi physique est P-valide. Une proposition (même descriptive) dont la vérité est obtenue par les règles de L-conséquence (comme « César est ou n'est pas chauve ») est L-valide. Tous les autres énoncés sont indéterminés. Comme toutes les propositions analytiques sont par définition déterminées, tous les énoncés indéterminés sont *synthétiques*. Il y a donc deux catégories de phrases synthétiques : les P-valides et

P-contravalides, d'un côté, et les indéterminées de l'autre (*L.S.*, § 52, 185).
(75) Sur ce point, Carnap s'oppose significativement non seulement à Kant, mais aussi à Wittgenstein. Car le *Tractatus* remarque (à juste titre du point de vue de Carnap) que l'on peut reconnaître « à leur symbole » la vérité des tautologies, ce qui n'est vrai qu'à la condition que les L-règles soient données en même temps que les énoncés. Mais il commet l'erreur de considérer qu'il s'agit là d'un trait distinctif des tautologies : 6.113 « Et c'est aussi l'un des faits les plus importants que la vérité ou la fausseté des propositions non logiques *ne* puissent *pas* être reconnues à partir de la seule proposition ». Car si l'on doit prendre en considération, dans le cas des tautologies, les L-règles de transformation pour reconnaître leur L-validité, on ne voit pas pourquoi on ne pourrait pas *aussi* prendre en considération les P-règles pour reconnaître « en vertu de leur symbole » la P-validité des énoncés synthétiques déterminés (*L.S.*, § 52, 186).
(76) La construction syntaxique du concept de *traduction* fait usage des concepts de *transformance réversible* et de *sous-langage conservatif*. Carnap appelle *transformance* de S_1 dans S_2 la corrélation syntaxique entre toutes les classes d'énoncés (phrases, expressions, symboles) de S_1 et celles de S_2 qui remplace la relation de conséquence dans S_1 par la relation parallèle dans S_2. Si la transformance sur les symboles est réversible, c'est-à-dire si sa converse est la transformance de S_2 dans S_1, les deux langages S_1 et S_2 sont *isomorphes*. Une traduction de S_1 dans S_2 est obtenue quand la transformance de S_2 dans S_1 est un sous-langage de S_3 (*L.S* § 61, 224).
(77) C'est précisément, entre autres choses, l'existence théorique de cette langue syntaxique de référence que Quine remet en question dans *Word and Object*. Le cas de la traduction radicale, c'est-à-dire de la traduction d'un langage jusqu'alors inconnu, doit faire intervenir des concepts *pragmatiques* et non pas purement *syntaxiques* (ni purement sémantiques).
(78) Cf. sur ce point F. Récanati, *La Transparence et l'Enonciation*, Paris, Editions du Seuil, 1979.
(79) On pourrait aussi considérer (4) comme un énoncé de syntaxe descriptive, en prenant le symbole « 3 » dans sa valeur de signe matériel mis en relation par « Zei » avec la forme syntaxique correspondante. Ainsi compris, l'énoncé reste encore analytique, comme nous l'avons vu plus haut.
(80) En poursuivant cette analogie, on pourrait comparer la *traduction* des énoncés en mode formel à *l'interprétation*

psychanalytique, *l'élucidation syntaxique* dissipant les faux-problèmes au « *Wo es war, soll Ich werden* » de Freud, la *résistance* à l'interprétation s'interposant dans les deux cas.
(81) A la différence des constructions de Frege et de Russell, qui admettaient, par exemple, que toute expression de propriété d'un concept soit substituée à une expression numérique.
(82) Nous ne faisons ici qu'une courte allusion à la question de la Métaphysique, qui a souvent été commentée ; les principaux articles consacrés par Carnap à ce sujet sont « *Ueberwindung der Metaphysik durch logische Analyse der Sprache* », Erkenntnis, II, 219 sqq., 1931 ; « *Theoretische Fragen und praktische Entscheidungen* », *Natur und Geist*, Heft 9, 1934, « *On the character of Philosophic Problems* », *Philosophy of Science* 1, 1934.
(83) « *Theoretische Fragen und praktische Entscheidungen* », p. 257.
(84) Dans une lettre du 27 juillet 1932 que Neurath adresse à Carnap au moment où ce dernier achève la rédaction de la *Syntaxe logique*, Neurath s'exclame, avec la passion qui le caractérise : « J'espère que le mot nauséabond de "Philosophie" ne s'y trouve plus ». Le terme de « Syntaxe » a été finalement retenu quoique pendant un certain temps le mot de « sémantique » ait eu le dessus (sous l'influence de Gödel et de Behmann).
(85) W.V. Quine, « *Truth by convention* », *Philosophical Essays for Alfred North Whitehead*, ed. par O.H. Lee. New York : Longmans, Green, 1936. Reproduit *in* Benacerraf & Putnam, *Philosophy of Mathematics. Selected Readings*, 329-354.

CONCLUSION

(1) E. Kant, *Handschriftliche Nachlass, Reflexion* 4455.
(2) Extrait du cours intitulé « *Philosophy and Logical Analysis* », 1936, Archives 081-03-01, p.10. Cité avec la permission du Conservateur du Fonds R. Carnap, University of Pittsburgh Libraries.
(3) Cf. *supra*, section IV, chapitre IV.
(4) E. Kant, *Critique du jugement*, Introd. V.
(5) Cf. Hans Hahn, Otto Neurath, Rudolf Carnap, *Wissenschaftliche Weltauffassung*, 1.1. : « L'arrière-plan historique », *in*

O. Neurath, *Empiricism and Sociology*, D. Reidel, Dordrecht-Holland, 1973, 301.
(6) *Ibid.*, 306.
(7) Kant définit en effet ainsi ce qui constitue l'« intérêt spéculatif » de l'empirisme : « En le suivant, l'entendement reste toujours sur son propre terrain, c'est-à-dire dans le champ des simples expériences possibles ; il peut toujours en rechercher les lois et, au moyen de ces lois, étendre sans fin sa connaissance compréhensible et sûre. »*K.R.V.*, III, 325.
(8) « *Empiricism, semantics and ontology* », reproduit *in Meaning and Necessity*, p. 220 ; cf. aussi la réponse de Gustav Bergmann à Quine, *in* « *Two cornerstones of Empiricism* », *Synthese*, 8, juin 1953, 435-452 ; reproduit *in* G. Bergmann, *The Metaphysics of Logical Positivism*, University of Wisconsin Press, 1954, 78-105.
(9) *E.H.U.*, 165, *222* ; R. Carnap, *P.L.S.*, 36 : Après avoir cité le passage concerné de l'*Enquête*, Carnap écrit ceci : « Nous sommes en accord avec la conception de Hume d'après laquelle – traduite dans notre terminologie – seules ont un sens les propositions de mathématique et de la science empirique, toutes les autres propositions étant absurdes. »
(10) *The Philosophy of Karl Popper*, édité par Paul Arthur Schilpp, La Salle, Illinois, Open Court, 1974, p. 1121. Cf. aussi Karl Popper, *Die Beide Grundprobleme der Erkenntnistheorie*, Tübingen, J.C.B. Mohr, 1979, abrégé *B.G.E.* dans les notes suivantes.
(11) *B.G.E.*, 8.
(12) Karl Popper, *Conjectures and refutations. The growth of scientific knowledge*, London, Routledge and Kegan Paul, revised edition, 1972, p. 51 (titre abrégé : *C.R.*). Comparer avec E. Kant, *Prolégomènes à toute métaphysique future..*, introduction, et *Kritik der reinen Vernunft*, A 760- B 788, III, 496, trad. T. & P. P., 519.
(13) Karl Popper, *C.R.*, p. 52 ; cf. aussi pp. 216, 312-313 et 383.
(14) *Objective knowledge. An evolutionary approach*, Oxford, Clarendon Press, 1972, p. 49 (abrégé *infra O.K.*). Ces notions doivent en fait être relativisées pour remplir des conditions d'adéquation (puisque d'une proposition fausse il est logiquement possible de déduire des énoncés vrais) : on parlera du contenu d'un énoncé *a* étant donné B, et on définira le contenu de fausseté comme le contenu de *a*, étant donné le contenu de vérité de *a*.) En fait, la définition de la vérisimilitude donnée par Popper dans ces pages a été réfutée en 1974 par David Miller (« Popper's qualitative theory of verisimilitude », *British Journal for the Philosophy of Science*, 25, 1974, pp. 166-177) et par P. Tichy

(« On Popper's definitions of verisimilitude », *ibidem*, pp. 155-160). Pour la réflexion autocritique subséquente de Popper, cf. entre autres « A note on verisimilitude », *ibid.* pp. 147-159 & *O.K.* Appendix 2, « Supplementary remarks » (1978).
(15) Cf. « La signification actuelle de deux arguments d'Henri Poincaré », *in Karl Popper ou le rationalisme critique*, R. Bouveresse, Paris, Vrin, 1981, p.194.
(16) *O.K.*, p. 30.
(17) « L'idée centrale de la théorie de Hume, écrit Popper, est celle de la *répétition, fondée sur la similitude* (ou "ressemblance"). Cette idée est utilisée de manière complètement noncritique. Nous sommes conduits à penser à la goutte d'eau qui creuse la pierre : à des séquences d'événements incontestablement identiques qui s'imposent lentement à nous, comme fait le tic-tac d'une pendule. Mais nous devons comprendre que dans une théorie psychologique comme celle de Hume, seule la répétitionpour-nous, fondée sur la ressemblance-pour-nous peuvent être dites avoir un effet sur nous. Nous devons répondre à des situations comme si elles étaient équivalentes ; les *considérer* comme semblables ; les *interpréter* comme répétitions. » (*C.R.*, p.44)
(18) Gilles Deleuze, *Différence et répétition*, Paris, P.U.F., 1968.
(19) E. Kant, *K.R.V.*, A 100-101.
(20) *Ibid.*, A 114, IV, 85, trad. T. & P., 127-128.
(21) *Ibid.*, B 127, III, 105, trad. 106.
(22) « Kant avait raison de dire que "notre entendement ne tire pas ses lois de la nature mais les lui impose", écrit Popper, mais tort de penser que ces lois sont nécessairement vraies, ou que nous réussissons toujours à les imposer à la nature ». (*C.R.*, 48).
(23) *B.G.E.*, 7 ; cette formule sera ultérieurement rectifiée par Popper, qui préfèrera parler de « théorie de la méthode empirique » (cf. par exemple, *La logique de la découverte scientifique*, trad. fr. par N. Thyssen-Rutten et Ph. Devaux, Paris, Payot, 1959, § 5).
(24) *B.G.E.*, 59. On ne retrouve plus l'usage explicite du mot de « transcendantal » au sens indiqué dans les oeuvres ultérieures de Popper, à l'exception d'une page de *C.R.* (p. 291) où Popper l'emploie pour qualifier un argument de Carnap dans *Logical foundations of probability*.
(25) *Ibid.*, 58.
(26) Frege, *Die Grundlagen der Arithmetik*, § 3, p.4 ; trad. Cl. Imbert, p.127
(27) Karl Popper, *O.K.*, 308, *B.G.E.*, 58. On notera que Popper

invoque dans ce dernier texte une lignée d'auteurs qui ont entrepris de mettre en oeuvre la méthode transcendantale au sens de la recherche des conditions objectives de possibilité de la science : il cite Natorp, Cohen, Riehl, Schuppe, Wundt, Rehmke et surtout Külpe (*Vorlesungen über Logik*, O. Selz, 1923).
(28) J'ai traité ailleurs des rapports entre la mise en oeuvre respective du transcendantal chez Wittgenstein et chez Carnap *in* Noûs, *Formal logic as transcendental*, à paraître, automne 1986. Popper poursuit cette analyse en s'attachant à démontrer la contradiction entre les tendances positivistes et transcendantales dans le positivisme logique. Ce qu'il estime être une contradiction n'en est qu'une que si l'on en reste à l'acception étroite du principe de tolérance : cf. plus haut, section IV, chapitre IV).
(29) *O.K.*, 154.
(30) *Ibid.*, 335.
(31) *C.R.*, 64 ; *O.K.*, 318. Sur le caractère analytique des énoncés justifiant rationnellement la préférence donnée à une théorie sur une autre, cf. *O.K.*, 83-84.
(32) Il aurait à cet égard été intéressant d'examiner la modification qu'apporte la phénoménologie husserlienne à la conception kantienne du transcendantal, et de situer son entreprise relativement à l'ontotranscendantalisme. Notre projet topique étant dans ce livre centré sur le concept d'*analyticité*, le détour par Husserl ne nous a pas semblé pertinent ; il va de soi qu'une étude topique du transcendantal ne pourrait en faire l'économie.

BIBLIOGRAPHIE

I – *LOCKE*

A – *ŒUVRES DE LOCKE* :

An Essay concerning Human Understanding (abrégé *E.*), 2 vol., A.C. Fraser ed., Dover, London, 1959.
De la conduite de l'Entendement, traduit par Y. Michaud, Vrin, Paris, 1975.
Première esquisse de l'Essai Philosophique concernant l'Entendement Humain (abrégé *P.E.*), traduit par M. Delbourg-Delphis, Vrin, Paris, 1974.

B – *ETUDES SUR LOCKE* :

BENNETT, J., *Locke, Berkeley, Hume, Central Themes*, Clarendon Press, Oxford, 1971.
MACKIE, J.L., *Problems from Locke*, Clarendon Press, Oxford, 1976.

II – *HUME*

A – *ŒUVRES DE HUME* :

Treatise of Human Nature (abrégé *T.*), Oxford : Clarendon Press, revised edition, L.A. Selby-Bigge, 1978.
Traduction française par André Leroy, Paris, Aubier, 1946.
An Abstract of a Treatise of Human Nature (abrégé *A.*), ed. L.A. Selby-Bigge, Oxford, Clarendon Press, 1978 (à la suite du *Traité*).

Enquiries concerning Human Understanding and concerning the Principles of Morals (abrégé *E.H.U.*), ed. L.A. Selby-Bigge, Oxford : Clarendon Press, 1975.
Dialogues on natural religion, ed. N. Kemp Smith, Oxford, 1935. Trad. française par M. David, Paris, J.J. Pauvert, 1964.

B - *ETUDES SUR HUME* :

AYER, A.J., *Hume*, Oxford University Press, Oxford, 1980.
BENNETT, J., *Locke, Berkeley, Hume, Central Themes*, Clarendon Press, Oxford, 1971.
DELEUZE, G., *Empirisme et subjectivité*, P.U.F., Paris, 1953.
FLEW, A., *Hume's Philosophy of Belief, A study of his first Inquiry*, Routledge and Kegan Paul, London, 1961.
KEMP SMITH, N., *The Philosophy of David Hume*, Mac Millan, London, 1949.
LAPORTE, J., « Le scepticisme de Hume », *Revue Philosophique*, 1933, 115 & 1934, 117.
LEBRUN, G., « La boutade de charing-cross », *Manuscrito*, 1978, vol. I, 2, 65-84.
MALHERBE, M., *La philosophie empiriste de David Hume*, Vrin, Paris, 1976.
MALHERBE, M., *Kant ou Hume*, Vrin, Paris, 1980.
MICHAUD, Y., *Hume ou la fin de la Philosophie*, P.U.F., Paris, 1983.
PEARS, D., *David Hume, a Symposium*, London, 1963.
STROUD, B., *Hume*, Routledge and Kegan Paul, London, 1977.
ZABEEH, F., *Hume : Precursor of Modern Empiricism*, La Haye, 1960.

III - *KANT*

A - *ŒUVRES DE KANT* :

Kant's gesammelte Schriften, t. I-IX : *Werke* ; t. X-XIII ; *Briefwechsel* ; t. XIV-XXIII : *Handschriftlicher Nachlass* ; t. XXIV-XXIX, *Vorlesungen*. Toutes les références sont empruntées à l'édition de la *Deutschen Akademie der Wissenschaften zu Berlin* (abrégé *Akad.*), Walter de Gruyter, Berlin, 1966 (abrégé *Akad.*). *Dissertation de 1770* (abrégé *D.*), Akad.II, traduit par P. Mouy, Vrin, Paris, 1967.

Kritik der Reinen Vernunft (abrégé *K.R.V.*), 1781, 1786, ed. de l'Académie t.III ; traduction française par A.Tremesaygues et B. Pacaud, P.U.F., Paris, 1963.
Prolegomena zu einer jeden künftigen Metaphysik, die als Wissenschaft wird auftreten können (abrégé *P.*), 1783, Akad. IV ; traduit par J. Gibelin, J. Vrin, Paris, 1968.
Welches sind die wirklichen Fortschritte, die die Metaphysik seit Leibnizens und Wolfs Zeiten in Deutschland gemacht hat? (Progrès de la Métaphysique..., abrégé *P.M.*), 1791, Akad. II ; traduit par L. Guillermit, Vrin, Paris, 1968.
Anthropologie in pragmatischer Hinsicht (abrégé *Anth.*), 1798, Akad. VII, traduit par M. Foucault, Vrin, Paris, 1964.
Kants Logik (abrégé *L.*), hrsg J. B. Jäsche, 1800, Akad. IX, traduit par L. Guillermit, Vrin, Paris, 1966.
Reflexionen (abrégé *R.*), Akad. XVI.
Logik Blomberg (abrégé *L.B.*), Akad. XXIV, 1.
Logik Politz (abrégé *L.P.*), Akad. XXIV, 2.
Wiener Logik (abrégé *W.L.*), Akad. XXIV, 2.
Ueber eine Entdeckung nach der alle neue Kritik der reinen Vernunft durch eine ältere entbehrlich gemacht werden soll, 1790, (*Réponse à Eberhard*, abrégé *R.E.*), traduit par R. Kempf, Vrin, Paris, 1959.

B - *ETUDES SUR KANT :*

BECK, L.W., *Studies in the Philosophy of Kant*, Bobbs Merrill, New York, 1965.
BECK, L.W., *Essays on Kant and Hume*, Yale University Press, New Haven, 1978.
COHEN, H., *Kants Theorie der Erfahrung*, Berlin, 1918.
GUILLERMIT, L., « La conception kantienne de l'analyse et de la synthèse », à paraître dans les *Ecrits* réunis par E. Schwartz et J. Vuillemin.
KRONER, R., *Von Kant bis Hegel*, Tübingen, 1921.
LEBRUN, G., *Kant et la fin de la Métaphysique*, Armand Colin, Paris, 1970.
VLEESCHAUWER, H.J. de, *La déduction transcendantale dans l'oeuvre de Kant*, Paris-La Haye, 1937.
VUILLEMIN., J., *L'héritage kantien et la révolution copernicienne*, P.U.F., Paris, 1954.
VUILLEMIN, J., *Physique et métaphysique kantiennes*, P.U.F., Paris, 1955.

IV – *BOLZANO*

A – *ŒUVRES DE BERNARD BOLZANO* :

Gesamtausgabe, Herausgegeben von E. Winter, J. Berg, F. Kambartel, J. Louzil, B Van Rootselaar, Suttgart, Bad Cannstatt, Friedrich Frommann Verlag, 1977.
Beyträge su einer begründeteren Darstellung der Mathematik, Prag, 1810.
Rein analytischer Beweis des Lehrsatzes, dass zwischen je zwei Werten..., 1817. Trad. française par J. Sebestik *in* : « Bernard Bolzano et son Mémoire sur le théorème fondamental de l'Analyse », *Revue d'Histoire des Sciences*, 1964, t. XVII.
Lehrbuch der Religionswissenschaft, Schneider, Sulzbach, 1834.
Wissenschaftslehre (abrégé *W.*), I-IV, Sulzbach, 1837, Leipzig 1914. Partiellement traduit en anglais par R. George : *Theory of Science*, Oxford : Basil Blackwell, 1972 et par Burnham Terrell, D. Reidel, Dordrecht, Pays-Bas, 1973.
Was ist Philosophie ?, Vienne, 1849.
Paradoxien des Unendlichen (abrégé *P.U.*), Leipzig, 1831.
Functionenlehre, ed. Rychlik, 1931.
Der Briefwechsel mit F. Exner, ed. E. Winter, 1935.
Einleitung in der Grössenlehre, (abrégé *E.G.*), ed. J. Berg, *Gesamtausgabe*, Bd III.

B – *ETUDES SUR BOLZANO* :

BAR-HILLEL, Y., « Bolzano's definition of analytic propositions », *Theoria* 16 (1950) ; pp. 91-117 et *Methodos* 2, (1950) ; pp. 32-55 ; reproduit *in Aspects of Language*, Magnes Press, 1970, pp.3-32.
BAR-HILLEL, Y., « Bolzano's propositional logic », in *Aspects of Language*, 32 sq.
BERG, J., *Bolzano's logic*, Stockholm, Almquist & Wiksell, *Stockholm Studies in Philosophy*, 1962.
BERGMANN, H., *Das philosophische Werk Bernard Bolzanos*, Halle, 1909.
BETH, W.E., « Une contribution à l'histoire de la logique mathématique », *Actes du congrès international d'histoire des sciences*, 3-9 septembre 1956, pp.1104-1106.
BUHL, G., « *Ableitbarkeit und Abfolge in der Wissenschaftstheorie Bernard Bolzanos* », *Kantstudien, Ergänzungshefte* 83, 1961.

CAVAILLES, J., *Sur la logique et la théorie de la science*, Paris, P.U.F. 1947.
CHURCH, A., « *Propositions and sentences* », in : *The Problem of universals, a symposium*, Notre-Dame 1956.
DANEK, J., *Les projets de Leibniz et Bolzano*, Presses de l'Université de Laval, 1975.
DAPUNT, I., « *Zur Klarstellung einiger Lehren B. Bolzanos* » in : *Journal of the History of Philosophy*, 7, Berkeley 1969, pp. 63-73.
DUBISLAV, W., « *Bolzano als Vorlaufer der mathematischen Logik* », *Phil. Jahrbuch der Görresgesellschaft*, 1931.
DUBISLAV, W., *Ueber die sogenannten analytischen und synthetischen Urteilen*, Berlin, H. Weiss, 1926.
GRANGER, G., « Le concept de continu chez Aristote et Bolzano », *Etudes philosophiques*, 1969, pp.513-523.
GROSSMANN, R., « *Frege's ontology* », *Phil. Review*, 70, 1961, pp. 23-40.
HUSSERL, E., *Logische Untersuchungen*, M. Niedemeyer, Halle, 1921 ; trad. fr. par H. Elie, A.L.Kelkel et R. Schérer, P.U.F., Paris, 1972.
LUKASIEWICZ, J., *Die logischen Grundlagen der Wahrscheinlichkeitsrechnung*, Cracovie, 1913.
NEEMANN, U., « *Analytic and synthetic propositions by Kant and Bolzano* », in : *Deskription, analytizität und Existenz*, Weingartner, 1966, reproduit dans *Ratio* 12, 1970, pp.1-20.
RAYMOND, P., *Matérialisme dialectique et logique*, Paris, Maspero, 1977.
SCHOLZ, H., Compte rendu de l'article de Bar-Hillel, « *Bolzano's definition of analytic propositions* », in : *Journal of symbolic logic*, 17, 1952, pp. 119-122.
SEBESTIK, J., *Mathématiques et théorie de la science chez Bernard Bolzano*, thèse d'Etat, Paris, 1974.
SINACEUR, H., « Bolzano est-il un précurseur de Frege ? », in : *Archiv für Geschichte der Philosophie*, 1975,
SMART, H.R., « *Bolzano's logic* », in : *Philosophical Review*, 53, 1954, pp. 513-533.
WINTER, E.J., *Leben und geistige Entwicklung des Sozialethikers und Mathematikers Bernard Bolzano 1781-1848*, Max Niemeyer Verlag, Halle, 1949.

V – FREGE

A – ŒUVRES DE FREGE :

Begriffsschrift, eine der arithmetischen nachgebildete Formelsprache des reinen Denkens (abrégé *B.*), Halle, 1879.
Die Grundlagen der Arithmetik. Eine logisch-mathematische Untersuchung über den Begriff der Zahl (abrégé *G.A.*), W. Köbner, Breslau, 1884. Trad. fr. par Cl. Imbert, *Les fondements de l'arithmétique*, Paris, le Seuil, 1969.
Grundgesetze der Arithmetik. Begriffsschriftlich abgeleitet (abrégé (G.) 2 vol. Hermann Pohle, Iena, 1893 & 1903. Reproduction photographique Olms, Hildesheim, 1962.
Nachgelassene Schriften und Wissenschaftlicher Briefwechsel (abrégé *N.*), édité par H. Hermes, F. Kambartel et F. Kaulbach, Hambourg, F. Meiner, 1969.
Kleine Schriften (abrégé *K.S.*), édité par I. Angelelli, Olms, Hildesheim, 1967.
Traduction française d'articles extraits des oeuvres posthumes par Cl. Imbert, *Ecrits logiques et philosophiques*, Paris, le Seuil, 1971.

B – ETUDES SUR FREGE :

ANGELELLI, I., *Studies on Gottlob Frege and traditional philosophy*, Dordrecht, Holland, 1967.
BENACERRAF, P., « *Frege : the last logicist* », *Midwest Studies in Philosophy*, VI, 1981.
BLACK, M., « *Frege on functions* », in : *Problems of analysis. Philosophical essays*, 229-254 ; reproduit in Klemke, 1968.
BOUVERESSE, J., « Frege critique de Kant », *Revue Internationale de Philosophie*, 130, 1979, 739-760.
BURGE, T., « *Frege on extensions of concepts from 1884 to 1903* », *Philosophical Review*, 93, 1, 1984, 3-34.
CHURCH, A., « *On sense and denotation* », *The journal of Symbolic Logic*, VII, 1942, 47.
DUDMAN, V.H., « *A note on Frege on Sense* », *The Australasian Journal of Philosophy*, XLVII, 1969, 119-122.
DUMMETT, M., *Frege, Philosophy of language*, Duckworth, London, 1973.
DUMMETT, M., *The interpretation of Frege's philosophy*, Cambridge, Harvard University Press, 1981.

DUMMETT, M., « *Truth* », *Proceedings of the Aristotelian Society*, LIX, 1958- 9, 141-162.
DUMMETT, M., « *Frege on Functions : a reply* », *Philosophical Review*, vol. LXIV, 1955, 96-107 ; reproduit dans Klemke 1968, 268-83.
DUMMETT, M., « *Note : Frege on functions* », *Philosophical Review*, LXV, 229-230.
DUMMETT, M., « *Frege as a Realist* », *Inquiry*, 19, 1976, 455-468.
GEACH, P.T., « *Frege's Grundlagen* », *The Philosophical Review*, LX, 1951, 535-44 ; reproduit *in* Klemke 1968, 467-478.
GEACH, P.T., « *Quine on classes and properties* », *The Philosophical Review*, LXII, 1953, 409-412 ; reproduit *in* Klemke 1968, 502-504.
GEACH, P.T., *Reference and generality*, Ithaca, N.Y., 1962.
GROSSMANN, R., *Reflections on Frege's philosophy*, Evanston, Nothwestern University Press, 1969.
HEIJENOORT, J. (Van) *From Frege to Gödel, A source book in Mathematical Logik, 1879-1931*, Cambridge, Harvard University Press, 1967.
HEIJENOORT, J. (Van), « *Sense in Frege* », *Journal of Philosophical Logic*, 6, 1977, 93-102.
HEIJENOORT, J. (Van), « *Frege on sense identity* », *Journal of Philosophical Logic*, 6, 1977, 103-108.
IMBERT, Cl., Introduction aux *Fondements de l'arithmétique*, Paris, le Seuil, 1969.
IMBERT, Cl., « Le projet idéographique », *Revue Internationale de Philosophie*, 130, 1979, 621-665.
JORGENSEN, J., *A treatise of formal logic*, vol. 1, New York, 1962, 154-175.
KIENZLE, B., « *Notiz zu Freges Theorien der Identität* », in *Studien zu Frege*, M. Schirn ed., F. Meiner, Hambourg, 1969.
KAMBARTEL, F., *Einleitung der Herausgeber*, Gottlob Frege : *Nachgelassene Schriften*, F. Meiner, Hambourg, 1969.
KIENZLE, B., « *Notiz zu Freges Theorien der Identität* », *in* M. Schirn, *Studien zu Frege*, 217-219.
KLEMKE, E.D. (ed.), *Essays on Frege*, Urbana, Chicago, London, 1968.
LARGEAULT, J., *Logique et philosophie chez Frege*, Beatrice-Nauwelaerts, Louvain, 1970.
MARSHALL, W., « *Frege's Theory of Functions and Objects* », *Philosophical Review*, LXII, 1953, 374-390 ; reproduit *in* Klemke 1968, 249-267.
MARSHALL, W., « *Sense and reference : a reply* »,

Philosophical Review LXV, 1956, 342-361 ; reproduit *in* Klemke 1968, 298-320.
NUSENOFF, R.E., « *Frege on Identity sentences* », *Philosophy and Phenomenological Research*, vol. 34, 438-442.
PROUST, J., « Sens frégéen et compréhension de la langue », *in Meaning and Understanding*, edited by H. Parret et J. Bouveresse, Berlin, New York, W. de Gruyter, 1981.
ROUILHAN, (de), Ph., « Sur la sémantique frégéenne des énoncés », *Histoire, Epistémologie, Langage*, 5, 2, 1983, 19-36.
SCHIRN, M. (ed.), *Studien zu Frege*, 3 vol., Stuttgart Bad Canstatt, Frommann Verlag, 1976.
SLUGA, H., *Gottlob Frege*, Routledge and Kegan Paul, London, Boston, 1980.
SLUGA, H., « *Frege and the Rise of Analytic Philosophy* », *Inquiry*, 18, 1975, 471-487.
SLUGA, H., « *Frege as a Rationalist* », *in* M. Schirn 1976, 27-47.
SLUGA, H. « *Frege's alleged Realism* », *Inquiry*, 20, 1977, 227-242.
SCHWARTZ, E., « Remarques sur l'"Espace des choses" de Wittgenstein et ses origines frégéennes », *Dialectica*, 26, 1972.
THIEL, Chr., *Sense and reference in Frege's logic*, Reidel, 1968.
THIEL, Chr., « *Zur Inkonsistenz der Fregeschen Mengenlehre* », *Frege und die Moderne Grundlagenforschung*, édité par Chr. Thiel, Anton Hain Verlag, Meisenheim an glan, 1975.
TUGENDHAT, E., « *Die Bedeutung des Ausdrucks "Bedeutung" bei Frege* », *in* M. Schirn, 1976.
VUILLEMIN, J., « Sur le jugement de recognition chez Frege », *Archiv für Geschichte der Philosophie*, 1964, Bd 46, Heft 3.
VUILLEMIN, J., « L'élimination des définitions par abstraction chez Frege », *Revue Philosophique*, 1964.

VI – *CARNAP*

A – *ŒUVRES DE RUDOLF CARNAP* :

« *Der Raum. Ein Beitrag zur Wissenschaftslehre* », *Kantstudien, Ergänzungshefte* 56, 1922.
« *Ueber die Aufgabe der Physik* », *Kantstudien*, Bd 28, Heft 1/2, 1923.

« *Dreidimensionalität des Raumes und Kausalität* », Annalen der Philosophie und philosophischen Kritik, Bd.4, Heft 3, 1924.
« *Ueber die Abhängigkeit der Eigenschaften des Raumes von denen der Zeit* », Kantstudien, Bd. 30, 1925.
« *Physikalische Begriffsbildung* », Wissen und Wirken, Bd. 39, 1926.
« *Eigentliche und uneigentliche Begriffe* », Symposion : Philosophische Zeitschrift für Forschung und Aussprache, Erlange, I, Heft 4, 1927.
Der logische Aufbau der Welt (abrégé *A.*), Berlin, Weltkreis, 1928.
Scheinprobleme in der Philosophie : das Fremdpsychische und der Realismusstreit, Berlin, Weltkreis, 1928.
Abriss der Logistik (abrégé *Ab.*), Wien : Schriften zur wissenschaftliche Auffassung, 1929.
« *Die alte und die neue Logik* », in Erkenntnis, vol. 1, 1930 ; trad. française « L'ancienne et la nouvelle logique » par le général Vouillemin, Paris, 1933.
« *Bericht über Untersuchungen zur allgemeinen Axiomatik* », Erkenntnis I, 1930.
« *Die Mathematik als Zweig der Logik* », Blätter fur deutsche Philosophie, vol. 4, 1930.
« *Die logizistische Grundlegung der Mathematik* », Erkenntnis, vol. 2, 1931 ; trad. anglaise par E. Putnam et G. Massey *in* Benacerraf & Putnam 1964.
« *Diskussion zur Grundlegung der Mathematik* », Erkenntnis 2, 1931.
« *Ueberwindung der Metaphysik durch logische Analyse der Sprache* », Erkenntnis 2, 1932 ; trad. française *La Science et la métaphysique*, Paris, 1934.
« *Die physikalische Sprache als Universalssprache der Wissenschaft* », Erkenntnis, 2, 1932 (trad. anglaise *The unity of science*, London, Psyche Min., 1934).
« *Erwiderung auf die vorstehenden Sätze von E. Zilsel und K. Duncker* », Erkenntnis, 3, 1932.
« *Die Antinomien und die Unvollständigkeit der Mathematik* », Monatshefte für Mathematik und Physik, 1934, vol. 41.
Logische Syntax der Sprache (abrégé *L.S.*), Vienna, Julius Springer Verlag, 1934 ; traduction anglaise par A. Smeaton (comtesse Von Zeppelin), London, K. Paul, Trench, Trubner, 1937.
« *On the character of Philosophic Problems* », Philosophy of Science, I,1, 1934.

« *Theoretische Fragen und praktische Entscheidungen* », *Natur und Geist*, Iena, Nr. 9, 1934.
Die Aufgabe der Wissenschaftslogik, Wien : *Einheitswissenschaft*, 1934 ; trad. française : *Le Problème de la Logique de la Science*, Paris, 1935.
« *Formalwissenschaft und Realwissenschaft* », *Erkenntnis* vol. 5, 1935 ; trad. anglaise in Feigl and Brodbeck 1953.
« *Ein Gültigkeitskriterium für die Sätze der klassischen Mathematik* », *Monatshefte für Mathematik und Physik*, vol. 42, Hefte 1, 1935.
Philosophy and Logical Syntax (abrégé *P.L.S.*), London : K. Paul, Trench, Trubner, 1935.
Testability and Meaning, Philosophy of Science, 3, 1936.
Foundations of Logic and mathematics. International Encyclopedia of Unified Science, vol.1, Chicago : University of Chicago Press, 1939.
Introduction to Semantics, Cambridge : Harvard University Press, 1942.
Formalization of Logic, Cambridge : Harvard University Press, 1943.
Meaning and Necessity, The University of Chicago Press, Chicago, 1947.
« *Empiricism, Semantics and Ontology* », *Revue Internationale de Philosophie*, vol. 4, 1950.
« *Meaning postulates* » *Philosophical Studies*, vol. 3, 1952.
« *Autobiography* » et « *Replies* » in Schilpp P.A. (ed.), *The Philosophy of Rudolf Carnap*, La Salle, Ill. : Open Court, 1963.
An Introduction to the Philosophy of Science, édité par M. Gardner, New York : Basic Books, 1966 ; trad. française de J.M. Luccioni et A. Soulez sous le titre *Les fondements philosophiques de la Physique*.
En collaboration avec H. Hahn et O. Neurath : *Wissenschaftliche Weltauffassung : der Wiener Kreis*, Wien, A. Wolf, 1929 ; trad. française par B. Cassin et alii, *in Manifeste du Cercle de Vienne et autres écrits*, Paris, P.U.F., 1985.

B – *ETUDES SUR CARNAP* :

BOUVERESSE, J., *La parole malheureuse. De l'alchimie linguistique à la grammaire philosophique*, Ed. de Minuit, Paris, 1971.
BOHNERT, G.H., « *Carnap's logicism* »,*in* Hintikka ed., 1975.
CLAVELIN, M., « La première doctrine de la signification du Cercle de Vienne », *Etudes Philosophiques*, 4, 1973.

CLAVELIN, M., « Quine contre Carnap, la polémique sur l'analyticité et sa portée », *Revue Internationale de Philosophie*, 144-145, 1983.
COFFA, A., « Carnap's Sprachanschauung Circa 1932 », P.S.A., 1976, vol.2.
COFFA, A., « *Logical Positivism and the Semantic Tradition* », *Actes des Journées Internationales sur le Cercle de Vienne*, *Fundamenta Scientiae*, 1984, vol.5, n° 3. Reproduit *in* Soulez, 1986.
COFFA, A., *To the Vienna Station. Semantics, Epistemology and the A Priori from Kant to Carnap*, Cambridge University Press, à paraître.
COFFA, A., « *Idealism and the Aufbau* », in *The legacy of Logical Postivism*, N. Rescher ed., à paraître.
GOODMAN, N., *The Structure of Appearance*, Cambridge, Harvard University Press, 1951.
GOODMAN, N., « *The significance of Der logische Aufbau der Welt* » *in* Schilpp (ed.), *The Philosophy of Rudolf Carnap*.
GRANGER, G., « Le problème de la "construction logique du monde" », *Revue Internationale de Philosophie*, 144-5, fasc 1-2, 1983.
GRANGER, G., « *Logisch-Philosophische Abhandlung* et *Logischer Aufbau der Welt* », Proceedings of the 9th Int. Wittgenstein Symposium, *Philosophy of mind, philosophy of psychology*, 19-26 août 1984. Wien, Hölder-Pichler-Tempshy 1985, 433-445.
HAACK, S., « *Carnap's Aufbau : some Kantian reflections* », *Ratio*, vol. 19, 2, 1977.
HALLER, R., « *New light on the Vienna Circle* », *The Monist*, 1982.
HINTIKKA, J., *Rudolf Carnap, Logical Empiricist. Materials and perspectives*, Reidel, Dordrecht, 1975.
JÖRGENSEN, J., « *Carnap, Logische Syntax der Sprache* » *in Erkenntnis*, vol. 4, 1934, 419-422.
KLEENE, S.C., Compte rendu de *The logical syntax of language*, *Journal of Symbolic Logic*, 1939, vol.4, 2, 82-87.
KRAUTH, L., *Die Philosophie Carnaps*, Springer, Wien, New York, 1970.
NAESS, A., *Four modern Philosophers : Carnap, Wittgenstein, Heidegger, Sartre*, trad. anglaise de A. Hannay, Chicago, The University of Chicago Press, 1968.
PROUST, J., « Formal logic as transcendental : Wittgenstein's *Tractatus* and Carnap's *Logical syntax of language* », *Noûs*, 1986, à paraître.

PROUST, J., « Empirisme et objectivité » *in* SOULEZ, A. (éd.), *Le cercle de Vienne, doctrines et controverses*, Paris, Klincksieck, 1986.
QUINE, W.V., « *Carnap and Logical Truth* », *Logic and Language : Studies dedicated to Professor Rudolf Carnap on the Occasion of His Seventieth Birthday*, ed. par B.H. Kazemier & D. Vuysje. Dordrecht : Reidel, 1962.
STEBBING, L.S., « *Logical positivism and analysis* », *Proceedings of the British Academy*, 1933, Séance du 22 mars 1933.
VUILLEMIN, J., *La logique et le monde sensible*, Paris, Flammarion, 1969.

VII – *AUTRES OUVRAGES et ARTICLES CONSULTES*

AJDUKIEWICZ, K., « *Sprache und Sinn* » in *Erkenntnis*, vol. 4, 1934, 100-138.
AJDUKIEWICZ, K., « *Das Weltbild und die Begriffsapparatur* » in *Erkenntnis*, vol.4, 1934, 259-287.
ARISTOTE, *Métaphysique*, trad. J. Tricot, Paris, Vrin, 1933.
ARISTOTE, *Organon*, trad. J. Tricot, Paris, Vrin. I : *Catégories* ; II : *De l'interprétation*, 1959 ; III : *Les premiers analytiques*, 1962 ; IV : *Les seconds analytiques*, 1962 ; V : *Les topiques*, 1950. VI : *Les réfutations sophistiques*, 1950.
ARISTOTE, *Physique*, livre IV, trad. H. Carteron, Montpellier 1923.
ARNAULD, A. & NICOLE, P., *La logique ou l'art de penser*, ed. P.Clair et F. Girbal, Paris, P.U.F., 1965.
AUBENQUE, P., *Le problème de l'Etre chez Aristote*, Paris, P.U.F., 1962.
AYER, A., *Language, truth and logic*, London, Gollancz, 1936.
AYER, A., (ed.), *Logical Positivism*, New York : Free Press, 1959.
BAR-HILLEL, Y., « On syntactical categories », *Journal of Symbolic Logic*, 15, 1, 1950.
BEHMANN, H., « *Sind die mathematischen Urteile analytisch oder synthetisch ?* », in *Erkenntnis*, vol. 4., 1934,1-27.
BELAVAL, Y., *Leibniz critique de Descartes*, Paris, Gallimard, 1960.
BELAVAL, Y., *Etudes leibniziennes*, Gallimard, Paris, 1976.
BLACK, M., *A companion to Wittgenstein's Tractatus*, Cambridge, Cambridge University Press, 1964.

BENACERRAF, P. et PUTNAM, H., *Philosophy of Mathematics, Selected Readings*, Cambridge, Cambridge University Press, 1983.
BOCHENSKI, J.M., *Formale logik*, Basel, 1956.
BOEHNER, P., *Medieval logic*, Manchester University Press, 1952.
CARNAP, R. & BAR-HILLEL, Y., *An Outline of a Theory of Semantic information*, Cambridge, M.I.T. Research laboratory of Electronics, Report n° 247, 1952.
CHURCH, A., *Introduction to Mathematical Logic*, Princeton, Princeton University Press, 1956.
CLAVELIN, M., « Elucidation philosophique et "écriture conceptuelle" logique dans le *Tractatus* », *Wittgenstein et le problème d'une Philosophie de la Science*, Paris, C.N.R.S., 1971.
COUTURAT, L., *La logique de Leibniz*, Hildesheim, G. Olms, 1969.
DRIESCH, *Ordnungslehre*, Iena, Dorderichs, 1912.
FEIGL, H. & BRODBECK, M., eds., *Readings in the Philosophy of Science*, New York : Appleton-Century-Crofts, 1953.
FOUCAULT, M., *L'Archéologie du Savoir*, Paris, Gallimard, 1969.
FRAENKEL, A.A., *Einleitung in die Mengenlehre*, Berlin, Springer, 1919.
FRAENKEL, A.A. & BAR-HILLEL Y., *Foundations of Set Theory*, Amsterdam : North-Holland, 1958.
GEACH, P.T., *Logic Matters*, Oxford, Blackwell, 1972.
GILSON, E., *L'être et l'essence*, Paris, Vrin, 1962.
GODEL, K., « *Ueber formal unentscheidbare Sätze der Principia Mathematica und verwandter Systeme I* », *Monatshefte für mathematik und Physik*, vol. 38, 1931 ; trad. anglaise *in* Van Heijenoort, 1967.
GRANGER, G., « Sur le problème de l'espace logique dans le *Tractatus* de Wittgenstein », *Age de la Science*, fasc.3, 1968.
GRANGER, G., *La théorie aristotélicienne de la science*, Paris, Aubier, 1976.
GRANGER, G., « *Was in Königsberg zu sagen wäre* », *Manuscrito*, vol. V, 1, 1981.
GRANGER, G., « Philosophie et mathématique leibniziennes », *Revue de Métaphysique et de Morale*, 1, 1981.
GRANGER, G., « *The notion of formal content* », *Social Research*, vol. 49, 2, 1982.
GRATTAN-GUINESS, I., *Dear Russell-Dear Jourdain*, New York, Columbia Press University, 1977.

GUEROULT, M., *La philosophie transcendantale de Salomon Maïmon*, Paris, F. Alcan, 1929.
HAHN, H., « *Logik, Mathematik und Naturerkennen* », *Einheitswissenschaft*, II, 1933.
HAUSDORFF, F., *Grundzüge der Mengenlehre*, Leipzig, Veit, 1914.
HILBERT, D., *Die Grundlagen der Geometrie, Festschrift zur Feier der Enthüllung des Gauss-Weber-Denkmals in Göttingen*, Leipzig, 1899.
HILBERT, D., « *Axiomatisches Denken* », *Mathematische Annalen*, vol. 78, 1918.
HILBERT, D., *Gesammelte Abhandlungen*, 3 vol., Berlin : Springer, 1932-5.
HILBERT, D., *Die Grundlagen der Mathematik*, t. I, Springer Verlag, Berlin, 1968.
HILBERT, D. « *Ueber die Grundlagen der Logik and Arithmetik* », *in* Becker O., *Grundlagen der Mathematik*, Verlag Karl Alber, Freiburg, München, 1964.
HINTIKKA, J., *Logic, language-games and information*, Oxford, Clarendon Press, 1973.
HINTIKKA, J. & REMES T., *The method of analysis*, Boston studies in the philosophy of Science, vol.75, Dordrecht, D. Reidel, 1974.
HUSSERL, E., *Philosophie der Arithmetik, psychologische und logische Untersuchungen*, Halle – Saale, R. Stricker, 1891.
HUSSERL, E., *Logische Untersuchungen*, Halle, Niedemeyer, 1921.
JACOB, P., *L'empirisme logique, ses antécédents, ses critiques*, Paris, Ed. de Minuit, 1980.
KAUPPI, R., *Ueber die leibnizische Logik*, Acta philosophica Fennica, Fasc. XII, 1968.
KITCHER, Ph., *The nature of mathematical knowledge*, New York Oxford, Oxford University Press, 1984.
KÖHLER, W., « *Gestaltprobleme und Anfänge einer Gestalttheorie* », Jahresbericht über Physiologie und experientielle Psychologie, vol.3, 1922.
KNEALE, W. & M., *The Development of Logic*, Oxford, Clarendon Press, 1962.
LEBRUN, G., *La Patience du concept. Essai sur le Discours hégélien*, Gallimard, Paris, 1972.
LEIBNIZ, G.W., *Mathematische Schriften*, ed. Gerhardt, 7 vol., Berlin-Halle, 1849-1863.
LEIBNIZ, G.W., *Philosophische Schriften*, ed. Gerhardt, 7 vol., Berlin, 1875-1890.

LEIBNIZ, G.W., *Nouveaux Essais sur l'Entendement Humain*, éd. par Alexis Bertrand, Belin & fils, Paris 1885.
LEIBNIZ, G.W., *Opuscules et fragments inédits*, éd. L. Couturat, Paris, 1903.
MACH, E., *Die Analyse der Empfindungen*, Iena, G. Fischer, 1886.
MAÏMON, S., *Versuch über die Transzendentalphilosophie*, Berlin : Voss, 1790, et Bruxelles : Culture et Civilisation, 1969.
MINKOWSKI, H., « Raum und Zeit », *Jahresbericht der deutschen Mathematiker Vereinigung*, 18, 1909.
PARIENTE, J. Cl., *Le langage et l'individuel*, Armand Colin, Paris, 1973.
PARIENTE, J.Cl., « Bergson et Wittgenstein », *Wittgenstein et le Problème d'une philosophie de la science*, Paris, C.N.R.S., 1971.
POPPER, K., *Die Beide Grundprobleme der Erkenntnistheorie* (abrégé *B.G.E.*), Tübingen, J.C. Mohr, 1979.
POPPER, K., *Conjectures and refutations. The growth of objective knowledge* (abrégé *C.R.*,) London, Routledge and Kegan Paul, revised edition, 1972.
POPPER, K., *Objective knowledge. An evolutionary approach* (abrégé *O.K.*), Oxford, Clarendon Press, 1972.
PORPHYRE, *Isagoge*, trad. J. Tricot, Paris, Vrin, 1947.
QUINE, W.V., « Truth by convention », *Philosophical Essays for Alfred North Whitehead*, ed. par O. H. Lee, New York : Longmans, Green, 1936, reproduit *in Ways of Paradox and Other Essays*, New York, Random House, 1966.
QUINE, W.V., « Two dogmas of Empiricism », *in, From a logical point of view*, Cambridge, Harvard University Press, 1953.
QUINE, W.V., *Word and Object*, Cambridge and New York, MIT Press, 1960.
RAMSEY, F.P., *The Foundations of Mathematics*, London, Routledge and Kegan Paul, 1931.
RECANATI, F., *La transparence et l'énonciation*, Ed. du Seuil, Paris, 1979.
REICHENBACH, H., « L'empirisme logique et la désagrégation de l'*a priori* », *Actes du congrès International de Philosophie Scientifique*, Paris, 1935, Hermann, 1936.
RORTY, R., *Philosophy and the Mirror of Nature*, Princeton, Princeton University Press, 1979.
RORTY, R., SCHNEEWIND J.B., SKINNER, Q., (eds.), *Philosophy in History*, Cambridge, Cambridge University Press, 1984.

RUSSELL, B., *The Philosophy of Leibniz*, Cambridge, The University Press, 1900.
RUSSELL, B., *Principles of Mathematics*, 2ᵉ ed., London, Allen & Unwin, 1938.
RUSSELL, B., *Introduction to mathematical philosophy*, London, Allen and Unwin, 1920.
RUSSELL, B., *Mysticism and Logic and Other Essays*, London : George Allen & Unwin, 1917.
RUSSELL, B., *Logic and Knowledge*, London : George Allen & Unwin, 1956.
RUSSELL, B., *My Philosophical Development*, New York : Simon & Schuster, 1959.
RUSSELL, B. & WHITEHEAD A.N., *Principia Mathematica*, 3 vol., Cambridge, Cambridge Univ. Press, 1910-1927.
SCHILPP, P.A., *The philosophy of Karl Popper*, La Salle, Illinois, Open Court, 1974.
SCHLICK, M., *Allgemeine Erkenntnislehre*, Berlin, Springer, 1918.
SCHLICK, M., *Gesammelte Aufsätze*, Wien, Gerold & Co, 1938.
TARSKI, A., *Logique, Semantique, Métamathématique : Articles de 1923 à 1938*, 2 vol., trad. française sous la direction de Gilles Granger, Armand Colin, 1971.
VAN HEIJENOORT, J., *From Frege to Gödel : A Source Book in Mathematical Logic, 1879-1931*, Cambridge, Harvard University Press, 1967.
VUILLEMIN, J., *Leçons sur la première philosophie de Bertrand Russell*, Paris, Armand Colin, 1968.
WAISMANN, F., *Einführung in das Mathematische Denken*, Wien, Gerhold, 1936.
WAISMANN, F., *Ludwig Wittgenstein und der Wiener Kreis*, notes publiées par B.F. Mac Guiness, Oxford, Blackwell, 1967.
WERTHEIMER, M., « *Gestalttheory* », *Social Research*, vol.11, 1, 1944.
WEYL, H., « *Zeitverhältnisse im Kosmos, Eigenzeit, gelebte Zeit und Metaphysische Zeit* », *Proceedings of the VIth Int. Congress of Phil.*, London, Longmans, 1926.
WITTGENSTEIN, L., *Tractatus logico-philosophicus*, London Routledge and Kegan Paul, 1922.
WITTGENSTEIN, L., « *Some remarks on logical form* », *Knowledge, Experience and Realism, Aristotelian Society*, Sup. Vol. 9, 1929.
WUNDT *Logik, Eine Untersuchung der Prinzipien der Erkenntnis und der Methoden wissenschaftlicher Forschung*, 2 vol., Stuttgart, F. Enke, 1880-3.

INDEX DES AUTEURS

Ajdukiewicz (K.), 237, 476
Albert (de Saxe), 88, 442
Angelelli (I.), 445, 470
Aristote, xi, xii, 85, 94, 105, 121, 156, 164, 442, 476
Arnauld (A.), (cf. aussi Port-Royal) 476
Aubenque (P.), 476
Ayer (A.J.), 434, 454, 466, 476

Bar-Hillel (Y.), 128-132, 134-136, 142, 441, 443-444, 468, 476-477
Baumann (J.J.), 261
Baumgarten (A.G.), vii
Beck (L.W.), 68, 439, 467
Behmann (H.), 461, 470
Belaval (Y.), 431, 437, 476
Benacerraf (P.), 449, 456, 461, 470, 476
Bennett (J.), 434, 465-466
Berg (J.), 135, 433, 468
Bergmann (G.), 462
Bergmann (H.), 468
Bergson (H.), 330, 454
Bernays (P.), 457
Beth (W.E.), 468
Black (M.), 447, 470, 476
Bochenski (J.M.), 88, 441-442, 476
Boece, 88
Boehner (P.), 441-442
Bohnert (H.), 457, 474, 477
Bolzano (B.), xiii, xiv, xvi-xviii, 81-92, 94-101, 103-106, 108-114, 116-122, 125-137, 140, 141, 145, 147-150, 152, 153, 157, 158, 161-169, 171, 172, 175-178, 181, 184, 185, 189, 190,

234, 236, 237, 253, 255-257, 274, 301, 386-388, 392, 399, 403, 408, 414, 419, 421-423, 425, 427, 441, 442, 444, 446, 468
Boole (G.), 188
Bouveresse (J.), XXVII, 450, 463, 470, 474
Brodbeck (M.), 477
Buhl (G.), 441, 443, 468
Burge (T.), 470

Cantor (G.), 261, 343, 362
Carnap (I.), 457
Carnap (R.), XVII-XIX, XXIII, XXIV, XXVI, XXVII, 50, 112, 193-195, 237, 271-276, 278-290, 293, 294, 296-298, 303-306, 309-311, 313-315, 316-321, 325-331, 333, 335, 337-351, 353-357, 360-362, 364, 365-367, 369, 371, 373-378, 381, 383, 384, 386-389, 394, 395, 403-409, 411-414, 422, 424, 427, 432, 449-464, 472, 474, 477
Cauchy (A.L.), 157
Cavalieri (E. de), 433
Cavailles (J.), 54, 437, 469
Church (A.), 193, 268, 450, 469, 470, 477
Clarke (S.), 231
Clavelin (M.), 474, 477
Coffa (A.), 475
Cohen (H.), 464, 467
Comte (A.), 329
Courtes (F.), 437
Couturat (L.), 436, 448, 477
Crusius (Ch. A.), XII
Currie (G.), 446

Danek (J.), 469
Dapunt (I.), 469
David (M.), 466
Dedekind (R.), 204, 449
Delbourg-Delphis (M.), 465
Deleuze (G.), 32, 418, 434, 435, 463, 466
Descartes (R.), 18, 52, 105, 437
Driesch (H.), 477
Dubislav (W.), 469
Dudman (V.H.), 470
Dummett (M.), 446, 447, 470, 471

Eberhard (J.A.), VII, VIII, 3, 43, 59, 60, 78, 93, 94, 97, 101, 431, 440

INDEX DES AUTEURS

Euclide, 183, 441, 443

Feigl (H.), 477
Fichte (J.G.), XII
Field (H.), 459
Flew (A.), 434, 466
Foucault (M.), 432, 467, 477
Fraenkel (A.A.), 266, 477
Fraser (A.C.), 465
Frege (G.), XIII, XIV, XVI-XVIII, XXII-XXIV, 83, 104, 165, 181-183, 185-197, 199-207, 209-217, 219-230, 232-239, 241-246, 248-267, 271-276, 286-288, 296, 297, 321, 323, 340, 341, 344-350, 353, 355, 374, 383, 392, 399, 403, 408, 414, 419, 421-423, 427, 441, 445-449, 461, 463, 470
Fries (J.F.), 150

Geach (P.T.), 471, 477
George, (R.), 468
Gergonne (J.D.), 216, 448
Gerlach, 86, 441
Gibelin (J.), 467
Gilson (E.), 442
Gödel (K.), 265, 267, 350-352, 356, 357, 359, 362, 364, 366, 449-450, 456-458
Goodman (N.), 283-286, 289, 310, 311, 313, 314, 451, 475
Granger (G.), XXVII, 121, 281, 431, 442-444, 451, 453, 457, 469, 475
Grattan-Guiness, 455, 477
Grice (P.), 167
Grossmann (R.), 200, 201, 447, 469, 471
Gueroult (M.), 478
Guillermit (L.), 436, 467

Haack (S.), 475
Habermas (J.), 329, 454
Hahn (H.), 336, 337, 351, 454, 461, 474, 478
Haller (R.), 475
Hannay (A.), 454, 475
Hegel (G.W.F.), XII-XV, 89, 177, 431, 438, 439
Heijenoort (J. Van), 448, 456, 471, 480
Herbart (J.F.), 254
Hermes (H.), 470
Hilbert (D.), 216-217, 250, 251, 292, 293, 295, 349, 351, 352, 354, 356, 361, 448, 449, 457, 458, 478

Hintikka (J.), 436, 475, 478
Hobbes (T.), 76, 327
Hoffbauer, 150
Hume (D.), x, xv, xxvii, 3, 4, 18, 22-32, 34-43, 290, 327, 407, 408, 411, 412, 416, 418, 419, 427, 434-436, 462, 463
Husserl (E.), 195, 233-237, 441-443, 447, 448, 464, 469, 478

Imbert (Cl.), 445, 463, 470,471

Jacob (P.), 85, 478
Jäsche (J.B.), 55, 467
Jankelevitch (V.), 89, 438
Jörgensen (J.), 471, 475

Kambartel (F.), 253, 468, 470, 471
Kant (E.), xii-xviii, xxiii, xiv, xxvii, 3-7, 9, 10, 13, 15-17, 19-29, 36-38, 43-57, 60, 62, 63, 65, 68-73, 75-78, 81, 82, 85, 91, 94-101, 143, 150, 164, 176-178, 186, 204,205, 209, 221, 224, 232, 242-244, 248, 251, 254, 255, 257-264, 272-274, 291, 325, 327, 328, 330, 335, 336, 374-376, 386, 392, 399, 401-403, 405-407, 414, 417-419, 421, 422, 426, 427, 431-434, 436-441, 445, 453, 460-463, 466, 467
Kauffmann (F.), 456
Kaulbach (F.), 470
Kauppi (R.), 443, 478
Kelkel (E.), 442, 469
Kempf (R.), 467
Kemp-Smith (N.), 466
Kienzle (B.), 448, 471
Kitcher (Ph.), 254, 449, 478
Kleene (S.C.), 475
Klemke (E.D.), 447, 449, 471
Kneale (W. & M.), 457, 478
Köhler (W.), 302, 452, 478
Krauth (L.), 475
Kroner (R.), 467
Krug, 93
Külpe (O.), 464

Lambert (J.H.), 440, 441
Laporte (J.), 36, 436, 466
Largeault (J.), 471
Lebrun (G.), 27, 431, 466,467, 478
Leibniz (G.W.), xv, xvi, 7, 21, 22, 43, 46-48, 50-53, 56-58, 62,

INDEX DES AUTEURS

68-70, 72, 91, 98, 100, 105, 111, 114, 161, 162, 168, 169, 188, 231-234, 248, 278-281, 331, 374, 431, 436, 437, 439, 444, 448, 450, 478, 479
Leroy (A.), 465
Lesniewski (S.), 449
Lewis (C.I.), 108, 109
Linne (Carl von), 114
Lipschitz (R.), 261
Locke (J.), IX, XV, 3-15, 17-22, 23, 28, 34, 39, 41-44, 66, 75, 96, 97, 161, 164-166, 168, 176, 178, 432-434
Louzil (J.), 468
Luccioni (J.M.), 474
Lukasiewicz (J.), 119-122, 443, 469

Maass (J.G.E.), 78, 93, 94, 97, 101
Mach (E.), 31, 479
Mackie (J.L.), 465
Macnabb (D.G.C.), 434
Maïmon (S.), 479
Malebranche (N.), 37
Malherbe (M.), 434, 436, 466
Marshall (W.), 197, 447, 471
Massey (G.), 473
Meier (G.F.), 46, 56, 436
Michaud (Y.), 465, 466
Mill (J.S.), 261
Minkowski (H.), 339, 479
Mouy (P.), 466
Musgrave (A.), 449

Naess (A.), 454, 475
Neemann (U.), 441, 444, 469
Neumann (J. Von), 266, 351, 352
Neurath (O.), 353, 354, 454, 457, 461, 462, 474
Newton (I.), 157
Nicole (P.), (cf. aussi Port-Royal). 476
Nusenoff (R.E.), 448, 472

Pacaud B., 467
Pappus, 436
Pariente (J. Cl.), 446, 479
Peano (G.), 213-215, 219, 220, 349, 352, 359, 447, 448, 450
Pears (D.), 466
Poincaré (H.), 335, 336, 463

Popper (K.), 414-424, 427, 462-464, 479
Porphyre, 479
Port-Royal (Logique de), 37, 65, 71, 165, 443, 446
Putnam (E.), 449, 456, 461, 473
Putnam (H.), 476

Quine (W.V.O.), xvi, 3, 27-38, 40, 128, 136, 288, 289, 291, 371-373, 411, 413, 414, 424, 425, 427, 443, 449, 451, 459, 460, 462, 475, 479

Ramsey (F.P.), 324-344, 479
Raymond (P.), 469
Recanati (F.), 460, 479
Rehmke (J.), 464
Reichenbach (H.), 347, 434, 452, 454, 479
Reinhold (C.), 85, 431
Remes (U.), 436, 478
Resnik (M.D.), 246, 249
Riehl (A.), 464
Rootselar (B. Van), 468
Rorty (R.), xxiv, 432, 479
Rouilhan (Ph. de), 472,
Russell (B.), xviii, xxiv, 211, 219, 251, 265, 271, 275-277, 297, 337, 338, 340-345, 347, 384, 405, 448-451, 454-456, 461, 480

Scherer (R.), 442, 469
Schilpp (P.A.), 458, 462, 480
Schirn (M.), 448, 472
Schleiermacher (F.), 442
Schlick (M.), 320, 480
Scholz (H.), 83, 441, 469
Schröder, (E.), 188, 261
Schuppe (W.), 464
Schwartz (E.), 467, 472
Sebestik (J.), 444, 468, 469
Selby-bigge (L.A.), 465, 466
Seneque, 53, 437
Sinaceur (H.), 469
Sluga (H.), 446, 449, 472
Smart (H.R.), 443, 469
Sobocinski (B.), 449
Soulez (A.), 474, 476
Spinoza (B.), 439

Stebbing (L.S.), 476
Stegmüller (W.), 434
Stroud (B.), 466

Tarski (A.), xviii-xix, 112, 113, 146, 267, 353, 354, 361, 423, 450, 457-458, 480
Terrel (B.), 468
Thiel (Ch.), 447-449, 472
Thomae (J.), 206
Tremesaygues (A.), 453, 467
Trendelenburg (F.A.), 220
Tricot (J.), 444
Tugendhat (E.), 472
Twesten (K.), 150

Ulrich (I.A.H.), 85

Vleeschauwer (H.J. de), 467
Vouillemin (Gen.), 473
Vuillemin (J.), 451, 454, 467, 472, 476, 480

Waismann (F.), 480
Wang (H.), 266, 449
Wertheimer (M.), 302, 452, 480
Weyl (H.), 480
Whitehead (A.N.), 448, 454, 461, 480
Winter (E.), 468, 469
Wittgenstein (L.), xviii, xiv, 281, 283, 337, 342, 350, 360, 368, 373, 388, 408, 422, 450, 454, 456, 460, 464, 480
Wolf (Ch.), vii, xi, 43, 93, 95, 97, 184, 441, 474
Wundt (W.), 188, 194, 195, 254, 447, 464, 480

Zabeeh (F.), 434, 466
Zermelo (E.), 266, 456
Zeppelin (A. Von), 473
Ziehen (T.), 452

INDEX DES MATIERES

Abstraction (Opération d' –), 15, 20, 36, 56, 57, 358, 434
(Principe d' –), 304, 307
Abstrait, 12, **105-107**, 435, 441
(- mathématique), 17
Absurde (*Unsinnig*), (cf. aussi « Dépourvu de sens », *Sinnlos*, opposé à *Unsinnig*), 104, 107-109, 213, 259, 328, 329, 388, 389, 392-398, 462
Affinité (empirique/transcendantale), 418
Algèbre, 18, 32, 33, 35, 36, 47, 113, 121, 125, 154, 438
Ampliation, 29
Analyse, 45, 46, 51, 52, 60, 62, 68, 69, 77, 301-331, 339, 436, **440**, 452
(- absolue), 300-302
(- dénotationnelle « après-coup »), 348
(extensionnelle), 301, 303
(- immanente ou relationnelle), 303-306
(- et quasi-analyse), 301-306, 321, 322
Analytique (Philosophie), XVIII, XXVII
Antinomie, (voir aussi Paradoxe). 111, 265, 266, 342
Application (des formes à un contenu), XIV, 296, 325, 326, 335, 345-348, 358, 373
Arbitraire, 9, 20, 49, 50, 65-67, 71-73, 135, 165, 166, 200, 206, 207, 219, 220, 368, 369, 437
Arithmétique, XIII, 17, 18, 24, 33-35, 203, 206, 219, 241 sq, 256, 257, 266, 267, 275, 346, 350, 355-364, 367, 387
Arithmétisation, 353, **356-359**, 457
Art, 34, 53, 54, 172
Autonyme (mode –), 381, 384
Autoréférence (- de la syntaxe), 357
Axiome, 19, 203, 216, 251, 292, 296, 310, 311, 450
(- analytique), 241-257, 323, 377

(- identique), 51
(- synthétique), 245, 248-250, 377
(- problématique des *Principia*), **337-343**, 350, 351
(- de choix), **339-341**, 365, 402-403, 455
(- de l'infini), **337-339**
Base (*Unterlage*) (-),
(- de la prédication empirique), 325, 326
(- d'une proposition), **103**, 121
(- de signification), 58
(- d'un système), 277, 289, 301-303, 452
Borne (*Schranke*) (- de la connaissance), 326, 327
Calcul, xvi, 35, 48, 49, 51, 53, 56, 115, 119, 121, 188, 207, **321**, 377
(- infinitésimal), 233
(- propositionnel), 238, 337
Caractère, xv, 52-63, 87, **93-98**, 152, 192, 216, 235, 236, 302, 337
Caractéristique, xv, 48-53, 56, 61, 65, 68, 84, 187, 232, 280, 437
Casuistique, 445
Catégorème, **87-90**
Catégoricité, 292
Causalité, 3, 23-25, 28, 29, 37-41, 329, 405, 418
Cercle de ressemblance (*Aehnlichkeitskreis*), 305, 310, 316, 317
Cercle vicieux, 342-344
Cercle de Vienne, xiv, 273, 274, 313, 334, 335, 406-410, 413, 447
Certitude, 14-16, 21, 24, 28, 32-34, 434
Clarification, 76-78
Classe, 195, 230, 320, 340, 341, 343-345, 451, 457
(- de qualités), 319
Coexistence, 7-9, 66, 75
Combinatoire, 48, 51-52, 68, 357, 374
Communauté imparfaite, 308, 313
Campagnonnage, 307-310, 453
Comparaison, 28, 31, 33, 36, 38, 55-59, 66, 435, 437, 438
Compatibilité, 49, 109
Complétude, 61, 66-68, 70-75, 204, 213, 217, 267, 351, 357
(- constitutionnelle), **309-315**
Composante (*Bestandteil*), xvi, 10, 48, **85-87**, 89, 93-98, 100, 120, 122, 129, 136, 156, 157, 161, 191, 442
Composition, xvi, 16, 45, 52, 54, 166, 188, 205, 452, 453
Concept (- commun), 57, 58, 190, **194-198**
(- donné), 50, 52, 60, 68, 72, 77, 95, 204, 374

INDEX DES MATIÈRES 491

(- empirique), 12, 60, 61, 66, 73, 270, 271, 323, 334, 438, 440
(- formé ou construit, *gemacht*), 16, 71-74, 77, 204, 374
(- formel), 389
(- rationnel), 60, 61, 66, 72, 73, 76, 438, 440
(opposé à « objet »), 95, 110, 166, 286, 287
Concret (*concretum*), 12, 15, 16, 86, **105-106**, 110, 137, 147, 290
Concrétisation, **105-106**, 110, 137
Conséquence, 8, 18, 90, 203, 449
(*Abfolge*), 155-159
(*Folge*), 361
Consistance (ω -), 357, 359
Constante, 121-123
(- logique), 356, 455
Constitution, 62, 271-299, 319, 325, 377
(Langue de la -), 316
(Théorie de la -), 320, 322-325
(Thèse de la -), 276, 320, 390, 454
Construction, xvii, 50, 70, 71, 202-205, 316
(- logique), 192, **275-276**, 456
Contenu (*Inhalt*), 89, 108, 224-226
(- d'un concept), 95, 107, 186
(- d'une proposition), 100, 126, 163
Contenu de vérité/fausseté, 417, 464
Contenu (*Gehalt*), 378
Contextualité (Principe de -), 195
Continuité (loi de -), 232, 233
(- démonstrative : *Lückenlosigkeit*), **184-187**
(- des constructions), 213, 217, 289
Contradiction, 4, 23, 36-38, 45, 53, 99, 109, 200, 216, 241, 251, 291, 361, 362, 383, 436, 458
Contradictoire (représentation -), 107, 108
Convention (conventionnel, conventionalisme), 54, 67, 71, 199, 275, 320, 323, 325, 326, 333, 334, **335-339**, 347, **369-370**, 374, 394, 403
Conversation, xxiv
Coordination, 67, 70
Copule, 103, 152, 188, 200, 201
Déclaration, 78, 439
Décomposition (*Zerlegung*), xvi, 3, 45, 48, 52, 69, 152, 164, 204, 205, 263, 302
Déduction, 13, 35, 147, 196, 203, 207, 217, 376
(- empirique), 278
(- formelle), 208-211, 253
Définition, 25, 75, 178, 184, 208, 210, 272, 399

(- transcendantale), XVI-XVII, 10, 14, 48, 51, 62, **65-78**, 84, 85, 108, 196, 197-217, 219, 234, 235, 249, 272, 284, 391, 440, 441, 443, 448
(- conditionnelle), 203, **213-214**
(- constitutionnelle), 277
(- diagnostique), 66, 71
(- fractionnée), 203, **214-218**, 447, 448
(- génétique), 12, 66, 72, 440
(- implicite), 203, **214**, 292
(- nominale), XVII, 9-15, 35, **65-78**, 438-440
(- ornementale), 201, 203
(- ostensive), 292
(- par postulat), 213
(- réelle), XVIII, 47, 65-78, 178, 205, 440
(- syntaxique), 363
(- par l'usage), 277, 278
(Principe supérieur de la –), **206-211**
(Rôle de la – dans la démonstration), 199-204, 217
Délimitation (Principe de stricte –) (*Scharfe Begrenzung*), 195-197
Démonstration, 15-21, 32-42, 47, 170, 201, 244, 258, 351-367, 433
Dénotation (*Bedeutung*), 108, **194-197**, 208-211, 220, 228, 229, 232, 233, 249, 284-289, 371
(- des fonctions), 193, 194, 196, 209
(- des fonctions propositionnelles), 283
(- logique), 347-351
(- des noms propres), 194-196, 209
(- des propositions), 103, 104, 106, 116, 189, 230, 236, 247
Dépourvu de sens (*Sinnlos*, opposé à *Unsinnig*), 337, 351
Dérivabilité (*Ableitbarkeit*), 132, **145-149**
(- logique), 360, 361, 444
Dérivation (fonction de –), 55, 56, 60, 68
Désaturation (principe de –), 209
Descriptif, 356, 358, 459
(foncteur –), 358
Description (définie), 291, 292, 298
(- structurale), 292
Détermination (*Bestimmung*), 164-167
(Principe de – complète), 212
Dialectique, 126, 330, **378-396**
Dictionnaire, 11, 74, 77
Dieu, 49, 82, 189
Différence (principe de –), 435

INDEX DES MATIÈRES

Distinction, (- d'un concept), 45, 51, 60
Dualité, 230, 281
Eclaircissement (*Erlaüterung*), 249-259
Ecriture (- formulaire), **187-197**, 209, 210, 234, 255, 261, 262
Egalité, 17, 21, 33-35, 37, 166, 190, 214, 219-221, 225, **228-230**, 351, 433
Empirisme, xiv, xv, xxvii, 6, 20, 22, 26-28, 43, 76, 178, 268, 273, 274, 277, 288, 290, 296, 326-328, 335, 399-418, **431-432**, 440, 463
(- logique), xiv, 20, 33, 233, 234, 277, 326, 335-6, 351, 410, 414
Encyclopédie, 47, 51
Enoncé, 83, 84, 103, 114, 158, 161-170, 189, 192, 237, 376-381
(- d'objet), 181, 285, 380
Entendement (*Verstand*), 14, 25, 26, 32, 36, 40, 43-45, 51, 53-54, 68, 77, 82, 178, 252, 261, 327, 418, 419, 435, 461, 463
Epistémologie, xxiv, 203, 221, 241, 250-258, 449
Equation, 33, 168, 169, 190, 215, 219
Equipollence, 237, 377
(P- -), 459
Equivalence, 115, 117, 165, 167, 220, 230, 236, 237, 441
(L- -), 441
(P- -), 460
Essence, 59, 70, 93, 94, 97, 100, 164, 232, 249, 331
(- de l'homme), 251
(- de la logique), 252, 456
(- des mathématiques), 20, 219, 256, 257, 262, 264
(- nominale), xv, 10-15, 20
(- réelle), xv, 10-15, 20-21, 70-72
Etat de chose (*Sachverhalt*), 112, 114, 118, 229, 276, 279, 451
(- de base), 280-281
Evaluation (*Auswertung*), 362, 458
Evidence, 52, 246, 247
(- des axiomes logiques), 242, 243, 246
Exclusion (*Ausschliessung*), 146
Existence, 7, 432, 434
Expérience, 24, 26, 32, 41, 42, 69, 73, 275, 283, 289-291, 295, 312, 336, 373, 374, 410, 415-419
Explicatif (jugement -), cf. « jugement ».
Explication (*Erklärung*), 74, 75, **164-165**
Explicitation (*Verständigung*), **165-167**
Exposition, 71, 72, 74
Extensif-ive, (connaissance -), 45
Extension (extensionnel), 92, 95, 107-112, 118, 121, 151, 193-194, 229, 230, 236-239, 278, 285, 319, 383

(- du sujet/prédicat), 106, **136-143**
(analyse –), cf. « analyse ».
Extensionalisme, 283-290
Extensionalité (Thèse d' –), 283-285, **382-385**
Fait (*matter of fact*), xv, 3, 28, 29, 32, 37, 40, 41, 411
Faux,104, 106-111, 118, 119, 126, 202, 210, 213, 462
(analytiquement -), 100, 101, 126, 140
(synthétiquement –), 141
Fonction, **189-190**, 209, 230
Fondement (- de l'arithmétique), 265-268, 348, 352-364, 366, 450
(- objectif), 24, 38, 153-158
Formalisme, 50, 53, 61, 110, 206-208, 215-217, 248, 295, 333, 344-350
Forme (formel),54, 57, 87, 89, **90-92**, 100, 120, 129, 133, 142, 184, **187-189**, 224, **253**, 276, 279, 281, 293, 296, 297, 301, 326, 355-357
(- syntaxique/figurative), 355, 356
(mode –), 384
(vérité –), cf « vérité »
Formé (concept –), cf. « concept ».
Génétique (définition -), cf. « définition ».
Genre (- dominant), **137-143**, 148, 149, 386-388
Géométrie, 17, 18, 33, 35, 49, 67, 224, 246, 247, 250, 271, 292, 436, 438
Identité (principe d' –), 46-53, 230-236
(proposition d' –), 7, 14, 15, 21, 152, 161, 163, 164, 248, 329, 433
(relation d' –), xvii, 4, 7, 18, 44, 46, 55, 56, 203, 205, 207, 208, 219-239, 304, 306-308, 441, 448
(relation d' – partielle), 306, 307
Idéographie, cf. « Ecriture formulaire ».
Imagination, 26, 27, 30-32, 53, 56, 390, 405, 418, 435
Implicite, 46, 48, 51-53, 85, **374-376**
Imprédicatif, 211, **341-367**
Incomplétude (- des définitions), 69, 72, 213
(- de l'énoncé), 114
(Théorèmes d' –), 267, **351-364**
Impression (- de réflexion), 32, 290
(- de sensation), 290
Indécidable, 353, 357, 363, 368, 457
Indicateur (caractérisant, signe distinctif, *Kennzeichen*), 281, 282
Indiscernables (Principe des –), 228-229, **230-233**
Indiquer (*Andeuten*), 163, **216**

INDEX DES MATIÈRES

Individu, 149, 195, 339
Induction, XIX, 20, 395, 424
Ineffectif (indefinit), 354, **359-362**, 366-368, 458
Inhérence, 28, **191**
Insaturé (*Ungesättigt*), 190-192, **194-195**
Intension, 108-110, 235, 236, 239, 287, 302, 303
Intensionnel (langage –), 383, 384, 389
Interprétation (*Deutung*), 347, 366, 368, **376-378**
Intuition (- empirique), 17, 18, 34-36, 75, 256, 263, 437
(-pure), 16, 25, 49, 50, 53, 66, 67, 71-73, 248, 260, 262, 274, 440
Intuitionnisme (-ste), 53, 265
Isomorphie, 189, 192, 285, 286, 441, 460
Isomorphisme, 53, 81
(- intensionnel), 235, 441
Jugement, 37, 58, 247
(- explicatif), 3, 25, 27, 76
(- d'observation), 3, 10, 12, 19
Langage unitaire, 348-351, 383, 392
Limites (- de la connaissance), 26, 48, 177, 263, 264, **325-331**
(- du langage), 406
(- de la logique), 245
Logicisme (- absolu), XVIII, 343
(Premier –), 182, 229, 231, 254, 264, 267, 275, 283, 333, 337, 338, 451
(Second –), XIX, 345, 350, 353, 357, 402, 406, 456, 458
(- de Russell), 338-344, 450, 455
Logique, X-XIV, 38, 39, 54, 83, 87-89, **90-93**, 98, 132, 143, 149-152, 171, 182, 184, 188-190, 203, 221, 224, **245-253**, 256, 264-265, **274-275**, 281, 311, 313, 326, 340, 356, 402, 403, 421, 423
(- formelle), XI, XIII, XIV, XXIV, XXVII, 13, 44, 188, **354-355**, 405
(- générale), XI-XIII, 44, 52, 55
(- de la science), XIV, 334, 373, 378, 386, 391-392
(- transcendantale), XI, XIII, XV, XXIV, 44, 54-57, 164, 374
(- /extralogique), 89, 92, 130-132, 135, 143, 306, 317
(acte –), 57
(composante –), 89, 237, 272, 285, 392
(Concept –), 136, 237, 253, 265, 295, 348-349
(Loi –), XVI-XVII, 120, 187, 238-239, 241-257, 293
(Objet –), 238, 253
(Proposition –), XVII, 182, 337, 366, 392
(Stérilité de la –), 190, 225, 260, 263

Loi V, 229
Matériel (mode), 384, 386, 389
Mathématiques, 15-21, 23, 24, 28, 32-36, 48, 49, 67, 72-75, 131, 150, **153-159**, 184-187, 190, 212, 213, 255, 257, 343, 345, 348-352, 366, 402, 434, 439, 458
Matière (par opposition à « forme »), 87-92, 98, 149, 224
Métalangue, 91, 111-113, 165, 166, 207, 220, 225, 335, 339, 349, **353-359**, 365, 378
Métamathématique, 348, 354, 355, 456
Métaphysique, VII, XXVII, 24, 27, 52, 184, 207, 263, 328-330, 336, 386, 392, 393, 411, 412, 460
Métasystématique, IX, 182, 203, 206, 221, 261, 292, 323, 325
Mode, 9, 15, 20, 105, 433
(- simple), 15, 16, 433
(- composé), 16
(- autonyme), cf. « autonyme ».
(- formel), cf. « formel ».
(- matériel), cf. « matériel ».
Morale, 14, 17, 33, 39, 76, 444
Mot universel (*Allwort*), 385-389
Nécessaire, 7, 8, 13, 16, 36, 44, 67, 75, 119, 247, 251, 343, 367, 434
Nom propre, 83, 194-197, 209, 230, 287, 445
Nombre, 17, 18, 24, 28, 33, 34, 36, 53, 197, 207, 210, 231, 233, 266, 304, 338-343, 347, 349, 350, 357, 358, 433, 435, 436, 447
(- formulaire), 356-358
(- de série), 357, 358
Nominal(e) (connaissance –), 10-16, 43, 161, 164, 166, 205, 374, 388, 394, 433
(Définition –), cf. « définition ».
(Essence –), cf. « essence ».
Nominalisation (- de la Philosophie), 391-394
Objectivité (*Gegenständigkeit*), 101, **103-104**, **107-109**, 115-117, 388, **443**
(-, *Objektivität*), 195-197, 215, **296-297**, 422
Objet (par opposition à « concept »), cf. « concept ».
Ontotranscendantal, XVIII, XXVI, 177, 257, 262, 296, 400, 406, 414, 419-421, 423, **426-427**
Optimisme, 261-262, 290
Paradoxe, 250, 275, 284
(- de l'indivisibilité de la base), **301-303**
(- de Löwenheim-Stolem), 458
(- de Russell), 264, 265, 271
(- sémantique), 362

INDEX DES MATIÈRES

Cf. aussi « antinomie ».
Parcimonie (Principe de –), 277
Parcours de valeur (*Wertverlauf*), **192-193**, 210, 211, 229, 230, 265
(Réduction d'une fonction de 2e ordre à un –), 230
Pensée (*Gedanke*), XVII, 83, **189-190**, 192, 237, 257
Phénoménalisme, 31 **288-291**
Phénomène, 82-84, 176
Philosophie première, 392, 414
Physicalisme, 289, 358
Physique, 17, 19, 24, 30, 73, 233, 275, 376, 378, 459
Possible, 77, 104, 281, 438
(concept –), 94, 95, 119, 197, 441
(- logique/réel), 49, 53
Pragmatique, **372**, 393, 413, 460
Prédicat, 10, 11, 44-49, 60, 78, 85, **93-94**, 104, 110, 116, 137, 141, 142, 189-191, 193-195, 232, 233, 356, 387, 432
Prédiction, 275, 376, 418
Probabilité, 14, 73, 118, 119, 146
Proposition (*Satz*), XIII, 10-11, 15, 25-27, 47, 238, 318, 319
(- en soi, *Satz an sich*), XIII, XVI, XVII, **82, 84**, 86, 87, 90, 92, 100, **103-122**, 171, 441
(interprétation prédicative de la –), 189-192
Propriété (*Eigenschaft*), 50, 51, 69, 77, 105, 193
(- par opposition à « composante »), **95-99**, 191, 192
(- interne), 281
Pseudo-énoncé d'objet, 382
Qualité (occulte), 77, 441
(- première), 8, 13, 76
(- seconde), 8, 11, 15, 76
(Classe de –), cf. « classe ».
Quantification, 89, 120, 188, 192, 210, 361, 362
Quasi-analyse, 292, 301-319, 375
(- et analyse), cf. « analyse ».
Quasi-composante, 302-305, 311
Quasi-division, 301-303
Quasi-objet, 287, 321
Quasi-syntaxique, 319, **378-385**
Raison suffisante (Principe de –), 41, 42, 93, 232
Rationalisme, XV, 27, 41, 276, 290, 395, 411, 413-416, 420, 424, **431**
(- critique), 6, 414, 419
Réalisme (-iste), 70, 88, 110, 117, 192-197, 204, 205, 213, 220, 250, 251, 253, 256, 261, 264, 267, 273, 274, 283, 289, 295,

305, 314, 318, 333, 345, 347, 422, **446**, 452
(Langage –), 279, 285
Reconstruction,
(- rationnelle), xix, xxii, 313, 314, 376
Recouvrement (- accidentel), 315, 316, 390
(- essentiel), 315, 316, 391
Réductibilité (Axiome de –), 230, 337, **341-347**
Réduction, 205, 219, 229, 230, 257, 264-266, 272, **277-284**, 291, 407, 451
Réductionnisme, 31, 205, 220, 289, 345, 405
Réel(le), 4, 61, 119
(connaissance –), 17, 20, 61, 164, 205, 232, 374, 438
(définition –) cf. « définition ».
(essence –), cf. « essence ».
(prédication –), 12, 16, 17
Référence, cf. « dénotation ».
Réflexion, 56, 62, 77, 328-329, 403, cf. « impression ».
Règle, 33, 170, 171, 206-208, 235, 252, 277, 331, 334, 335, 372
(- de la constitution), 323, 324
(- de la définition), 200, 201, 206-211
(- de formation), 196, 323, 369, 375, 390
(- syllogistique), 150, 151
(- de transformation), 185, 323, 369, **370**, 372-375, 391, 458-459
(- et pensée formelle), **354-356**
Relation, 290, 291
(- de base), 290, 294
(- externe), 23, 24, 29, 33, 36
(- fondée), 294, 295, 299
(- d'idée), x, xv, 3, 28,-42, 411
(- interne), 28-33, 232, 319
(- naturelle), 30, 38, 434, 435
(- d'objet), cf. « fait ».
(- philosophique), 30, 31, 435
(Théorie des –), 301, 306, 323
Représentation (*Vorstellung*), 4, 56, 57, 61, 83, 184, 286-288
(- en soi, *Vorstellung an sich*), **82**, **86-87**, 89, 94-98, 107, 108, 441, 442
Résolution, 3, 46-48, 69, 111, 164
Ressemblance, 30, 31, 34, 304, 391, 418, 462
(- mémorielle, *Aehnlichkeitserinnerung*), 290, 302
(- partielle, *Teilähnlichkeit*), 301, 308, 309, **315-319**
(- entre qualités, Aq), 317, 318
Restriction, 136, 137, 142, 146, 213, 387
Rhétorique pure, 171, 172

INDEX DES MATIÈRES

Saturé (*Gesättigt*), 190, 191, 193, 194, 197, 209, 287
Science, XIII, XIV, XVIII, 40-42, 298, 299, 185, 271, 272, 315, 327, 329, 338, 395
(Unité de la –), 184, 252, 253, 272, 274, 276, 298, 349, 354, 391-393, 403, 414
Scolastique, 9, 13, 14, 39, 43, 71, 87, 93
Sémantique, XVIII, 91, **112-113**, 142, 143, 149, 206, 210, 212, 221, 372, 460, 461
Sens (sensoriel), 250, 251, 256, 433
Sens (*Sinn*), 74, 83, 84, 168, 194-197, 214, 226, 227, 233, 236, 237, 248, 262, **286-287**, 378, 442
(- cognitif ou imagé), 286-288
(- formel), 348
(- logique), 287, 291
(- d'un concept), 97, 107, 196, 197, 368
(- d'un nom propre), 195
(- d'une proposition), 115, 189, 195
Signe, 48, 49, 62, 82, 91, 121, 122, 163, 165-167, 197, 204-206, 214, **222-228**, 287, 346, **354-356**, 358, 439
(- fondé), 304, 305
(- mathématique), 176, 229, 233, 348-350
Simple (Idée), 8, 30, 31, 49, 56, 69, 153, 154, 164, 249, 302
(Principe de –), 213, **215-217**
Somme, 153, 154, 163
Source (- de connaissance), 44, **243-247**, 250, 251, 256-258, 265, 375, 386
Structuralisme (Principe du –), 286, **291-294**, 296-299
Subordination, 191, 446
Subsomption, 191, 192
Substance, 8, 9-13, 15, 16, 105, 177, 232, 434
(Postulat de la –), 13
(Théorie des – individuelles), 231, 232
Substitution, 48, 49, 62, 89, 90, 115, 117, 123, 126, 140-142, 157, 228, **233-236**, 253, 278, 285, 387, 458
Suffisance, 61, 66, 67, 69, 76
Sujet, 47, 49, 59, 60, 78, 85, 88, 93-95, 97, **103-105**, 107, 110, 116, 136, 137, 142, 147, 164, 189-191, 432
Supposition, 88, 89
Syncatégorème, **87-90**, 188
Synonymie, 117, 118, 163, **164-165**, 237, **369-374**, 376, 377, 449
(L- –), 370, 371, 458
(P- –), 370, 458, 459
Syntaxe, (-ique), 206-208, **353-359**, 365-374
(- descriptive), 355, 358, 460

(- pure), (analyticité de la -), 356, 357, 369-374, 385
(- spéciale), 358
(- Universelle, *Allgemeine*), XIX, XXVI, 368-394
(Lettre -), 121, 133, 191
Synthèse, 45, 54, 61, 67, 68, 72, 73, 191, 255, 301, **321-325**, 339, 418, 433, 438, 440, 453
Synthétique, 5, 9, 21, 52, **57-59**, 73, 77, 93, 97, 99, 140-142, 150-153, 155, 157, 162-164, 169, 176, 178, 181, 203, 221, 224, 242-244, 292, 294, 319, 370, 371, 374, 379, 388, 443, 445
(- à priori), 20, 24, 44, 76, 93, 94, 261, 271, 274, 326, 329, **335-338**, 359, 360, 390, 399, 404, 411, 418
Système, XXVI, **183-187**, 193, 203, 204, 273
(- de l'arithmétique), 181, 186, 203-210, 241, 255, 267
(- et écriture formulaire), 187, 188, 206
(- de concepts), 271, 272, 284, 325, 328
(- de constitution), 31, 277, 287-289, 298, 301, 320
(- des sciences), cf
« Science » (unité de la -).
Tautologie (-ique), 35, 45, 46, 77, 84, 161, **167-170**, 199, 202, 285, 325, 326, 335, **337-339**, 340, 345, 350-353, 357, 360, 362, 433, 455, 459
Tiers exclu, 196
Tolérance (Principe de -), **367-369**, 374, 389, 402, 411, 464
Topique, IX-XXIV, XVI, XXVII, 4, 6, 13, 22, 36, 84, 129, 177, 185, 186, 201, 219, 256, 257, 260, 326, 371, 374, 392, 399-406, 414-416, 432, 464
Tout (*Ganzes*), 302
Traduction, 266, 284, 365-367, **376-378**, 385, 393, 460
(- radicale), 460
Traité (*Lehrbuch*), 133, 155, 162, 170-174, 177, 178, 203, 422
Transcendantal, IX, XIII, XVII, XVIII, 13, 22, 44, 53, 60, 76, 82, 150, 177, 184, 245, 255, 256, 261, 262, 274, 286, 296, 326, 329, 392, **399-401**, 403-405, 414-416, 432, 464
Transformance, 460
Types (Théorie des -), 266, 299, 327, 341, 385
Unité (- de la science), cf. « Science » (unité de la -).
Universalité
(- numérique), 344
(- spécifique), 344
(- des formes *a priori*), 67, 255
(- de la science), 256, 296, 345, 392, 397, 431
(- des vérités logiques), 247, 252, 253, 255, 265
Universel (mot -), cf. « Mot ».
Validité, 81, **113-123**, 134, 135, 146, 147, 149, 370

(- formelle), 359, 360
(- logique), 340, 344, 371, 387, 388, 459
(P - -), 363, 371, 374-376, 391, 459, 460
Valuation (*Wertung*), **362-364**, 458
Variable, 113, **120-123**, 209, 210, 389
Variation, 81, 90, 92, 99, 100, 104, 114-122, 125, 126, 135, 141, 142, 149, 151, 156, 157, 196, 212, 387
Vécus (*Erlebnisse*), 289, 290, 300, 301, 305, 307, 319
Vérifiabilité (Principe de –), 281, 286, 289, 298, 320, 327, 334, 336, 367, 368
Vérisimilitude, 416, 422, 464
Vide (concept –), 192, 446
(jugement –), 46, 78, 100
(occurrence –), 126, 127, 152, 154, 155
(représentation –), **107-109**
Vrai, Vérité, 47, 48, 81, **99**, 104, **106-113**, 126, 133, 136, 137, 142, 157, 158, 168, 171-173, 178, 190, 191, 193, 196, 210, 221, 238, 241-243, 251-253, 256, 267, 362, 365, 388, 416, 417, 432
(- des axiomes), 248, 249, 365
(- par définition), 62, 74
(- de fait), 3, 21, 49, 97, 224
(- formelle), 109, 111, 126, 241
(- logique), xi, xvi, 129, 130, 135, 136, **181-183**, 186, 193, 224, 245, 257, 296, 344, 345, 351, 371
(- de raison), 3, 21, 49, 97
(- synthétique), 149
(- transcendantale), xi
(contenu de –), cf. « contenu ».

TABLE DES MATIERES

INTRODUCTION VII

SECTION I : KANT ET SES « DEVANCIERS » 1
    Chapitre I : L'« indication » de Locke 3
    Chapitre II : L'« erreur » de Hume 23
    Chapitre III : Kant critique de Leibniz : caractère et analyticité 43
    Chapitre IV : Définition et analyticité chez Kant 65

SECTION II : LA RENOVATION BOLZANIENNE DE L'ANALYTICITE 79
    Chapitre I : Critique de la définition traditionnelle 81
    Chapitre II : Proposition, vérité et validité 103
    Chapitre III : La théorie de la proposition analytique de Bolzano 125
    Chapitre IV : Epistémologie de l'analyticité ... 145
    Chapitre V : Analyticité et rhétorique de la Science 161

SECTION III : FREGE ET L'HYPOTHESE DE L'ANALYTICITE 179
    Chapitre I : Le langage du système 181
    Chapitre II : Comment la définition devient analytique 199
    Chapitre III : Identité objectuelle et analyticité du système 219
    Chapitre IV : Du statut des axiomes : l'analytique en germe 241

SECTION IV : LES STRATEGIES FONDATIONNELLES DE RUDOLF CARNAP 269
    Chapitre I : D'un pari à l'autre 271
    Chapitre II : Le procédé de la quasi-analyse ... 301
    Chapitre III : Le nouveau projet fondationnel 333
    Chapitre IV : Conventionalité, tolérance et syntaxe universelle 365

CONCLUSION 397

NOTES 429

BIBLIOGRAPHIE 465

INDEX DES AUTEURS 481

INDEX DES MATIÈRES 489

TABLE 503

— ACHEVÉ D'IMPRIMER —
LE 4 SEPTEMBRE 1986
SUR LES PRESSES DE
L'IMPRIMERIE
CARLO DESCAMPS
CONDÉ - SUR - L'ESCAUT
POUR LE COMPTE
DE LA LIBRAIRIE
ARTHÈME FAYARD
75, RUE DES SAINTS-PÈRES
PARIS VIe

Dépôt légal : septembre 1986
N° d'éditeur : 2210
N° d'imprimeur : 4320

35-10-7616-01
ISBN 2-213-01844-8

Imprimé en France

35-7616-2